D1213824

Zu diesem Buch

«Es geht mir also um eine Geschichte der Handlungs- und Verhaltensformen der Christenheit, jenseits aller institutionellen und konfessionellen Schranken. Ich schreibe die Geschichte der unentwegten Verschränkung von sogenannter weltlicher und geistlicher Politik, samt den säkularisierten Folgen dieser Religion: die Kriminalität in der Außenpolitik, in der Agrar-, Handels- und Finanzpolitik, in der Bildungspolitik, in der Kultur, der Zensur, bei der fortgesetzten Verbreitung von Unwissenheit und Aberglauben, der skrupellosen Ausnutzung der Sexualmoral, des Eherechts, des Strafrechts. Ich schreibe die Geschichte der klerikalen Kriminalität bei privater Bereicherung, beim Ämterschacher, beim frommen Betrug, im Wunder- und Reliquienkult, bei den verschiedensten Arten der Fälschungen etc., etc. Kurzum: Ich schreibe eine Geschichte des Verbrechens in der ganzen Breite des staatlichen, kirchlichen und gesellschaftlichen Lebens der Christenheit.»

Karlheinz Deschner

Der Autor

Karlheinz Deschner, geboren 1924 in Bamberg. Im Krieg Soldat; studierte Jura, Theologie, Philosophie, Literaturwissenschaft und Geschichte. Sein Roman «Die Nacht steht um mein Haus» (1956) erregte Aufsehen, das sich ein Jahr später bei Erscheinen seiner Streitschrift «Kitsch, Konvention und Kunst» zum Skandal steigerte. Seit 1958 veröffentlicht Deschner seine entlarvenden und provozierenden Geschichtswerke zur Religions- und Kirchenkritik. Für sein aufklärerisches Engagement und für sein literarisches Werk wurde Deschner 1988 – nach Koeppen, Wollschläger, Rühmkorf – mit dem Arno-Schmidt-Preis ausgezeichnet, im Juni 1993 – nach Walter Jens, Dieter Hildebrandt, Gerhard Zwerenz, Robert Jungk – mit dem Alternativen Büchnerpreis und im Juli 1993 – nach Andrej Sacharow und Alexander Dubček als erster Deutscher – mit dem International Humanist Award.

KARLHEINZ DESCHNER

Kriminalgeschichte des Christentums

Erster Band
DIE FRÜHZEIT

Von den Ursprüngen im Alten Testament
bis zum Tod des hl. Augustinus (430)

ROWOHLT

18.–20. Tausend Januar 1999

Veröffentlicht im Rowohlt Taschenbuch Verlag GmbH,
Reinbek bei Hamburg, Februar 1996
Unveränderter, fotomechanischer Nachdruck
Copyright © 1986 by Rowohlt Verlag GmbH,
Reinbek bei Hamburg
Alle Rechte vorbehalten
Umschlaggestaltung: Werner Rebhuhn
(Kopf des römischen Kaisers Konstantin I.,
genannt «der Große»,
Fragment einer Monumentalstatue
im Palazzo degli Conservatori in Rom)
Gesamtherstellung Clausen & Bosse, Leck
Printed in Germany
ISBN 3 499 19969 6

Gewidmet besonders meinem Freund Alfred Schwarz und allen, deren selbstlosen Beistand ich, nach dem steten meiner Eltern, dankbar erfuhr:

Wilhelm Adler
Prof. Dr. Hans Albert
Lore Albert
Klaus Antes
Else Arnold
Josef Becker
Karl Beerscht
Dr. Wolfgang Beutin
Dr. Otto Bickel
Dr. Dieter Birnbacher
Dr. Eleonore Kottje-Birnbacher
Kurt Birr
Dr. Otmar Einwag
Dr. Karl Finke
Franz Fischer
Kläre Fischer-Vogel
Henry Gelhausen
Dr. Helmut Häußler
Prof. Dr. Dr. Norbert Hoerster
Prof. Dr. Walter Hofmann
Dr. Stefan Kager und Frau Lena
Hans Kalveram
Karl Kaminski und Frau
Dr. Hedwig Katzenberger
Dr. Klaus Katzenberger
Hilde und Lothar Kayser
Prof. Dr. Christof Kellmann
Dr. Hartmut Kliemt
Dr. Fritz Köble
Hans Koch
Hans Kreil
Ine und Ernst Kreuder
Eduard Küsters

Robert Mächler
Jürgen Mack
Volker Mack
Dr. Jörg Mager
Prof. Dr. H. M.
Nelly Moia
Fritz Moser
Regine Paulus
Hildegunde Rehle
M. Renard
German Rüdel
Dr. K. Rügheimer u. Frau Johanna
Heinz Ruppel und Frau Renate
Martha Sachse
Hedwig und Willy Schaaf
Friedrich Scheibe
Else und Sepp Schmidt
Dr. Werner Schmitz
Norbert Schneider
Dr. Gustav Seehuber
Dr. Michael Stahl-Baumeister
Prof. Dr. Dr. Wolfgang Stegmüller
Almut und Walter Stumpf
Artur Uecker
Dr. Bernd Umlauf
Helmut Weiland
Klaus Wessely
Richard Wild
Lothar Willius
Dr. Elsbeth Wolffheim
Prof. Dr. Hans Wolffheim
Franz Zitzlsperger
Dr. Ludwig Zollitsch

INHALT

9. KAPITEL: Kirchenlehrer Ambrosius (um 333 oder 339–397) 399

10. KAPITEL: Kirchenlehrer Augustinus (354–430) 461

NACHBEMERKUNG 531

Die Anmerkungen, Literaturhinweise und Register wird der Leser am Ende des zweiten Bandes finden, der die Darstellung der Antike abschließt.

ÜBER DEN THEMENKREIS, DIE METHODE, DAS OBJEKTIVITÄTSPROBLEM UND DIE PROBLEMATIK ALLER GESCHICHTSSCHREIBUNG

«Wer Weltgeschichte nicht als Kriminalgeschichte schreibt, ist ihr Komplize.» K. D.[1]

«Ich *verurteile* das Christentum, ich erhebe gegen die christliche Kirche die furchtbarste aller Anklagen, die je ein Ankläger in den Mund genommen hat. Sie ist mir die höchste aller denkbaren Korruptionen . . . sie hat aus jedem Wert einen Unwert, aus jeder Wahrheit eine Lüge, aus jeder Rechtschaffenheit eine Seelen-Niedertracht gemacht . . . Ich heiße das Christentum den *einen* großen Fluch, die *eine* große innerlichste Verdorbenheit, den *einen* großen Instinkt der Rache, dem kein Mittel giftig, heimlich, unterirdisch, *klein* genug ist – ich heiße es den *einen* unsterblichen Schandfleck der Menschheit . . .» Friedrich Nietzsche[2]

«Im Namen des Herrn sengen, im Namen des Herrn brennen, morden und dem Teufel übergeben, alles im Namen des Herrn.» Georg Christoph Lichtenberg[3]

«Den Historikern sind die Kriege wie heilig, diese brechen, heilsame oder unvermeidliche Gewitter, aus der Sphäre des Übernatürlichen in den selbstverständlichen und erklärten Lauf der Welt ein. Ich hasse den Respekt der Historiker vor irgendwas, bloß weil es geschehen ist, ihre gefälschten, nachträglichen Maßstäbe, ihre Ohnmacht, die vor jeder Form von Macht auf dem Bauche liegt.» Elias Canetti[4]

Die hochgestellten Ziffern verweisen auf die Anmerkungen am Ende des zweiten Bandes, der die Darstellung der Antike abschließt. K.D.

ICH SAGE ZUNÄCHST, was der Leser nicht erwarten kann.

Wie in allen meinen Kritiken des Christentums, fehlt hier vieles, was zwar *auch* zu dessen Geschichte gehört, aber nicht zur Verbrechensgeschichte des Christentums, die der Titel verspricht. Was *auch* dazu gehört, füllt Millionen Schriften in Bibliotheken, Archiven, Buchhandlungen, Akademien, auf den Dachböden der Pfarrhäuser, und jeder kann da lesen, solang sein Leben ausreicht, seine Geduld und sein Glaube.

Nein, mich reizt es nicht, etwa über die Menschheit als «brennbare Masse» für Christus zu sprechen (Dieringer) oder über die «Heizkraft» des Katholizismus (v. Balthasar) – außer bei Gelegenheit der Inquisition. Ebensowenig treibt's mich, die Gemütlichkeit zu rühmen, die in «den katholischen Ländern herrschte ... bis in die jüngste Gegenwart» oder die «Offenbarungswahrheiten mit dem größten Fröhlichkeitscharakter», mag sie Katholik Rost auch zum «Wesen des Katholizismus» zählen.

Ich kann mich auch nicht entschließen, den «gregorianischen Choral» herauszustellen, «Landschaften mit Wegkreuzen» oder «die barocke Dorfkirche», die Walter Dirks so liebte. Noch weniger lockt es mich, den annus ecclesiasticus zu würdigen – zum Beispiel den «Weißen Sonntag», trotz des napoleonischen Diktums, natürlich kurz vor dem Tod geäußert: «Der schönste und glücklichste Tag meines Lebens war der Tag meiner ersten heiligen Kommunion» (mit «Imprimatur»). Oder soll ich sagen, daß das vierte Konzil von Toledo (633) das Singen des Alleluja nicht nur für die Karwoche, sondern für die ganze Fastenzeit verbot? Daß es befahl, die trinitarische Doxologie am Ende der Psalmen müsse «Gloria et honor patri» lauten und nicht bloß «Gloria patri»?[5]

Und auch über gloria et honor ecclesiae wird wenig verlauten, nichts über vermeintliche oder, ausnahmsweise, wirklich positive Folgen des Christentums. Ich beantworte nicht die Frage: Wozu ist das Christentum gut? – den Titel gibt es schon. Es gibt Tausende, Hunderttausende, die diese Religion verteidigen, bejubeln, Bücher, in denen man mit der – bei allen «Flecken», «Fehlern», «Schwächen», bei aller «menschlichen Unzulänglichkeit» – ach, so ehrwürdigen, ruhmreichen Vergangenheit, dem so «lichtvollen Gang der Kirche durch die Zeiten» protzt (Andresen), mit «*der* Kirche» auch, wie hier, im folgenden Zitat und meist, ist sie doch «*Eine*», «der fortlebende Christus» und «*heilig*», denn «ihr Wesen ist Heiligkeit, ihr Zweck ist die Heiligung» (Benediktiner von Rudloff); während alle anderen, voran die «Ketzer», immer im Unrecht stecken, unsittlich, verbrecherisch, total korrupt sind, zugrunde gehen, bereits gegangen sind, oder die, erkennen ihnen «fortgeschrittene», doch Licht und Schatten noch immer vorteilhaft verteilende Kirchenhistoriker eine gewisse Verdienstlichkeit zu, eben auch den ewigen Heilsprozeß und -progreß mitgefördert haben.[6]

Es versteht sich von selbst, daß all das Bedauerliche dabei – Glaubenskampf, Verfolgung, Pest, Krieg, Hungersnot – gottgewollt ist, unerforschlich oft, gewiß, doch nur allzu berechtigt, voller Sinn und Heilskraft wieder, aber voller Heimzahlung auch: «Die Rache dafür, daß die katholische Kirche, daß das Papsttum bekämpft, anstatt als Führungsprinzip anerkannt wurde» (Rost).[7]

Ist es bei dem gigantischen Übergewicht all der verdummenden, täuschenden, lügenden Glorifikationen nicht notwendig, auch das Gegenteil zu zeigen, zu lesen? Zumal dafür so viel mehr spricht? Ist eine negative Christentumsgeschichte nicht geradezu das Desiderat, nach dem alle Lobhudeleien schreien oder doch schreien machen sollten? Zumindest jeden, der auch die schlimme Seite sehen will, die eigentliche Seite der Sache?

Der Grundsatz «audiatur et altera pars» gehört in eine Anklage kaum. Dennoch erscheinen Preisredner häufig – zugegeben, meist kurz, sarkastisch, wie ich überhaupt ihr Studium hier, in Hunderten von Diskussionen und sooft es möglich ist, ausdrücklich empfehle, gar nicht genug empfehlen kann: vorausgesetzt man vergleicht sie wenigstens mit einigen fundierten Gegenschriften.

Den Leser erwartet eine «Kriminalgeschichte des *Christentums*», also nicht nur eine *Kirchen*geschichte. (Die Unterscheidung von Kirche und Christentum ist relativ jung, allgemein bekannt sogar erst seit der Aufklärung, und gewöhnlich mit einer Abwertung der Kirche als überholter Glaubensvermittlerin verbunden.) Gewiß ist dieses Unternehmen in weiten Teilen Kirchengeschichte, eine Darstellung von institutionellen Kirchentümern, Kirchenvätern, Kirchenführern, von rein kirchlichen Machtambitionen und Gewaltunternehmen, rein kirchlicher Ausbeutung, rein kirchlichem Betrug, rein kirchlicher Verdummung.

Gewiß werden die sogenannten christlichen Großkirchen eingehend betrachtet, besonders das Papsttum, «das künstlichste aller Gebäude», das Schiller «nur durch eine fortgesetzte Verleugnung der Wahrheit erhalten» sieht, das Goethe «Babel» und «Babylon» schimpft, «Mutter so vieles Betrugs und Irrtums». Doch noch die außerkirchlichen Formen des Christentums werden ausführlich einbezogen, die Häresiarchen neben den Häresiologen, die Sekten, Sonderbünde, und alle gemessen nicht nur an den generellen Begriffen des Kriminellen, Humanen, sondern auch an den zentralen ethischen Gedanken der Synoptiker, am christlichen Selbstverständnis als Religion der Frohen Botschaft, der Liebe, des Friedens, als «Heilsgeschichte» auch; ein freilich erst im 19. Jahrhundert entstandener, im 20. von evangelischen Theologen wie Barth und Bultmann bekämpfter, inzwischen aber selbst von Protestanten gern gebrauchter Begriff, der den Zeitraum von der «Erschaffung» der Welt (oder der ersten «Ankunft Christi») bis zum «Jüngsten Gericht» umschließt – «alles Sichereignen von Heil (und Unheil)»: Darlapp[8].

Gemessen wird das Christentum aber auch an den mißachteten Forderungen der späteren Kirche, wie Verbot des Kriegsdienstes zunächst für alle Christen, dann für den Klerus, Verbot der

Simonie, des Zinses, des Wuchers und anderer Dinge mehr. «Das Christentum ist die Frohbotschaft der Freude», schrieb der hl. Franz von Sales, «und wenn es keine Freude bringt, ist es kein Christentum.» Und für Papst Leo XIII. «wird auch das übernatürliche Prinzip der Kirche daran erkennbar, daß man sieht, was durch sie geschieht und getan wird»[9].

Nun besteht bekanntlich ein schreiender Widerspruch zwischen dem Leben der Christen und ihrer Lehre, ein Widerspruch, den man seit je durch den ewigen Gegensatz von Ideal und Wirklichkeit zu entschärfen, zu bagatellisieren sucht – vergeblich. Verdammt doch keiner das Christentum, weil es seine Ideale nicht ganz, nicht halb oder noch weniger realisiert. Aber es faßt, so sagte ich 1969 in einer Rede, die mich vor den Richter brachte, «den Begriff des Menschlichen und selbst des Allzumenschlichen doch etwas weit, wenn man von Jahrhundert zu Jahrhundert, von Jahrtausend zu Jahrtausend genau das Gegenteil realisiert, kurz, wenn man durch seine ganze Geschichte als Inbegriff und leibhaftige Verkörperung und absoluter Gipfel welthistorischen Verbrechertums ausgewiesen ist»[10].

Darum also geht es. Man verfehlt das Ideal nicht nur partiell, nur gradweise, nein, man schlägt ihm sozusagen ständig ins Gesicht und spielt sich zugleich mit aller Prätention als Verfechter seines Ideals auf, ja, als erste Moralinstanz der Welt. Der Erkenntnis solcher Heuchelei, Ausdruck nicht «menschlicher Schwäche», sondern geistlicher Niedertracht ohnegleichen, entsprang diese Kriminalgeschichte: *Gott geht in den Schuhen des Teufels* (s. Nachbemerkung).

Dabei ist meine Arbeit aber nicht nur Kirchengeschichte, sondern eben, wie der Titel sagt, eine Historie des *Christentums*, eine Geschichte christlicher Dynastien, christlicher Fürsten, christlicher Kriege und Scheußlichkeiten, eine Geschichte jenseits aller institutionellen oder konfessionellen Schranken, eine Geschichte vieler Handlungs- und Verhaltensformen der Christenheit, einschließlich der säkularisierten Folgen, die sich, gelöst vom Ausgangspunkt, innerhalb der Kultur, Wirtschaft, Politik, in der ganzen Breite des gesellschaftlichen Lebens, entwickelt haben.

Sind doch die christlichen Kirchengeschichtler selbst darin einig, ihre Disziplin umspanne «den weitestmöglichen Radius christlicher Lebensäußerungen» (K. Bornkamm), integriere alle «nur denkbaren Dimensionen geschichtlicher Wirklichkeit» (Ebeling), sogar «mit allen Veränderungen inhaltlicher, sachlicher Art» (Rendtorff).[11]

Die Geschichtsschreibung unterscheidet zwar zwischen sogenannter Profangeschichte (ein von Theologen wie Historikern gebrauchter Begriff: der Gegensatz zu Heil, zu heilig) und Kirchengeschichte, freilich erst seit dem 16. Jahrhundert eine eigene Disziplin. Doch wie sehr sich beide – nicht zufällig! – auch auseinanderschrieben, tatsächlich ist Kirchengeschichte nichts als ein Teilgebiet der Gesamtgeschichte, versteckt sie sich auch, im Unterschied zu dieser, als «Heilsgeschichte» gern hinter «Gottes Heilshandeln», dem «Miteinander von göttlicher Huld und menschlicher Schuld» (Bläser), hinter der providentia, metaphysischer Tiefgründigkeit – dem Mysterium.[12]

Katholische Theologen leisten dabei oft Stupendes. Für Hans Urs von Balthasar etwa, einst Jesuit und nach seinem Ordensbruder Karl Rahner als bedeutendster katholischer Theologe des Jahrhunderts eingeschätzt, ist der innerste Vorgang der Geschichte die «Ergießung» des «Samen Gottes . . . in den Schoß der Welt hinein . . . Zeugung und Empfängnis aber vollziehen sich in einer Haltung äußerster Preisgegebenheit und Übersichtslosigkeit . . . Die Kirche und die Seele, die den Namen des Wortes und des Sinnes empfangen, können ihn nur in einer fraulichen Öffnung und Bereitschaft entgegennehmen, die sich nicht sträubt, nicht krampft, keine männliche Gegenleistung versucht, vielmehr im Dunkeln sich gibt.»[13]

In Wirklichkeit hängt diese so mysteriös – und hier so peinlich – vernebelte, angeblich historisch-kritisch getriebene, tatsächlich unter Verzicht auf (rationale) Erkenntnis fabulierte «Heilsgeschichte» untrennbar mit der Geschichte überhaupt zusammen, ja, ist einer ihrer ordinärsten, übelsten Bereiche. Zwar sollte Christi Reich nicht von dieser Welt sein, zwar rühmt man, zumal gegenüber marxistischer Geschichtsauffassung, Geschichte als

Spiritualität, «transzendente Entelechie», als «Fortsetzung der Sendung des Gottmenschen» (Jedin), betonen gerade Katholiken den Geheimnischarakter der «wahren» Geschichte, «Le mystère de l'histoire» (de Senarclens), lassen sie «das Jenseits allen Fortschritts» in Christus «bereits gegenwärtig» sein (Daniélou), zwar geht es dessen «Stellvertretern» und ihren Predigern stets um das eine nur, das nottut. In Wirklichkeit aber scheuten besonders Päpste und Bischöfe buchstäblich nichts, um sich den Mächtigen dienstbar, gefällig zu machen, um mit ihnen konkurrieren, sie bespitzeln, begaunern, beherrschen zu können. Tatsächlich faßten sie so Fuß auf dieser Welt, als wollten sie in Ewigkeit nicht weichen.[14]

Dies beginnt drastisch im frühen 4. Jahrhundert mit Kaiser Konstantin, dem nicht zufällig das längste Kapitel des I. Bandes gilt, und führt über das theokratische mittelalterliche Abendland bis heute. Die Imperien Chlodwigs, Karls, Olafs, Alfreds und anderer, erst recht die mittelalterlichen deutschen Kaiserreiche konnten sich so nur auf christlicher Grundlage konstituieren. Viele Herrscher haben – aus Überzeugung oder zum Schein – ihre Politik durch Hinweis auf ihren Glauben motiviert, wie überhaupt die mittelalterliche Christenheit nahezu alles auf Gott und Christus bezog. Ist doch noch im 16. Jahrhundert Kirchengeschichte weitgehend allgemeine Geschichte und bis heute die vielfältige Einwirkung der Kirche auf den Staat und umgekehrt nicht zu verkennen; in welchem Umfang, mit welcher Intensität, auf welche Weise, dies eben, im Rahmen des Themas, durch die verschiedenen Epochen zu erhellen, ist eine meiner Hauptintentionen.

Die ganze Geschichte des Christentums war in ihren hervorstechendsten Zügen eine Geschichte des Krieges, eines einzigen Krieges nach außen und innen, des Angriffskriegs, des Bürgerkriegs, der Unterdrückung der eigenen Untertanen und Gläubigen. Daß man dabei – vom Geraubten, Geplünderten – Almosen gab (um die Volkswut zu dämpfen) oder Künstler bezahlte (um sich selber und seine Geschichte verewigen zu lassen) oder Straßen baute (um darauf weiter Kriege führen, Geschäfte machen, töten und ausbeuten zu können), interessiert hier nicht.

Dagegen interessiert die Verstrickung des hohen Klerus, besonders des Papsttums, in die Politik, Ausmaß und Relevanz seines Einflusses auf die Herrscher, die Regierung, Verfassung: die Geschichte eines parasitären Hochstrebens mit nachfolgender Emanzipation, erst vom oströmischen, dann weströmischen Kaisertum, mit dem Ziel, durch religiöse Parolen auch die weltliche Gewalt zu gewinnen. Viele Historiker halten es für unbestreitbar, daß das Gedeihen der Kirche Folge sowohl als auch Ursache des römischen Staatszusammenbruchs war. Die Botschaft «Mein Reich ist nicht von dieser Welt» wurde abgelöst durch die Zweigewaltenlehre (wonach auctoritas sacrata pontificum und regalis potestas einander ergänzen), dann sogar der Kaiser, der König nur zum ausführenden Organ der Kirche erklärt; eine in der Bulle «Unam Sanctam» durch Bonifaz VIII. formulierte Prätention, von der sich erst Leo XIII. (gest. 1903) offiziell distanzierte, was aber nichts heißen will. Die abendländische Christenheit jedenfalls «war wesentlich die Schöpfung der katholischen Kirche»; «die unter der päpstlichen Hierokratie bis ins letzte organisierte Kirche die Hauptinstitution der mittelalterlichen Ordnung» (Toynbee).[15]

In diesen Zusammenhang gehören die Kriege, die auf Drängen, mit Beteiligung oder unter dem Kommando der Kirche geführt worden sind: die Vernichtung ganzer Völker, der Wandalen, der Goten, im Osten die unentwegte Niedermetzelung der Slawen – für die christlichen Chronisten der Karolinger und Ottonen bloß in heidnischer Finsternis befangene Verbrecher, die mit allen Mitteln, des Verrats, Betrugs, der Grausamkeit bekehrt werden mußten. Im Hochmittelalter ist jede Glaubensbelehrung vor allem auf Streit und Kampf für Christus ausgerichtet, die Schwertmission, der «Heilige Krieg», die «nova religio», die Garantie für alles Gute, Große, Ewige. Christus, schon in den frühmittelalterlichen Hymnen als Kämpfer besungen, wird nun Heerführer, der König, der Sieger überhaupt. Wer für ihn, für Jerusalem, sein «altes Erbeland», das «Heilige Land», sich schlägt, mit dem fechten die Engel, die Heiligen, er erträgt jederlei Drangsal, Verzweiflung, Hunger, Not, Tod. Denn fällt er, harrt höchster Lohn auf ihn, durch die Priester tausendfach verbürgt. Er gelangt, ohne Fegfeuer und Höllenqualen, vom Schlachtfeld gleich ins Paradies, geradeswegs an Christi Herz, gewinnt der «ewigen saelde heil», «die liechte Himmelskrone», requies aeterna, vita aeterna, salus perpetua . . . Diese Verführten wähnen sich – wie noch die Millionen von Feldpfaffen Mißbrauchtes der Weltkriegszeit – gefeit gegen alles; offnen Augs und blind zugleich taumeln sie ins Verderben.[16]

Hierher gehören natürlich die Kreuzzüge, im Mittelalter rein römisch-katholische Kriege, Großverbrechen des Papsttums, wobei man predigt: «Selbst wenn nur Waisen, kleine Kinder, Witwen und Verfolgte streiten, werden wir über die Teufelsmenschen den Sieg gewinnen.» Doch schon den ersten christlichen Kaiser hindert nur sein Tod an einem Kreuzzug gegen die Perser (S. 284). Und bald reißen diese «bewaffneten Wallfahrten» kaum mehr ab. Sie werden ein Verhalten «von langer Dauer», eine Idee, ein Thema, «das in endloser Wiederholung durch die Gesellschaften geht, durch die Menschheit und die verschiedenen psychischen Strukturen» (Braudel). Denn die ganze Welt will der Christ mit seinen «höheren Werten» beglücken, seiner «alleinseligmachenden Wahrheit», seiner «Erlösung», die oft zu einer Art Endlösung führt: eineinhalb Jahrtausende vor Hitler schon zum erstenmal gegenüber den Juden im großen christkatholischen Stil durch den hl. Kyrill von Alexandrien. Fast überall, in Europa, Afrika, Asien, in Mittel- und Südamerika, zieht der Europäer als «Kreuzfahrer» ins Feld – «auch wenn es dabei nur um Baumwolle und Erdöl geht» (Friedrich Heer). Noch den Vietnamkrieg erklärten US-Bischöfe zum Kreuzzug und forderten während des Zweiten Vatikanum sogar den Abwurf der Atombombe auf Vietnam zur Verteidigung der katholischen Schule! Denn: «Selbst Atombomben können in den Dienst der Nächstenliebe treten» (Protestant Künneth, 13 Jahre nach Hiroshima).[17]

Die Kreuzzugspsychose: ein Phänomen, das noch im Ost-West-Konflikt der Gegenwart virulent ist – indes man da und dort Minikreuzzüge probt; 1971 etwa in Bolivien. «Als nächstes Objekt wurde die Universität gestürmt», renommiert der *Antonius*, die Monatsschrift der Franziskaner in Bayern. «Man kämpfte unter dem Schlachtruf: Für Gott, Vaterland und Ehre gegen den Kommunismus ... Held des Tages war der Chef des Regiments ... Cl. Celich ...: Ich bin gekommen in meinem eigenen Namen, um in Bolivien den Kommunismus auszurotten. Er legte alle Bürschchen um, die er mit Waffen antraf ... Celich ist jetzt Innenminister und wird sicher durchgreifen. Es ist zu erwarten, daß es nun etwas besser wird, nachdem die Muttergottes wirklich hier dem Kommunismus den Garaus gemacht hat.»[18]

Neben ungezählten Verwicklungen der Kirchen in weitere «weltliche» Greuel werden spezifisch klerikale Aktivitäten des Terrors erfaßt, Heidenbekämpfung, Inquisition, Judenpogrome, Hexen- und Indianerausrottung et cetera, bis hin zu den Fehden der Kirchenfürsten, der Klöster, untereinander. Selbst die Päpste erscheinen schließlich mit Helm, Panzer und Schwert. Sie haben ihr eigenes Heer, ihre eigene Marine, ihre Waffenschmieden – zählte doch noch 1935 bei Mussolinis Überfall auf Abessinien, von den italienischen Prälaten frenetisch gepriesen, zu den wichtigsten Kriegslieferanten eine vatikanische Munitionsfabrik! Zur Ottonenzeit ist die Reichskirche völlig militarisiert, ihr Kampfpotential manchmal doppelt so groß wie das der «weltlichen» Herren. In allen Himmelsrichtungen kommandieren Kardinäle und Bischöfe ganze Armeen, sie fallen auf dem Schlachtfeld, treten an die Spitze großer Parteien, sind Hofgeistliche, Staatsmänner, und kein Bistum, in dem nicht der Bischof zuweilen jahrzehntelang Fehden führt; wobei mit dem Machthunger die Grausamkeit wächst, noch im Hochmittelalter manches unmöglich ist, was man später praktiziert.[19]

Eingehende Erörterungen gelten dem Entstehen und der Vermehrung des Kirchenbesitzes (offiziell, zumindest seit Pelagius I., das «Gut der Armen») durch Kauf, Tausch, Zehnten, Doppelzehnten, durch Erpressung, Betrug, Raub, durch Umfunktionierung des germanischen Totenkults und der Totengabe zum Seelenkult, Durchbrechung des germanischen Verwandtenerbrechts («Der Erbe wird geboren, nicht gekoren»), durch Ausnutzung der Naivität, des Jenseitsglaubens, Ausmalen von Höllenqualen,

Himmelsseligkeit, woraus nicht zuletzt die Dotationen der Fürsten, des Adels, aber auch, besonders im Frühmittelalter, kleiner Grundbesitzer, Zinsbauern, pro salute animae resultierten.

Alles in der Kirche besaß riesige Mengen an Boden, die Männerklöster, die Frauenklöster, die Ordensritter, die Kathedralen, die Dorfkirchen. Weithin sah vieles mehr nach Gutshof als nach Gotteshaus aus und wurde durch Halbfreie, Hörige, Sklaven bewirtschaftet. Allein der Abtei Tegernsee gehörten in ihrer Glanzzeit 11 860 Bauernhöfe, dem Kloster St. Germain des Prés bei Paris etwa 430 000 Hektar, dem Abt von St. Martin in Tours zeitweise 20 000 Knechte. Und während Laienbrüder, unfreie Bauern, die Arbeit verrichten, während die Klöster durch Stiftungen und Erbfälle immer reicher werden, korrumpiert der Reichtum regelmäßig die Mönche. «Die Religion erzeugte den Reichtum», hieß ein mittelalterliches Sprichwort, «der Reichtum aber zehrte die Religion auf.» Damals besitzt die christliche Kirche ein Drittel von Europa. Im Osten gehört der orthodoxen Kirche ein Drittel des riesigen russischen Reiches bis 1917. Und noch heute ist die Kirche Christi der größte private Grundeigentümer der Welt. «Wo die Kirche zu finden sei? Natürlich da, wo sich Freiheit ereignet . . .» (Theologe Jan Hoekendijk).[20]

Im Mittelalter förderte die grundherrlich bestimmte Arbeitsverfassung sowie das territoriale Ausgreifen weltlicher und geistlicher Herren die Unterdrückung großer Bevölkerungsteile, die Ruinierung der pauperes liberi homines und minus potentes durch Eroberungspolitik, Kriegsdienst, Steuern, ideologisch-religiösen Zwang, rigorose Gerichtsstrafen. All dies rief den individuellen und allgemeinen Widerstand der Bauern hervor, deren Schwurbünde und Erhebungen, deren «conjurationes» und «conspirationes» die abendländische Geschichte von Karl «dem Großen» bis tief in die Neuzeit durchziehen.

Besondere Untersuchungsobjekte in diesem Zusammenhang: Das Sühnerecht, das brachium saeculare, die weltlichen Maßnahmen für Verfehlungen gegen Gebote und Anordnungen der Kirche, wobei die Kapitalstrafe (durch Enthaupten, Strang, Feuer, Vierteilung, Säckung, Pfählung und anderes) zunahm. Von den vierzehn die Todesstrafe verhängenden Bestimmungen Karls nach der blutigen Unterwerfung der Sachsen betreffen zehn allein Vergehen gegen das Christentum. Mit einem stereotypen «morte moriatur» wird alles bedroht, was die Verkünder der Frohen Botschaft ausmerzen wollen: Kirchendiebstahl, Leichenverbrennung, Verweigerung der Taufe, Fleischessen während des «heiligen vierzehntägigen Fastens» et cetera. Nach dem alten polnischen Strafrecht riß man beim großen Fasten vor Ostern jedem des Fleischessens Überführten die Zähne aus.[21]

Ferner werden die kirchlichen Strafen für Mißachtung staatlicher Gesetze erörtert. Die geistlichen Gerichte wurden immer verhaßter. Ausgiebige Präsentation finden: die Bußpraxen (entwendetes Kirchenvermögen mußte im Mittelalter vierfach, nach dem alemannischen Recht siebenundzwanzigfach zurückerstattet werden); die Kirchen- und Klostergefängnisse, bezeichnend ergastula genannt (ergastula hießen auch die Särge), die «Sünder», Ungehorsame und Geisteskranke in gleicher Weise festhielten, manchmal in unterirdischen Räumen ohne Türen und Fenster, stets wohlversehen aber mit Fesseln aller Art, mit Schließböcken, Handschellen, Ketten. Das Exilieren wird ebenso dokumentiert wie die Sippenhaft, bei Tötung eines Kardinals ausdehnbar bis ins dritte Glied der männlichen Erbfolge. Die Folter hatte eine große Zukunft. Häuften sich doch die Leibesstrafen, zumal im Osten, das Abschlagen von Gliedern, Augenausstechen, Nasen-, Ohrenabschneiden. Und besonders beliebt, wie meist in theokratischen Kreisen, wurde die körperliche Züchtigung, was schon eine schwelgerische Fülle von Namen signalisiert (corporis castigatio, flagellum, flagelli disciplina, flagellorum poena, percussio, plagae, plagarum virgae, verbera, verberatio, verberum vindicta usw.). Die Prügelstrafe, bereits bei den kleinsten Verfehlungen angewandt, war hauptsächlich in Klöstern für Mönche, Nonnen, am meisten aber für Knaben im Schwang, doch auch für Priester, vor allem für niedere Kleriker, die man alle zumindest vom 5. bis ins 19. Jahrhundert verhaute; wobei Bischöfe und Äbte mit Ruten, Riemen, Geißeln zuschlugen, zeitweise auch Bischöfe Äbte malträtierten und man die Zahl der Streiche über das Maximum des mosaischen Gesetzes von 40 beziehungsweise 39 Streichen ansteigen ließ, auf 72, 100, 200 Schläge, die Bestimmung dieser Anzahl jedoch der «Discretion des Abtes» überließ und ihm nur im Ausnahmefall gestattete, «bis zum Totpeitschen vorzugehen» (Katholik Kober mit Bezug auf Reg. Magistri c. 13). Vermutlich gingen nicht alle Oberen so weit, und wahrscheinlich war auch nicht jeder so grausam wie Abt Transmund, der im Kloster Tremiti Mönchen die Augen ausriß, die Zunge abschnitt – und den der berühmt-berüchtigte Papst Gregor VII. auch noch beschützt hat. Schloß doch kein Geringerer als Petrus Damiani, Kardinal, Heiliger und Kirchenlehrer: wenn eine Disziplin von 50 Schlägen erlaubt und gut sei, müsse dies mit einer Disziplin von 60, 100 bis 200, ja 1000 und 2000 Schlägen erst recht der Fall sein. So kam es während des ganzen Mittelalters immer wieder zu Klosterrevolten infolge rabiater Äbte, die von ihren Mönchen blutig gestäupt, verstümmelt, geblendet, vergiftet, erdolcht wurden. Selbst vor dem Altar stach man Vorgesetzte zusammen oder ließ sie von bezahlten Banditen ermorden. Die Prügelstrafe aber war im Früh- und Hochmittelalter für die Unterschichten derart regulär, daß der visitierende Bischof geradezu fragen mußte, ob da jemand seine Sklaven oder Kolonen nicht schlage.[22]

Ausführlich erfaßt wird ferner: die Stellung der Kirche zur Sklaverei, zur Arbeit. – Die Agrar-, Handels-, Finanzpolitik der Mönche, der Bankiers im frühen Mittelalter, deren Klöster (in Lothringen) schon im 10. und 11. Jahrhundert als Leihinstitute, Banken, fungierten, überhaupt wirtschaftliche Größen ersten Ranges waren. Doch geht die Agitation der Mönche in der Welt der Politik, des Geldes, stetig weiter, besonders während der deutschen Offensiven im Osten, bei der Beteiligung der Orden an der Siedlungs- und Kolonialgeschichte, der blutigen Unterjochung ganzer Völker. Noch im frühen 20. Jahrhundert kontrollieren allein die Jesuiten ein Drittel des gesamten spanischen Kapitals; im späten 20. Jahrhundert besitzen sie die größte Privatbank der Welt, die Bank von Amerika, mit 51 Prozent. Und das Papsttum ist heute eine finanzpolitische Weltmacht, die engste Kontakte mit der Unterwelt pflegt, unter anderem über die als

«Mafiabank» bekannte Bank von Sizilien, ein finanzielles Instrument der Kurie.

Der Jesuitenzögling Michele Sindona, «der erfolgreichste Italiener nach Mussoloni» (*Time*) und Starbankier der Mafia (Schwerpunkte seiner Finanzpiraterie: Italien, Schweiz, USA, Vatikan), ein Sizilianer, der mehr Banken als andre Männer Hemden besessen und einen beträchtlichen Teil seines Geldes dem Handel mit Heroin verdankt haben soll, war ein sehr guter Freund des Erzbischofs von Messina, ferner des Erzbischofs Marcinkus, des Leiters der Vatikanbank «Institut für Religiöse Werke» («meine Stellung innerhalb des Vatikans ist außergewöhnlich», «einzigartig»), ein guter Freund auch Pauls VI. sowie Finanzberater und enger Geschäftspartner des «Heiligen Stuhls», dessen Banken noch mit den schwarzen Geldern des italienischen Großgangstertums spekulierten. Mafioso Sindona, «der wahrscheinlich reichste Mann Italiens» (Lo Bello), der «von Papst Paul VI. den Auftrag erhalten, die Kirchenfinanzen neu zu ordnen» (*Süddeutsche Zeitung*), wurde 1980 als Verantwortlicher für den größten Bankenzusammenbruch in der Geschichte der USA zu 25 Jahren Haft verurteilt, dann an Italien ausgeliefert, dort aber 1986 zwei Tage nach seiner Verurteilung (wegen Anstiftung zum Mord) zu lebenslanger Haft im Gefängnis, trotz aller nur denkbaren Absicherungen, durch Zyankali vergiftet. Vielsagend meinte der zwölf Jahre Sindonas Finanzaktionen (allein in Italien eineinhalb Milliarden Mark Verluste) verfolgende Mailänder Staatsanwalt Guido Viola: «Wir haben den Dreck, der in diesem Topf kocht, auch mit dem Prozeß nicht ausgeräumt.» Ebenso gehörte Roberto Calvi, ein weiterer Mafia-Bankier, der 1982 erhängt unter einer Themsebrücke in London endete, unter Paul VI. zum exklusiven Zirkel der kurialen «uomini di fiducia» und verbreitete als «Bankier Gottes», wie er in Italien hieß, «das Krebsgeschwür vatikanisch inspirierter Wirtschaftskriminalität über die ganze Welt». (Zum Beispiel präsentierte der Leiter der Abteilung für Organisiertes Verbrechen und Korruption beim amerikanischen Justizministerium, Lynch, begleitet von Polizei- und FBI-Beamten, am 25. und 26. April 1973 im vatikanischen

Staatssekretariat «das Originalschreiben, in dem der Vatikan» bei der New Yorker Mafia, «gefälschte Wertpapiere im fiktiven Gegenwert von nahezu einer Milliarde Dollar bestellte», «eine der größten Betrügereien aller Zeiten», die anscheinend kein anderer als Erzbischof Marcinkus, der «sehr gute Freund» Sindonas, «eingefädelt hatte» [Yallop].) Der Vorgänger Pauls, Papst Pius XII., starb 1958 mit einem *Privat*vermögen – das er angeblich ganz zur Rettung von Juden unter Hitler verwendet hatte! – von 80 Millionen DM in Gold und Valuten. Der Nepotismus unter ihm hatte renaissancehafte Ausmaße. Sicher an der Erlösung ist nur der Erlös daraus.[23]

Die Habgier der Prälaten wird durch alle Jahrhunderte belegt, die private Bereicherung von Päpsten, Bischöfen, Äbten dokumentiert, ihr meist ungeheurer Luxus, die Verschleuderung von Kirchengütern an Verwandte, Simonie, Pfründenerwerb, Verdrängung der Pfründeninhaber, der Schacher von der Papstwahl bis zum Einsetzen der Landpfarrer, vom Stimmenkauf auf Synoden bis zum Verkauf von Wein, Bier, Salböl, Hostien, Antibabypillen (!) namens «Luteolas», bis zu Bestechungsgeldern noch der berühmtesten Kirchenlehrer, Papst Gregor I., des hl. Kyrill, der mit Hilfe riesiger Summen ein Mariendogma durchsetzte und anderes mehr – Zinsgeschäfte, Handel, Wucher, Peterspfennig, Ablaß, Kollekte, Erbschleicherei durch zwei Jahrtausende, riesige Rüstungsgewinne. Die Folgen der Überhäufung des hohen Klerus mit Privilegien, mit Immunitätsrechten, mit Grafenrechten, Marktrechten, Zollrechten, Steuervorteilen, mit strafrechtlichen Ausnahmestellungen, milderen Strafen natürlich statt schärferen! Ganz zu schweigen von der Selbstherrlichkeit des römischen Pontifex: sic volo, sic jubeo (so will ich's, also befehl ich's). – Die ökonomische Seite der Heiden-, Juden-, «Ketzer»-, Hexen-, Indianer-, Negerausmerzung. – Der wirtschaftliche Faktor des Wunderkults, der Heiligenviten, Mirakelbücher, Wallfahrtsorte und anderer Dinge mehr.[24]

Die «pia fraus» mit ihren verschiedenen Fälschungstypen (Apostolisation, Pilgerkonkurrenz, Besitzsicherung, Rechtssicherung) wird in eigenen größeren Komplexen untersucht, zumal in

Europa bis ins hohe Mittelalter hinein die Fälscher fast durchweg Geistliche waren. Überall in Klöstern und an Bischofssitzen suchten sie aus kirchenpolitischen Gründen ihre rivalisierenden Ansprüche durchzusetzen mittels Fabrikation falscher Diplome oder der Interpolation originaler. Die Behauptung, es habe im Mittelalter fast ebenso viele unechte Urkunden, Annalen, Chroniken gegeben wie echte, ist kaum übertrieben; der «fromme» Betrug wurde zu einem politischen Faktor, «die Fälscherwerkstatt zur Ordnungsinstanz von Kirche und Recht» (Schreiner).[25]

Die skrupellose Ausnutzung von Unwissenheit und Aberglauben, wobei der Reliquien-, Heiltumsbüchlein-, der Wunder- und Legendenschwindel (wissenschaftlich gesagt: die «Umdeutung der historischen Ereignisse im Sinne einer hagiologischen Kausalität»: Lotter) Triumphe feiert, lenkt den Blick auf das kulturelle, vor allem erziehungspolitische Gebiet.

Gewiß entstanden durch die Kirchen, zumal die römische Kirche, bedeutende Kulturwerte, besonders Bauten, was gewöhnlich höchst eigensüchtige Gründe hatte (Repräsentation der Macht), sowie auf dem Gebiet der Malerei, was gleichfalls ideologisch bedingt war (nicht endende Illustrationen von Bibelszenen und Heiligenlegenden). Doch beiseite, daß die vielgerühmte Kulturfreudigkeit im Gegensatz zum kulturellen Desinteresse des gesamten Urchristentums steht, das «nicht von dieser Welt», das voller eschatologischer Geringschätzung derselben war und ihr unmittelbares Ende erwartete, eine fundamentale Täuschung, auch Jesu: die meisten Kulturleistungen der Kirche wurden durch rücksichtsloses Schröpfen der Massen ermöglicht, durch ihr Versklaven und Auspowern von Jahrhundert zu Jahrhundert. Und dieser Kulturförderung steht viel mehr Kulturhemmendes, Kulturvergiftendes und -vernichtendes gegenüber. Fast überall werden die herrlichsten Adoratorien des Heidentums zerstört, kostbare Bauwerke eingeäschert, geschleift, nicht zuletzt in Rom, wo man die Tempelreste als Steinbrüche benutzt, noch im 10. Jahrhundert haufenweis herumliegende Bildsäulen, Architrave, Gemälde zertrümmert, schöne Sarkophage als Waschwannen oder Schweinetröge gebraucht. Auch die grandiose maurische Kultur

Spaniens wurde niedergetreten – «ich sage nicht von was für Füßen» (Nietzsche). Und erst recht ruinierte der Katholizismus in Südamerika – neben vielen Millionen Menschenleben! – weit mehr an größten Kulturschätzen, als er je dort, trotz aller Ausbeutung, schuf.[26]

Kaum vorstellbar verheerend: sein Schaden im Bereich der Erziehung. Die alte Allgemeinbildung wird immer mehr aus den Schulen verbannt, der theologische Unterricht zum Unterricht schlechthin. Noch während des ganzen Mittelalters ist jede Wissenschaft nur nützlich, soweit sie die kirchliche Predigt stützt. Auf dem Konzil von Chalcedon tagen 40 Bischöfe, die Analphabeten sind. Päpste der folgenden Jahrhunderte rühmen sich ihrer Unwissenheit, können nicht Griechisch, sprechen schlecht Latein. Gregor I., «der Große», neben Leo I. der einzige päpstliche Kirchenlehrer, brennt nach der Überlieferung eine reichhaltige Bibliothek auf dem Palatin nieder. Nicht einmal alle Päpste des 9. und 10. Jahrhunderts konnten wahrscheinlich lesen und schreiben.

Die artes waren im Mittelalter bloß instrumentum theologiae, ja, wurden von vielen zeitweise als «Torheit und Possen» verdammt. («Meine Grammatik ist Christus.») Auch in den Orden sind die «illiterati et idiotae» zahlreich. Vom blühenden Buchhandel der Antike ist nichts mehr vorhanden, die Tätigkeit in den Klöstern rein rezeptiv. Noch 300 Jahre nach dem Tod Alkuins und Rhabans unterweist man Schüler aus denselben Lehrbüchern, die jene schrieben. Und noch laut Thomas von Aquin, dem offiziellen Kirchenphilosophen, ist das Streben nach Erkenntnis «Sünde», wenn es nicht «die Erkenntnis Gottes» bezweckt![27]

Unterricht erhält überhaupt nur eine verschwindende Schicht. Besteht ja noch heute der größte Teil der Klugheit des Klerus in der Dummheit der Laien. Selbst die meisten christlichen Fürsten sind bis in die Stauferzeit nicht schreibkundig – eine bestimmte Strichführung gilt auf kaiserlichen Urkunden als Vollziehungserklärung. Der mittelalterliche Adel ist lange Zeit «thumb» und kann so leicht vom Klerus übers Ohr gehauen werden. Und die

Volksmassen vegetieren im Zustand völligen Analphabetentums bis tief in die Neuzeit hinein. Bekennt doch noch nach dem Ersten Weltkrieg, da zwei Drittel aller Spanier endemisch unterernährt und noch 1930 selbst in Madrid 80 000 Kinder ohne Unterricht sind, der katholische Erziehungsminister Bravo Murillo, als er eine Schule für 600 Arbeiter genehmigen soll: «Wir brauchen keine Menschen, die denken, sondern Ochsen, die arbeiten können.»[28]

An den Universitäten unterband der hypertrophe Aristotelismus die Möglichkeit selbständiger Erkenntnisse beträchtlich. Nicht nur Philosophie und Literatur standen weitgehend unter dem Diktat der Theologie, auch Geschichte als Wissenschaft war unbekannt. Experiment und induktive Forschung wurden verbannt, die Erfahrungswissenschaften durch Bibel und Dogma erstickt, Naturwissenschaftler in Gefängnisse und auf Scheiterhaufen getrieben. 1163 verbietet Papst Alexander III. – er hat, um einmal auch daran zu erinnern, vier Gegenpäpste! – allen Klerikern das Studium der Physik. 1380 untersagt ein französischer Parlamentsbeschluß jede Beschäftigung mit Chemie unter Berufung auf ein Dekret von Papst Johann XXII. Und während in der arabischen Hemisphäre – gemäß Mohammeds Wort: «Die Tinte des Schülers ist heiliger als das Blut der Märtyrer» – die Wissenschaft, zumal die Medizin, blüht, änderten sich deren Grundlagen in der katholischen Welt nicht wesentlich durch mehr als ein Jahrtausend, bis ins 16. Jahrhundert. Die Kranken sollten lieber zum Gebet als zu Ärzten Zuflucht nehmen. Das Sezieren von Leichen war durch die Kirche verboten. Der Gebrauch natürlicher Heilmittel galt oft als strafwürdiger Eingriff in den Bezirk des Göttlichen. Selbst große Abteien hatten im Mittelalter keine Ärzte. 1564 verurteilte die Inquisition den Arzt Andreas Vesalius, den Begründer der neueren Anatomie, zum Tod, weil er eine Leiche zerlegt und festgestellt hatte, daß dem Mann die Rippe, aus der Eva stamme, gar nicht fehle.[29]

Mit der bildungspolitischen Bevormundung kohäriert die kirchliche Zensur, die häufig – seit dem Wirken des Paulus in Ephesus – bis zum Verbrennen gegnerischer Bücher ging, heidnischer, jüdischer, sarazenischer Schriften, der Vernichtung (oder dem Verbot) christlicher Konkurrenzliteratur, des Arius, des Nestorius, bis hin zu der Luthers. Doch stellten auch die Protestanten zeitweise alles unter Zensur, selbst viele Leichenpredigten, ja, alle nichttheologischen Werke, sofern sie kirchliche, religiöse oder sittliche Fragen berührten.

Dies sind nur einige wichtigere Themen, um die es mir in dieser Kriminalgeschichte geht. Und doch ist meine Geschichte hier nur ein winziger Ausschnitt aus der ganzen Geschichte.

Geschichte!

Napoleon nannte sie eine Fabel, Henry Ford Geschwätz, Carlyle ein Destillat von Gerüchten, Seume – so lesenswert, so selten gelesen! – meistens die Schande des Menschengeschlechts. Und ich ergänze: der sicherste Beweis für dessen falsche Erziehung. Unbestreitbar: das komplexeste und komplizierteste, weil alles umgreifende und integrierende Phänomen der menschlichen Welt, die Geschichte von Individuen und Völkern, in jedem Augenblick ein gigantischer Schwall, Zeitgenossen wie Nachwelt meist unbekannter Momente, Gefühle, Gedanken, Ereignisse, Voraussetzungen der Ereignisse, Wiedergabe der Ereignisse, ein nicht einmal zu erahnendes Tohuwabohu verflossener Vorgänge, ein verwirrendes Geflecht von Gesellschafts- und Rechtsformen, Normvorstellungen, Rollenerwartungen, Bewußtseins- und Verhaltensweisen, von vielerlei heterogenen oder antagonistischen Lebensrhythmen, von denkerischen Einflüssen, geopolitischen Faktoren, ökonomischen Prozessen, Klassenstrukturen, das Klima und seine Schwankungen gehören ebenso dazu wie die Statistik der Geburten, die Sklaverei ebenso wie Bach-Konzerte, die Bartholomäusnacht, das Glücksspiel ebenso wie Preisstürze, ekklesiogene Neurosen, die Prostitution, Parlamentsdebatten und Vivisektion, päpstliche Enzykliken und Strafvollzug, der Verkehr, die Mode und noch die durch die Psychoanalyse aufgezeigten unbewußten Motivierungsströme, die analytische Sozialpsychologie oder die Geschichtsschreibung sowie die Geschichte der Geschichtswissenschaft, kurz, mit Max Weber: ein «ungeheuer chaotischer Strom von Geschehnissen, der sich durch die

Zeit dahinwälzt»; mit Droysen: *die* Geschichte über allen Geschichten.[30]

Gibt es in diesem unheimlich fortbrodelnden Menschheitswirrwarr etwas Beständiges? Irgendeinen ruhenden Punkt in der Erscheinungen Flucht? Gibt es etwas, das immer wiederkehrt, unverändert bleibt?

Nun, sicher ist dies nicht die Rolle, die schon Cicero der historia zuweist als magistra vitae. Doch ist es das Gegenteil? Ist das einzige, das Erfahrung und Geschichte lehren, «dies, daß Völker und Regierungen niemals etwas aus der Geschichte gelernt und nach Lehren, die aus derselben zu ziehen gewesen wären, gehandelt haben»? Fast jedes gewichtigere Wort Hegels reizt mich zum Widerspruch, und auch dieses stimmt nur von den Völkern. Denn die Regierungen *haben* aus der Geschichte gelernt, und das so erfolgreich, daß die einzige Kunst, der bis heute nichts Neues einzufallen braucht, die Staatskunst ist – soweit wir zurückschauen können.

Gehen wir einmal von der Gegenwart aus.

Jeder Mensch kann ja Geschichte nicht nur nachlesen, sondern auch miterleben durch den Augenschein – gewiß weniger direkt wieder mittels der «Wirklichkeit» als der Texte der Medien etwa, durch Nachrichten, Reden, Predigten, er kann sie «mit hundert Gesichtern» erfahren (Braudel). Doch wie unentwirrbar der wilde Knäuel historischer Ereignisse, Interessenlagen, Einflußnahmen, wie kompliziert der Organismus der Gesellschaft ist, eines zum Beispiel kann jeder feststellen, scheint nicht nur unbestritten, sondern unbestreitbar: in aller Welt gab und gibt es eine kleine Minderheit, die herrscht, und eine große Mehrheit, die beherrscht wird, gab und gibt es einen winzigen Klüngel perfider Profiteure und ein gigantisches Heer Erniedrigter, Beleidigter. «Wie wir auch Staat und Gesellschaft definieren mögen, so bleibt immer ein Gegensatz zwischen der Masse der Regierten und der kleinen Zahl der Regierenden» (Ranke). Dies gilt für das Zeitalter der Raumfahrt und industriellen Revolution ebenso wie für die Epoche des Kolonialismus oder den ganzen abendländischen Handelskapitalismus und die antike Sklavenhaltergesellschaft.

So ist es jedenfalls in den 2000 Jahren, die uns beschäftigen, immer gewesen, vielleicht nicht als Gesetz-, doch als Regelmäßigkeit. Niemals herrschte das «Volk»! Immer herrschte ein sogenanntes Macht- und Sicherheitsstreben, herrschte eine Minorität, die die Majorität unterdrückte, verbrauchte, sie abschlachten ließ und mit ihrer Hilfe abschlachtete, mehr oder weniger, zugegeben, gewöhnlich aber eher mehr. Die Geschichte, mit der wir es zu tun haben, konstituiert sich in allen Jahrhunderten aus Herrschaft und Erniedrigung, ausbeutender Ober- und ausgebeuteter Unterschicht – heute «Regierungsverantwortung» genannt, auch noch immer Geschichte der menschlichen Zivilisation, ja der menschlichen Kultur, und sogar mit Recht, sind darin die «Kulturvölker» doch führend.[31]

«Die Geschichte wiederholt sich nicht»; das wiederholt sich dauernd – wie die Geschichte: in sozialen Spannungen, Aufständen, wirtschaftlichen Krisen, Kriegen, also in ihren Haupt- und Staatsaktionen, die freilich noch im kleinsten, privatesten Rahmen sich spiegeln, im Herr-und-Knecht-, im Freund-und-Feind-Verhältnis. So gesehen «passiert» *grundsätzlich* überhaupt nichts Neues, denn es bleibt sich *qualitativ* gleich, ob man Macht mit Pfeil und Bogen, mit Vorderladern, Maschinengewehren oder atomar ausübt. Geschichte ist ein Schauspiel aus ungezählten Akten – vor allem der Gewalt; ein steter Fortschritt auch vom Kopfjäger etwa zum Gehirnwäscher, vom Blasrohr zur Rakete, vom Faustrecht zum Recht, dem Faustrecht in Paragraphen, der Maske der Gewalt, von Friedensschluß zu Friedensschluß, von Metastase auch zu Metastase, von Fall zu Fall.

Dies ist das Kontinuum im Wandel der Geschichte, die sie in ihrer Tiefe prägende Struktur. Dies ist das Sichere im Wechsel, die eigentliche «histoire de longue durée» (Braudel), länger jedoch als die Zeitspannen, die dieser Begriff umfaßt, ein Jahrtausende überdeckendes «Modell», ein mehr oder weniger gleich bleibender Rhythmus, eine Art «histoire biologique». Es ist fast wie der Wellenschlag des Meeres, das Wachstum der Natur, die sich auf ihre Weise wiederholt, mag dies vielleicht auch absichtslos geschehen (durch Kausalgesetze von nur noch statistischem Wahrscheinlichkeitscharakter) und die Geschichte mit Absicht und Willen, durch menschlich intendiertes Handeln.[32]

Gewiß besteht alle Geschichte auch aus einmaligem, unwiederholbarem menschlichen Tun. Gewiß hat die vom Historismus herausgestellte anthropologische Dimension, die Kategorie der Individualität, wie überall, so auch hier ihr Recht: die Bedeutung der Eigenart einer bestimmten historischen Person, die Relevanz der Einzigartigkeit der Phänomene. Aber es gibt auch das Allgemeine, Durchgehende, Konstante, tausendfach empirisch belegbar; ohne daß man freilich zu glauben brauchte, wie Hobbes etwa, Gobineau, Buckle, die Geschichte mit der Perfektion und Präzision der Naturwissenschaften betreiben zu können, eine Geschichte, von der Edmund Burke in seinen ‹Reflections on the Revolution in France› 1790 schrieb, sie bestehe «zum größeren Teil aus dem Elend, das über die Welt gebracht ist durch Stolz, Ehrgeiz, Habsucht, Rache, Wollust, Aufruhr, Heuchelei, unbeherrschten Eifer und die ganze Reihe zügelloser Triebe . . . Diese Laster sind die Ursachen dieser Stürme. Religion, Moral, Gesetze, Vorrechte, Privilegien, Freiheiten, Menschenrechte sind die Vorwände». Konnte doch auch Kant «bei Menschen und ihrem Spiele im großen gar keine vernünftige *eigene* Absicht voraussetzen», konnte er vom «widersinnigen Gange menschlicher Dinge» sprechen und sich «eines gewissen Unwillens nicht erwehren, wenn man ihr Tun und Lassen auf der großen Weltbühne aufgestellt sieht; und, bei hin und wieder anscheinender Weisheit im einzelnen, doch endlich alles im großen aus Torheit, kindischer Eitelkeit, oft auch aus kindischer Bosheit und Zerstörungssucht zusammengewebt findet: wobei man am Ende nicht weiß, was man sich von unserer auf ihre Vorzüge so eingebildeten Gattung für einen Begriff machen soll»[33].

Für Burkes und Kants Sicht spricht viel, zumal nach zwei weiteren Jahrhunderten. Ja, übersteigt es nicht jedes Vermögen der Menschheit, sich so zu erheben, daß sie moralisch auch nur auf den Hund kommt? In der Tat: die Hölle, das ist das Historische, die Geschichte die Auferstehung dessen, das nie hätte auferstehen dürfen, jedenfalls nie so; ein elendes Schauspiel, darin die Völker – Kettenhunde, die von Freiheit träumen – schneller unter den Schlagwörtern sterben als die Schlagwörter unter den Völkern; wobei regieren gewöhnlich nichts heißt als Gerechtigkeit verhindern, für viele möglichst wenig, für wenige möglichst viel tun; wobei auch das Recht keine Vorstufe der Gerechtigkeit ist, sondern ihr vorbeugt. Summa summarum: Man kann «Realpolitikern» nicht mit Ethik kommen. Der Schlachter denkt an Schweine, sagen die Chinesen, wenn du zu ihm von Ideen sprichst. Ideen sind bloß Kulissen auf der Bühne der Welt; vorn stirbt man dafür, dahinter lacht man darüber. Militär ist die Mystik des Mordes, Geschichte nichts als Geschäft, Reichtum selten mehr als der Rest von Verbrechen, und während die einen verhungern, sind die andern schon satt, bevor sie zu essen beginnen. Und daß wir, wie Voltaire klagt, bei unsrem Ausgang die Welt genauso dumm und erbärmlich zurücklassen, wie wir sie bei unserem Eintritt fanden, wäre noch erträglicher, als sie auch nach 2000 Jahren genauso dumm und erbärmlich vermuten zu müssen, wie sie schon vor 2000 Jahren war. Man muß die Geschichte kennen, um sie verachten zu können. Das Beste an ihr ist, daß sie vorübergeht.

Man wird dies verschieden beurteilen, ja, man würde es sogar, könnten wir die Geschichte, das Ganze der Menschenwelt, total erfassen; obwohl dann, meine ich, alles nur noch schrecklicher wäre. Doch jede Ereignisvollständigkeit ist utopisch, unser historisches Wissen begrenzt, vieles und wertvolles Informationsmaterial zufällig verloren oder absichtlich vernichtet worden, und vom weitaus meisten hat es nie Material gegeben. Alles aber, was wir kennen – die Stein gewordenen, noch herumstehenden oder durch Archäologen ausgegrabenen Zeugen beiseite –, kennen wir nur aus der Historiographie. Und so gering ihr Anteil an, ihre Kunde von der Geschichte ist, wir wissen davon nichts sonst – quod non est in actis, non est in mundo.

Wie jeder Historiker, betrachte auch ich nur eine Geschichte unter ungezählten Geschichten, eine partikulare, mehr oder minder abgrenzbare Geschichte, und auch sie selbstverständlich weder in ihrem gesamten «Handlungskomplex», eine absurde Vorstellung, noch mit der Summe der Daten darüber – theoretisch zwar denkbar, praktisch unmöglich, nicht einmal wünschenswert.

Nein, das Thema ‹Kriminalgeschichte des Christentums› verpflichtet den Verfasser zur Beschreibung bloß der schlimmen Seiten dieser Religion. Doch gibt er auch davon natürlich kein lückenloses Kontinuum, das ebenfalls nicht möglich wäre, sondern nur ein seiner Absicht gemäßes «Realitätskonstrukt», nur die herausragenden, symptomatischen Ereignisse im Lauf der Zeit, nur die wesentlichen, die historisch relevanten Züge, die schwerwiegende Folgen hatten, negative, fürchterliche Folgen, die vermeintliche oder sogar wirklich positive unendlich überwiegen. Ich zeige also die Geschichte machende Tendenz, jene entscheidende Tendenz, die das Schicksal all der in den letzten 2000 Jahren lebenden, vom Christentum berührten, beherrschten, bekämpften Generationen und Nationen beeinflußt oder geprägt hat, zeige die leitenden Ideen und Köpfe dieser christlichen Politik, ihre Erklärungen, Aktionen, viele Tausende von Fakten, typischen Fakten, die nicht böswillig, verleumderisch in einen bestimmten Zusammenhang gerückt worden sind, sondern die tatsächlich in einem solchen stehen.

Wer andre Seiten sehen will, lese andre Bücher. – ‹Froher Glaube› etwa, ‹Das Evangelium als Inspiration›, ‹Ist es wahr, daß die Katholiken nicht besser sind als die anderen?› ‹Warum liebe ich meine Kirche?›, ‹Der mystische Leib Christi›, ‹Die Schönheit der katholischen Kirche›, ‹Geborgenheit in der katholischen Kirche›, ‹Die Fröhlichkeit in der katholischen Kirche›, ‹Gott existiert. Ich bin ihm begegnet›, ‹Frohes Gehen zu Gott›, ‹Katholisch ist gut sterben›, ‹Mit dem Rosenkranz in den Himmel›, ‹SOS aus dem Fegfeuer›, ‹Heldentum in der christlichen Ehe›.[34]

Oder, falls diese Auswahl, fast stets mit «Imprimatur», zu einseitig ist – es gibt nicht nur Heldentum in der christlichen Ehe: ‹Der Held in Wunden›, ‹Das Kreuz im Kriegslazarett›, ‹Kriegs-Pfingst-Predigt›, ‹Unser Krieg. Ethische Betrachtungen›, ‹Das religiös-sittliche Bewußtsein im Weltkriege›, ‹Der Weltkrieg im

Lichte der deutsch-protestantischen Kriegspredigt›, ‹Kampf und Sieg. Karfreitags- und Ostergedanken als Gruß aus der Heimat für Heer und Marine›, ‹Feldgesangbuch für die evangelischen Mannschaften des Heeres›, ‹Segensworte an die Front›, ‹Die Seelsorge als Kriegsdienst›, ‹Priester im Heere Hitlers›, ‹An die Gewehre!›, ‹Getreu bis in den Tod›, ‹Im Herrn sterben›, ‹Jung, aber gut gestorben›, ‹Selig die Toten›, ‹Maria rettet das Abendland. Fatima und die ‹Siegerin in allen Schlachten Gottes› in der Entscheidung um Rußland›.[34a]

Prochristliche Literatur: wie Sand am Meer! Und auf 10 000 solcher Titel trifft kaum einer von der Art dieser «Kriminalgeschichte»! Es gibt weiter viele Millionen Auflagen ungezählter christlicher Zeitungen und Zeitschriften. Wenigstens die halbe Welt wimmelt auch von Einpeitschern des Christentums, von Kirchen, Klöstern, ja, die Mattscheiben der westlichen Hemisphäre flimmern derart von Kreuz und Christ, daß Goethe heute noch eher Grund hätte zu höhnen, daß «man vor lauter Kreuz und Christ / Ihn eben und sein Kreuz vergißt» – vom ingeniösen ‹Wort zum Sonntag› hierzulande über Infiltrationen in allen möglichen Sendungen des Kulturbereichs bis zum Papstsegen urbi et orbi in ich weiß nicht wie vielen Sprachen. Es gibt sogar wirklich gute Menschen unter den Christen, wie in allen Religionen, allen Parteien, was nicht für diese Religionen und Parteien spricht, sonst müßte es für alle sprechen – und wieviel Halunken sprächen dann noch dagegen! Es gibt sogar «Hirten», die sich auf humane Weise opfern für die Schäfchen – während Oberhirten gern die Schäfchen opfern. Doch jede Religion lebt auch davon, daß ein Teil ihrer Diener mehr taugt als sie. Und die guten Christen sind am gefährlichsten – man verwechselt sie mit dem Christentum. Oder mit Lichtenberg: «Es gibt viele rechtschaffene Christlichen, das ist gar keine Frage, so wie es überall und in allen Ständen gute Menschen gibt, allein so viel ist gewiß, in corpore und was sie als solche unternommen haben, ist nie viel wert gewesen.»[35]

Viel schärfer sagen Analoges so unterschiedliche Genies wie Giordano Bruno, Bayle, Voltaire, wie Diderot, Helvetius, Goethe, Schiller, Schopenhauer, wie Heine und Feuerbach, Shelley und Bakunin, wie Marx, Mark Twain, Nietzsche. Oder Hebbel, der durch «das Christentum wenig Segen und viel Unheil über die Welt gebracht» und darin «die edelsten und ersten Männer» übereinstimmen sieht; wobei er den Grund nicht, wie die meisten, «in der christlichen *Kirche*» findet, sondern «in der christlichen *Religion*», diesem «Blatterngift der Menschheit», der «Wurzel alles Zwiespalts»; «ich hasse und verabscheue das Christentum, und nichts mit größerem Recht»; legt er «dem christlichen Hochmut» ja «nur *eine* Frage» vor: «Woher kommt's doch wohl, daß alles, was auf Erden jemals *bedeutend* war, über das Christentum dachte wie ich?»[36]

Daß die Christen, um auf Lichtenberg zurückzukommen, in corpore und was sie als solche unternommen nie viel wert gewesen, daß man mit Hebbel allen Grund hat, das Christentum zu verachten, diesen historischen Nachweis zu liefern ist die Aufgabe meiner «Kriminalgeschichte».

Worauf beruht meine Arbeit?

Sie beruht, wie die meisten Geschichtsstudien, auf den Quellen, der «Tradition», der zeitgenössischen Historiographie, also vor allem auf Texten. Sie beruht auf der historischen Sekundärliteratur und ihren Hilfswissenschaften, der Numismatik, Heraldik, Sphragistik und anderem. Sie beruht nicht zuletzt auf Untersuchungen in Teildisziplinen und Nachbargebieten der Geschichte, besonders naturgemäß der Kirchengeschichte mit ihren sich häufig überschneidenden Sachgebieten der Missions-, Glaubens-, Theologie- und Dogmengeschichte, der Märtyrer- und Mönchsgeschichte, der Papstgeschichte, sogar der Geschichte der «Frömmigkeit». Berücksichtigt wird ferner die Archäologie, die Wirtschafts- und Sozialgeschichte, die Rechts-, Verfassungs-, Kriegs- und Militärgeschichte, die Geographie und Statistik. Ein breites Spektrum bereits jeweils so entwickelter Forschungsrichtungen, daß sie auch der Fachmann kaum noch überschauen, jedenfalls nur partiell, wahlweise, verwerten kann.

Wichtiger indes als die Grundlagen meiner Arbeit, die sich eigentlich von selbst verstehen: Wie sehe ich die Geschichte? Und wie stelle ich sie dar? Impliziert der Unterschied im methodischen Ansatz doch nicht selten schon die Differenzen im Betrachten, Bewerten. Der Wissenschaftstheoretiker Wolfgang Stegmüller schreibt geradezu: «Welche Methode gewählt wird, bestimmt maßgebend die theoretische Anschauung, welche aus den Untersuchungen resultiert.»[37]

Niemand wird erwarten, daß der Autor einer ‹Kriminalgeschichte des Christentums› die Prinzipien seiner Historiographie von der Offenbarung, von Rom her, übernimmt oder auch von irgendwelchen spiritualisierten protestantischen Kirchenbegriffen, irgendeinem noch so «progressiven» theologischen Geschichtsverständnis. Mystifizierende Grenzüberschreitungen, Kategorien übernatürlicher Perspektive, der Weg aus der Geschichte in die «Übergeschichte», vom irdischen zum himmlischen Äon, all dies bleibt den Aposteln eines heilsgestifteten Geschichtswahns überlassen, jenen allzu vielen Kirchendienern, die meist schon durch Taufwasser, Mutterbrust, Familie, im Grunde durch eine geographische Zufälligkeit, später durch Würden, Ehren, Stühle, Pfründen zusätzlich gefesselt und nach meiner Erfahrung gewöhnlich desto ungläubigere «Gläubige» sind, je intelligenter sie sind.

Wie steht es aber mit meiner Objektivität? Bin nicht auch ich einseitig? Voreingenommen?

Selbstverständlich! Wie jeder Mensch! Denn jeder ist subjektiv, jeder vielfältig geprägt, individuell und gesellschaftlich, durch Herkunft, Erziehung, soziale Umwelt, durch seine Zeit, seine Lebenserfahrung, Erkenntnisinteressen, seine Religion oder Nichtreligion, kurz, durch eine Fülle verschiedener Einflüsse, ein ganzes Netz von Gebundenheiten.

Ist aber jeder vorgeprägt, so auch der Historiker, was wohl als erster (für die Geschichtswissenschaft) Chladenius reflektiert. Also habe auch ich, mit Chladenius' etwas obsoleter Wendung, meinen «Sehepunkt» oder mit Karl Mannheims in der Wissenssoziologie etabliertem Terminus, meinen «Standort», bin auch ich zweifellos mitbestimmt durch ein gewisses Klima der Meinungsbildung um mich, durch meine Studien, mein Vorwissen. Natürlich traf ich Entscheidungen, längst ehe ich hier an die Niederschrift ging. Nur ein ganz Ahnungsloser könnte unparteiisch dies Pensum beginnen. Doch beiseite, daß das kaum denkbar, daß man auf solche Forschung kaum neugierig wäre: nach einiger Zeit wäre selbst der größte Ignorant kein ganzer Ignorant mehr – und er hätte auch schon «vorgefaßte Meinungen»[38].

Ein Rezensent nannte mich «voreingenommen», weil ich im Vorwort einer Schrift Thesen verfocht, die allenfalls an ihrem Schluß hätten stehen dürfen. Doch abgesehen davon, daß ich Vorworte, wie wohl die meisten Verfasser, erst zuletzt zu schreiben pflege – ich weiß selbstverständlich, wie wohl wieder jeder Autor, bereits zu Beginn eines Buches, was ungefähr darin stehn wird – das weiß ja schon jeder Schreiber eines Briefs. Erst recht lebt historische Forschung und Darstellung nicht von Zufälligkeiten, wie Droysen sagt, sondern sucht. Sie müsse aber «wissen, was sie suchen will; erst dann findet sie etwas. Man muß die Dinge richtig fragen, dann geben sie Antwort.»[39]

Jahrzehnte mit dem Studium der Geschichte, besonders der des Christentums, befaßt, habe ich mir, bei immer größerem Vertrautwerden damit, eine bestimmte Geschichtsphilosophie (ein erstmals von Voltaire geprägtes Wort) gebildet, eine Meinung vom Christentum, die nur deshalb nicht schlechter wird, weil sie gar nicht schlechter werden kann, womit ich mich allerdings in bester Gesellschaft befinde. Doch indem ich meine Subjektivität, meinen «Sehepunkt» und «Standort» klipp und klar darlege, sieht sich der Leser durch mich nicht düpiert wie durch jene skrupellosen Schreiberlinge, die ihr Bekenntnis zum Glauben an Wunder und Weissagungen, Transubstantiation und Totenauferweckung, an Höllen- und Himmelfahrten und sonstige Mirakel mehr schamlos mit dem Bekenntnis zur Objektivität verbinden, zur Wahrheit und Wissenschaft.

Bin ich, der erklärt Voreingenommene, verglichen mit ihnen, nicht immer noch weniger voreingenommen? Bin ich, durch mein Leben, meine Entwicklung, nicht zu einer unabhängigeren Beur teilung des Christentums fähig? Immerhin gab ich, trotz der engen Bindung an eine sehr christliche Mutter, den christlichen Glauben auf, sobald ich ihn als unwahr erkannte. Immerhin sägte ich zeitlebens an dem Ast, auf dem ich hätte sitzen können. Und immer wieder auch staune ich, wie wenig ernst man auf christlicher Seite Darbietungen sowjetischer Geschichte von sowjetischen Gelehrten nimmt – und wie ernst christliche von christlichen Theologen!

Geben wir doch zu: wir alle sind «einseitig»! Wer es bestreitet, lügt von vornherein. Nicht unsere Einseitigkeit ist wichtig. Wichtig ist, daß wir sie eingestehen; nicht verlogene «Objektivität» heucheln, gar «alleinseligmachende Wahrheit»! Entscheidend ist, wie viele und wie gute Gründe unsere «Einseitigkeit» untermauern, welche Relevanz der Quellenbasis, des Methodeninstrumentars, welches Argumentationsniveau und kritisches Potential überhaupt, kurz, entscheidend ist die eklatante Überlegenheit der einen «Einseitigkeit» über die andere.

Denn jeder ist einseitig! Jeder Historiker hat seine eigenen lebensgeschichtlichen und psychischen Determinanten, seine vorgefaßten Meinungen. Jeder ist gesellschaftlich festgelegt, ist klassen- und gruppenbedingt. Jeder unterliegt Neigungen, Abneigungen, kennt seine Lieblingshypothesen, seine Wertsysteme. Jeder urteilt persönlich, spekulativ, ist schon durch seinen Fragehorizont konditioniert, und hinter jeder seiner Arbeiten stehen «stets, ausgesprochen oder, wie dies der Regelfall ist, unausgesprochen . . . geschichtsphilosophische Grundüberzeugungen weitreichender Natur» (W. J. Mommsen).[40]

Ganz besonders gilt dies von jenen Geschichtsschreibern, die dies meist am meisten leugnen, weil sie meist am meisten lügen – und sich dann noch gegenseitig in die christliche Parade fahren. Wie lächerlich, wenn ein Katholik einem Protestanten, ein Protestant einem Katholiken, wenn Tausende von Theologen verschiedener Konfession einander immer wieder, durch Jahrzehnte und Jahrhunderte, mit gemessenem Ernst Einseitigkeit unterstellen. Wenn etwa Jesuit Heinrich Bacht bei dem Protestanten Friedrich Loofs «zuviel vom reformatorischen Affekt gegen das Mönchtum als solches» mitschwingen sieht; «deshalb bleiben seine Urteile zu einseitig». Ja, sollte Bacht gegenüber dem reformatorischen keinen jesuitischen Affekt kennen? Er, der Angehörige eines Ordens, dessen Mitglieder glauben *müssen*, daß weiß schwarz und schwarz weiß sei, wenn es die Kirche befiehlt?![41]

Und wie Bacht sind alle katholischen Theologen durch Taufe, Dogma, Lehramt, Druckerlaubnis sowie weitere Verpflichtungen und Zwänge zu extremer Hörigkeit genötigt und jahraus, jahrein in sicherem Sold dafür, daß sie eine bestimmte Meinung, bestimmte Lehre, eine wie auch immer massiv theologisch imprägnierte Deutung der Geschichte vertreten, was bekanntlich sehr viele abhält abzuspringen; es hätte oft terrible Konsequenzen. In Italien konnte nach dem 1929 mit Mussolini geschlossenem Konkordat kein Kleriker, der die Kirche verließ, irgendwo unterrichten, ja, auch bloß ein öffentliches Amt bekleiden. Jeder dieser Priester wurde jahrzehntelang behandelt, «als ob er jemand ermordet hätte. Das Ziel all dessen ist, die Treubrüchigen auf die Straße zu werfen und erbarmungslos in den Hungertod zu treiben» (Tondi S. J.). Bezeichnenderweise hat Kardinal Faulhaber, München, diesen Artikel 5 des italienischen Konkordats schon am 24. April 1933 Adolf Hitler empfohlen. Statt auszutreten, treibt es aber auch sonst die meisten Kirchenknechte mehr oder weniger, doch eher mehr, zumal je intelligenter, geschichtskundiger sie sind, weiter zu heucheln – im Glauben sind Priester auch nicht erfahrener, aber im Unglauben –, weniger der Selbsttäuschung zu frönen als der Täuschung anderer, konfessionellen Gegnern etwa anzukreiden, einseitig zu sein und selber so zu tun, als könne man das, ausgerechnet, als Katholik nicht: als gäbe es seit fast 2000 Jahren eine perfidere Parteilichkeit als auf katholischer Seite, gerade auf der, die eben deshalb stets die entschiedensten Bekenntnisse (sich) leistet zu Wahrheit, Wissenschaft, Objektivität.[42]

Doch der Status der Geschichte als Wissenschaft, als objektivierende Wissenschaft, und die Möglichkeit geschichtlicher Objektivität (eine Problematik der «Geschichtstheorie» oder «Historik») wird inzwischen von vielen Historikern selber in Frage

gestellt oder rundheraus bestritten – ich ergänze: von vielen
«Fachhistorikern». Denn wer zumindest hierzulande nicht zum
eingespielten, stets auf den neuesten Forschungsstand, den neuesten Machtwechsel rekurrierenden Wissenschaftsbetrieb, zur er-
lauchten Zunft universitär abgesegneter Vergangenheitsdeutung
gehört, ist gar nicht vorhanden; jedenfalls zunächst – später ist es
manchmal umgekehrt. Ich las zu viele Historiker, um vor vielen
Respekt zu haben – vor einigen habe ich desto mehr! Doch das
Lesen der meisten Geschichtsbücher ist so nützlich wie einst das
Lesen der Auguren im Flug der Vögel, das immerhin noch schöner war. Ein so bemerkenswerter Mann seines Fachs wie der
Franzose Fernand Braudel warnt nicht zufällig vor dem «l'art
pour l'art» in der Historikerbranche. Und nach William O. Aydelotte, einem englischen Experten, führt das Kriterium des Kon-
senses innerhalb eines gelehrten Fachpublikums «häufig», so
schreibt er, «zu einer Verschlechterung des geschichtswissen-
schaftlichen Handwerks», weil der Historiker «außen-geleitet»
werden könne und dann nicht sage, «was seiner Überzeugung
oder Ansicht nach am wichtigsten ist, sondern das, was seiner
Meinung nach seinem Publikum zusagt»[43].

Wie sprechend schon die Tatsache, daß jede Historikergeneration dieselbe Geschichte noch einmal schreibt, daß sie immer
wieder dieselben alten Geschichtsintervalle und Geschichtsfigu-
ren von neuem bearbeitet, wie sie schon die vorhergehende Ge-
lehrtengeneration gegenüber ihren Vorgängern von neuem bearbeitet hat – offenbar doch jeweils zur Unzufriedenheit der
Späteren? Denn erörterten sie Dinge, wären diese bereits gültig
gelöst? Und bedeutet Umschreiben an sich schon reichere For-
schungserträge? Wissenserweiterung und -vertiefung? Erkennt-
nisfortschritt? Sehr vieles fand ich bei älteren Historikern besser,
oft bedeutend besser, als bei jüngeren.

Natürlich haben die Historiker für diese «Reinterpretation der
Geschichte» (Acham), für ihre «historiographischen Innovatio-
nen» (Rüsen), Erklärungen gefunden, die durchaus einleuchten,
aber nichts daran ändern, daß die Historikergeneration nach
ihnen die Geschichte wieder umschreiben wird. Von Mal zu Mal

neue Kriterien, Prädominanzen, Artikulationsweisen, Methoden
und «Modelle», neue modische Auf- und Abwertungen auch,
zeitadäquate Entschlüsselungen und Verschlüsselungen. Im 19.
Jahrhundert beherrschte die «Ereignisgeschichte» weithin das
Feld, heute wendet sich das Interesse mehr der «quantitativen
Geschichte» zu. Einst waren die klassischen Paradigmata Diplomatie und Staatspolitik, heute sind es eher sozialökonomische
Untersuchungen. Es gibt auch vermittelnde Positionen. Und dann
und wann greift man auf ältere Techniken zurück, soweit man sie
nicht überhaupt beibehalten hat, wie die narrative «histoire évé-
nementielle», die Geschichte, in Anlehnung an eine bis in die
Antike reichende Tradition, als vornehmlich literarische Disziplin betrachtet, doch, mit Ausnahme etwa von England, fast
überall der «histoire structurelle», der analytischen Reflexion,
dem kritischen Diskurs, der möglichst genauen begrifflichen Fi-
xierung den Vorrang einräumen mußte; bis es jüngst zu einer
weltweiten Renaissance der alten erzählenden Geschichtsbetrachtung kam und zu einer Art Ausgleich. Die folgenden Jahrhunderte werden neue Betrachtungsarten, Plausibilitätskriterien,
Methodenstreite, neue Mischformen und neue Vermittler bringen
und so fort.[44]

Man fragt sich nur, mit welcher Selbstsicherheit die Historiker
über gewisse «historisch naive . . . Aussagen» des 19. Jahrhunderts «heute lächeln» (Koselleck), wenn doch viele Historiker des
21. Jahrhunderts wieder über einen gewissen Stand der Kenntnisse und Erkenntnisse vieler Historiker des 20. Jahrhunderts
lächeln werden und viele des 22. Jahrhunderts über viele des
21. Jahrhunderts – immer vorausgesetzt, daß es zu diesen Jahrhunderten noch kommt. Wird so nicht ein ewiges Lächeln von
Historikern über Historiker sein? Ein ewiger Wahn, so etwas wie
die wahren oder doch wahrscheinlicheren Grundsätze der Geschichtswissenschaft entdeckt zu haben oder wenigstens ihnen
nahe gekommen zu sein?[45]

Man könnte entgegnen, dies ständige Umschreiben, Neu-
schreiben, Anderssehen der Geschichte resultiere nur aus ihrem
eignen Wissenschafts- und Wahrheitsanspruch, aus dem Streben

gerade nach mehr Objektivität, größerer Genauigkeit, zumal verbesserte Arbeitsbedingungen, ein funktionstüchtigeres Instrumentarium, veränderte Forschungstechniken und Interpretationsverfahren, tieferdringende Sonden, bessere Verifikationsmöglichkeiten, neue Theorie- und Methodenkonzeptionen, begrenztere oder erweiterte oder exakter konstruierte Problemstellungen hinzukommen, zu schweigen vom Auffinden neuer Quellen.

Doch in Wirklichkeit zeigt die Geschichtsschreibung, daß der Schwerpunkt ihrer Interessen sich gewöhnlich erst verlagert, wenn die Zeitgeschichte ihre Interessen verlagert, ihre Ideologien, ihre Begriffe; daß die Geschichtsschreibung unter einem gewissen Zwang außerszientifischer Maßgaben, des metawissenschaftlichen Umfelds, der jeweils herrschenden Mächte, der politischen Praxis steht, daß sie dem Einfluß staatlicher Willensbestimmung unterliegt, daß sie den Dispositionen und Intentionen von Diktatoren folgt und somit – wie besonders der vorwiegend von amerikanischen Historikern (gegen den Positivismus) entwickelte Präsentismus lehrt – bloß eine Projektion von Gegenwartsinteressen auf die Vergangenheit ist; gerade das 20. Jahrhundert zeigt dies rundum auf der Welt. Und im 19. Jahrhundert sowie in den vorhergehenden Epochen ist es mutatis mutandis kaum anders gewesen. Was helfen die schönsten Theorien über Objektivität der Geschichtswissenschaft, wenn die Realität dieser Geschichtsschreibung ihre eignen Theorien widerlegt! Das erinnert fast an den Gegensatz zwischen der Predigt des Christentums und seiner Praxis.

Auch bei Methodenkontroversen geht es – wie beim sogenannten Methodenstreit Ende des 19. Jahrhunderts – viel weniger um sachliche als um politische Auseinandersetzungen, gesellschaftliche Umwertungsprozesse. Was scheinbar um der Wissenschaft, Forschung, theoretischen Besinnung willen geschieht, ist in Wirklichkeit mehr durch vor- und außerwissenschaftliche Realitäten bedingt, durch Tagespolitik, den sozialen Lebensbereich, Subjektivität, Egoismen.[46]

Nun kommt zum allgemeinen Objektivitätsproblem noch ein

spezielleres, heikleres Phänomen, das damit zusammenhängt. Die Schwierigkeiten resultieren dabei weniger aus der Tatsache, daß die Quellen oft lückenhaft, die Datierungen unsicher sind – zu schweigen von beträchtlichen Differenzen ganzer Wissenschaftszweige, etwa zwischen Archäologie und Linguistik oder Geschichte. Vielmehr geht es hier, da Geschichte meistens Texte betrifft, da alle Geschichtsschreibung Sprache ist, um die Sprache des Historikers.

Noch Louis Halphen (1946) genügte es, «sich in einer gewissen Weise von Dokumenten tragen zu lassen, die man eins nach dem anderen gelesen hat, wie sie sich uns anbieten, um die Kette der Fakten sich fast automatisch herstellen zu sehen». Aber leider sind «historiographische» Tatsachen noch keine «historischen» Tatsachen, sind Begriffe nicht die Wirklichkeit, nicht faits bruts. Leider gibt es «keinen scharfen Bruch zwischen Geschichte und Mythologie . . . keine scharfe Grenzlinie zwischen ‹Fakten› und Theorien» (Sir Isaiah Berlin), sind beide vielmehr «so sehr miteinander verwoben, daß man vergeblich versuchen würde, sie streng und genau zu trennen» (Aron). Leider auch können historische Tatsachen sehr verschieden gesehen und bewertet, können sie einseitig beleuchtet oder verdunkelt, entstellt, verdreht, verfälscht werden, können sie an sich schon vielschichtig, selbst bereits «wissenschaftliche Konstruktionen» sein (Bobińska), «eine Konstruktion des Geschichtswissenschaftlers» (Schaff). Kurz, geschichtliches Leben ist nicht adäquat durch Reproduktion zu erfassen, sondern nur annäherungsweise, jede Geschichtsschreibung ist ein untrennbares Geflecht von Fakten, Hypothesen, Theorien. «Jede Tatsache ist schon Theorie», wie bereits Goethe pointiert behauptet.[47]

Niemals sind wir, sofern Geschichte vergangen ist, mit einem geschichtlichen Ereignis unmittelbar, niemals mit der nackten Tatsache als solcher konfrontiert, mit Rankes «wie es eigentlich gewesen»; was übrigens bescheidner klingt, als es gemeint war. Der konservative Historiker, dem das Amt des Geschichtsschreibers – peinlich genug – nur mit dem des Priesters vergleichbar schien, der auch Grund hatte, sich häufig Unparteilichkeit, äußer-

ste Unparteilichkeit, zu attestieren, wünschte sein «Selbst gleichsam auszulöschen», «nur die Dinge reden, die mächtigen Kräfte
erscheinen zu lassen» und schrieb der «wahren» Historie die
Aufgabe zu, über «parteiisches Für und Wider» hinaus, «nur zu
sehen, zu durchdringen ... um dann zu berichten, was sie erblickt»[48].

Dieser selbstsichere Objektivismusglaube, von dem Grafen
Paul York Wartenburg als «Okularismus», von Droysen («Objektiv ist nur der Gedankenlose!») als Ausdruck «eunuchischer
Objektivität» verhöhnt, ist illusorisch. Denn es gibt keine objektive Wahrheit in der Geschichtsschreibung, keine Geschichte, wie
sie sich wirklich ereignet hat; «es kann nur historische Interpre-
tationen geben, und von diesen ist keine endgültig» (Popper).
Haben wir es doch bei der Geschichtsschreibung – im Grunde
aber schon bei der «Quelle», dem (primären) Informationsträger,
den Inschriften, Urkunden – immer bloß mit der *Beschreibung*
von «Ereignissen», «Tatsachen» zu tun.[49]

Diese Beschreibungen stammen jedoch sämtlich von Autoren,
die nur mittels rhetorischer und narrativer Hilfsmittel arbeiten
konnten, die – zu allen Zeiten – ausgewählt haben, auswählen
mußten, auch die Fakten in irgendeine Anordnung bringen mußten, weniger ein wissenschaftlicher als ein literarischer Akt. Die
Beschreibungen stammen von Verfassern, die guten oder schlechten Glaubens fortgelassen, die unterschlagen haben, die selbstverständlich alle mehr oder weniger Interessen gelenkt, die selbstverständlich alle mehr oder weniger einseitig berichtet, die ihre
durchaus korrekten Quellenbelege (wobei jede Übersetzung freilich mehr oder weniger schon Deutung ist) in bestimmter Weise
geprägt, in bestimmte Kontexte gestellt, die ihre Weltanschauung, mehr oder weniger bewußt, zum Leitmotiv ihrer Interpretation gemacht haben, wobei zur Problematik dieser Texte noch die
der Überlieferung kommt, das nicht seltene Phänomen der Fälschung, der Interpolation. Und moderne Historiker verfahren
natürlich kein Jota anders mit den Dokumenten, wählen aus,
lassen fort, beleuchten, erläutern, erklären im Sinne ihrer Weltanschauung.

Gerade Koryphäen stärken so nicht unser Vertrauen in die Objektivität ihres Fachs. Theodor Mommsen (Nobelpreis 1902) nannte ausgerechnet die Phantasie «wie aller Poesie so auch aller Historie Mutter». Bertrand Russell schrieb den Titel ‹History as an Art›. A. L. Rowse, ein führender englischer Historiker des 20. Jahrhunderts, sieht Geschichte der Dichtung viel näher als man meist meine; «in truth, I think, it is in essence the same». Nach Geoffrey Elton ist sie (1970) vor allem «Erzählung», «a story, a story of the changing fortunes of men, and political history therefore comes first because, above all the forms of historical study, it wants to, even needs to, tell a story». Auch Hayden White hieß jüngst historische Texte nichts anderes als «schriftstellerische Kunstprodukte» (literary artefacts). Kenner wie Koselleck und Jauss betonten um dieselbe Zeit die Verwobenheit von Faktizität und Fiktion. Vielleicht aber fand H. Strasburger 1966 die treffendste, von F. G. Maier 1984 ausdrücklich bejahte Formel für Geschichte: «Ein Mischwesen aus Wissenschaft und Kunst», «bis auf den heutigen Tag» – nachdem freilich schon Ranke 1824 die Aufgabe des Historikers «zugleich literarisch und gelehrt» genannt hatte und die Historie selbst «zugleich Kunst und Wissenschaft».[50]

Macht man sich bewußt, daß all das nicht-objektive, «nicht-naturalistische» Vorgehen späterer Historiker auf den Darlegungen, Deutungsmustern, Typisierungen früherer Historiker beruht, die schon ganz genau so verfuhren, mehr oder weniger eben verfahren mußten, daß selbst unsere «Quellen» schon so ähnlich zustande kamen, schon vermittelt, schon durch andere Auffassungen hindurchgegangen, schon Selektion sind, eine Mischung bestenfalls aus historischer Tatsache und Text, das heißt «Literatur», das heißt einfließender Deutung, kurz, nur «Überrest», «Tradition», macht man sich all dies klar, so ist evident, jede Geschichtsschreibung wird vom Hintergrund der eignen Weltanschauung her geschrieben.[51]

Manche Gelehrte zwar haben gar keine solche Weltanschauung und kommen sich deshalb wenn nicht besonders fortschrittlich, so doch besonders unparteiisch, rechtschaffen, redlich vor.

Sie sind Vertreter der «reinen Wissenschaft», Vertreter einer angeblich wertneutralen, angeblich indifferenten Haltung. Sie verwerfen jede Standortbezogenheit, jede subjektive Anteilnahme als unszientifisch, als nahezu blasphemischen Verstoß gegen das angebetete Objektivitätspostulat, das ihnen heilige «sine ira et studio», das, wie Heinrich von Treitschke höhnt, «niemand weniger befolgt hat als sein Urheber». Ist ja alles, «was man reine Wissenschaft nennt, nämlich das Register von Systemen und Hypothesen, von Erklärungen und Anschauungen, all das ist ausgefüllt, ist ausgestopft, ist vollgepfropft mit den ältesten, sinnlichen und übersinnlichen Mythologemen», was, eher ausnahmsweise treffend, Charles Péguy notiert, selbstverständlich von seiner katholischen Position aus.[52]

Nun kann das Vortäuschen wissenschaftstheoretischer Unschuld, das Unterschlagen weltanschaulicher Prämissen historischer Präsentationen, manches verdecken, fachbedingte Trägheit etwa, Blickverengung, vor allem aber eine gerade in Gelehrtenkreisen, im «kleinen Museum der Auserwählten» (von Sybel), grassierende Timidität, einen ethischen Relativismus und Eskapismus, die feige Flucht vor klarer weltanschaulicher Entscheidung – die ja doch Entscheidung ist, aber eine der Verantwortungslosigkeit im Namen wissenschaftlicher Verantwortung! Denn eine Wissenschaft, die nicht wertet, unterstützt, ob sie will oder nicht, den Status quo, sie stützt die Herrschenden und schadet den Beherrschten. Sie ist nur Scheinobjektivismus und praktisch gewöhnlich nichts als eine Rücksichtnahme auf die eigne Ruhe, Sicherheit, die eigne Karriere. Ich bestreite keinesfalls, daß eine wertende Geschichtsbetrachtung auch aus wissenschaftlicher Überzeugung abgelehnt, verworfen werden kann. Doch ist gerade der Widerwille des Historikers, die Geschichte zu deuten, seine Angst, zu bekennen, was tatsächlich vor sich geht, nur «ein weiteres Beispiel des allbekannten ‹trahison des clercs›, der Weigerung der Spezialisten, ihrem Handeln entsprechend zu leben» (Barraclough).[53]

Gewiß, es gibt nicht nur eine oder zwei Methoden, Geschichte zu treiben. Es gibt eine große Methodenvielfalt, wie besonders die amerikanische Geschichtsschreibung zeigt, wobei keine Methode das Recht hat auf einen Alleinvertretungsanspruch. Doch wenn es auch viele diverse Formen von Wissen und Wissenschaft gibt, hier geht es nur um zwei, um die Wissenschaft, die Wissenschaft um ihrer selbst willen betreibt, für die Wissenschaft das Letzte, Höchste, eine Art Religion ist, und die auch, wie diese, über Leichen gehen kann und geht; und um jene Wissenschaft, für die sie selbst nichts Letztes, Höchstes ist, die als Dienerin fungiert, im Dienst des Menschen steht, der Welt, des Lebens, die insbesondere mit der Geschichtsschreibung die «Pflicht politischer Pädagogik» verbindet, ein Wort Theodor Mommsens, der Geschichte geradezu «ein Totengericht» nennt und, ihre «nackte Gemeinheit» im Blick, ihre «entsetzlichen Barbareien», warnt «vor dem kindischen Glauben, als vermöge die Zivilisation aus der Menschennatur die Bestialität auszuwurzeln»[54].

Ihre bekanntesten Ausprägungen fanden diese beiden Wissenschaftsbegriffe im 19. Jahrhundert, im Wissenschaftsoptimismus der Natur- wie der Geschichtswissenschaft, im Positivismus und Objektivismus, und im radikalen Wissenschaftspessimismus Nietzsches. Er erkannte die Naturwissenschaft seiner Zeit als «etwas Furchtbares und Gefährliches», als einen Ausdruck jener «verhängnisvollsten Dummheit», woran wir vielleicht «einst zugrunde gehen». Ähnlich bewertet er die herrschende Geschichtswissenschaft und fordert eine Historie «zum Zwecke des Lebens», eine Historie, die «Vorbilder» bietet, «Lehrer, Tröster», besonders aber eine «kritische Historie», die das Vergangene «vor Gericht zieht, peinlich inquiriert und endlich verurteilt», denn «jede Vergangenheit ... ist wert, verurteilt zu werden»[55].

Auf der andren Seite steht etwa Max Weber, der Vertreter einer generellen Trennung von Wissenschaft und Werturteil, für den Wissenschaft lediglich empirische Forschung, analytische Bestandsaufnahme ist und grundsätzlich nichts mit Wert, Sinn, Sollen zu tun hat; auch wenn Weber, zwischen Werturteil und (dem neukantianischen Wort) Wertbeziehung unterscheidend, letztere in der Wissenschaft akzeptiert und wissenschaftliche Erkenntnisse in den Dienst wertbezogener Entscheidungen stellen will, was nicht ohne krasse Widersprüche geschieht.[56]

Unser Leben aber ist nicht wertfrei, sondern werterfüllt, und die Wissenschaft, als Teil desselben, kann Wertfreiheit nur heucheln. Wir müssen von Tag zu Tag vergleichen, prüfen, entscheiden, warum sollten wir es ausgerechnet in der Wissenschaft nicht, einem Bereich, der nicht neben unserem Leben steht oder gar darüber, sondern der dazu gehört, der uns, die Menschheit und die Welt, gefährden oder fördern kann? Ich hielt Werke von Historikern in Händen, einer im Bombenkrieg umgekommenen Frau, manchmal zwei oder drei gefallenen Söhnen gewidmet, und manchmal schrieben diese Leute «reine Wissenschaft» weiter wie zuvor. Das ist ihre Sache. Ich denke anders. Denn selbst wenn es eine apolitische, werturteilsfreie Geschichtsforschung gäbe, was ich bestreite, wäre sie doch nicht wünschenswert, weil sie das ethische Denken untergräbt, der Inhumanität Vorschub leistet. Auch wäre eine solche «Forschung» eigentlich gar keine Forschung, kein Aufdecken von Zusammenhängen, sondern, wie Friedrich Meinecke betont, bloße Vorarbeit, reines Sammeln von Material.[57]

Inwieweit stimmt nun die Wirklichkeit der Geschichte mit meiner Darstellung überein?

Ich lasse hier das erkenntnistheoretische Problem (samt der Struktur unsres Perzeptionsapparats) beiseite. Ich frage: inwieweit! Ich frage nicht: stimmt die Wirklichkeit der Geschichte mit ihrer Darstellung durch mich überein! Denn sagt Wittgenstein selbst von einem mathematischen Satz: «Nicht, daß er uns als wahr einleuchtet, sondern daß wir das Einleuchten gelten lassen, macht ihn zum mathematischen Satz»; sagt auch Einstein: «Soweit die Gesetze der Mathematik sich auf die Wirklichkeit beziehen, sind sie nicht gesichert; und soweit sie gesichert sind, beziehen sie sich nicht auf die Wirklichkeit» – wieviel mißtrauischer müssen wir die Geschichtsschreibung betrachten.[58]

Jeder Historiker nämlich schreibt in einem bestimmten politisch-gesellschaftlichen Bezugssystem, was sich unverkennbar in seiner Sicht niederschlägt, schon in seinen Auswahlmechanismen, seiner Selektion. Denn jeder «reißt aus dem Zusammenhang», keiner kann das reale Objekt der Vergangenheit mit ihren niemals direkt faßbaren hochkomplizierten Ereignisketten, diesem gigantischen Geflecht aus Denken und Tun, aus den vielfältigsten ähnlichen und gegensätzlichen Vorgängen, Beziehungen, Prozessen, objektiv widerspiegeln, gleichsam naturgetreu abbilden. Jeder selektiert aber nicht bloß, jeder interpretiert auch, weshalb es nicht nur darauf ankommt, was einer aus der Historie thematisiert, sondern wie er es tut, wobei ich die formale Seite der Sache hier ignoriere – nicht als unwesentlich, sondern zu weitschweifig, verwirrend: die Art und Weise, wie der Historiker sprachlich die Geschichte offeriert, das jeweilige Modell seines Berichts, die gewählte literarische Gattung, den «Repräsentationstypus», salopp: wie er «verformt», «verfremdet», «vergewaltigt», nicht nur in bösem, auch in bestem Glauben.

Wie jeder also, der Geschichte schreibt, habe ich grundsätzlich ausgewählt, «aus dem Zusammenhang gerissen» – der dümmste aller Vorwürfe, denn anders geht es nicht. Wie jeder habe ich auch innerhalb der Thematik noch einmal selektiert. Wie jeder habe ich die Träger des Geschehens, all die gekrönten, ungekrönten, selbstgekrönten Kriminellen, die Bischöfe und Päpste, die Heiligen, Feldherrn und sonstigen Geschäfte- und Geschichtemacher (denn aus Geschäften wird Geschichte), natürlich nicht mit allen Einzelheiten ihrer Vita erfaßt, all den Individualvorgängen, persönlichen Problemen, mit all ihren Amouren etwa (die freilich zuweilen nicht ohne Einfluß sind) oder mit allen Verdauungsbeschwerden – wiewohl auch sie manchmal auf die politischen Makroereignisse mehr wirken, als man glaubt. Doch wir kennen diese Beschwerden gewöhnlich nicht, und schon gar nicht wäre ihr Einfluß auf die Weltgeschichte eruierbar, nicht leicht jedenfalls – hier gibt es, wie auch sonst, noch wahrhaft tolle Chancen für Doktoranden und Habilitanden, ja, ein ganz neuer Wissenschaftszweig könnte sich auftun, könnte uns, neben der schon bestehenden Gerichtsmedizin, noch eine Geschichtsmedizin (nicht zu verwechseln mit der ebenfalls bereits etablierten, sehr lehrreichen Medizingeschichte) bescheren samt einer Fülle von

Unterabteilungen und Themen wie: «Systematische Historie der Digestion gekrönter und gesalbter Häupter nebst ihrer Wirkung auf das christliche Abendland vom Beginn des Investiturstreits bis zum Ende des Dreißigjährigen Krieges. Mit einem Anhang über Digestionen, Digestiva und Digestoria sämtlicher hl. Päpste und Gegenpäpste dieses Zeitraums.»

Vielleicht klang das Vorstehende manchmal für manchen nicht nur etwas theoretisch – doch Geschichtsschreibung steckt nun einmal voller Theorie, jede! –, sondern auch arg skeptisch. Doch zur Skepsis besteht Grund, allergrößter sogar – wenn sie freilich nicht so weit führen sollte, jetzt zu resignieren und gar nichts mehr zu glauben.

Auch muß der – zu Recht – schwindende Glaube an die Möglichkeit historischer Objektivität keinesfalls «das wissenschaftliche Ethos des Historikers» unterminieren und zum «Denkverfall» führen (Junker/Reisinger).[59] Viel eher untergräbt gerade das Bestehen auf Objektivität dieses Ethos, weil solch Insistieren unlauter, einzig nämlich dadurch motiviert ist, «das Fundament der Geschichtswissenschaft» zu retten, das heißt ihren nicht zufällig immer wieder angefochtenen Wissenschaftscharakter, was mich kaum interessiert. Mir ist Wahrheit oder, vorsichtiger gesagt, Wahrscheinlichkeit wichtiger als jede Wissenschaft, die im Namen der Wissenschaft sich gegen die Wahrheit vergeht. Und grundsätzlich ziehe ich auch das Leben, jedes Leben, der Wissenschaft vor, zumal einer Wissenschaft, die das Leben bedroht, vielleicht alles Leben überhaupt. Der Einwand, das sei nicht «die Wissenschaft», seien einzelne Wissenschaftler (immerhin sehr viele, wenn nicht die meisten), trifft so wenig wie etwa die Feststellung, die Verfehlungen der Christenheit seien nicht solche des Christentums.

Natürlich verfechte ich keinen reinen Subjektivismus, den es gar nicht gibt, so wenig wie reine Objektivität. Natürlich leugne ich nicht nutzreiche Wertskalen, kontrollierbare Tatsachenbezüge, mitteilbare und überprüfbare Erfahrungen, intersubjektives Wissen und intersubjektive Verbindlichkeiten. Aber ich bestreite die intersubjektive Interpretation! Und der Geschichtsphilosoph

Benedetto Croce wußte, warum er die subjektiven Urteile in der Geschichtsbetrachtung zuließ, aus «sehr triftigem Grunde», weil man sie nämlich «auf keinerlei Weise auszuschließen vermag».[60]

Kann man somit in der Geschichte auch nicht mit der Stringenz logischer Schlüsse schließen, heißt das weder, daß man gar nicht schließen soll, noch, daß man falsch schließen muß. Mag auch vieles oder, nach Meinung der radikalsten Skeptiker, alles problematisch sein, kann man doch einem historischen Sachverhalt näher kommen oder nicht, lassen sich doch für eine bestimmte Sehweise unbezweifelbar bessere und schlechtere Gründe vorbringen, solche, die mehr, weniger, gar nicht zutreffen. Oder mit William O. Aydelotte negativ formuliert: «Die Feststellung, alle Aussagen seien unsicher, bedeutet nicht, daß sie alle gleich unsicher sind.»[61]

Davon gehe ich ebenso aus wie von der Überzeugung, daß man, bei aller Komplexität, allem Chaos und Wirrwarr der Geschichte, allgemeine Aussagen treffen, daß man das Wesentliche, Typische, Entscheidende, herausstellen, kurz, daß man historisch generalisieren kann; was man, als angeblich zu spekulativ, nicht beweisbar, noch häufig negiert oder bagatellisiert, obwohl Historiker, die die Geschichte nicht bloß mit musealem Pläsier betrachten, ohne Generalisierung nicht auskommen können, wollen sie überhaupt etwas sagen, was der Mitteilung wert ist. Selbstverständlich dürfen sie nicht weiter gehen, als es ihre Unterlagen erlauben.[62]

Um diese Verallgemeinerungen aber möglichst schlüssig zu machen, ist eine meiner Hauptmethoden die der Quantifizierung, der Zusammenstellung vergleichbarer Fälle, Varianten, Daten, soweit sie relevant, repräsentativ sind. Geschichte schreiben heißt die Hauptzüge herausstellen. Ich betreibe also die Summierung des Informationsmaterials. Beides, Generalisierung und Quantifizierung, gehört zusammen.

Würde ich die ja durchaus nicht neue These vom Verbrechenscharakter des Christentums bloß mit einigen Stichproben stützen, wäre sie ohne Überzeugungskraft. Bei einem mehrbändigen Werk aber läßt sich nicht mehr von vereinzelten, nicht beweiskräftigen Beispielen sprechen. Dabei ist für mich, mit Cicero, «das erste Gesetz der Geschichtsschreibung: daß man nicht wage, etwas Falsches zu sagen». Fährt Cicero freilich fort: «sodann: daß man wage, nichts Wahres nicht zu sagen, damit kein Verdacht aufkomme, man schreibe aus Gunst oder Feindschaft»[63], so braucht dieser Verdacht bei mir gar nicht erst aufzukommen. Ich schreibe «aus Feindschaft»! Denn die Geschichte derer, die ich beschreibe, hat mich zu ihrem Feind gemacht. *Und nicht, weil ich nicht, was auch wahr ist, geschrieben habe, bin ich widerlegt. Widerlegt bin ich nur, wenn falsch ist, was ich schrieb.*

Da ich das Ganze aber – um auch ein Wort über seine Struktur einzuflechten – in der begründeten Hoffnung verfaßte, zahlreichen Menschen nützlich zu sein, die wenig oder keine Zeit haben, sich mit der Erforschung des Christentums zu befassen, gebe ich all die Fakten, Vorkommnisse, die Parallelitäten und Kausalbezüge, die ich zeige, die Schlüsse, die ich daraus ziehe, möglichst klar in den folgenden Kapiteln und Bänden wieder: oft chronologisch, nicht selten systematisch, mit besonderer Herausarbeitung wichtiger Aspekte, mit Zäsuren, bewußter Trennung der Stoffgebiete, der zeitlichen Abläufe, mit ihrer Zusammenziehung, mit weiten Vorausblicken manchmal, Rückverweisen, Exkursen –, einzig von dem Wunsch bestimmt, dem Leser die Lektüre zu erleichtern, die Übersicht, den Zusammenhang.

Nun gibt es nicht wenig Leute, die meinen, kritisieren sei leicht. Vor allem meinen dies solche, die es nie oder nie ernsthaft versucht haben, aus Opportunismus, Indolenz oder Unfähigkeit. Ja, es gibt Leute, die nichts häßlicher finden als Kritik – wenn sie ihnen gilt. Sie würden das nie zugeben. Sie würden und werden immer sagen: Wir haben gar nichts gegen Kritik, wir sind sehr für Kritik. Doch für eine förderliche, aufbauende, konstruktive Kritik. Nicht für eine zersetzende, niederreißende Kritik. Wobei aufbauend immer die ist, die sie schlimmstenfalls bloß beiläufig, wenn nicht gar nur scheinbar kritisiert, um sie dann desto besser bejahen und bejubeln zu können. «Zerstörerisch» aber, «unfruchtbar», «verdammenswert», ist natürlich jede Attacke, die ihre Fundamente angreift und ruiniert. Je überzeugender sie ist, desto mehr wird sie verteufelt – oder totgeschwiegen.

Am meisten kritikempfindlich sind klerikale Kreise. Gerade jene, die zwar rufen: Richtet nicht!, doch selber alles, was ihnen nicht paßt, in die Hölle schicken, gerade jene, deren Kirche sich als erste Moralinstanz der Welt aufspielt, seit Jahrhunderten aufgespielt hat und weiter aufspielen wird, gerade jene sind hell empört, beginnt da einmal einer sie selber zu messen, zu richten, und je schärfer, je vernichtender dies geschieht, desto zorniger sind sie, wütender – wobei ihr Zorn und ihre Wut (im Unterschied zu unseren Affekten) heiliger Zorn sind, heilige Wut oder auch Zornmut, «geordnete Zornmut» natürlich, laut Bernhard Häring, dem Moralexperten, «eine überaus wertvolle Kraft zur Überwindung der Widerstände gegen das Gute, zur Erstrebung des hochgespannten, aber schwer erreichbaren Zieles. Wer nicht zürnen kann, dessen Liebe ist nicht blutvoll[!]. Denn wenn wir blutvoll, mit allen leibseelischen Energien das Gute lieben, werden wir mit den gleichen Energien dem Bösen widerstehen. Christlich ist nicht die träge Gelassenheit gegenüber dem Bösen, sondern mutiger Einsatz gegen dasselbe unter Anspannung aller Kräfte; und dazu gehört auch die Kraft des Zornmutes.»[64]

Mit flammender Entrüstung tritt man ausgerechnet in diesen Kreisen gegen die «Manie des Zu-Gericht-sitzen-Wollens» auf (Altmeyer), zeigt man sich «wissenschaftlich» indigniert, wenn ein Autor, wie schrecklich, «ans Werten geht», «der Historiker, vom Moralisten entmündigt, ins Rollenfach des öffentlichen Anklägers überwechselt», wenn er «der Versuchung» erliegt, «den Erwartungshorizont rigoristisch zu überspannen», wenn er in den «Schatten idealistischer Maximalforderungen» sinkt, «das forensische Pathos» in den Mund nimmt, und dies alles auch noch unbekümmert um «die alte Historikerfrage nach der konkreten Realisierbarkeit ethischer Forderungen» (Volk S. J.).[65]

Ist es nicht grotesk, wenn Vertreter eines antiquierten Mythenzaubers, des Glaubens an die Trinität, an Engel, Teufel, Hölle, Jungfrauengeburt, die leibliche Himmelfahrt Mariens, die Verwandlung von Wasser in Wein, von Wein in Blut, mit (ihrer)

«Wissenschaft» imponieren wollen? Wenn ein Jesuit Volk (dem die dreizehnte Regel seines Ordens befiehlt, «daß das, was ich für weiß halte, statt dessen schwarz ist, wenn es die hierarchische Kirche so bestimmt») mit dem «Geiste unvoreingenommener Nüchternheit und Objektivität» renommiert?! Und ist es nicht der Gipfel des Grotesken, solche Figuren selbst von der Wissenschaft noch weithin gewürdigt zu sehen?!⁶⁶

Gerade sie aber verbinden dann am liebsten mit ihrer Verwerfung des Wertens, des Zu-Gericht-sitzen-Wollens (anderer!), die pharisäisch vorgebrachte Floskel, die allerdings die meisten Geschichtsbücher ziert, man müsse das und das «aus der Situation der Zeit» verstehen (Dempf) – das spätantike Reichsgesetz zum Beispiel, das verurteilte «Häretiker» als Aufständische behandelt, überhaupt die damalige Kirchenpolitik der Kaiser gegen die «Ketzer» oder «genauso», wie Dempf hilfreich gleich hinzufügt, «wie die entsprechende Periode unserer abendländischen Kultur [!], die Zeit von etwa 1560–1648, der Dauer der Religionskriege»⁶⁷. All dies und sehr viel mehr, auch die ganze Zeit dazwischen muß «aus dem Geist der Zeit heraus» verstanden und erklärt werden! Besonders theologische Kirchenhistoriker kommen um diese Beschwichtigungs-, Verharmlosungs-, Bagatellisierungsgeste, die keinesfalls grundsätzlich verworfen werden soll, nie herum. Man müsse es verstehen, das heißt, man macht es verständlich, es wird verständlich und ist dann, hat man es erst einmal «aus dem Geist der Zeit heraus» verstanden, gar nicht mehr so schlimm, es hat sozusagen so sein müssen, ist ja die ganze Geschichte gottgewollt.

Der Theologe Bernhard Kötting erklärte 1977 vor der Rheinisch-Westfälischen Akademie der Wissenschaften, man könne heute nicht von den Bischöfen der konstantinischen Zeit verlangen, «daß sie dem Kaiser etwa aus dem Geist der christlichen Liebe heraus die Gleichstellung aller religiösen Kultgruppen hätten nahelegen müssen. Das würde bedeuten, den geistigen Horizont, in dem die Menschen der Antike lebten, willkürlich von uns aus zu bestimmen und unsere Vorstellung von der Herleitung der staatlichen Macht in das 4. Jh. hineinzuprojizieren.»⁶⁸

Diese im Namen historischen Denkens vorgebrachte Argumentation ist gerade diesem Denken selbst gegenüber unwürdig, ist mehrfach absurd. Erstens nämlich war die heidnische Antike religiös im allgemeinen tolerant. Zweitens haben gerade die christlichen Schriftsteller des 2., 3. und frühen 4. Jahrhunderts immer wieder und leidenschaftlich aus dem «Geist der christlichen Liebe» Religionsfreiheit gefordert! Drittens, was ist denn der «Geist der christlichen Liebe» überhaupt wert, wenn man ihn ständig mißachtet – im 4. Jahrhundert genauso wie in allen Jahrhunderten seitdem, nicht zuletzt auch im 20. (im Ersten Weltkrieg, im Zweiten, im Vietnam-Krieg), in dem die Christen doch kaum noch im geistigen Horizont der Antike leben, aber sicher noch immer genauso wenig im «Geist der christlichen Liebe». Das alles ist doch kein Hineinprojizieren anachronistischer Vorstellungen! Der «Geist der christlichen Liebe» war für die Mächtigen – in Staat und Kirche – zu keiner Zeit brauchbar, daher stets bloß auf dem Papier beschworen, in Wirklichkeit aber stets abscheulich verraten worden. Dies ist der wahre Zeitgeist gewesen, und er blieb sich zu allen Zeiten gleich – das andere ist nichts als Augenwischerei.

Der «Geist der Zeit» jedoch, apologetisch so nützlich, wird immer wieder in die Köpfe gezaubert, entschuldigend, beschuldigend, gleichviel. Als habe nicht schon Goethe im ‹Faust› gehöhnt:

«Was ihr den Geist der Zeiten heißt,
Das ist im Grund der Herren eigner Geist.»

Doch falls man dem geziemend antichristlichen, sehr antiklerikalen Dichter mißtraut, so mag noch der hl. Augustin hier stehen. «Schlechte Zeiten, mühsame Zeiten, so sagen die Menschen», schreibt er. «Laßt uns gut leben, und gut sind die Zeiten. *Wir sind die Zeiten; wie wir sind, so sind die Zeiten.*»[69] Und auch an anderer Stelle bezichtigt Augustin predigend nicht Zeit und «Zeitgeist», sondern die Menschen, die alle Schuld – wie viele Historiker noch heute – auf die Zeiten schöben, auf lästige Zeiten, schwere Zeiten, elende Zeiten. Doch: «Die Zeit verletzt niemand. Die verletzt werden, sind Menschen, und Menschen sind es, von denen sie verletzt werden. O großer Schmerz: Menschen werden verletzt, Menschen werden beraubt, Menschen werden unterdrückt! Von wem? Nicht von Löwen, nicht von Schlangen, nicht von Skorpionen, sondern von Menschen. In Schmerzen sind, die verletzt werden. Und tun sie nicht selber, wenn sie können, was sie schelten?»[70]

Augustin wußte, was er sagte; gerade der letzte Satz trifft voll und ganz ihn selbst (vgl. 10. Kap.). Dabei glaube ich durchaus nicht so fest wie Voltaire an eine zeitlose raison universelle. Noch weniger übertrage ich in entfernte Vergangenheiten alle Ideen und Wertmaßstäbe der Gegenwart, was Montesquieu mit Recht, wenn auch übertreibend, «die furchtbarste unter den Quellen des Irrtums» nennt.[71] Doch hat man stets, wenigstens in den letzten 2000 Jahren, Raub, Mord, Ausbeutung, Krieg für das gehalten, was sie waren und sind. Gerade die Christen mußten dies wissen. Gerade sie hatten die stark pazifistisch und sozial geprägte Verkündigung des synoptischen Jesus; sie hatten eine fast dreihundertjährige pazifistische frühchristliche und frühkirchliche Predigt; sie hatten auch die leidenschaftlichen «liebes»kommunistischen Appelle der Kirchenväter und -lehrer noch des 4. Jahrhunderts. Kurz, es gab eine immer christlichere Welt – und in vieler Hinsicht eine immer schlimmere. Denn das Christentum beruht auf verschiedenen Geboten, wie dem Gebot der Nächstenliebe, der Feindesliebe, dem Gebot, nicht zu stehlen, nicht zu töten und auf der Klugheit, keines dieser Gebote zu halten.

Oft belehren uns die Apologeten, die dies im Grund nicht leugnen können, daß da und dann – immer da und immer dann, wo und wann es gerade paßt, welchen Geschichtsabschnitt man gerade bemäntelt – die Menschen eben «noch keine wirklichen Christen» waren! Doch wann waren sie es? Zu Zeiten der greulichen Merowinger, der fränkischen Raubkriege, des lateranischen Weiberregiments? Bei den großen christlichen Offensiven, den Kreuzzügen? Bei der Ketzer- und Hexenverbrennung, der Indianerausrottung, der (fast zweitausendjährigen) Judenverfolgung? Oder im Dreißigjährigen Krieg? Im Ersten Weltkrieg? Im Zweiten? Im Vietnam-Krieg? Einmal müssen sie doch Christen gewesen sein!?

Der Geist der Zeit jedenfalls war durchaus nicht überall derselbe zur selben Zeit.

Als die Christen ihre Evangelien kolportierten, ihren Glauben,
ihre Dogmen, als sie immer weitere Teile der Welt infizierten, gab
es sehr wohl Menschen, wie die großen ersten Bestreiter des
Christentums, Celsus im 2. und Porphyrios im 3. Jahrhundert, die
das Christentum, alles in allem, vernichtend kritisiert und im
wesentlichen bis heute recht behalten haben, was immerhin
christliche Theologen des 20. Jahrhunderts erklären (S. 212).

Doch begehrten nicht nur Heiden gegen die Christenlehre auf.
Zur selben Zeit, als man weithin im Glauben an das Trinitätsdogma lebte und starb, verwarfen es Juden wie Moslems als
Provokation ohnegleichen; war für sie auch das Paradoxon von
der Menschwerdung Gottes absurd, dies «Unrecht», diese
«Schmach»; sah der islamische Philosoph und Mystiker Al Gha-
zali (1059–1110) die einander widersprechenden Zweinaturen-
lehren von Monophysiten, Nestorianern, Orthodoxen nur als
Ausdruck von «Unverständlichkeit, ja Dummheit und Geistes-
schwäche»[72].

Wie im Denken, so differierten die Menschen derselben Zeit
auch im Tun.

Während das Christentum seine monströsen Greuel verbrach,
war der Buddhismus, der in Indien keine organisierte Kirche nach
Art der abendländischen, auch keine Zentralinstanz schuf, die
über den rechten Glauben entschied, sehr viel toleranter. Er
forderte von seinen Laienanhängern weder ausschließliche Verpflichtung auf das buddhistische Bekenntnis noch den Austritt
aus anderen Religionen, noch nahm er gewaltsame Bekehrungen
vor. Vielmehr war für ihn Duldsamkeit gegenüber fremden Konfessionen in anderen Ländern geradezu «charakteristisch» (Mensching).[73]

Sein pazifistisches Wirken beweist beispielsweise die Geschichte Tibets, dessen Volk, eine der gefürchtetsten und kriege-
rischsten Nationen Asiens, unter buddhistischem Einfluß eine der
friedlichsten wurde, wobei trotz tiefer Frömmigkeit und einer
gutorganisierten geistlichen Hierarchie völlige Toleranz zwischen

allen Arten von Glaubensformen und Sekten bestand. Richtig schreibt der Buddhist Lama Anagarika Govinda: «Religionen, die der Individualität des Menschen ihre volle Berechtigung zugestehen, werden automatisch zu Förderern der Humanität. Solche aber, die den Anspruch erheben, im alleinigen Besitze der Wahrheit zu sein, oder die den Wert des Individuums und individueller Überzeugungen geringschätzen, können zu Feinden der Humanität werden, und dies um so mehr, wenn Religion zu einer politischen oder gesellschaftlichen Machtfrage wird.»[74]

Selbst unter den Christen war nicht jeder geschlagen durch den Zeitgeist! Nicht jeder blind! So spottet Peire Cardinal, der große Troubadour, über Hugo von Montfort und dessen Grabsteinspruch: «. . . wenn jemand dafür, daß er Menschen hinmordete, Blut vergoß, Seelen verlorengehen ließ, daß er in Mordtaten einwilligte, verderbten Ratschlägen folgte, Feuersbrünste entfachte, vernichtete, schändete, Ländereien gewaltsam wegnahm, Frauen tötete, Kinder erwürgte: dann soll er die Krone tragen und im Himmel glänzen.»[75] Ja, im 13. Jahrhundert gibt es eine ganze satirisch-ironische Kreuzzugsliteratur. So höhnt der Franzose Rutebeuf:

> «Wein trinkt man erst mal ungeheuer
> Und streckt berauscht sich aus am Feuer,
> Dann greift zum Kreuz man mit Hurra –
> Und sieh, schon ist der Kreuzzug da,
> Der dann beim ersten Morgenlicht
> In wilder Flucht zusammenbricht.»[76]

Nicht jeder also war vom Zeitgeist besessen, nicht jeder kritiklos und außerstande zu vergleichen, zu prüfen, zu richten. Durch alle Jahrhunderte auch gab es ethisches Denken, nicht zuletzt in christlichen Kreisen, unter «Ketzern». Und warum das Christentum nicht auch an seinen eignen biblischen, mitunter sogar an kirchlichen Maßstäben messen? Warum ausgerechnet das Christentum nicht an seinen Früchten erkennen wollen?

Ich bekenne mich, wie jeder Gesellschaftskritiker, zur wertenden Geschichtsschreibung. Ich betrachte die Geschichte, wie mir das nützlich, weil notwendig scheint, ethisch engagiert unter dem Anspruch eines «humanisme historique». *Für mich ist ein Unrecht, ein Verbrechen, vor 500, 1000, 1500 Jahren genauso lebendig und empörend wie ein Unrecht, ein Verbrechen, das heute geschieht oder erst in 1000, in 5000 Jahren.*

Ich schreibe also politisch motiviert, das heißt in aufklärerisch-emanzipativer Absicht. Die «histoire existentielle» steht mir allemal näher als die «histoire scientifique». Und die neuerdings vielverhandelte Frage, ob Geschichte überhaupt eine Wissenschaft sei – schon von Schopenhauer und Buckle bestritten –, kümmert mich wenig; ja, die argumentativen Anstrengungen (und Verrenkungen) so vieler Berufshistoriker, den Wissenschaftscharakter ihrer Disziplin (und ihr Ansehen) zu wahren, erscheint mir suspekt, weniger «wissenschaftlich» oft als «allzumenschlich». Solang es unsresgleichen gibt, wird man Geschichte treiben, mag man ihr das Prädikat Wissenschaft zuerkennen oder nicht. Wozu die Aufregung! Die Theologie ist auch keine Wissenschaft, allenfalls die einzige, deren Vertreter – und das läßt sich den Historikern nicht nachsagen – keine Ahnung von ihrem Forschungsobjekt haben; und doch verfügt sie über verhältnismäßig weit mehr Lehrstühle als jede andre. Zumindest hierzulande gab es in den siebziger Jahren des 20. Jahrhunderts in Würzburg für 1149 Studenten der wirtschafts- und sozialwissenschaftlichen Fakultät 10 Lehrstühle, für 238 Theologen 16! Ja, in Bamberg finanzierte damals der christlich-sozial regierte Freistaat Bayern für 30 Theologiestudenten 11 Professuren! Für 30 künftige Gottesgelehrte, sofern sie nicht trotz allem absprangen, immer noch mehr Ordinarien als für 1149 Studenten einer weniger jenseitsbezogenen Wissenschaftsrichtung![77]

Ich kann Geschichte – schon dies Beispiel, ein Tröpfchen nur aus einem Meer von Ungerechtigkeit, müßte es verständlich machen – nicht sine ira et studio erforschen. Es widerstrebt meinem Gerechtigkeitssinn; auch meinem Mitleid. Wer nicht Feind vieler Menschen ist, ist der Feind aller. Und wer Geschichte ohne Haß und Gunst betrachtet oder gar beschreibt, gleicht er nicht jenem, der die Opfer eines Großbrands ersticken, verbrennen, zu Tode

stürzen sieht und all dies teilnahmslos registriert? Historiker, die
sich an «reine» Wertmaßstäbe klammern, an «reine» Wissenschaft, sind unehrlich. Sie betrügen die andern oder sich selbst, ja,
sie sind, da es kein schlimmeres Verbrechen gibt als Gleichgültig-
keit, kriminell. Gleichgültigsein heißt unablässig morden.

Dies klingt vielleicht ungewohnt, hart, folgt aber aus der Dop-
pelbedeutung unseres Geschichtsbegriffs, der das Geschehen sowohl wie dessen Darstellung bezeichnet – res gestae und rerum
gestarum memoriae. Ist Geschichtsschreibung doch nicht bloß
Geschichts*schreibung*, sondern stets auch *Geschichte*, ein Teil
derselben, indem sie diese nicht nur, auf welche Art immer,
spiegelt, sondern auch bewirkt, nicht bloß beschreibt, sondern
auch macht. Entscheidend ist, daß diese Reflexion zur Aktion
wird, daß sie das Denken und Tun der Menschen, auch ihrer
Führer und Verführer, beeinflußt, mitbestimmt, vielleicht sogar
maßgeblich, daß alle Historiographie somit «einen dreifachen
Aspekt» hat: «Sie erzählt, ist und bewirkt Geschichte» (Beu-
mann).[78]

Historiker hatten niemals eine geringe Meinung von sich. Sie
wuchs noch im Lauf der Zeit und war wohl nie so herausgefüttert
wie gestern und heute – trotz aller Theoriedefizite, methodologi-
schen Skrupel, Selbstzweifel und Selbstbezichtigungen und aller
rivalisierenden Richtungen in der Historiographie, von Außenat-
tacken zu schweigen. «Der Ort der entrealisiert-vergangenen Geschichte ist der Kopf des Historikers. Was sich dort von der
Realgeschichte aufbewahren kann, ist ihr *Inhalt*» (Junker/Reisin-
ger). Sehen sich doch viele Geschichtsschreiber gerade des 20.
Jahrhunderts so sehr als Akteure der Geschichte, daß Edward
Hallet Carr tadelt: «Geschichte ist, was der Historiker macht.»[79]

Dies ist nur ein Teil der Wahrheit. Wichtiger und die Regel, daß
man Geschichte für und gegen Menschen macht, daß eine Minderheit für die Minderheit und gegen die Mehrheit regiert, gegen
die duldenden, leidenden Massen; die Regel, daß politische Geschichte auf Macht, Gewalt, Verbrechen beruht; die Regel leider
auch, daß dies das Gros der Historiker noch immer nicht beim
Namen nennt, vielmehr rühmt – nach wie vor Potentaten und

Zeitgeist zu Diensten. Die Regel somit weiter, daß Geschichtsschreibung die Politik nicht verbessert, sondern «gewöhnlich von ihr verderbt wird» (Ranke) – und diese selber wieder verdirbt! Denn wie man Politik zwar für die (Masse der) Menschen machen könnte, gewöhnlich aber gegen sie macht, so wird gegen sie gewöhnlich auch die Geschichtsschreibung geschrieben. Es geht uns jedoch, mit Voltaire zu sprechen, um das Schicksal der Menschen, nicht um die Revolution des Thrones. Jeder Geschichtsschreiber hätte sagen müssen *homo sum*, doch die meisten haben nur Schlachten beschrieben. So ist es lange noch nach Voltaire, ist es grosso modo häufig noch heute. Und besteht zumindest prinzipiell der Satz des Johannes Chrysostomos zu Recht: «Wer die Sünde lobt, ist viel schlechter als der, welcher sie begeht», dann ist auch jeder, der Geschichtsverbrechen und -verbrecher preist, schlechter noch als diese selbst.[80]

Die Frage erhebt sich, was ist ein Verbrechen? Wer ist Verbrecher?

Ich werde dazu nicht das Strafgesetzbuch bemühen, weil jedes solche Gesetzbuch sozusagen gesellschaftskonservierend, Ausdruck der Ideologie des Establishments, weil es unter dem Einfluß einer herrschenden Minderheit und deshalb gegen die beherrschte Mehrheit geschrieben ist. Ich gehe von der communis opinio, übrigens auch der Rechtswissenschaft, aus, daß Mörder der ist, der einen anderen Menschen absichtlich tötet, zumal wenn er dies aus «niederen» Motiven tut, etwa um ihn zu berauben oder sich an seine Stelle zu setzen. Nun ist es ein großer Unterschied für Justitia, ob man *einen* ermordet oder *Millionen*, nur jenes gilt als kriminell; ein großer Unterschied auch, ob Millionen *ermordet* werden oder Millionen *gestohlen* – bloß dies ist justiziabel. Für mich verdient solche «Gerechtigkeit» nicht den Namen.

So klar aber das allgemeine Bewußtsein zu wissen glaubt, wer Verbrecher, so klar auch, wer Held ist. Und wer, außer Staat und Kirche, hätte mehr dazu beigetragen als die Geschichtsschreibung selbst? Durch den weitaus größten Teil unseres Zeitraums hofiert die Quellentradition die unterdrückenden und ignoriert die unterdrückten Schichten, präsentiert sie meist glanzvoll die Akteure der Historie, die kleine Despotenmeute derer, die sie machte, und selten oder nie den Buckel derer, die sie ausgetragen. Derart aber wirkte die Historiographie, besonders in den letzten Jahrhunderten, buchstäblich katastrophal. Erst 1984 zeigte Michael Naumann in seiner Schrift ‹Strukturwandel des Heroismus›, daß man seit dem Absolutismus «politische Macht, gesellschaftliche Institutionen, Geschichte und nationale Identität gleichsam bildhaft im Nationalheros ‹zusammengefügt› und verkörpert», daß auch die Masse die Handlungen solcher «Heroen» als «existentiell repräsentativ» rezipiert hat, als «nachahmenswert», und «daß unter diesen Männern *stets von den Historikern selbst ‹Helden› verstanden wurden*»[81].

Heroismus, politischer Heroismus, aber ist immer viel weniger der gute Wille zum Selbstuntergang als der böse zum Untergang des andern. Und warum Jean Paul Geschichte nicht nur den wahrsten Roman nennt, den er je gelesen, sondern auch den schönsten, wird wohl für immer sein Geheimnis bleiben. Ebenso warum Goethe – «in einem seiner bekanntesten Worte» (Meinecke) – als das Beste, was wir von der Geschichte haben, ausgerechnet den Enthusiasmus preist, den sie erregt. Die Geistesgeschichte vielleicht, die Kunstgeschichte sicher. Aber die Politik? Das garstige Lied?![82]

Wie auch immer, Thomas Carlyle, «Statthalter Goethes in England», stellte 1840 in dem programmatisch betitelten ‹Heroes and Hero Worship› die Weltgeschichte als Geschichte großer Männer dar: Macht gleich Recht. Und in ihrer überwältigenden Mehrheit sahen und sehen es die Berufshistoriker, die eigentlich Staatshistoriker heißen sollten, gewöhnlich ja auch Staatsbeamte sind, nicht anders, sehen viele jeden dieser «großen» Männer reich begabt zur Sünde wie zum Segen, wie Treitschke, der sächsische Generalssohn, rühmt, nicht ohne die moralisierende Nüchternheit zu rügen, «welche Menschengröße nur als das Gegenteil des Frevels zu begreifen vermag»[83].

Auch ein so verheerender Kopf wie Hegel denkt nicht anders. Kein Wunder bei einem Geist, der sich einerseits fest im Besitz der absoluten Wahrheit wähnt (die seinem eignen Entwicklungssy-

stem widerstreitet), sich auch für einen gläubigen «lutherischen
Christen» und die Weltgeschichte, in seiner Geschichtsphilosophie, für die Verwirklichung der Offenbarung Gottes hält, andererseits als scharfer Verfechter höchst intoleranter Staatsautorität
alles Außenseiterische, Abweichende bekämpft, wie gelegentlich
den «Wahnsinn der jüdischen Nation», «dieser mit anderen . . .
unvereinbaren Nation», ebenso aber auch alles Aufbegehrende
und Schwache haßt, «brandige Glieder», der «Verwesung nahes
Leben»; wobei er kein Vorgehen «mit Lavendelwasser» gutheißt,
«keine sanften Gegenversuche», vielmehr immer wieder die Gewalt glorifiziert, «das *gewaltsamste Verfahren*», und dem Staat
selbst empfiehlt, sich «durch die Gewalt» zu rechtfertigen, denn
«dann unterwirft sich ihm der Mensch». Auch der «gemeine
Haufe des deutschen Volkes . . . müßte durch die *Gewalt* eines
Eroberers in eine Masse versammelt», müßte «gezwungen werden, sich zu Deutschland gehörig zu betrachten». «So sind alle
Staaten gestiftet worden durch die erhabne Gewalt großer Menschen.» Entsprechend ist für Hegel der Friede, gar Kants Idee vom
ewigen Frieden, ein Alptraum, «auf die Länge ein Versumpfen der
Menschen», ja, «der Tod». Dagegen hat der Krieg «die höhere
Bedeutung», daß durch ihn «die sittliche Gesundheit der Völker . . . erhalten wird, wie die Bewegung der Winde die See vor
der Fäulniß bewahrt». Vom «Militairstand» sagt Hegel klipp und
klar, «daß er die Pflicht hat . . . sich aufzuopfern». Doch ist «die
Aufopferung» – gern feiner mit «Entäußerung» umschrieben –
«für die Individualität des Staates» auch *«allgemeine Pflicht»*,
Gehorsam überhaupt, wie schon für Augustin, der Anfang aller
Weisheit – tatsächlich, zumal diesbezüglich, oft nur der Anfang
des «Helden»todes. «Die wahre Tapferkeit gebildeter [!] Völker
ist das Bereitseyn zur Aufopferung im Dienste des Staates.» Und
da die Staaten sich sogar im Krieg anerkennen, sogar «im Kriege
selbst der Krieg als ein Vorübergehensollendes bestimmt ist» und
«die Möglichkeit des Friedens erhalten», schließt Hegel auch:
«Die neueren Kriege werden daher menschlich geführt, und die
Person ist nicht» – übrigens typisch christlich, geradezu feldpfaf-
fenhaft gedacht – «in Haß, der Person gegenüber.» Hätte Hegel

die Möglichkeit eines ABC-Krieges schon gekannt, hätte er sich sicher einmal mehr bestätigt gesehen. Alles schickt ja Gott zur rechten Zeit. «Die Menschheit bedurfte des Schießpulvers, und alsbald war es da.» Die Menschheit bedurfte des Hegel, und alsbald war er da. Die Menschheit bedurfte menschlicher Kriege, und schon kamen sie. Es geht nichts über einen unerschrockenen Denker, der denn auch rundheraus von den Akteuren der Geschichte schreibt, was sie getan, wirklich getan haben, sei «ihr Ruhm. Solch einem Heros könne man nichts Schlimmeres nachsagen, als daß er unschuldig gehandelt habe. Es ist die Ehre der großen Charaktere, schuldig zu sein.» Bei den «kleinen» ist dies ihre Schmach. Auf sie wartet, sind sie schuldig, nicht selten sogar, sind sie unschuldig, der Kerker, der Strang, der elektrische Stuhl – auf die großen Verbrecher warten die Elogen der Historiker und Geschichtsphilosophen.[84]

Es ist klar, haben ganze Generationen solche Präzeptoren, werden sie auch von jedem welthistorischen Schandkerl mißbraucht. Stünde es nicht anders um Menschheit und Geschichte, würden diese von der Geschichtsschreibung – und Schule! – *ethisch* durchleuchtet und geformt? Würden die Verbrechen der Herrschenden nicht gefeiert, sondern verdammt? Die meisten Historiker aber breiten den Dreck der Vergangenheit aus, als wäre er der Humus für künftige Paradiese. Und gerade die deutsche Geschichtswissenschaft hat die tradierte Form der Geschichte, der Gesellschaft, die überlieferte «Ordnung» – in Wirklichkeit ein soziales Chaos, ein fortgesetzter innerer und äußerer Krieg – gestützt statt zu ihrem Sturz beizutragen. Gerade die deutsche Geschichtsschreibung war besonders an das nationale Apriori gebunden. Sie geriet im 19. Jahrhundert immer mehr in den Sog der nationalstaatlichen Idee, eines patriotischen Optimismus und Aufstiegsglaubens. Sie wurde dadurch stärker beeinflußt als die Geschichtswissenschaft anderer Länder, aber sie beeinflußte diese Tendenz auch wieder ihrerseits stark. Dagegen hat sie die Verschränkung politischer und gesellschaftlicher Vorgänge, also die Sozialgeschichte – die hier eine beträchtliche Rolle spielen wird –, zumal mit ihren großen Ansätzen Ende des 19.

Jahrhunderts wenig beachtet, fast geächtet, diente selbst für den
später zur liberalen Linken wechselnden Friedrich Meinecke
noch im Ersten Weltkrieg «unser Staat, unsere Machtpolitik,
unser Krieg den höchsten Gütern unserer nationalen Kultur»;
vertrat Deutschland «die nationale Idee in ihrer höchsten Form»,
der Feind «den rohen Nationalismus». Und noch nach Hitler, als
man doch da und dort aufzuwachen begann, tendiert die große
Mehrheit der Historiker, auch jenseits unserer (durch Groß-
machtpolitik stets kleineren) Grenzen, wenn nicht zur falschen
Idealisierung, zur Vergötzung des Staates, so doch weiter zu
seiner Rechtfertigung, Verteidigung, ist die deutsche Historiographie auch der jüngsten Zeit weniger von sogenannten wissenschaftlichen Gesichtspunkten als von der Projektion gewisser
Tagesinteressen in die Vergangenheit bestimmt, von «der deutschen Nachkriegsgeschichte mit ihren deutlich restaurativen Tendenzen» (Groh).[85]

Noch übler aber als das nationalpolitische oder «europäische»
Denken – meist nichts als ein größerer, schlimmerer Nationalismus – steckt in den Köpfen, leider nicht nur der Historiker, das
machtpolitische, das imperialistische Denken an sich, und es ist
ekelhaft, dazu immer wieder, bei kirchlichen wie nichtkirchli-
chen, sogar antikirchlichen Gelehrten, dieselben Beschönigungen
zu lesen.

Ich bringe hierzu nur wenige Hinweise auf Karl «den Großen»,
einen nahezu allseits in den Himmel gehobenen Helden, der in
sechsundvierzigjähriger Regierung fast unentwegt Krieg, beinah
50 Feldzüge, geführt und in seinem «imperium Christianum»
(Alkuin), dem «regnum sanctae ecclesiae» (Libri Carolini) so gut
wie alles im Nordosten und Süden, Hunderttausende von Qua-
dratkilometern, zusammengeraubt hat – worauf er 1165 von
Paschalis III., Gegenpapst Alexanders III., heiliggesprochen,
diese Kanonisation durch Gregor IX. bestätigt und durch spätere
Päpste nicht für ungültig erklärt worden ist: noch ich feierte als
Kind meinen Namenstag am Tag des hl. Karl «d. Gr.».

Die Historiker unterstellen einem solchen Mann natürlich
nicht Raubkriege größten Stils, Brand, Mord, Totschlag, grauen-

hafte Versklavung – wer so formuliert, ist von vornherein unseriös.[86] Echte Forscher, aus Fachkreisen, verfügen über ganz andere Beurteilungskategorien, sprechen bei den schlimmsten Raubzügen und Massenabschlachtungen der Geschichte allenfalls von Expansionen, Ausgriffen, Ausstrahlungen, Schwerpunktverlagerungen, Umlagerungsprozessen, Eingliederungen in den Herrschaftsbereich, Christianisierung und Befriedung von Grenzvölkern.

Wenn Karl «der Große» ringsum alles unterjocht, ausbeutet, abmurkst, dann ist dies «Zentralismus», «Friedensbewahrung in einem Großreich». Rauben und töten die andern, dann sind dies «Raub- und Plünderungszüge der äußeren Feinde (Sarazenen, Normannen, Slawen, Awaren)» (Kämpf). Wenn Karl, den Sattel voller heiligster Reliquien, brandschatzt und mordet im Weltmaßstab, wenn er zum erhabenen Schöpfer des großfränkischen Reiches wird, dann spricht Katholik Fleckenstein von einer «politischen Integration» und kann auch gleich noch betonen, es sei dies «kein einmaliges Ereignis . . . sondern ein Vorgang, der eine Daueraufgabe einschließt». Sehr wahr. Ist das «Abendland» doch, so Fleckenstein (aber fast alle Historiker schreiben so) «schon bald über die deutsche Ostgrenze hinausgewachsen»; was an einen ganz harmonischen Wachstumsprozeß in der Natur erinnert, im Menschenleben, an die Entfaltung eines Baumes, das Entwachsen aus den Kinderjahren . . . Manche Fachleute formulieren sogar freundlicher, unschuldiger noch, scheinheiliger, wie Camill Wampach, weiland Professor an der Universität Bonn: «Das Land lud zur Einwanderung ein, und das anstoßende fränkische Gebiet hatte Bewohner für das freigewordene Neuland abzugeben.»[87]

Man kann indes das, worum es ging, deutlicher durchblicken und doch die «Größe» darunter nicht leiden, eher gar größer erscheinen lassen: «Groß war Karl als Eroberer gewesen. Noch Größeres verlangte von ihm die Aufgabe, eine neue Ordnung der Dinge da aufzubauen, wo er seither als Zerstörer erschienen.» Erst erobert man also, zerstört. Dann baut man eine «neue Ordnung» auf. Von dieser «neuen Ordnung» aus zerstört man jenseits der Grenzen weiter, baut entweder, wo man erneut «als Zerstörer erschienen», wieder eine «neue Ordnung» auf oder führt abermals Grenzkriege, wenn man keine «neue Ordnung» aufbauen kann – und wird derart immer größer.[88]

Zitiert wurde aus einer älteren «Geschichte des Bisthums Hildesheim» (1899), die einen nicht unbekannten Kleriker zum Verfasser hat, den damaligen Domkapitular Adolf Bertram, einen «nüchternen Niedersachsen» (Volk S. J.). Dieser Nüchterne konnte natürlich nicht nur den hl. Karl feiern, sondern, als Kardinal und Vorsitzender der Deutschen Bischofskonferenz, auch einen weiteren Eroberer und Neuordner im Süden, Westen, Osten, den zwar nicht heiliggesprochenen, doch auch nie exkommunizierten Hitler, bei dessen Annexion Österreichs beispielsweise Primas Bertram nicht versäumte, «Glückwünsche und Dank . . . ehrerbietigst auszusprechen und feierliches Glockengeläute am Sonntag anzuordnen». Versicherte er ja noch am 10. April 1942 «dem hochgebietenden Herrn Führer und Reichskanzler», daß die deutschen Bischöfe beten «um weitere siegreiche Erfolge des brennenden Krieges . . .»

Denn Kirchenfürsten stehen, nüchtern oder nicht, wenn irgend möglich, immer bei den Star-Banditen der Geschichte, wie sich hier fort und fort zeigen wird, weil diese stets (vorerst) die erfolgreichsten sind, und nichts beeindruckt Kirchenfürsten mehr als Erfolg, besonders der Waffenerfolg (post festum werden sie gern Widerstandskämpfer). So erklärte ein frenetischer Unterstützer des Ersten und Zweiten Weltkriegs wie der Kardinal-Erzbischof von München-Freising, «Widerstandskämpfer» Faulhaber: «Wenn die Welt aus 1000 Wunden blutet und die Sprachen der Völker verwirrt sind wie in Babylon, dann schlägt die Stunde der katholischen Kirche!» Bekannte doch schon im 5. Jahrhundert – wo sich auch Augustinus bereits sehr für den Krieg, selbst für Angriffskriege, erwärmte – Kirchenvater Theodoret: «Die geschichtlichen Tatsachen lehren, daß uns der Krieg größeren Nutzen bringt als der Friede.»[89]

Aber noch ein so kirchenkritischer und bedeutender Historiker wie Johannes Haller schwärmt – nebenbei: 1935 – von «den

Verdiensten des großen Königs» Karl und schreibt lapidar, daß
die Unterwerfung der Sachsen für das fränkische Reich «eine
gebieterische Forderung der eigenen Sicherheit und daß sie nur
mit rücksichtsloser Gewalt durchzuführen, daß also das Recht
nicht ausschließlich auf seiten der Sachsen war. Auch darf man
nicht vergessen, daß es sich um die Einverleibung eines Natur-
volks in einen geordneten Staat, also um die Ausbreitung des
Reiches menschlicher Gesittung handelte . . .».[90]

Doch wo Geschichte «mit rücksichtsloser Gewalt» geschieht,
vollzieht sich da «die Ausbreitung des Reiches menschlicher Gesittung»? Offensichtlich – und entsprechend geht diese immer
weiter, in Europa, Amerika, darüber hinaus, vor allem unter
christlichem Vorzeichen: fortgesetzte schreiende Ausbeutung und
ein Krieg nach dem andern – doch keine Übertreibung! –, bis
schließlich der Untergang Europas oder gar der Menschheit
droht, der Jesuit Hirschmann aufruft, den «Mut, unter Aussicht
auf millionenfache Zerstörung menschlichen Lebens in der heutigen Situation das Opfer atomarer Rüstung zu bejahen», der
Jesuit Gundlach sogar den Untergang der ganzen Welt in Kauf
nimmt: «Denn wir haben erstens sichere Gewißheit, daß die Welt
nicht ewig dauert, und zweitens haben wir nicht die Verantwortung für das Ende der Welt»; natürlich mit Billigung von Papst
Pius XII., der selbst den ABC-Krieg gegen «gewissenlose Verbrecher» erlaubte. Und all dies nach «Ausbreitung des Reiches
menschlicher Gesittung»! Also gestehe man, daß es nicht um den
Kampf geordneter Staaten gegen Naturvölker ging und hier, seit
mindestens 1000 Jahren, geht, sondern um die rücksichtslose
Durchsetzung des Stärkeren gegen das Schwächere, des Korrup-
teren gegen das – vielleicht! – weniger Korrupte, kurz um das
Gesetz des Dschungels. Es hat bis zu diesem Augenblick die
Menschheitsgeschichte beherrscht, sobald ein Staat wollte (oder
nicht wollte wie ein anderer), gewiß nicht nur in der christlichen
Welt.[91]

Denn selbstverständlich wird nicht behauptet, an allem Elend
sei bloß das Christentum schuld. Es geht eines Tages vielleicht
genauso elend ohne Christentum weiter. Dies wissen wir nicht.

Wir wissen nur: mit ihm wird und muß es so weitergehn. Nicht zuletzt deshalb mache ich seine Schuld sichtbar in allen wesentlichen Fällen, auf die ich gestoßen bin, möglichst umfassend zwar, doch nie überzeichnet, nie übertrieben, wie es nur jenen scheinen kann, die von christlicher Geschichte keine Ahnung haben oder die darüber getäuscht worden sind.

Daß es neben aller Gewaltpolitik eine theologische Diskussion gab, daß etwa im Arianischen Streit «die theologische Arbeit weitergegangen», daß «nicht alles kirchliche Leben im Machtkampf der Parteien untergegangen ist» (Schneemelcher), wurde wohl nie geleugnet und gilt für die ganze Geschichte des Christentums. Doch hält der Verfasser, der von Weihnachten bis Himmelfahrt lauter Plagiate sieht, weder von der theologischen Arbeit etwas noch vom kirchlichen Leben. Im Gegenteil: denn gerade sie dienen – mit dogmatischen Lügen, homiletischem Zuspruch, liturgischen Betäubungen: was die Predigt offenläßt, übertönt die Orgel – dem nackten Kampf um die Macht, der gerade ihretwegen so erfolgreich geführt werden konnte und noch geführt wird.[92]

1. KAPITEL

DER AUFTAKT IM ALTEN TESTAMENT

«Und was geschieht? . . . ‹der Engel des Herrn›, heißt es, ‹zog
aus und schlug aus dem Lager der Assyrer 185 000 Mann; und als
man sich am andern Morgen früh aufmachte, fand man lauter
Leichen.› *Das sind die Früchte der Frömmigkeit gegen Gott . . .*».
Der hl. Kirchenlehrer Kyrill von Alexandrien[1]

«. . . wird deutlich, daß Geistesgeschichte und politische
Geschichte nicht getrennt werden können. Das gilt allgemein,
jedoch besonders für Israel, in dessen Geschichte kaum eine
Schlacht erwähnt wird, bei der nicht ein religiöses Motiv im
Hintergrunde steht.» Martinus Adrianus Beek[2]

«Aber gefährlicher als der Straßenunfug und die Räuberpatrioten
der Gebirge waren die Fortschritte der jüdischen Theologie.»
Theodor Mommsen[3]

«Es ist hier überall leicht zu sehen, daß die befremdendsten
Strafdrohungen immer die sind, wo die Theologie ins Spiel
kommt . . .»; «daß zur Ausrottung der Heiden die gründliche
Vernichtung ihrer Kulte und Kultgegenstände hinzukommt . . .
Das Ermorden der andersgläubigen Priester samt Weibern und
Kindern wird als typisch israelitische Verfahrensweise
angesehen.» Erich Brock[4]

«Durch den Kampf gegen die Kananiter wurde das Heidentum
überwunden und das von Gott den Vätern verheißene Land als
Bühne der Offenbarung vollends erobert. Der Kampf gegen die
Kananiter war also *ein Religionskrieg, so gut wie die
nachchristlichen Kämpfe der Kreuzfahrer* auf dem gleichen
Boden, und deshalb mit den gleichen religiösen Waffen des
Gottvertrauens ‹Gott will es› zu führen.»
Kardinal Michael Faulhaber[5]

ISRAEL

DAS LAND, IN DEM DAS CHRISTENTUM ENTSTAND, ein schmales Küstenstück, am Ostrand des Mittelmeers, am Westrand Asiens, bildet die Brücke zwischen Kleinasien und Nordafrika, besonders Ägypten. Im «Wetterwinkel» beider Kontinente umtobten es die ältesten Großmächte der Welt. In vorisraelitischer Zeit nannte man es Kanaan (so steht es achtundneunzigmal in der Bibel), seine Bewohner Kanaanäer (wahrscheinlich nach dem akkadischen «kinahhu», dem roten Purpur, einem wichtigen Handelsobjekt jener Zeit). Seit der Eroberung Israels im zweiten jüdischen Krieg (S. 115 f) unter Kaiser Hadrian trägt es den Namen Palästina, der jede Erinnerung an die Juden auslöschen sollte. Die Bibel kennt das Wort nicht. Nur die Vulgata, ihre lateinische Übersetzung, spricht von «Palaestini», meint damit aber die Philister (S. 74). Zeitweise bezeichneten die Römer, oft auch biblische Autoren, ganz Palästina nach dem Südteil des Gebietes als Judäa, wovon der Name Juden kommt, den zunächst nur die Nichtjuden gebrauchten; die Juden selber nannten sich Volk Israel.[6]

Verhältnismäßig selten dagegen sprach man vom «Land Israel», während die Formulierung «Land Juda» üblich wurde, wie gesagt für ganz Palästina, selbst zur Zeit seiner größten Ausdehnung nicht größer als Hessen oder Sizilien. Doch hieß auch alles, was man auf göttlichen Befehl als «Erbteil» raubte, «Verheißenes Land», wie noch im Hebräerbrief, oder «Heiliges Land»; verleiht der Begriff «heilig» ja gerade finstersten Gegenden, Fakten, Figuren wahrhaft blendenden Glanz. Der Talmud schrieb einfach auch: das Land – «das Land schlechthin», jubelt Daniel-Rops, ungewollt ironisch, «das Land Gottes»[7].

Die Landnahme und der «liebe Gott»

Die Israeliten, nach manchen Forschern Kleinviehnomaden, besetzten, vielleicht im 14., wahrscheinlich aber im 13. Jahrhundert v. Chr., Teile Kanaans und verschmolzen rasch mit den schon früher vorgestoßenen Hebräern – möglicherweise ein halbwegs friedlicher, sicher langwieriger Prozeß: die Landnahme genannt, ein noch immer umstrittenes Problem. Sein historischer Hintergrund jedoch ist unbestritten die Lockerung der ägyptischen Herrschaft gewesen. Die bisher getrennt operierenden zwölf Stämme bildeten nun eine stark religiös geprägte «Amphiktyonie», eine Art Sakralstaat, mit den Heiligtümern, zugleich Wallfahrtsstätten, als Mittelpunkt. Im Lauf der Zeit konzentrierten sich diese Stämme auf die Verehrung Jahwes, war ihre Einheit doch weder blutsmäßig noch natürlich, sondern eben auf dem Bund mit ihm begründet. Freilich verehrten sie noch andere Gottheiten und Geister: den semitischen El, einen Herrn mit besonders großem Glied, der später mit Jahwe verschmolz. Auch kannten sie den Kult der Gestirne, den Kult von Naturgottheiten, Hausgöttern (Teraphim), von Tieren (Kalb, Schlange), von heiligen Bäumen, Quellen, Steinen.

Allmählich vernichteten die Israeliten das enge Netz der kanaanäischen Stadtstaaten der Spätbronzezeit von Palästina und Syrien, seine kleinen, teilweise aus Berufskriegern bestehenden Armeen, seine beträchtlich höhere Kultur, ein Land, in dem bekanntlich Milch und Honig floß – «große und schöne Städte, die du nicht gebaut hast, und Häuser voller Güter, die du nicht gefüllt hast, und ausgehauene Brunnen, die du nicht ausgehauen hast, und Weinberge und Ölbäume, die du nicht gepflanzt hast». All dies gab Jahwe in ihre Hand. Und neben der anhaltenden Niedermetzelung der Kanaanäer (im Alten Testament auch

«Amoriter» und «Hethiter» geheißen und als völlig verkommen charakterisiert) fochten die Israeliten gegen Ammoniter, Moabiter, von diesen einmal, laut Bibel, «etwa 10 000 Mann» erlegend, «alles starke und streitbare Männer». Sie bekämpften immer wieder die Philister, von denen allein Samgar angeblich 600 «mit einem Ochsenstecken» erschlug; «und erlöset auch Israel», übersetzt Luther. Gerade die Feindschaft gegen die Philister, die fünf Städte der Küstenzone beherrschten (Gaza, Astod, Ekron, Askalon, Gath) und wohl von den ägäischen Inseln kamen, diente dazu, den jüdischen Nationalwahn zu züchten und die vorher gespaltenen Stämme zusammenzuschweißen. Die Israeliten bekriegten die Tsikal, Midianiter, die Aramäer und natürlich sich selber, so daß beispielsweise Bethel (= Haus Gottes) zwischen 1200 und 1000 v. Chr. viermal zerstört worden ist.[8]

Nun geschah dies Schlachten nicht «profan», durch blutrünstige Strauchritter, Steppenbanden, durch Räuber, Halsabschneider, wie sie ein damaliger Bericht nach Tell-el-Amarna nennt, sondern durch «ein Königreich von Priestern und ein heiliges Volk» (2. Mos. 19,6), durch reine, vom «Gottesgeist getriebene» Hirtennaturen (Noth), auf Befehl «charismatischer Führer» (Würthwein). Allen voran kämpft Jahwe, der «niemand ungestraft» läßt, dessen Nase Rauch, dessen Mund «verzehrendes Feuer» entfährt, der «Flammen sprüht», Schwefel regnen läßt, glühende Schlangen schickt und die Pest, der «Gott der Heerscharen», «der Schlachtreihen Israels», «der rechte Kriegsmann», ein «schrecklicher Held», «schrecklicher Gott», «ein eifernder Gott, der die Missetat der Väter heimsucht bis ins dritte und vierte Glied an den Kindern». Gewiß erscheint Jahwe auch «barmherzig», wirkt «Heilstaten». Doch kümmert er sich überhaupt um Heiden, so nur insofern «as the Gentile was a potential Jew» (Fairweather). Meist aber geht «Unheil» von ihm aus, «Vernichtung, jähes Verderben», und gleich für «alle Bewohner der Erde». Bei seinem Kommen bebt die Welt, die Berge schwanken, und die Gegner krepieren wie Fliegen. Goldne Regel, für den Umgang mit Feindstädten: «Wenn sie Jahwe, dein Gott, in deine Gewalt gegeben, sollst du alles, was an Männern darin ist, mit dem Schwert töten, dagegen die Weiber und Kinder, das Vieh und alles, was sich in der Stadt befindet ... genießen.» Solche Milde wird freilich nur fernlebenden Feinden zuteil. Für die nahewohnenden gilt: «Du sollst keine Seele am Leben lassen.»[9]

Dieser Gott aber, von Absolutheit besessen wie keine Ausgeburt der Religionsgeschichte zuvor und von einer Grausamkeit, die auch keine danach übertrifft, *steht hinter der ganzen Geschichte des Christentums*! Mutet man doch heute noch der Menschheit zu, an ihn zu glauben, ihn anzubeten, dafür zu sterben. Es ist ein Gott von so singulärem Blutdurst, daß er «alles Dämonische aufsaugte». Denn weil er selbst «der gewaltigste Dämon war, brauchte man in Israel keine Dämonen mehr» (Volz). Es ist ein Gott, der vor Eifersucht schäumt und Rache, der keinerlei Toleranz zuläßt, Andersgläubigkeit, vielmehr jede Gemeinschaft mit Heiden, den goyim, die schlechthin rasha', gottlos, sind, strikt untersagt, der «scharfe Schwerter» fordert, um an ihnen «Vergeltung» zu vollziehen – «für Irrtum ... Halleluja!» «Wenn dich der HERR, dein Gott, ins Land bringt ... und er ausrottet viele Völker vor dir her ... daß du sie schlägst, so sollst du an ihnen den Bann vollstrecken. Du sollst keinen Bund mit ihnen schließen und keine Gnade gegen sie üben ...; eure Töchter sollt ihr nicht geben ihren Söhnen, und ihre Töchter sollt ihr nicht nehmen für eure Söhne ... Du wirst alle Völker vertilgen, die der HERR, dein Gott, dir geben wird. Du sollst sie nicht schonen.»[10]

Dieser Gott genießt nichts so wie Rache und Ruin. Er geht auf im Blutrausch. Seit der «Landnahme» sind die geschichtlichen Bücher des Alten Testaments «auf lange die Chronik eines immer erneuten Gemetzels ohne Grund und Schonung» (Brock). «Sehet nun, daß ich's allein bin und kein Gott neben mir! ... So wahr ich ewig lebe: wenn ich mein blitzendes Schwert schärfe und meine Hand zur Strafe greift, so will ich mich rächen an meinen Feinden ... will meine Pfeile mit Blut trunken machen, und mein Schwert soll Fleisch fressen, mit Blut von Erschlagenen und Gefangenen, von den Köpfen streitbarer Feinde.»[11]

Am 7. Februar 1980 eröffnete in der Münchner Universität bei einer Veranstaltung der «Gesellschaft für christlich-jüdische Zusammenarbeit» der jüdische Theologe Pinchas Lapide einen Vortrag über «Das Besondere des Judentums» mit der Äußerung: müßte er den Glauben Israels im Telegrammstil auf ein einziges Wort reduzieren, würde er ihn «Einheitsdurst» nennen. Beiseite einmal, daß Einheitsdurst, wie die Geschichte lehrt, meist verheerende Folgen zeitigt – wäre Blutdurst nicht treffender? Lapide jedoch, der nicht biblische *Geschichte* im Auge hatte, sondern, wie fast alle Theologen, *Theologie*, folgerte gleich als «erste Konsequenz des jüdischen Monotheismus» eine «Mono-Ethik» und behauptete, der höchste Wert dieses Glaubens sei Bewahrung des Menschenlebens! «Denn um ein Leben zu retten, auch das eigene, dürfen nicht nur, sondern sollen so gut wie alle Gebote zeitweilig gebrochen werden . . .» Zeigt aber nicht die biblische Geschichte Israels (und einiges in seiner heutigen), daß es zwar oft alle Gebote bricht, doch nicht um Leben zu retten, sondern zu vernichten? Lapide freilich folgert zweitens aus dem jüdischen Eingottglauben «die Ebenbürtigkeit aller Gotteskinder», und drittens «das gleiche Recht auf Heil aller Sterblichen» – «die Frohbotschaft vom Berge Sinai, die jede Art von Erwählungsdünkel im Keime erstickt . . .»[12]

Nun, in der Bibel, mit der wir es zu tun haben, dominiert ein andrer Ton, in der Bibel ist dieser Gott schlimmer noch als sein Volk. Nicht Bewahrung des Lebens heischt er, nicht Ebenbürtigkeit aller Menschen, nicht gleiches Recht auf Heil, sondern das Gegenteil. Stets stöhnt er von neuem über die Mißachtung seiner Ausrottungsbefehle, die Verbrüderung mit den Heiden. «Auch vertilgten sie die Völker nicht, wie ihnen der HERR doch geboten hatte, sondern sie ließen sich ein mit den Heiden und lernten ihre Werke und dienten ihren Götzen . . .» Denn dieser Gott will allein Gott sein, nichts neben sich dulden, ist ein Gott «always at war with other gods» (Dewick). Jede Konkurrenz muß verschwinden. Totaler Religionskrieg kündigt sich an – tabula rasa! «Zerstört alle heiligen Stätten, wo die Heiden, die ihr vertreiben werdet, ihren Göttern gedient haben . . . und reißt um ihre Altäre und zerbrecht ihre Steinmale und verbrennt mit Feuer ihre heiligen

Pfähle, zerschlagt die Bilder ihrer Götzen und vertilgt ihren Namen . . .» – Befehle, die der «liebe Gott» im Alten Testament stets von neuem ausstößt. Und wer immer sich weigert, wer gar rät, andern Göttern zu dienen, sei's der Bruder nun, der Sohn, die eigne Tochter, «deine Frau in deinen Armen oder dein Freund, der dir so lieb ist wie dein Leben», ein jeder muß sterben. «Deine Hand soll die erste wider ihn sein, ihn zu töten . . .»[13]

Ein Abfall von Jahwe, der auch als «Ehemann» figuriert (nicht von Göttinnen, gewiß, oder einer einzigen Göttin, sondern von Israel), wird häufig «Weghuren» genannt und ist buchstäblich gemeint: die Mutter eine «Hure», die Kinder «Hurenkinder», die Töchter «Huren», die Bräute «Ehebrecherinnen», die Männer gehen «mit den Huren», «den Tempeldirnen», das «Land läuft vom HERRN weg der Hurerei nach», nimmt «Hurenlohn auf allen Tennen» – das «Wort Gottes» wird zeitweise nicht müde, uns das «Verheißene Land», das «Heilige Land», als eine Art Nuttenparadies vorzumalen. Bahnbrechend: Hosea, der Prophet, den die eigne Frau bei den Fruchtbarkeitsriten der Kanaanäer betrog, was ihn beträchtlich inspiriert haben mag. Doch auch Jeremia vergleicht Israels Abfall zu den Götzen mit dem Treiben geiler Tiere – «Du läufst umher wie eine Kamelstute in der Brunst, wie eine Wildeselin in der Wüste, wenn sie vor großer Brunst lechzt . . .»[14]

Gehorcht aber dies Volk nicht, kündigt Gott ihm ungezählte Greuel an, Heimsuchungen «mit Schrecken, mit Auszehrung und Fieber, daß euch die Augen erlöschen und das Leben hinschwindet . . . Und ich will wilde Tiere unter euch senden, die sollen eure Kinder fressen und euer Vieh zerreißen.» Ja, er will dann, tobt er immer wieder, «siebenfältig mehr strafen um eurer Sünden willen, daß ihr sollt eurer Söhne und Töchter Fleisch essen . . . Und ich will eure Städte wüst machen und eure Heiligtümer verheeren . . . und mit gezücktem Schwert hinter euch her sein . . .» Nie erlahmt dieser Gott, seine Rache für jeden Ungehorsam anzudrohen: «Verflucht wirst du sein in der Stadt, verflucht wirst du sein auf dem Acker . . . Verflucht wird sein die Frucht deines Leibes . . . Verflucht . . . Der HERR wird dir die Pest anhängen . . .

Der HERR wird dich schlagen mit ägyptischem Geschwür, mit Pocken, mit Grind und Grätze, daß du nicht geheilt werden kannst . . . Der HERR wird dich schlagen mit bösen Geschwüren . . . von den Fußsohlen bis zum Scheitel . . . dazu wird der HERR alle Krankheiten und Plagen . . . über dich kommen lassen»[15] und so weiter.

TODESSTRAFE UND «HEILIGER KRIEG»

Neben dem Massenmord im Krieg war selbstverständlich die Todesstrafe in Schwang, ihre Verhängung aber – gewöhnlich Steinigung, ausnahmsweise Verbrennen bei lebendigem Leib – keiner besonderen Instanz vorbehalten.[16]

Durch das mosaische Gesetz legalisiert und religiös begründet, wird diese Strafe auf vielerlei angewandt. Nicht bloß ein Mörder muß sterben, auch wer einen Menschen raubt, wer Vater oder Mutter schlägt, schon ihnen flucht. Ebenso belegt man Ehebruch mit Todesstrafe (natürlich den der Frau nur samt ihres Liebhabers), Geschlechtsverkehr während der Menstruation, Hurerei einer Priestertochter, Nichtschreien einer Verlobten bei Vergewaltigung; weiter: Inzest, Homosexualität, Verkehr mit Tieren, wobei selbst die lasterhaften Tiere nicht mehr weiterleben durften. Ein Weib war sogar zu töten, wenn es «irgendeinem Tier» nur unkeusch nahte – «und das Tier auch» (3. Mos. 10,16). Wurden doch die Frauen, die als unbelehrbar und leichtfertig galten, bei den Juden wenig geachtet, wie schon die Zusammenstellung «Frauen, Sklaven, Kinder» ausdrückt. Man hat sie vielfach diffamiert, verhöhnt, zurückgesetzt, aus dem öffentlichen Leben verdrängt und ihren Lebenssinn in der Mutterschaft erschöpft gesehn; all dies kehrt später im Christentum wieder. Selbstverständlich stand auf jeder Verehrung eines anderen Gottes die Todesstrafe, ebenso auf jeder Lästerung des eigenen, ferner auf Unterlassung der Beschneidung, auf Zauberei, Wahrsagerei, Anrühren des Berges Sinai. Auch Annähern an die Stiftshütte zog den Tod nach sich, unkorrekte Kleidung des Hohenpriesters im Tempel, Arbeit am Sabbat, Genuß ungesäuerter Brote am Passah, verspätete Darbringung des Passahopfers, Essen von Opferfleisch nach drei Tagen, absichtliche Verletzung der Opferordnung, Ungehorsam gegen Priester oder Richter und anderes mehr.[17]

Die Todesstrafe, oft für Lappalien oder pure Lust auferlegt, hatte religiöses Gepräge. Denn wie man im Geist Jahwes belog und betrog – Thamar den Juda, Rebekka den Esau, die hebräischen Wehmütter den Pharao, Laban den Jakob, und wie Jakob (das heißt: der Hinterlistige), «ein gesitteter Mann», seinerseits wieder betrog, so tötete man auch im Geist Jahwes. Ja, Jahwe selber verschlingt, speit Feuer, schickt Meeresfluten, mordet ohne Ende, einzelne nicht nur, ganze Gruppen: alle Erstgeburten der Ägypter, die Rebellen und Unkeuschen in der Wüste, dreitausend Verehrer des Goldenen Kalbs – «So spricht der HERR, der Gott Israels: Ein jeder gürte sein Schwert . . . und erschlage seinen Bruder, Freund und Nächsten». Jahwe tötet «das ganze Heer des Pharao . . . so daß nicht einer von ihnen übrigbleibt . . . eine herrliche Tat». Jahwe tötet die Familie des Hohenpriesters Eli, die Häuser der Könige Jeroboam, Baësa, Achab, er vernichtet Städte wie Sodoma und Gmorrha durch «Schwefel und Feuer vom Himmel herab», die gesamte Menschheit durch die Sintflut. «Die Bibel enthält die Geschichte der Großtaten, der *mirabilia*, die Gott im Kosmos und in der Geschichte getan hat» (Katholik Daniélou).[18]

Da all dies aber der HERR tut, da er immer wieder Israel ermuntert: «Von heute an will ich Furcht und Schrecken vor dir auf alle Völker unter dem ganzen Himmel legen», da er donnert: «Ihr sollt eure Feinde jagen, und sie sollen vor euch her dem Schwert verfallen. Fünf von euch sollen hundert jagen, und hundert von euch sollen zehntausend jagen», so ist all das auch nicht im geringsten kriminell, sondern gut, wesenhaft religiös, der Krieg selbst ein frommer Akt, etwas Heiliges (qiddes milhama = zum Kampf weihen), das Kriegslager geradezu das älteste Heiligtum. «Die Kriege werden vorwiegend als *Heilige* Kriege geführt . . . Der Krieg wird zur Sache Jahwes selbst» (Groß). Alle

Schlachterfolge werden allein seiner Macht zugeschrieben. Die Siege sind Jahwes Siege, die Kriege sind Jahwes Kriege, die Feinde Jahwes Feinde, die eigenen Totschläger «Jahwes Volk», und die Beute gehört ihm natürlich auch. Alle Haudegen müssen kultisch rein sein und Gott vertrauen, alle werden «geweiht», gleichfalls die Waffen. Vor den Gemetzeln bringt man Opfer dar. Es gibt einen organisierten, einflußreichen Klerus. Besonders wichtig ist die Befragung Gottes vor dem Kampf. Die Bundeslade garantiert seine Gegenwart, begleitet die Streiter. Ein Priester feuert sie an, treibt ihnen Angst aus, Mut ein: «Denn der HERR, euer Gott, geht mit euch . . .» «Der HERR, mein Feldzeichen.»[19]

Wie vieles davon kehrt im Christentum wieder! So fehlt es an nichts, müssen Jahwes Widersacher fallen, damit das «Bundesvolk» lebe, das auserwählte Werkzeug zur Errettung der Welt. Noch zu Moses' Lebzeiten vernichteten die Israeliten die bedeutenden Reiche des Sihon und Og nördlich von Moab. Sie liquidierten Sihon, den König der Amoriter, «vollstreckten den Bann an allen Städten, an Männern, Frauen und Kindern, und ließen niemand übrig. Nur das Vieh raubten wir für uns und die Beute aus den Städten.» Nicht anders schlugen sie Og, den König von Basan, «und seine Söhne und sein ganzes Kriegsvolk, bis keiner mehr übrigblieb»; «und es gab keine Stadt, die wir ihnen nicht nahmen: sechzig Städte . . . Und wir vollstreckten den Bann an ihnen . . . an Männern, Frauen und Kindern. Aber alles Vieh und die Beute aus den Städten raubten wir für uns.» Auch vom Sieg über die Midianiter meldet die «Heilige Schrift»: «Und sie zogen aus zum Kampf . . . wie der Herr es Mose geboten hatte, und töteten alles, was männlich war. Samt diesen Erschlagenen töteten sie auch die Könige der Midianiter . . . Und die Kinder Israel nahmen gefangen die Frauen der Midianiter und ihre Kinder; all ihr Vieh, alle ihre Habe und alle ihre Güter raubten sie und verbrannten mit Feuer alle ihre Städte, wo sie wohnten, und alle ihre Zeltdörfer.»

Doch selbst das genügte Moses nicht, dem schon die Schrift ‹Von den drei Betrügern› 1598 «größte und schwerste Verbrechen» (summa et gravissima Mosis crimina) anlastet. Er «wurde zornig», weil die Frauen noch lebten, die Knaben, und schrie: «Warum habt ihr alle Frauen leben lassen? . . . So tötet nun alles, was männlich ist unter den Kindern, und alle Frauen, die nicht mehr Jungfrauen sind; alle Mädchen, die unberührt sind, die laßt für euch leben . . . Und es betrug die Beute . . . 675 000 Schafe, 72 000 Rinder, 61 000 Esel; an Menschen aber 32 000 Mädchen, die nicht von Männern berührt waren» – Mord und gewalttätige Räubereien, die übrigens alle gegen Moses' eigenes 5. und 7. Gebot verstießen.[20]

Derart verwüstet das »Volk Gottes» etwa zwischen 1250 und 1225 v. Chr. den größten Teil Kanaans, mordet es – meist unter religiösen Schreien (wie: «Schwert für den Herrn und Gideon») – «kühnlich» alle Bösen, schleppt, bestenfalls, Frauen und Kinder, stets aber die Herden fort; kurz, man begeht die abscheulichsten Greueltaten und preist sie, verbrennt oft Dörfer und Städte bis auf den Grund. Bei Ausgrabungen kanaanäischer Orte bezeugt häufig noch eine dicke Aschenschicht die Vernichtung durch Feuer. So wurde Asdod, der tell-isdūd, an der internationalen «Straße am Meer» (Via maris), nach palästinensischem Maßstab eine der größten Städte der Eisenzeit, später Hauptstadt des Fünfstädtebundes der Philister, im 13. Jahrhundert niedergebrannt. Gleichfalls wahrscheinlich das benachbarte tell mōr. Auch Hazor, einer der bedeutendsten bewehrten Plätze Kanaans, zwischen Hule-See und See Genezareth, ging so in Flammen auf. Zerstört wurden weiter das strategisch wichtige Lachis, heute tell ed-duwēr, eine der bestbefestigten Städte Palästinas, ferner Debir (tell bēt mirsim), Eglon (tell el hesi) und andere. Sichere Beweise, daß all diese Brandschatzungen auf die eindringenden Israeliten zurückgehen, gibt es freilich nicht. Aber: «It is true that there is ethnic intolerance all through Israel's history» (Parkes).[21]

Manchmal rottete man selbst ganze Stämme aus. Brachte man Feinde doch häufig, die strengste Form des vom HERRN geforderten Krieges, die Negation des Lebens überhaupt, durch den Bann (hebr. herãm) – mit einer Wurzel zusammenhängend, die bei den Westsemiten «heilig» bedeutet – dem Jahwe als eine Art «Weihegeschenk» dar, als ungeheures «Brandopfer». Nicht von

ungefähr verglich man die biblische Darstellung dieser «Landnahme» mit dem viel späteren, doch weniger blutrünstigen Sie-
geszug des Islam und betonte, die Eroberer müßten sich tatsächlich als «Träger des Wortes Gottes» gefühlt und einen «Heiligen
Krieg» geführt haben. «Nur ‹Heilige Kriege›, nicht die profanen,
endeten mit Bannung» und bedeuteten «immer Austilgen alles
Lebens unter dem Geheiß Jahwes» (Gamm). Gestattete es ja
gerade «die unerbittliche Gründlichkeit der Zerstörungen . . . sie
mit dem religiösen Fanatismus der Israeliten zu erklären». Die
«Revolte» war «primär religiös-sozial bestimmt» (Cornfeld/
Botterweck). Ausdrücklich befiehlt der HERR in diesen Fällen:
«Du sollst nichts leben lassen, was Odem hat, sondern sollst an
ihnen den Bann vollstrecken, nämlich an den Hethitern, Amori-
tern, Kanaanitern, Perisitern, Hewitern und Jebusitern, wie dir
der HERR, dein Gott, geboten hat, damit sie euch nicht lehren, all
die Greuel zu tun, die sie im Dienst ihrer Götter getan, und ihr
euch so versündigt an dem HERRN, eurem Gott.»[22]

Voraussetzung solcher Glaubensinbrunst war einmal der un-
streitig extremste Nationalismus der Antike, verbunden mit der
ringsum fremden Exklusivität des jüdischen Monotheismus.
Beide steigerten sich gegenseitig – ein unduldsamer, schon früh
als odium generis humani, als Haß gegen die übrige Menschheit
empfundener, von dem «Gottesvolk» aber nie, auch in der Katastrophe des Exils nicht, preisgegebener Auserwähltheitsdünkel:
«adversus omnes alios hostile odium», wie Tacitus schreibt, der
den Juden die «Hartnäckigkeit ihres Aberglaubens» (pervicacia
superstitionis) nachrühmt und sie im Judenexkurs seiner «Historien» als «eine den Göttern verhaßte Menschenart» geißelt (genus
hominum . . . invisum deis), «ein abscheuliches Volk» (taeterrima
gens), ihre Lebensgewohnheiten «übel und schmutzig», «absurd
und schäbig» nennend. Die zweite Voraussetzung des jüdischen
Religionsfanatismus war die vermeintliche Lasterhaftigkeit aller
«Ungläubigen», die eben aus dem «Unglauben» hervorging: angebliche Sexualverbrechen, langatmig von der Bibel aufgezählt,
furchtbare «Greuel», durch die das Land «unrein» wurde, ja, so
«schändliche Sitten» der Heiden, «daß das Land seine Bewohner

ausspie». «Denn alle, die solche Greuel tun, werden ausgerottet werden . . . ich bin der HERR, euer Gott.»[23]

Obwohl aber die Heiden immer bereit waren, den Gott der Juden anzuerkennen, obwohl oder weil sie ihre Kriege durchschnittlich deutlich weniger grausam führten, begingen die Israeliten noch in vordavidischer Zeit die furchtbarsten Verbrechen, zelebrierten sie die Totalzerstörung als Gottesdienst, gleichsam als Glaubensbekenntnis. Und dieser «Heilige Krieg» – hier und später stets mit besonderer Vehemenz unternommen, wobei es keine Verhandlung geben sollte, keinen Friedensschluß, nur Vertilgung, Ausrottung: des Unbeschnittenen, Ungetauften, des «Ketzers», des «Bösen» – ist «eine typisch israelitische Erscheinung» (Ringgren). Das Alte Testament, das die eineinhalb Jahrhunderte nach der «Landnahme», die Zeit zwischen 1200 und 1050, im Buch der Richter schildert, nach den meisten Experten eine zwar nicht immer zuverlässige, doch gültige Informationsquelle, erzählt beinah ausnahmslos von «Heiligen Kriegen». Sie begannen mit religiösen Weihen nebst geschlechtlicher Enthaltsamkeit und endeten meist mit der totalen Liquidierung des Feindes, der Tötung von Mensch und Tier. «Die Ruinen vieler wiederholt zerstörter Dörfer und Städte des 12. und 11. Jhdts. liefern einen lebendigen archäologischen Kommentar» (Cornfeld/Botterweck).[24]

Aber auch das Buch Josua – mit demselben historischen Hintergrund und überhaupt eng dem Richterbuch verbunden – schildert die «Landnahme» als einen «Heiligen Krieg Jahwes», den man mit kaum zu übertreffender Brutalität bestreitet. Die Bundeslade, Bürgschaft für Gottes Gegenwart, begleitet die Metzeleien. Mit Hilfe der Bundeslade überquert man den Jordan. Sieben Tage trägt man sie um das belagerte Jericho, wozu sieben Priester «immerfort» die Posaunen blasen, bis man «an allem» den Bann vollstreckt «mit der Schärfe des Schwerts, an Mann und Weib, jung und alt, Rindern, Schafen und Eseln». Ebenso verfahren Josua und die «Kinder Israel» mit all den anderen Städten, die sie in Schutt und Asche legten, mit Ai, mit Makkeda, Libna, Laschis, Eglon, Hebron, Debir, Hazor, mit Gibeon, wo die Sonne während des Kampfes «fast einen ganzen Tag mitten am Himmel stehenblieb». (Heute besagt «die unglaubliche Geschichte der Bibel» nach katholischer Auslegung nichts anderes «als dies: Die Sonne wurde von schweren Wolken überdeckt»: Msgr. Rathgeber.) Mit ermüdender Monotonie verkündet das «Wort Gottes» jedesmal: «... und ließ niemand übrig», «... und ließ niemand übrig», «... und ließ niemand übrig», «... und vollstreckte den Bann an allem, was Odem hatte», «die ganze Beute dieser Städte und das Vieh teilten die Kinder Israel unter sich; aber alle Menschen erschlugen sie mit der Schärfe des Schwerts, bis sie vertilgt waren, und ließen nichts übrig, was Odem hatte»[25].

Die definitive Seßhaftwerdung der Israeliten vollzog sich vielleicht nicht nur durch vernichtende Feldzüge. Auch langsame Infiltration, allmähliche Vermischung mit den Ansässigen ist denkbar. Denn selbst Jahwe war grundsätzlich friedlich gesinnt. «Wenn du vor einer Stadt stehst, so sollst du ihr zuerst den Frieden anbieten. Antwortet sie dir friedlich und tut dir ihre Tore auf, so soll das ganze Volk, das darin gefunden wird, dir fronpflichtig sein und dir dienen.» Andernfalls freilich, befiehlt die «Heilige Schrift», «sollst du alles, was Mannes darin ist, mit der Schärfe des Schwertes erschlagen». So gab es in Palästina kaum Frieden, und man wandte sämtliche Methoden damaliger Kriegführung an: Spionage, Überrumpelungen, Nachtmärsche, Nachtangriffe, Unterminierung der Mauern, Eindringen durch Schächte, ballistische Maschinen und anderes. (Doch hatten die Israeliten lange weder Streitwagen noch Kavallerie. Als einstige Nomaden wußten sie mit Pferden – erst Absalom zeigte sich damit in Jerusalem – lange nichts anzufangen. Josua ließ ihnen deshalb die Sehnen durchschneiden und die Streitwagen verbrennen. Aber noch David, der gleichfalls die Pferde seiner Gegner zu lähmen befahl, verwandte ausschließlich Esel und Maultiere.[26])

DIE GREUEL DAVIDS UND
DER MODERNEN BIBELÜBERSETZER

In der Königszeit dauern die Kriege, Raubzüge, Überfälle unentwegt fort.

Samuel, Israels letzter Richter und erster Prophet, hatte die Philister bekriegt und besiegt, dann jedoch, zu alt geworden, Saul zum Heerführer gesalbt. Ihm befahl er in Gottes Namen: «So zieh nun hin und schlag Amalek und vollstrecke den Bann an ihm und an allem, was es hat; verschone sie nicht, sondern töte Mann und Frau, Kinder und Säuglinge, Rinder und Schafe, Kamele und Esel . . .» – und noch heute attestiert das bändereiche katholische ‹Lexikon für Theologie und Kirche› diesem Propheten schlicht «Unbescholtenheit», ja rühmt: «Lauterer Eifer für die Theokratie, für Recht und Gesetz, steter Gehorsam gegen Gottes Willen zieren Sauls Charakter.» Und der von Samuel gesalbte Saul (1020–1000), der erste König Israels, eine typisch «charismatische» Figur, über die zwar «Gottes Geist» geriet, die aber doch «eindeutig . . . an Depressionen und Verfolgungswahn» litt (Beek), knüpfte kräftig an die Tradition vom «Heiligen Krieg» an. Laut Bibel kämpfte Saul «gegen alle seine Feinde ringsumher», gegen Moabiter, Ammoniter, Edomiter, gegen die Könige Zobas, die Philister und Amalekiter. Als er freilich, auf höchsten Befehl, alle Amalekiter, einschließlich der Kinder und Säuglinge, ermorden ließ, das beste Vieh aber schonte, erregte er den Zorn des HERRN samt seines Propheten Samuel, wurde von den Philistern vernichtend geschlagen und beging Selbstmord – der erste in der Bibel erwähnte Freitod.[27]

Sein Nachfolger David, das heißt Liebling (Gottes), der durch hundert Philistern abgeschnittene Vorhäute sich Sauls Tochter Michal zur Frau erkauft, führt um die Jahrtausendwende, unter Verzicht auf das nationalstaatliche Prinzip, Israel zu seiner größten Machtentfaltung. Es reicht jetzt von Mittelsyrien bis an die Grenze Ägyptens und ist das stärkste Land zwischen den Großreichen Mesopotamien, Hamath und Ägypten.

Wie schon über Saul, so geriet auch über David (1000–961)

«der Geist des Herrn» und er selbst auf einen Kriegszug nach dem
andern – «gegen lauter Unterdrücker»: gegen die letzten Enklaven
der Kanaanäer im Norden, gegen Ammoniter, Moabiter, Edomiter, Aramäer, Hadadeser. «Meinen Feinden jagte ich nach und
vertilgte sie, und ich kehre nie um, bis ich sie umgebracht habe»,
bekennt Davids Danklied. «Ich will sie zerstoßen zu Staub der
Erde, wie Dreck auf der Gasse will ich sie zerstäuben und zertreten.» Doch «fing er nie einen Krieg an», lobt Kirchenlehrer
Ambrosius, «ohne den Herrn zu Rate gezogen zu haben. Deshalb
ging er aus allen Schlachten als Sieger hervor, die Hand bis ins
höchste Greisenalter am Schwerte . . .» Als erprobter einstiger
Bandenhauptmann – dessen diesbezügliches Wirken das «Who's
Who in the Old Testament» unter dem attraktiven Titel «The
Guerrilla Years» schildert – ging der «hochgemute Kriegsheld»
(Kirchenlehrer Basilius) besonders gründlich vor und wird den-
noch (im Grunde deshalb!) nicht nur von der jüdischen, sondern
auch von der ganzen christlichen und islamischen Theologie als
Mann von überragender religiöser Bedeutung verehrt! «So oft
David das Land überfiel, ließ er weder Mann noch Frau am
Leben», rühmt die «Heilige Schrift». «So tat David, und das war
seine Art, solange er im Philisterland wohnte.» Sechzehn Monate
genoß er dort den Schutz des Königs Achis von Gath vor Saul.
Später schlug gerade David die Philister so entscheidend, daß sie
die Bibel kaum noch erwähnt. Auch läßt der Auserwählte Gottes
– der erstmals den Kern eines stehenden Berufsheeres geschaffen,
den Jahweglauben, betonter als früher schon, zur offiziellen
Staatsreligion gemacht sowie die führenden Priester zu königlichen Beamten und Mitgliedern des Hofstaates – gelegentlich alle
Pferde seiner Feinde lähmen oder diesen selbst Hände und Füße
abhacken. Und gern legte «der göttliche David, dieser so sanft-
mütige und große Prophet» (Kirchengeschichtsschreiber Bischof
Theodoret), das gefangene Volk – damit an Methoden Hitlers
erinnernd – «unter eiserne Sägen und Zacken und eiserne Keile
und verbrannte sie in Ziegelöfen. So tat er allen Städten der
Kinder Ammon.»[28]

Nicht ganz nebenbei: Dies Zitat gibt die vom Rat der Evangelischen Kirche in Deutschland im Einvernehmen mit dem Verband der Evangelischen Bibelgesellschaften in Deutschland 1956 und 1964 genehmigte, 1971 gedruckte Bibel «Nach der deutschen Übersetzung Martin Luthers» so wieder: «Aber das Volk darin führte er heraus und stellte sie als Fronarbeiter an die Sägen, die eisernen Pickel und an die eisernen Äxte und ließ sie *an den Ziegelöfen arbeiten.*» Luther selbst freilich hatte übersetzt: «Aber das Volck drinnen füret er eraus / und legt sie unter eisern segen und zacken / und eisern keile / und *verbrand sie in Zigelöfen.*»[29]

Die entsprechende Stelle des Ersten Buches der Chronik 20,3 lautet in der vom Rat der Evangelischen Kirche in Deutschland autorisierten Bibel «Nach der deutschen Übersetzung Martin Luthers»: «Aber das Volk darin führte er heraus und ließ sie mit Sägen und eisernen Hacken und Äxten *Frondienste leisten.*» Luther selbst freilich hatte wieder übersetzt: «Aber das volck drinnen füret er er aus / und *teilet sie* mit Segen / und eisern Hacken und Keilen.»[30]

Und ist's auch Fälschung, hat es doch Methode.

Die Evangelische Kirche legte innerhalb der letzten 100 Jahre drei Lutherbibel-Revisionen vor. In der revidierten Fassung von 1975 gehen kaum noch zwei Drittel des Textes direkt auf Luther zurück. Mindestens jedes dritte Wort wurde geändert, teils nur geringfügig, teils schwerwiegend – von 181 170 hochgerechneten Wörtern des Neuen Testaments etwa 63 420 Wörter! (Notwendige Änderungen zum Textverständnis, nach Auskunft der kritischen Forschung: etwa 1000, großzügig gerechnet allenfalls 2000 bis 3000 Wörter!) Das hat sich Luther, für dessen zeitgemäße Erfüllerin sozusagen sich diese Bibelrevision hält, kaum träumen lassen, zumal es sein Übersetzungsprinzip war, «daß die Worte den Sachen dienen müssen, nicht die Sachen den Worten», daß «nicht der Sinn den Worten, sondern die Worte dem Sinn dienen und folgen sollen»[31].

Gewiß kann man die erwähnten Stellen «abschwächend» übersetzen – ändert man den Urtext. Die Evangelische Kirche aber bietet eine Bibel «nach der deutschen *Übersetzung Martin Luthers*» an und fälscht dann diese kraß. Im übrigen hätte jene

heidnischen «Fronarbeiter» (keine Kriegsteilnehmer!) gleichfalls
ein ruinöses Schicksal erwartet. Der Archäologe Glueck, Ausgrä-
ber von Eilath, sagt von dort ähnlich tätigen Staatssklaven: «The
rate of mortality must have been terrific.»[32]

In der Bibel wirft ein gewisser Simei mit Steinen nach David,
dem «Bluthund» – so wiederholt tituliert. Und nicht nur für Erich
Brock hat es damit «seine Richtigkeit». Selbst der HERR bestätigt: «Du hast viel Blut vergossen und große Kriege geführt.»
Doch eben: MIT GOTT! Immer: MIT GOTT! Weshalb es häufig
heißt: «Der HERR half David, wo er auch hinzog»: So nachdem
David «zweiundzwanzigtausend» Aramäer schlug. So wörtlich
gleich, nachdem David «achtzehntausend» Edomiter schlug. «Alles, was in deinem Herzen ist, das tu; denn Gott ist mit dir», steht
an andrer Stelle; «ich bin mit dir gewesen, wo du hingegangen
bist, und habe deine Feinde ausgerottet vor dir her und dir einen
Namen gemacht, wie die Großen auf Erden Namen haben»[33].
Doch die Namen der «Großen auf Erden» sind oft nichts als die
Namen großer Verbrecher.

«Bluthund» David freilich – die Art aller frommen Bluthunde
– bezeugt sich selbst «Gerechtigkeit», «Reinheit». «Ich handle
umsichtig und redlich.» «Ich nehme mir keine bösen Sachen vor»,
«ich halte die Wege des HERRN», «ich bin ohne Tadel vor ihm».
Noch in seinen letzten Worten erscheint David sich rein «wie das
Licht des Morgens, wenn die Sonne aufgeht, am Morgen ohne
Wolken». Und der Gott des Alten Testament – in schöner Kon-
tinuität doch auch der Gott der christlichen Jahrtausende – ist ja
gleichfalls einerseits, wie David, «ohne Tadel», andererseits ein
unvergleich größerer «Bluthund», der, beispielsweise, nur weil sie
die Bundeslade angeschaut, 50 700 Menschen umbringt – aus
diesen «funffzig tausend und siebenzig Man» Luthers macht die
Bibel der EKD bescheiden «siebzig Mann»![34]

Wie aber Gott «Bluthund» David preist, weil er «meine Gebote hielt und mir von ganzem Herzen nachwandelte, *daß er
nur tat, was mir wohlgefiel*», und wie David sich selber preist,
so preist ihn, fort und fort, der christliche Klerus. Hält es doch
auch er – dieser Nachweis ist eine Hauptabsicht meiner Arbeit –

mit allen großen Geschichtsverbrechern, *wenn und solange sie ihm nützen.* Denn schon David, der «Bluthund», nützte natürlich den Gottesdienern – und so machten sie ihn zum Vorbild für Jahrtausende: weil er treu zu Gott stand, für den HERRN Kriege führte, seine Kriegsbeute gern «heiligte», sie für den Tempelbau bestimmte (auf Veruntreuung gerade dabei wird *Ausrottung der ganzen Sippe* nebst dem Vieh angedroht), «auch das Silber und Gold, das er den Heiden genommen hatte, den Edomitern, Moabitern, Ammonitern, Philistern und Amalekitern», und weil er alles, was gegen Gott und seine Diener war, zum Verstummen brachte. «Den Bösen kann ich nicht leiden . . . Jeden Morgen bring ich zum Schweigen alle Gottlosen im Lande, daß ich alle Übeltäter ausrotte aus der Stadt des HERRN.» So paßt es dem Klerus. «Die Größe Davids und seiner Erfolge», schreibt 1959 das ‹Lexikon für Theologie und Kirche›, «begründete die Wertschätzung, die ihm später zuteil wurde», und attestiert ihm auch «menschliche Vorzüge», «außergewöhnliche Vorzüge».[35]

JUDA, ISRAEL UND
«DER SCHRECKEN DES HERRN»

Nach dem Zusammenbruch des um 1000 v. Chr. durch David gegründeten, ganz Palästina umfassenden Großreiches und dessen Teilung 926 in das Südreich Juda (unter der Dynastie Davids) mit Jerusalem, das Nordreich Israel (unter wechselnden Königen) mit Samaria als Hauptstadt, reißt die Kette der Machtkämpfe, Aufstände, Staatsstreiche und Kriege der beiden unabhängigen Länder nicht ab. Generationenlang befehden sich ihre Fürsten gegenseitig und stürzen im Schlachtgebrüll beim Schall der Kriegstrompeten aufeinander los, lag Jerusalem doch nur 16 Kilometer von der Nordgrenze entfernt. Im südlichen Rumpfreich Juda, bloß aus den Stämmen Juda und Benjamin bestehend, regierte zunächst Salomos Sohn Rehabeam, im Zehnstämme-

reich Israel Salomos alter Widersacher Jerobeam. «Es war aber
Krieg zwischen Rehabeam und Jerobeam ihr Leben lang», berich-
tet die Bibel. «Und es war Krieg zwischen Asa und Baësa, dem
König von Israel, ihr Leben lang.» Könnte man dem «Wort
Gottes» glauben, floß dabei Blut wie Wasser. So bleiben einmal
«von Israel erschlagen liegen fünfhunderttausend auserlesene
Leute.» Denn «die Kinder Juda ... verließen sich auf den
HERRN, den Gott ihrer Väter. Und Abia jagte Jerobeam ... Und
der HERR schlug ihn, daß er starb. Abia aber wurde mächtig.
Und er nahm vierzehn Frauen und zeugte einundzwanzig Söhne
und sechzehn Töchter.»

(Freilich: Salomo, 961–922, ein Inbegriff der Weisheit, hatte
700 Haupt- und 300 Nebenfrauen; und nur weil sie ihn schließlich
fremden Göttern zuneigten, war «sein Herz nicht ungeteilt bei
dem HERRN»[36].)

Beim Kampf der Juden gegen Juden sollten immerhin, woran
man sich indes nicht strikt gehalten, Kriegsgefangene freigelassen
werden, während man sie sonst kurzerhand niedergemacht oder
als Sklaven verkauft hat, wie das Alte Testament bezeugt, das sie
im übrigen der göttlichen Hilfe besonders bedürftig erklärt und ihnen Erlösung verheißt – allerdings erst für die messianische Zeit.[37]

Gelegentlich aber pflegt man wieder Kontakte, streitet sogar
gemeinsam, wie Israels König Joram (852–841) und Judas König
Josaphat (870–849), gegen die Moabiter, enge Verbündete der
Hebräer. Weite Landstriche Moabs werden furchtbar verwüstet,
ja, man übt bereits eine Art Taktik der verbrannten Erde. «Die
Städte zerstörten sie, und jeder warf einen Stein auf alle guten
Äcker, und sie machten sie voll davon und verstopften alle Was-
serbrunnen und fällten alle guten Bäume.» Doch führt man auch
wieder neue Bruderkriege, plündert, verheert, hetzt andere Staaten gegeneinander, kämpft mit ihnen und wider sie – 150 Jahre
fast ununterbrochen Krieg –, wobei die Bibel, wie gewöhnlich
übertreibend, einmal prahlt: «... und Israel schlug von den Aramäern hunderttausend Mann Fußvolk an einem Tag. Und die
übrigen flohen nach Aphek in die Stadt, und die Mauer fiel auf die
Übriggebliebenen, siebenundzwanzigtausend Mann.» «Wie ist

sie nun verlassen, die berühmte und fröhliche Stadt», höhnt
Jeremia von Aram (Damaskus) und prophezeit, daß «ihre junge
Mannschaft auf ihren Gassen fallen und all ihr Kriegsvolk umkommen» werde. «Und ich will an die Mauern von Damaskus
Feuer legen, daß es die Paläste Banhadads verzehren soll.» So «der
persönlichste, innerlichste unter allen Propheten», den man zu
den «größten religiösen Geistern aller Zeiten» zählt, «in die Nähe
des Dulders von Gethsemani» rückt (Nötscher).[38]

Dabei insistieren gerade die Propheten wieder auf den «Heiligen Krieg», betrachtet besonders Jesaia die ganze Geschichte
Israels als solchen. Werden doch dessen Schlachten überhaupt
zum «Gotteskampf im Endgericht» umgefälscht.[39]

Wie alle Siege aber MIT GOTT erfolgen, sind Niederlagen die
Strafe für den Ungehorsam gegen ihn – eine «Geschichtsphilosophie», die nicht nur die beiden Bücher der Könige durchgehend
beherrscht.

Noch der hl. Kyrill von Alexandrien, ein gar lohnendes Objekt
unsrer Kriminalgeschichte, formuliert von den Königen «im Ju-
denlande»: «Die einen haben frevelhafterweise die Gottesfurcht
geringgeschätzt . . . und diese Elenden sind elend zugrunde gegangen . . . Andere hingegen waren sorgsame Hüter der Frömmigkeit gegen Gott . . . und diese haben ohne Mühe ihre Feinde
besiegt und ihre Widersacher zu Boden geschlagen.»[40]

Als Israel «von den Aramäern hunderttausend Mann Fußvolk
an einem Tag» erledigte, hatte Jahwe «diese große Menge» in
Israels «Hand gegeben, damit ihr erkennt: Ich bin der HERR». Im
Bruderkrieg zwischen Juda unter König Abia (914 – 912) und
Israel unter König Jerobeam (931 – 910) siegt Juda mit Gottes
Hilfe in einer Schlacht zwischen angeblich 1 200 000 Männern.
«Siehe, mit uns ist an der Spitze Gott und seine Priester . . .» Beim
Sieg über die Kuschiter schlägt man «alle Städte um Gerar her;
denn der Schrecken des HERRN kam über sie. Und sie plünder-
ten alle Städte . . .» Angesichts der anrückenden Ammoniter und
Moabiter animiert der HERR: «Ihr sollt euch nicht fürchten und
nicht verzagen vor diesem großen Heer; denn nicht ihr kämpft,
sondern Gott.» Stets kommt derart «der Schrecken des HERRN

über alle Königreiche der Länder, die um Juda herum lagen». Seine Herrscher müssen «feste Städte zerstören zu Steinhaufen», und ihre Einwohner sollen «sich fürchten und zuschanden werden und wie Feldgras werden und wie grünes Kraut, wie Gras auf den Dächern, das verdorrt, ehe es reif wird».[41]

Nicht selten aber fährt «der Schrecken des HERRN» auch in die eignen Reihen.

Fast die Hälfte aller israelitischen Könige wird ermordet. Die «Heilige Schrift», die den Lebenslauf beinah eines jeden dieser Fürsten in dem Satz zusammenfaßt: «er tat, was dem HERRN mißfiel», schildert das so: «Im achtunddreißigsten Jahr Asarjas, des Königs von Juda, wurde Sacharja, der Sohn Jerobeams, König über Israel.» Doch regierte er nur sechs Monate zu Samaria. Denn: «Schallum, der Sohn des Jabesch, machte eine Verschwörung gegen ihn und schlug ihn tot und wurde König an seiner Statt.» Aber Schallum regierte nur einen Monat. «Denn Menahem . . . schlug Schallum, den Sohn des Jabesch, in Samaria tot und wurde König an seiner Statt.» Und Menahem, der bei der Eroberung Tiphsachs «alle ihre Schwangeren aufschlitzen ließ», hält sich immerhin mit Gottes Hilfe ein Jahrzehnt und stirbt friedlich. Sein Sohn Pekachja freilich herrscht wieder bloß zwei Jahre. Dann «machte Pekach . . . eine Verschwörung gegen ihn . . . und schlug ihn tot in Samaria im Burgturm des Königshauses samt Argob und Arje und wurde König an seiner Statt.» Und gebot Pekach auch zwanzig Jahre, rebellierte doch nun Hosea gegen Pekach, «und schlug ihn tot und wurde König an seiner Statt».[42]

Gewiß kam es, mit Gottes sichtbarem Beistand stets, zu dynastischen Blutbädern noch weit größeren Ausmaßes. Als beispielsweise Baësa den israelitischen König Nadab (910 – 909), einen Sohn Jerobeams, ermordet hatte und «König an seiner Statt» wurde, so berichtet die Bibel, «erschlug er das ganze Haus Jerobeam; er ließ auch nicht einen übrig vom Hause Jerobeam, bis er es ganz vertilgt hatte nach dem Wort des HERRN». Hatte Jerobeam doch «den HERRN, den Gott Israels, zum Zorn» gereizt. So konnte Baësa (909 – 886) auch gleich 24 Jahre regieren, bis sein

Sohn Ela das Staatsruder ergriff; er allerdings zwei Jahre nur. Denn «sein Knecht Simri, der Oberste über die Hälfte der Kriegs- wagen, . . . schlug ihn tot . . . und wurde König an seiner Statt». Und wie einst Baësa, «nach dem Wort des HERRN», das ganze Haus des sündigen Jerobeam ausgerottet, so liquidierte nun Simri, «nach dem Wort des HERRN» wieder, in Luthers plasti- schem Deutsch, «das gantze haus Baesa / und lies nicht uber auch der an die wand pisset»[43].

Doch Simri saß anno 885 nur sieben Tage auf dem Thron in Tirza, dann verbrannte er sich im Burgturm des Palastes, da «ganz Israel» Omri, den Feldhauptmann, zum König erhob. Ob- wohl aber Omri (885 – 874) unblutig an die Macht kam und Israel im Innern festigte, obwohl er, einer der fähigsten Könige des Nordreichs, eine Dynastie begründete, die 40 Jahre herrschte (wobei er und sein Sohn Ahab politisch, wirtschaftlich, nicht zuletzt kulturell so erfolgreich wirkten, daß assyrische Inschriften noch später das Königreich Israel «Bit Humri» nennen, das «Haus Omris»), berichtet das Alte Testament erstaunlich wenig über ihn. Förderte Omri doch den religiösen Synkretismus, tat also wieder, «was dem HERRN mißfiel, und trieb es ärger als alle, die vor ihm gewesen»[44].

Auch sein Sohn Ahab (874 – 853), im Lichte neuerer Forschung ein kluger Verwalter seines Landes (vor allem zum Vorteil der Oberschicht freilich) und großer Städtebauer, wird von der Bibel als Inbegriff der Bosheit gezeichnet und der Abkehr von Gott, als übler Despot schlechthin. Denn obwohl er, offiziell dem Jahwe- glauben treu, vor allen wichtigen Entscheidungen Jahwes Pro- pheten zu befragen pflegte, auch seinen Söhnen jahwistische Namen gab, tolerierte er doch noch andere Kulte. Und seine Gattin, die phönizische Prinzessin Isebel aus Tyrus (Vulgata: Jezabel; in Offenb. 2,20 als abgöttisches Weib für alle Zeiten verketzert), war eine eifrige Verehrerin des Baal von Tyrus und führte die Fruchtbarkeitskulte der Atirat jam, der Ašera vom Meer, wieder ein. Ahab selbst erbaute dem beliebten Baal einen Altar samt Tempel, machte auch ein Bild der Ašera und ver- mochte derart wieder mehr «den HERRN, den Gott Israels, zu erzürnen als alle Könige von Israel, die vor ihm gewesen waren»[45].

So folgt im Kreuzzug gegen die fremde Religion die Strafe auf dem Fuß. Initiator: Prophet Elisa, Schüler und Gefährte des berüchtigten Elia, eines fanatischen Baalsbekämpfers, dessen Hauptattacken dem Königspaar Ahab und Isebel galten. Elisa operierte dabei vorsichtig und ohne sich selbst die Hände schmutzig zu machen durch einen «Prophetenjünger». So nannte man Leute, die – an christliche Priester erinnernd – Prophetendienste für Geld verrichteten, die liberale Religionspolitik der Regierung bekämpften, doch als eifrige Patrioten dem Heer auf die Schlachtfelder folgten und den «Heiligen Krieg» propagierten. Durch einen solchen Mann hatte Elisa den Armeegeneral Jehu zur Revolte treiben und zum König salben lassen, was er, Elisa, selber vermied, weil er wußte, «der Mörder» Jehu werde erst nach vielem Blutvergießen König. Der «Prophetenjünger» aber gebot im Namen des HERRN: «Du sollst das Haus Ahabs, deines Herrn, schlagen . . . Und ich will von Ahab ausrotten, was männlich ist, bis auf den letzten Mann in Israel . . . Und die Hunde sollen Isebel fressen, auf dem Acker in Jesreel . . .»[46]

Darauf liquidierte Jehu (841–814) die gesamte Dynastie Omris. Erst tötete er Joram (852–841), den Sohn Ahabs. Dann ließ er in Jesreel Königin Isebel umbringen, bald danach auch Jorams Sohn Ahasja, den König von Juda, ebenso in Samaria 70 weitere Söhne König Ahabs, deren Köpfe man Jehu in Körben übersandte, worauf er erkannte, «daß kein Wort des HERRN auf die Erde gefallen ist, das der HERR geredet hat gegen das Haus Ahab». Doch um die göttliche Rechnung noch besser zu begleichen, «erschlug Jehu alle Übriggebliebenen vom Hause Ahab in Jesreel, alle seine Großen, seine Verwandten und seine Priester, bis kein einziger übrigblieb». Nicht genug: Als dem Jehu auf seinem Weg nach Samaria die Brüder Ahasjas, des bereits durch ihn ermordeten Königs von Juda, begegneten, befahl er, sie gleichfalls zu massakrieren. «Ergreift sie lebendig! Und sie ergriffen sie lebendig und töteten sie bei dem Brunnen von Beth-Eked, zweiundvierzig Mann, und er ließ nicht einen einzigen von ihnen übrig.»[47]

So geschah's gemäß dem «Wort des HERRN» vom Jünger des
Elisa dem Jehu überbracht. Und vielleicht regte Elisa bei dieser
Gelegenheit auch die Beseitigung der Baalspriester an, zumal
schon sein Herr und Meister, der Prophet Elia – von den Katho-
liken als «Hersteller der Herzensreinheit in den Familien» (!)
verehrt (Hamp) –, einst am Bach Kison sämtliche Baalspriester
des Königreichs abgeschlachtet hatte, «vierhundertfünfzig
Mann», laut Bibel, einer der «Höhepunkte seiner Lebensbahn»;
wozu die christliche Forschung ausdrücklich anmerkt: «Die
Baalspropheten waren nicht aggressiv geworden» (Caspari).
Doch «der Prophet», rühmt Kirchenlehrer Hilarius, «ist immer
Gottes Geistes erfüllt». Zumal ein Elia (das heißt: Jahwe ist mein
Gott), dessen Name «schon ein theologisches Programm» war
(Preuss). König Jehu setzt jetzt drastisch die fromme Tradition
fort. Er lädt Baals sämtliche Anhänger und Priester zu einem
«heiligen Fest» – «denn ich habe ein großes Opfer dem Baal zu
bringen» – und befiehlt: «Geht hinein und erschlagt jedermann;
laßt niemand entkommen! Und sie schlugen sie mit der Schärfe
des Schwerts.» Persönlich lobt darauf Gott König Jehu: «Weil du
willig gewesen bist, zu tun, was mir gefallen ... sollen dir auf
dem Thron Israels sitzen deine Söhne bis ins vierte Glied.» Und
Jehu selber, wiewohl auch er nicht abließ «von den Sünden
Jerobeams», drückte diesen Thron 28 Jahre.[48]

Damit ist die Kette der Massaker aber nicht beendet. Ahasjas
Mutter Athalja (841–835), nach Ermordung ihres Sohnes Allein-
herrscherin in Juda, tötet bei Regierungsantritt, ihre erste Amtshandlung, alle Mitglieder des Hauses David, die ihr hätten gefährlich werden können, eine Vorbeugungsmaßnahme gleichsam,
bis Königin Athalja, auf Befehl des Hohenpriesters Jojada, selber
umgebracht wird. Hatte sie doch als Tochter Ahabs und der
Isebel den Baalskult verbreitet und sich so der Priesterschaft
besonders verhaßt gemacht. «Der Geist Elias und Elisas trium-
phierte im Norden wie im Süden» (Beek).

Ein Jahrhundert später, 722, kassieren die Assyrer im ersten
Ansturm das Nordreich Israel – ein Gottesgericht wegen seiner
steten Versündigung am wahren Glauben! 597/587 erobern die

Babylonier unter Nebukadnezar allerdings auch das Südreich
Juda. Jerusalem wird 586 erstürmt und völlig zerstört, das Land
verheert, eine Anzahl des Adels, darunter der Hohepriester Se-
raja, hingerichtet, die Oberschicht deportiert, nur vom «niederen
Volk» ein Teil zurückgelassen, «Weingärtner und Ackerleute».
Und auch der Untergang Judas ist die Strafe vor allem für den
Abfall Salomos – er führte keinen einzigen Krieg! – und einiger
anderer Könige. Nichts als die Folge des «großen Zorns», mit
dem der HERR «über Juda erzürnt war um all der Ärgernisse
willen»[49].

Babylon, ein Weltreich und zur Zeit Nebukadnezars ungefähr-
det, beinah unangreifbar, fiel bereits ein halbes Jahrhundert danach durch Kyros II., Begründer der persischen Supermacht,
wobei er Babylon, die Stadt selbst, 539 ohne einen Pfeilschuß
gewann. Doch 200 Jahre später existierte auch das persische
Imperium, bis dahin das größte der Welt, nicht mehr. Es wurde
die Beute der Makedonier unter Alexander d. Gr., der in Babylon
residierte (331–323). Noch unter seinen Nachfolgern, im Seleuki-
denreich (312–64) spielte es eine beträchtliche Rolle. Dann drangen die Römer vor, und schon 100 Jahre nach Christus war
Babylon nur noch ein berühmter Ruinenhaufen.

KLERIKALE REAKTION
UND BEGINNENDE PRIESTERHERRSCHAFT

Der in Babylon exilierte König Jojachin (597) von Juda hatte
offenbar eine ehrenvolle Haft genossen. Und als Perserkönig
Kyros II. das babylonische Reich eroberte, gewährte der Mann –
der bereits Prinzipien praktisch befolgte, die erst die Theorie des
heutigen Völkerrechts verbindlich macht: Schonung des unterle-
genen, doch ebenbürtigen Gegners sowie Tolerierung fremder
Religionen – allen Juden, die es wünschten, 538/37 die Heimkehr
nach Palästina; ja, er befahl den Aufbau des Tempels zu Lasten
des königlichen Schatzes und gab den Juden das von Nebukad-

nezar in Jerusalem geraubte Gold- und Silbergerät zurück. Selbst das Alte Testament spricht deshalb wohlwollend von dem Heidenkönig; bei Deuterojesaja: «Gottes Hirte» und «Gesalbter». Und seinen «Geist» hatte natürlich «der HERR» erweckt – dessen Geist doch so ganz anders war und ist.[50]

Der kleinere Teil der Verbannten kehrte nun heim und begann 520 v. Chr. mit dem Wiederaufbau des Tempels, des sogenannten zweiten Tempels; 515 war er größer als zuvor vollendet – vor allem dank persischer Subsidien. Jerusalem, jetzt Hauptstadt der persischen Provinz Jehud, doch mit beträchtlicher innerer Selbständigkeit, erstand allmählich wieder. Auch andere Städte wurden neu besiedelt und durch Beauftragte der Perser kontrolliert; zunächst durch den Davididen Serubabel, dem freilich der Klerus rasch die Macht entriß: der Beginn einer Entwicklung, die in hellenistischer Zeit den Hohenpriester zum Führer Judäas macht; er regierte wie in anderen Ländern der König. Schon jetzt aber war er das eigentliche geistige wie weltliche Haupt und die jüdische Gemeinde Judäas eine Theokratie, in der die Priesterschaft, als mächtigste und reichste Klasse Jerusalems, das wieder wachsende Volk auch politisch und wirtschaftlich, kurz, in jeder Hinsicht anführte. Der «Bund» mit Jahwe wurde erneuert, wobei der «Neue Bund» (berit hadašah) etwas ganz anderes sein sollte als der alte Sinaibund, im Entscheidenden jedoch bloß dessen Aufguß war – «die Heiden sollen erfahren, daß ich der HERR bin». Man predigte praktisch weiter die Exklusivität, die religiöse Unduldsamkeit, den nationalen Ungeist, und schob nur die eschatologischen Schwärmereien hinaus, den totalen Sieg Jahwes, die Errichtung des «Gottesreiches». Jedes kosmopolitische Gedankengut aber wurde für die jüdischen Propheten schlechthin «Götzendienst»[51].

Hervorragend wirkte in diesem Sinn der Priester Esra, der amtliche Vertreter (sofer, «Sekretär») des Jahwekultes am persischen Hof (offizieller Titel: «Schriftgelehrter im Gesetz des Gottes des Himmels»). Er war Mitglied der führenden Priesterfamilie der Zadokiden, die seit der Restauration, der angeblichen religiösen und völkischen Erneuerung, drei Jahrhunderte hindurch den

Hohenpriester stellte, und kam im Auftrag des Perserkönigs Artaxerxes (entweder I. oder II.) vermutlich 458, vielleicht aber erst
398 v. Chr. oder irgendwann sonst, «von Babel herauf». Natürlich hatte er «die Hand des HERRN» über sich und nur das eine
Ziel, den orthodoxen Glauben wieder einzuschärfen, das mosaische Gesetz. Alle fremden Frauen und ihre Kinder sollten aus den
Häusern der Juden verstoßen, ausländische Einflüsse unterbun-
den werden. «Haupthaar und Bart» raufte sich Esra, der als
bedeutendster jüdischer Gesetzeslehrer und Reformer des 5. und
4. Jahrhunderts gilt, wegen der Mischehen, warf sich auf die
Knie, weinte, betete, beschwor die Juden: «Ihr habt dem HERRN
die Treue gebrochen . . . scheidet euch von den Völkern des Landes und von den fremden Frauen.» Esra war radikal und ließ
diesen Frauen nicht einmal die Möglichkeit, zur jüdischen Religion überzutreten. Anscheinend kämpfte er für Rassenreinheit.
Und selbstverständlich hatte Esra die Erklärung aller Pfaffen für
Katastrophen schon parat: «Um unserer Missetat willen sind wir
und unsere Könige und Priester in die Hand der Könige der
Länder gegeben worden, ins Schwert, ins Gefängnis, zum Raub
und zur Schmach, so wie es heute ist» – worin auch allerlei
Chauvinistisches mitschwang. Verpflichtete er doch zu ewigem
Hassen und Ruinieren der Heiden. «Und laßt sie nicht zu Frieden
und Wohlstand kommen ewiglich, damit ihr mächtig werdet und
das Gut des Landes eßt und es euren Kindern vererbt auf ewige
Zeiten.»[52]

Auch Nehemia (= Jahwe tröstet), der in das hohe Amt eines
Mundschenks des Artaxerxes aufgestiegen und zum Gouverneur
(tiršātā) ernannt worden war, blies bei seiner Rückkehr von
Persien nach Jerusalem (wie jetzt gesichert ist: 445–444) leiden-
schaftlich in das gleiche Horn. Auch er zeterte wegen der fremden
Frauen – obwohl doch schon Abraham, der «Stammvater» und in
Gottes Gunst stehend «trotz seiner Vorhaut» (der hl. Justin), die
Ägypterin Hagar als Nebenfrau hatte, und auch seine Frau Sara
zuerst eine Götzenanbeterin war; obwohl ihrer beider Sohn Isaak
eine Vollblutheidin heiratete, Rebekka, und ihrer beider Sohn
Jakob die fremdstämmige Bilha und die Heidin Silpa. Wie ja auch

Moses, trotz der Proteste Mirjams und Aarons, eine Äthioperin nahm: mit Billigung Jahwes. Doch als Nehemia von «Babel» nach Jerusalem kam, verteufelte auch er die herrschende Liberalität. «Und ich schalt sie und fluchte ihnen und schlug einige Männer und packte sie bei den Haaren und beschwor sie bei Gott . . . So reinigte ich sie von allem Ausländischen . . .» – zur Reinerhaltung zwar auch der Rasse, besonders aber zur Bildung eben des Gottesvolkes, zur Festigung des Glaubens an die Auserwähltheit vor allen anderen Völkern – der eigentliche Grund der Absonderungsvorschrift. Tatsächlich hatten die Fanatiker Esra und Nehemia, welchen Aufruhr, welches Elend sie immer bewirkten, Erfolg. Nicht nur mußten Priester – durch Ahnenprobe, ein Überprüfen der Geschlechtsregister – ihre jüdische Abstammung nachweisen. Auch die Mischehen wurden gelöst, die fremden Frauen samt Kindern verstoßen. Dabei hatte einst Gott selbst die Ehe mit kriegsgefangenen Ausländerinnen gestattet, ja, geraten, «ein schönes Mädchen», dessen Vater und Mutter man just erschlagen, zu heiraten, wenigstens so lang, bis man «kein Gefallen mehr» hatte an ihr. Doch jetzt wurde die Thora zur normativen Richtschnur, und die Mischehe blieb bis heute im orthodoxen Judentum verpönt; nur bei Übertritt des nichtjüdischen Partners sind Ausnahmen erlaubt.[53]

Auch Nehemia, der später hochverehrte Patriot, stachelte den jüdischen Nationalismus an, eindrucksvoll an die triumphale Vergangenheit der frommen Vorfahren erinnernd: «Und du gabst ihnen Königreiche und Völker . . . Und du demütigtest vor ihnen die Bewohner des Landes . . .» Aber nun «in dem Lande, das du unsern Vätern gegeben hast . . . siehe, in ihm sind wir Knechte»[54].

Nicht von ungefähr hatte sich Nehemia schon drei Tage nach seiner Ankunft bei Nacht und Nebel aufgemacht zu «a secret moonlight inspection tour» (Comay) und «keinem Menschen gesagt, was mir mein Gott eingegeben hatte», nämlich «genau» den Zustand der Stadtmauern zu inspizieren – der eigentliche Zweck seiner Reise –, worauf er rief: «Kommt, laßt uns die Mauern Jerusalems wieder aufbauen, damit wir nicht weiter Gespött seien!»[55] Betraf doch die von ihm beschworene «große

Not» fast nur die politische Ohnmacht, wie schon bei Esra. Denn der herrschenden Klasse, den Priestern – zu allen Zeiten die Profiteure in Katastrophen –, ging es glänzend; ein so wichtiger, in der christlichen Geschichte, wie alles bisher Gestreifte, wiederkehrender Sachverhalt, daß er noch belegt werden soll.

Viel Geld für «Gott» – «hl. Geld»

Die griechischen Historiker Hekataios und Aristeas, die zur Zeit der Restauration um 300 v. Chr. Palästina bereisten, bestaunten den Pomp, mit dem der Hohepriester auftrat, und die immerhin 700 Priester, die im Tempel zelebrierten. Doch auch der Verfasser des Jesus Sirach, wahrscheinlich Jerusalemit und Schriftgelehrter, preist um 170 v. Chr. den Eindruck des Priesterfürsten auf die Menge: «Wie herrlich war er . . . wie der Morgenstern zwischen den Wolken . . . wie die Pflanzenpracht des Libanon . . . rings um ihn der Kranz seiner Söhne wie Zedernschößlinge . . . Dann beeilte sich das ganze Volk allzumal und fiel auf sein Angesicht . . . Dann stieg er herab und erhob seine Hände . . . und der Segen des Herrn war auf seinen Lippen.»[56] Fast wie das Vorspiel für einen Papstauftritt von heute – nur, trotz allem, wie bescheiden noch!

Doch auch sonst verbindet die Priester Roms viel mit ihrem Vorbild.

Der Klerus der Juden hatte von Anfang an und immer wieder feierlich für sich gesorgt – durch «göttliche» Befehle, versteht sich. «Das Beste von den Erstlingen deines Feldes sollst du in das Haus der HERRN, deines Gottes bringen.» – «Desgleichen sollen alle Abgaben von allen heiligen Gaben der Kinder Israel, die sie dem Priester bringen, dem Priester gehören. Und was jemand heiligt, das soll auch dem Priester gehören.» – «Alles Beste vom Öl und alles Beste vom Wein und Korn, die Erstlingsgabe, die sie dem HERRN bringen . . . Alles Gebannte in Israel . . . Alles, was zuerst den Mutterschoß durchbricht bei allem Fleisch, es sei Mensch oder Vieh . . .» – «Und daß niemand vor mir mit leeren

Händen erscheine!» – «Bringt aber den Zehnten in voller Höhe in mein Vorratshaus».[57]

Opfern mußte jeder, gemeinschaftlich wie privat. Und offenbar hatte sich die Anzahl der Abgaben allmählich verdoppelt, wenn nicht verdreifacht. Außer dem Viehzehnt kam ein «zweiter» Zehnt dazu, den man, war der Weg zu weit, die Last zu schwer, auch ablösen konnte – «so mache es zu Geld und nimm das Geld in deine Hand und geh an die Stätte, die der HERR, dein Gott, erwählt hat...» Ja, ein dritter oder Armenzehnt – von Armen wimmelte es in Palästina, und im 1. vor- sowie im 1. nachchristlichen Jahrhundert wuchs das Elend noch – mußte erbracht werden; freilich «nur» alle drei Jahre. Die Priester kassierten also ein Zehntel «vom Ertrag des Landes und von den Früchten der Bäume», ebenso «von Rindern und Schafen, alles, was unter dem Hirtenstab durchgeht». Lieferte man nicht in natura, wurde «der fünfte Teil darüber hinaus» fällig. Der Tempel in Jerusalem bezog bedeutende Einnahmen aus Steuern. Schon die erste im Alten Testament erwähnte feststehende Steuer, das «Sühnegeld», war religiös begründet und für die «Stiftshütte». Jeder männliche Jude über zwanzig hatte, «damit ihm nicht eine Plage widerfahre», «einen halben Taler» zu entrichten «nach dem Münzgewicht des Heiligtums; ein Taler wiegt zwanzig Gramm». Enthüllend: «Der Reiche soll nicht mehr geben und der Arme nicht weniger als den halben Taler!» Der Tempel bezog Einnahmen aus Verbindlichkeiten von Gelübden, aus allen möglichen Darbringungen in jedem Augenblick. Auch die israelitischen Könige, deren Palast eine Tür mit dem Haus Jahwes, dem Tempel Salomons, verband – er bestand fast vier Jahrhunderte und beinah unverändert –, machten dem Tempel Schenkungen, beschenkten sich aber auch selbst aus seiner Schatzkammer. Auch Eroberer lockte sein Reichtum. Unter Roboam plünderte ihn Sisak, unter Amasias König Joas von Israel, Nebukadnezar vergriff sich an ihm und andere mehr. Doch bekam er gelegentlich auch Gaben fremder Fürsten. Im 1. nachchristlichen Jahrhundert konvertierte Königin Helena von Adiabene (Assyrien) nebst ihren Söhnen Izates und Monobazos sogar zum Judentum. Die Dynastie, deren grandiose Grabstätte in Jerusalem noch heute wohlerhalten ist, begünstigte fortan den Tempel stark, ja, adiabenische Prinzen beteiligten sich mit Heeresmacht am Jüdischen Krieg gegen die Römer. Vor allem aber brachten ungeheure Pilgerscharen die vorgeschriebenen Spenden. In der Königszeit mußte jeder männliche Israelit dreimal jährlich zum Jerusalemer Heiligtum. Und nach dem Exil konnte man überhaupt nur dort opfern, wo auch besondere Vorratshäuser zur Einlagerung von Abgaben und Sonderbeiträgen standen. Allein zum Passahfest strömten weit über doppelt so viele Pilger nach Jerusalem, als die Stadt Einwohner hatte, und die Lizenzgebühren für das Aufstellen der Gewerbestände auf dem großen Passahjahrmarkt im äußeren Tempelvorhof flossen dem Hohenpriester zu. Doch gab es weitere Märkte zu Jerusalem, einen Obst-, Getreide-, Holz- und Viehmarkt, sogar einen Auktionsstein, auf dem man in der «Heiligen Stadt» Sklaven und Sklavinnen verhökert hat. Auch manche Opfer, wie das Friedopfer, das Schuld- und Sühneopfer, fielen teilweise oder ganz den Priestern zu, galten als besonders heilig, und einige mußten in barer Münze beglichen werden. Die Diasporajuden schickten während der ganzen Zeit des Zweiten Tempels, als über eine Million Juden fern von Palästina lebten, Geld. Fast jede Stadt hatte eine Kasse für das «hl. Geld». Aus manchen Ländern, aus Babylonien, Kleinasien, kam so viel, daß es nicht nur die Räuber anzog, sondern selbst römische Gouverneure. Und natürlich empfahlen «die Weisen» auch nach der Zerstörung des Zweiten Tempels Wallfahrten, weil sie enorme Einkünfte brachten.[58]

Sogar als Banken fungierten die israelitischen Heiligtümer, da sie aus ihren Schätzen Darlehen gegen Zinsen gewährten, wobei der Zinssatz vermutlich dem der Nachbarländer entsprach, der zwischen 12 Prozent (im ptolemäischen Ägypten) und 33 bis 50 Prozent (Mesopotamien) lag. Die Bibel selber schweigt freilich darüber; gebot sie doch, «keinerlei Zinsen» zu erheben![59]

Priester aber können Geld und Gaben locker machen wie niemand sonst – ging und geht es doch um «Gott»! Gerade in finanzieller Hinsicht wurde der christliche Klerus ein gelehriger Schüler des jüdischen, der das Nationalvermögen «auf tausenderlei Arten» (Alfaric) anzuzapfen verstand. Und selbstverständlich rissen der Hohepriester und seine nächsten Untergebenen den Löwenanteil an sich. Josephus, der jüdische Historiker, belegt mit typischen Einzelheiten die Raffgier des hohen Klerus, der die anderen Jahwetempel natürlich nicht anerkannte, weder den Jerobeams in Bethel, einen Staatstempel wie der Jerusalems, noch die beiden Jahwetempel außerhalb Palästinas, in Elephantine und Leontopolis, noch gar den der Samaritaner – alle übrigens kaum eine ernsthafte Konkurrenz, zumindest was die Anziehungskraft auf die Diasporajuden betraf. Der niedere Klerus aber lebte dürftig, mußte vom Zehnten noch ein Zehntel abgeben und bekam auch den Rest nicht sicher. Schnappten ihn doch häufig gewalttätige Diebe, die jeden niederschlugen, der sich zu wehren wagte. «Zuweilen waren es Priester von hohem Rang, sogar Hohepriester, die den Raubüberfall organisierten» (Alfaric).[60] Gerade die führende Geistlichkeit wurde von den Fürsten häufig beschenkt. So bescheinigte Artaxerxes dem Esra, «hinzubringen Silber und Gold, das der König und seine Räte freiwillig geben dem Gott Israels . . . und was du sonst an Silber und Gold erhältst in der ganzen Landschaft Babel samt dem, was das Volk und die Priester freiwillig geben für das Haus ihres Gottes zu Jerusalem. Alles das nimm und kaufe . . . Auch was du sonst noch brauchst für das Haus deines Gottes . . . das bekommst du aus den Schatzhäusern des Königs.» Artaxerxes verbot ferner in seiner Vollmacht für Esra, «Steuern, Abgaben und Zoll zu legen auf irgendeinen Priester . . . auf alle, die im Hause dieses Gottes Dienst tun»[61].

Zur Zeit des Nehemia, als es 4289 Priester gab, in 24 Klassen eingeteilt, waren die Einnahmen des Tempels so groß, daß man weitere Vorratsspeicher in anderen Städten erbaute. Forderte doch auch Nehemia «jährlich den dritten Teil eines Silberstücks zum Dienst im Haus unseres Gottes», «Brennholz für das Haus unseres Gottes», «die Erstlinge unseres Landes und die Erstlinge aller Früchte von allen Bäumen . . . die Erstgeburt unserer Söhne und unseres Viehs» et cetera. Kurz, er sorgte nachdrücklich «für die Abgaben, Erstlinge und Zehnten . . . die nach dem Gesetz für die Priester und Leviten bestimmt waren; denn Juda hatte seine Freude an den Priestern und Leviten.» Dem reichen Klerus frei- lich, der seine Vorrechte seit den Tagen der Monarchie bis ins kleinste regelte, erwuchsen jährlich immer mehr Feinde. Und selbst die Leviten – Sänger, Torhüter, Verwalter im Tempel, Diener also der Priester, in gewissen Fällen deren Stellvertreter – standen zu jenen zeitweise in einem gespannten Verhältnis. Sie hatten Anspruch auf die Zehnten von Korn und Wein, die das ausgebeutete Volk aber nicht bezahlte. Und in hellenistischer Zeit kassierten die Priester einen Teil auch der levitischen Zehnten zur Vermehrung ihres schon sprichwörtlich gewordenen Reich- tums.[62]

Die Klassenunterschiede sind kraß, doch auch und gerade die führenden Kreise gespalten gewesen in eine streng konservative Gruppe und mehr oder weniger hellenisierte Orientalen oder orientalisierte Hellenen – ein religiös-kultureller Gegensatz, der allmählich zum Ausbruch einer Katastrophe führte.

Das makkabäische Sakralkriegertum

Seit nach der Eroberung Palästinas durch Alexander (332 v. Chr.) die makedonische Dynastie der (eher judenfreundlichen) Ptole- mäer herrschte, denen 198 die gleichfalls makedonische Dynastie der (zunehmend judenfeindlichen) Seleukiden folgte, spielte der Hellenismus in Judäa eine immer größere Rolle.

Zumal die oberen Schichten, der Priester- und Landadel, reiche Kaufleute, die die weit überlegene griechische Kultur, der viel freiere, großzügigere Lebensstil, anzog, fühlten sich als «Weltbür- ger» und überließen es den Massen sowie traditionsbewußten Zirkeln, stolz auf ihre Abgeschlossenheit und den «heiligen Sa- men» der Vorfahren zu sein. Den Griechen galt dies als «Bar- barismus», und im 2. vorchristlichen Jahrhundert hatte der Hellenisierungsprozeß bereits einen beträchtlichen Teil der fort- schrittlicheren Bevölkerung erfaßt. Das zweite Makkabäerbuch

beklagt die «Blüte des Hellenismus» und den «Zulauf zur Fremd-
tümelei». Zwar wehrte sich der Hohepriester Onias III. Doch sein
eigener Bruder Jason erreichte seine Absetzung durch eine Bestechung des Königs, wurde selbst Hoherpriester, baute in Jerusalem ein gymnásion, ein ephēbeîon, und man konnte daran denken, die hier herrschenden politisch-religiösen Zustände den
zahlreichen hellenistischen Städten im Land anzugleichen und
Jerusalem zu einer griechischen pólis zu machen. Dagegen aber
begehrten die Traditionalisten auf. Sie sahen das alte jüdische
Brauchtum samt ihren Gesetzen und Glaubensansichten gefähr-
det. Es kam zu immer größerer Erbitterung, zu Krawallen, Straßenschlachten. Schließlich erfolgten harte Vergeltungsmaßnah-
men des energischen Seleukidenkönigs Antiochos IV. Epiphanes
(des sichtbar gewordenen Gottes) – «der syrische Nero» (Kardinal Faulhaber) –, der sein arg angeschlagenes Reich durch eine
gemeinsame synkretistische Religion zu einigen suchte. So hat er
in Jerusalem (168 v. Chr.) den Tempel (durch die Errichtung eines
Altars für Zeus Olympios über dem umgebauten großen Brand-
opferaltar) entweiht, die jüdische Religion untersagt, die Stadt
niedergebrannt – nicht ohne zuvor den Tempelschatz zu plündern, immerhin 1800 Talente, etwa 15 Millionen DM. (Ein früherer Griff danach von Seleukos IV. wurde durch Priester ver-
eitelt, die sich als Engel zu Pferd verkleidet und die unter Heliodor
eindringenden Heiden aus dem Heiligtum geprügelt hatten. Papst
Leo X. beauftragte Raffael, dies vorbildliche Ereignis auf einer
Wand des Vatikans zu verewigen.[63])

Möglicherweise starben noch im Sommer 168 die sieben
«Makkabäischen Brüder» samt ihrer Mutter bei Antiochien am
Orontes. Falls ihre Hinrichtung historisch ist, kein «Greuelmärchen», keine «Märtyrerlegende», fielen sie selbstverständlich als
jüdische Rebellen, nicht als Glaubenszeugen, «Vorkämpfer des
Monotheismus» (Benediktiner Bévenot), als welche sie die jüdische wie christliche Heldensage verherrlicht – die einzigen «Märtyrer», die Juden und Christen gemeinsam verehren. Doch die
Christen nahmen im 4. Jahrhundert die Synagoge in Antiochien,
die angeblich die begehrten Knochen barg, machten aus dem

Gebäude eine Kirche, aus den Rebellen die «Heiligen Makkabäer», christliche Helden gleichsam vor Christus, und schickten
deren Reste zur weiteren Verehrung in die Welt.[64]

Nach Elias Bickermann hätte ein Erfolg der rigorosen Maßnahmen von Antiochos IV. gegen die Juden nicht nur deren Ende
bedeutet, sondern eben dadurch auch «die Entstehung von Christentum und Islam unmöglich gemacht»[65].

Kaum vorzustellen, wie anders die Welt aussähe. Doch vorstellbar auch, daß sie vielleicht gar nicht viel anders aussehen
würde. Wie auch immer: nicht die Maßnahmen des Königs führten zum Aufstand, was nach alter Tradition bis heute meist
behauptet wird, sondern umgekehrt: die bereits begonnene offene Rebellion führte zu den schlimmen königlichen Sanktionen.
Die Ereignisse (deren Chronologie durch die kärgliche Quellenlage und ihre Fragwürdigkeit wie so oft lebhaft umstritten ist)
eskalierten. Die jüdische Nationalpartei erstarkte, es begann der
«Glaubenskrieg» (Bringmann), «eine Ruhmestat des Judenvol-
kes» (Bévenot) und der Chasidäer, der aus Priestern und Laien
bestehenden, fanatisch gesetzestreuen Sekte, Elitetruppe der Rebellen. Zwar widerrief Antiochos IV. im Spätherbst 165 v. Chr.
das Religionsverbot; ja, er und sein Nachfolger Antiochos V.
leiteten eine Politik der Beschwichtigung ein, der Friedensbemü-
hung, Amnestie. Doch die Aufständischen weiteten den Schauplatz der Kämpfe noch über Judäa hinaus aus. Und obwohl oder
weil sich damit von Anfang an soziale und politische Motive
verbanden und immer mehr Bedeutung gewannen, erscheint dieser «Heilige Krieg» gegen die seleukidische Herrschaft fast wie
eine Fortsetzung der glorreichen Greuel während der «Landnahme» und danach, eine Wiedergeburt des vorexilischen Israel.
Unter Jahwes Führung bricht eine Art neuer Heilszeit an, geht es
um die kostbarsten Güter wieder der Nation, wird das mosaische
Gesetz «mit dem Schwert in der Hand notfalls bis zum Tode»
verteidigt (Nelis). «Der Sammelpunkt jener Freiheitskämpfer war
der Altar des Herrn, und ihre Losung: ‹Jahwe mein Panier›»
(Kardinal Faulhaber). Kurz, alle Mordlust und Rachsucht resultieren «aus der Frömmigkeit» (Wellhausen).[66]

Erstes Rebellenhaupt der Makkabäer – deren Auflehnung zu einem neuen Staat und eigenen Königtum führte, der Hasmonäerdynastie – wurde der Priester und Mörder Mattathias (= Geschenk Jahwes) aus dem Geschlecht Hasmon. Er erschlug – nach biblischem Vorbild, «im Glaubenseifer» – einen Israeliten, der auf Befehl des königlichen Abgesandten opfern wollte, sowie den Abgesandten selbst, und begann einen Kleinkrieg gegen die syrische Besatzung. Dies war gewiß noch unbedeutend. Doch nach dem Tod des Mattathias, 166 v. Chr., kommandierte einer seiner fünf Söhne die Empörer, Judas Makkabäus (wohl vom hebr. maqqaebaet, der Hammer), «ein Karl ‹Martell› des Alten Bundes», «der Held mit dem gesalbten Schwert», «die eigentliche Seele des Kampfes» (Kardinal Faulhaber). Spezialitäten: Blitzattacken, nächtliche Überfälle, Brandschatzungen im Schutz der Dunkelheit – «glückl. Feldzüge» (Benediktiner Bévenot). Judas, der Hämmerer, weitete den Guerillakrieg aus, überging sogar das kampfhindernde Sabbatgebot; und da die Syrer gerade in einen Konflikt mit den Parthern verwickelt waren, schlug er die gegnerischen Generale bei Beth-Horon, Emmaus, Bethsura, eroberte Jerusalem, reinigte zuerst den Tempel des HERRN vom «Greuel der Verwüstung» (Dan. 12,11) des Antiochos Epiphanes und ließ den Kopf des feindlichen Feldherrn Nikanor am Burgtor aufhängen (Nikanortag und -fest bis heute). Wieder einmal hatte Gott sein Volk wunderbar gerettet. Doch als 163 Antiochos IV. auf einem Feldzug gegen die Parther starb und Reichsverweser Lysias Frieden anbot, Religionsfreiheit, nahmen dies zwar der Hohepriester Alkimus und die Anhänger der Umkehrbewegung an, die Chassidim, die Frommen. Die Makkabäer aber widersetzten sich, erstrebten jetzt nicht nur religiöse, sondern auch politische Unabhängigkeit, die Ausrottung der «Gottlosen» in ganz Israel. Und mit diesen Kämpfen begründeten sie, scheinbar paradox, doch bezeichnend genug, «gerade diejenige hellenistische Dynastie, gegen die die Orthodoxen zu Felde gezogen waren: spätestens im Vertragsgesuch an Rom *akzeptiert* Judas, der auch am Sabbat kämpft, die heidnische Umwelt mit ihren Religionen, Lebensweisen und Umgangsformen» (Fischer). Und nachdem Judas gewaltige Mengen paganen Blutes vergossen, fiel er selber 161/60 in einem verzweifelten Kampf gegen Bakchides, wurde zum Prototyp des jüdischen Heroen, ja, bekam einen Ehrenplatz auch in der Galerie christlicher Schlächter als vorbildlicher Glaubenskämpfer und Soldat.[67]

Judas' jüngster Bruder Jonathan, wegen innerer Wirren im Seleudkidenstaat schließlich mit Zustimmung des syrischen Königs Hoherpriester und Militärgouverneur Judäas, zwei sich glänzend ergänzende Ämter, wird 143, sein Bruder und Nachfolger Simon, offiziell «großer Hoherpriester, Feldherr und Fürst der Juden» genannt, wird 135 ermordet – er durch seinen eigenen Schwiegersohn Ptolemäus. Immerhin war sein Hohepriesteramt nun erblich. Zwar sterben seine Söhne Mattathias und Judas mit ihm; doch sein dritter, dem Anschlag entgangener Sohn, Johannes Hyrkanos I. (135–103) avanciert zu einem weiteren Star makkabäischen Sakralkriegertums und beherrscht faktisch einen unabhängigen Staat. Erst mit den Pharisäern, dann mit den Sadduzäern, Jerusalems Priesteradel, verbündet, unternahm Hyrkan, begünstigt durch immer stärkere Rivalenkämpfe um den syrischen Thron, große Eroberungszüge, wie man sie seit Salomon nicht mehr kannte. Er betrieb die gewaltsame Judaisierung Idumäas und Galiläas, nicht gewöhnliche Expansionen etwa oder Machtkämpfe, sondern «religiös-partikulare sog. heilige Kriege» (R. Meyer). Denn «was in Wirklichkeit Länderraub war», wurde «als bloße Wiedererlangung von Gebieten hingestellt, die ein von Gott geschenktes Erbteil der Väter seien» (Beek). Dabei praktizierte der Hohepriester den Pomp und das Zeremoniell hellenistisch-orientalischer Fürsten an seinem Hof und zögerte nicht, der immens reichen israelitischen Königsnekropole, nach Josephus zur Auffüllung der Kriegskasse, 3000 Talente zu rauben, viele Millionen Mark.[68]

Johannes Hyrkan zerstörte auch Samaria, das in christlicher Zeit ganz aus der politischen Geschichte verschwinden wird.

Samaria, Hauptstadt einst des Königreichs Israel, unter König Omri (S. 93) kunstreich erbaut, galt stets als Rivalin Jerusalems, und die Samariter, ein jüdisch-heidnisches Mischvolk inmitten

von Palästina, waren den Juden verhaßter denn irgendwer sonst.
Als der Assyrer Sargon II. das stark befestigte Samaria nach
dreijähriger Belagerung 722 v. Chr. ruinierte (S. 95), kümmerte
dies Jerusalem so wenig wie die Zerstörung der Stadt um 296 in
den Diadochenkämpfen durch Demetrios Poliorketes. Die Samariter, denen wenige Jahrzehnte früher Alexander d. Gr. auf dem
Berg Garizim den Bau eines Tempels erlaubt hatte, eine evidente
Konkurrenz zum Tempel von Jerusalem, behielten zwar den
jüdischen Glauben bei, doch reduziert. Sie erkannten von der
«Heiligen Schrift» nur den Pentateuch, die fünf Bücher Mose, an,
galten den Juden als «unrein» und waren von diesen bereits bei
der Wiedererrichtung ihres Tempels zurückgewiesen worden.
Johannes Hyrkan schleifte 128 den Tempel auf dem Garizim, wo
die Samariter aber weiter eine «aufsässige Geistlichkeit» unterhielten. «Sie hatten sogar die Anmaßung, selbst die wahre Religion Israels besitzen zu wollen» (Daniel-Rops). Welche Religion
der Welt behauptet schon, die falsche zu sein! Und 107 v. Chr.
vernichtete der Hohepriester Hyrkan auch Samaria. (Ein halbes
Jahrhundert später baut es allerdings der Statthalter Roms, Aulus
Gabinius, wieder auf, und bald danach stattet es Herodes präch-
tig aus.[69])

Hyrkans Sohn Jonathan, gräzisiert Alexandros Jannaios
(103–76), setzt – nach der nur einjährigen Regierung seines Bruders Aristobulos, der mehrere seiner Brüder einkerkern und die
eigene Mutter im Gefängnis verhungern ließ – dieselbe Politik
fort. Als König und Hoherpriester führt er fromme, doch oft
«unglückliche» Feldzüge (was alle Feldzüge sind!) gegen Ptole-
mäer, Seleukiden, Nabatäer, ja, gegen die Pharisäer einen sechs-
jährigen Bürgerkrieg mit fremdländischen Söldnern, angeblich
aus dem Abschaum der Gesellschaft. In diesem Krieg blieb er
siegreich und rächte sich grausam. 800 seiner Gegner, die «mit der
ganzen rücksichtslosen Unversöhnlichkeit» stritten, «womit die
Frommen für den Besitz irdischer Güter zu streiten gewohnt sind»
(Mommsen), sollen dabei gekreuzigt worden und, nach Josephus, insgesamt 50 000 Menschen umgekommen sein. Doch zuletzt beherrschte Alexander Jannai, ein leidenschaftlicher Seeräu-

ber auch und häufig mit dem «Frevelpriester» der Qumran-Texte identifiziert, fast ganz Palästina, ein Reich, beinah so groß wie das Davids – wenige Jahre, bevor es die Römer 64 v. Chr. unter Pompeius eroberten, den Hasmonäerstaat zerschlugen und Jerusalem, weitgehend zerstört, abermals zur Provinzstadt herabsank. Zahlreiche Juden waren wieder getötet, vermutlich noch mehr in Gefangenschaft und Sklaverei nach Rom geschleppt worden.[70]

Ein hundertjähriger «Heiliger Krieg» ist zu Ende. Die wenigsten Makkabäer starben eines natürlichen Todes. Judas Makkabaios fiel beim Aufstand, sein Bruder Jonathan wurde ermordet, Simon wurde ermordet, Hyrkanos II., Enkel von Johannes Hyrkanos I., durch Herodes, den Bundesgenossen der Römer, hingerichtet, Aristobulos II. vergiftet, sein Sohn Alexander hingerichtet, dessen Bruder Antigonos Mattathias, der letzte Hasmonäerfürst, gleichfalls hingerichtet. Auch Alexanders Tochter Mariamne, seit 37 mit Herodes verheiratet, endete durch Palastintrigen, ebenso ihre Mutter Alexandra sowie ihre Kinder Alexander und Aristobulos. «Die Regierungszeit des Herodes ist weitgehend eine Zeit des Friedens für Palästina gewesen . . .» (Grundmann).[71]

An der Spitze all dieser Kriege, imperialistischer Kriege, Bürgerkriege sowie sonstiger Greuel aber leuchten – ob historisch oder nicht – die sieben «Makkabäischen Brüder», sieben «heilige Krieger». Und so verdienen diese Makkabäer nicht nur, «von allen geehrt zu werden», laut Kirchenlehrer Gregor von Nazianz. «Vielmehr sollen jene, die ihr Lob singen, Herrlichkeit finden, und jene, die ihr Lob hören, ihre Tugenden nachahmen und, durch die Erinnerung an sie angetrieben, es ihnen gleichtun.»[72]

Die Stimme ist typisch. Die bekanntesten Kirchenlehrer überbieten einander im Lob der zu Beginn des Aufstands (vielleicht) sterbenden Rebellen, der «makkabäischen Brüder», die «noch vor der Ankunft Christi im Fleische», wie Augustinus rühmt, «für das Gesetz Gottes bis zur Hingabe ihres Lebens stritten», die so «herrliche Siegeszeichen» aufgerichtet, wie Chrysostomos jubelt. Sie wurden zu Symbolen der ecclesia militans, ihre angeblichen Gräber in Antiochien aus einer Synagoge zu einer christlichen

Kirche gemacht (S. 121 f), ihre hochverehrten «Reliquien» nach Konstantinopel, nach Rom in die Kirche S. Pietro in Vincoli, in die Kölner Makkabäerkirche gebracht, sie selber in Deutschland und Frankreich, vor allem im Rhein- und Rhônetal, gefeiert, nachdem ihr Andenken schon in den drei ältesten Martyrologien stand. Und noch im 20. Jahrhundert (wo sich mehrere jüdische Organisationen, besonders Jugendvereine und Zionisten, «Makkabäer» oder «Makkabi» nennen) preist sie das katholische ‹Lexikon für Theologie und Kirche› als «Vorkämpfer des Monotheismus», begeht die Kirche das Fest der «Heiligen» am 1. August.[73]

Nur dem mit katholischem Denken Unvertrauten mag die Existenz von christlichen Heiligen vor Christus absurd erscheinen; dem, der so heillos nüchtern ist, die Logik zur Grundlage seiner Schlüsse zu machen.

Der Theologe Jean Daniélou aber schrieb noch 1955 ein ganzes Buch über ‹Die heiligen Heiden des Alten Testaments› – zwar keine «rein wissenschaftliche Studie», doch auch keine «erbauliche Hagiographie», sondern «eine Theologie der Mission». Wir können solches Zungenverdrehen um so eher übergehen, als man auch sonst mit vernünftigen Unterscheidungen nicht weiter käme bei einem Mann, der sanft dafür eifert, daß «es heilige ‹Heiden›» gebe, «Menschen, die Christus nicht gekannt», doch «der Kirche bereits angehört haben»; und dies mit der verblüffenden Folgerung, «denn außerhalb der Kirche gibt es kein Heil». Freilich kann der Katholik auf Schrift und Tradition sich berufen, auf den hl. Augustinus, die ganze alte Kirche, bei der zumindest die Heiligen des Alten Testament «einen wichtigen Platz einnahmen», während sie ihn heute, leider, «nicht mehr besitzen», oh, wie begreiflich, nur nicht für Daniélou, «arg in Vergessenheit geraten sind», zum Beispiel die hl. Abel, Henoch, Danel, Noe, Job, Melchisedech. Sogar der hl. Lot ist darunter, der immerhin, wenn auch vielleicht angetrunken, mit seinen beiden Töchtern «Blutschande» trieb, und dies derart erfolgreich, daß beide schwanger wurden (1. Mos. 19, 30 ff.) – «ein einfacher Mann, ein Repräsentant des gewöhnlichen Lebens», schreibt Daniélou, doch «auch ein Vorbild der Reinheit. Sein Beispiel hat hier exemplarischen Wert . . .»[74]

Heilige Heiden – und Heilige Kriege.

Noch in den zwei großen Aufständen des 1. und 2. Jahrhunderts wird der «Heilige Krieg» mit aller Wildheit und Grausamkeit, allem apokalyptischen Wahnsinn praktiziert und im «Kampf der letzten Tage» gegen das heidnische Rom «Gottes messianisches Königstum» erstrebt.

Der Jüdische Krieg (66–70 n. Chr.)

Führend dabei: die Zeloten, eine nationaljüdische, ursprünglich wohl nur aus Jerusalemer Priestern bestehende, 6 n. Chr. gegründete Partei – eine Reaktion auf die Macht- und Besitzergreifung Roms. Trotz wesentlicher Unterschiede zwischen Zeloten und Christen gibt es gemeinsame Züge. Und kaum ist es Zufall, daß einer der Apostel Jesu, ein gewisser Simon, im Lukasevangelium auch «der Zelot», bei Matthäus «der Kanaanäer» heißt, die einfache Umschrift von aramäisch qanna'i, «der Eiferer». Die Zeloten, denen die heutige Forschung auf die Geschichte Jesu größere Bedeutung beimißt, wurden beflügelt durch allerlei apokalyptisches Geraune, darunter der Orakelspruch, zu dieser Zeit werde «einer der Ihrigen die Weltherrschaft ergreifen». So kämpften sie schon zwei Jahrzehnte vor Ausbruch des eigentlichen Krieges gegen gewisse unpatriotische Juden wie gegen die Römer. Von ihren Feinden «Sikarier» genannt, die «Messermänner» (nach ihrer Waffe, einer kurzen, gekrümmten Klinge, der «sica», die sie ihnen Unliebsamen in den Rücken rannten), räumten sie zunächst vor allem unter reichen Juden auf, die um ihres Vermögens willen mit Rom paktierten – ihr erstes Opfer war angeblich «der Hohepriester Jonathan» (Kirchenhistoriker Euseb). «Sie begingen am hellen Tage und mitten in der Stadt Mordtaten, mischten sich besonders an Festtagen unter das Volk und erstachen ihre Gegner mit kleinen Dolchen, die sie unter ihrer Kleidung versteckt trugen. Stürzten ihre Opfer zu Boden, so beteiligten sich die Mörder an den Kundgebungen des Unwillens und waren ihres unbefangenen Benehmens wegen gar nicht zu fassen.» Josephus, mitten im Krieg selber zu den Römern übergegangen, schimpft die Zeloten Räuber und Meuchelmörder, schreibt aber auch, daß sie «viele Anhänger» hatten und die «Zuneigung der Jugend».[75].

In den Kreisen dieser Extremisten predigte man öffentlich den Krieg gegen Rom, las mit Vorliebe die beiden Bücher der Makkabäer, die endgültig erst das Konzil von Trient (im 16. Jahrhundert) zur «Heiligen Schrift» zählt[76], berauschte sich an deren «Heldentaten» und hoffte, was gegen die Griechen gelungen, mit Hilfe des HERRN gegen die Römer wiederholen zu können. So kam es zum «Bellum Iudaicum» (66–70), zu einem so blutigen Abenteuer, daß es selbst die Römer militärisch stark strapaziert hat.

Das gottgefällige Werk, unter Führung erst des Hohenpriestersohnes Eleazar ben Simon und des Zacharias ben Phalek, dann des Johannes von Gischalla, wurde zu einem günstigen Zeitpunkt begonnen: an einem Sabbat mit der Abschlachtung der wenigen Römer in der Burg Antonia von Jerusalem und dem stark befestigten Königspalast. Vor der Übergabe hatte man der Besatzung das Leben versprochen, dann nur einen einzigen Offizier, der sich beschneiden lassen wollte, begnadigt. (Später brachten auch die Christen Juden, die konvertierten, nicht um!) In den benachbarten Griechenstädten, in Damaskus, Caesarea, Askalon, in Skytopolis, Hippos, Gadara, massakrierten darauf die Hellenen die Juden, in Damaskus angeblich 10 500 oder 18 000 Juden, während die jüdischen Rebellen, befeuert durch ihren Glauben und die grandiose Erinnerung an die makkabäische Zeit, ganz Judäa mehr oder minder von Minoritäten säuberten.

Die Römer begannen zu marschieren. Erst unter dem Statthalter Syriens, Gaius Cestius Gallus, dann unter einem ihrer besten, von Nero beauftragten Feldherrn, dem einstigen Maultierhändler Titus Flavius Vespasianus, der militärisch sehr vorsichtig operierte, überdies politisch, durch Neros Tod, den Sturz Galbas, sich behindert sah. Doch im Sommer 68 hatte er fast ganz Palästina bezwungen, dabei unter anderem die Mönchssiedlung Qumran am Toten Meer niedergebrannt, deren bedeutende Bibliothek, kurz zuvor in Höhlen des Gebirgs versteckt, erst Mitte des 20. Jahrhunderts entdeckt worden ist. Auch die am Jüdischen Krieg beteiligten Samaritaner wurden dezimiert. Cerealis metzelte 11 600 von ihnen auf dem Garizim (S. 109) nieder. In Jerusalem aber, von Vespasian schon in die Zange genommen, geraten die Gottessöhne sich selber in die Haare, bekriegen sich zwei jüdische Parteien in der «berüchtigten Stadt» (Tacitus). Ja, eine dritte Gruppe kämpft gegen beide noch im Tempel – mit seiner nächsten Umgebung eine Festung, Hauptstützpunkt der Zeloten – und zelebriert sogar während des Gefechts das Tempelritual! Indes die Massen allmählich hungerten und verhungerten, stachen die Juden einander täglich in Straßenkämpfen ab und die Gefangenen in den Kerkern, standen aber Schulter an Schulter gegen die Römer, die Gefangene gleichfalls über die Klinge springen oder kreuzigen ließen. Vespasian, von seinen Truppen zum Kaiser ausgerufen, ging nach Rom. Doch zwei Jahre später, Anfang September 70, setzte sein Sohn Titus – der bereits im palästinensischen Caesarea, in Berytus (Beirut) und anderswo Tausende gefangener Juden von wilden Tieren, in Zweikämpfen, durch Verbrennen bei lebendigen Leib hatte umbringen lassen – dem Spuk mit einem Blutbad ein Ende. Wer in Jerusalem, jetzt ein einziger Ruinenhaufen, noch lebte, wurde abgestochen oder in die Sklaverei verkauft. Bis auf den Grund ging der Tempel samt allen, seit sechs Jahrhunderten gehorteten Schätzen in Flammen auf, am gleichen Tag wie der erste. Nur um die Festungen Herodeion, Machairos und Masada kämpfte man noch einige Jahre; dann gaben die Verteidiger mit ihren Frauen und Kindern sich selber den Tod.[77]

Triumphierend zog im Jahr 71 der Sieger in Rom ein, wo noch heute der Titusbogen daran erinnert ...

Hunderttausende von Opfern hatte das Massaker gekostet. Jerusalem lag, wie einst Karthago und Korinth, in Trümmern, das Umland wurde kaiserliche Domäne. Schwerste Steuern – bis zu einem Fünftel des Erstertrages – belasteten die Besiegten,

Räuberbanden drangsalierten ihr Land. Das religiöse Leben freilich blühte. Ein Rat von 72 Schriftgelehrten stand an der Spitze der
Juden; sein Vorsitzender führte den Titel «Fürst». Und das täglich
zu betende Schemone esre, das Achtzehnbittengebet, ein Vorbild
des christlichen Vaterunsers, wurde durch eine Bitte gegen die
Minnim, die Christen, bereichert, die ihre Verfluchung und Ausrottung betraf. Denn weder in Palästina noch sonstwo behinderte
man die Juden in der Ausübung ihrer Religion. «Man scheute davor zurück, dem jüdischen Glauben als solchem den Krieg zu erklären» (Mommsen).[78] Wenige Jahrzehnte später aber, im zweiten
Versuch zu «Gottes Endkrieg», war das Fiasko noch größer.

«GOTTES ENDKRIEG» UNTER BAR-KOCHBA
(131–136)

Schon 115 n. Chr. gingen dem Aufstand verschiedene Erhebungen in der Diaspora voraus, wo rund um das Mittelmeer sehr viele
Juden lebten, nach Philo allein in Alexandrien eine Million. Unter
ihnen hatte man den messianischen Traum längst nicht ausge-
träumt. Und als während des trajanischen Krieges gegen die
Parther (114–117) das Gerücht einer Niederlage das Imperium
durcheilte, auch ein schweres Erdbeben Antiochien und viele
andere Orte Kleinasiens zertrümmerte, rebellierten die Zeloten.
In der Kyrenaika, wo man angeblich 200 000 Nichtjuden umbrachte, zerstörte der «König» und «Messias» Lukuas-Andreas
die Hauptstadt Kyrene. Auf Zypern schleiften die Insurgenten
Salamis; ja, sie sollen 240 000 Nichtjuden ermordet haben, ohne
Zweifel eine Übertreibung. Kein Jude aber durfte die Insel mehr
betreten; selbst schiffbrüchige Israeliten traf der Tod. In Ägypten,
wo die Römer zur Vergeltung alle Juden Alexandriens ermordeten, dauerten die Kämpfe sogar Jahre. Doch hier und überall
schlug man die jüdische Diaspora schwer aufs Haupt.[79]

  In Palästina selbst hatte Trajans Nachfolger, Kaiser Hadrian
(117–138), ein besonderer Verehrer der Götter, auf Jerusalems

Ruinen eine neue Stadt, Aelia Capitolina, errichtet und an Stelle des Tempels ein Jupiterheiligtum sowie einen Tempel der Venus. Nun eröffnet Simon ben Kosiba (Bar-Kochba) 131 einen dermaßen ausgedehnten und mörderischen Guerilla-Krieg, daß der Kaiser selber auf dem Kriegsschauplatz erscheint. Bar-Kochba (aramäisch: Sternensohn, so nach erfolgreichem Aufstand genannt, während der Besiegte in talmudischen Quellen Ben Kozeba, Lügensohn, heißt) reißt in Jerusalem die Herrschaft an sich. Er wird beraten durch Rabbi Akiba, der ihn – mit einem klassischen messianischen Wort – als den «Stern aus Jakob» begrüßt, als Retter Israels. Auch unterstützt ihn der Hohepriester Eleasar, den Bar-Kochba allerdings, als Eleasar später zur Übergabe rät, eigenhändig erschlägt. Einstweilen aber war man zwei Jahre guten Mutes im Judenland, begann wieder mit dem Tempelkult in Jerusalem und proklamierte eine neue Ära der Freiheit – bis Kaiser Hadrian vier Legionen unter seinem besten General, Julius Severus, eine Menge Hilfstruppen nebst großer Flotte schickte und die Römer Zug um Zug an Boden gewannen. Nach Dio Cassius, der jedoch gern übertreibt, wurden 580 000 jüdische Krieger getötet, 50 Festungen, 985 Dörfer zerstört, Zehntausende von Menschen versklavt. Mommsen nennt diese Zahlen «nicht unglaublich», da man unerbittlich gekämpft und die männliche Bevölkerung wohl überall niedergemacht habe. Frauen und Kinder überschwemmten die Sklavenmärkte, drückten die Preise. Zuletzt fiel Beth-Ter (das heutige Bittir), ein Dorf westlich von Jerusalem, wobei Bar-Kochba selbst auf unbekannte Weise ums Leben kam. Ochsengespanne pflügten den Tempelplatz samt Umgebung um. Die Zeloten aber rotteten die Römer völlig aus, erst jetzt als eigentlichen Grund jüdischer Aufsässigkeit den Religionswahn erkennend. «50 Jahre lang», schreibt der Talmud, habe man danach «in Palästina keinen Vogel fliegen sehen». Kein Israelit durfte bei Todesstrafe Jerusalem betreten, die Besatzung wurde verdoppelt. Erst im 4. Jahrhundert konnten dort die Juden, jährlich am 9. Aw, den Untergang der «Heiligen Stadt» beweinen. Und erst im 20. Jahrhundert, am 14. Mai 1948, bildeten sie wieder einen jüdischen Staat: Erez Israel.[80]

2. KAPITEL

DER ZWEITAUSENDJÄHRIGE KAMPF GEGEN DIE JUDEN WIRD ERÖFFNET

«Denn was kannst du, mein lieber Jude, sagen?»
Der hl. Kirchenlehrer Johannes Chrysostomos[1]

«Zu Schanden werde der Jude.»
Der hl. Kirchenlehrer Basilius[2]

«Ihre Führer sind Verbrecher, ihre Richter
Schurken . . . sie sind 99mal so schlecht wie die
Nichtjuden.» Der hl. Kirchenlehrer Ephräm[3]

«. . . noch ärger als der Teufel.»
Der hl. Kirchenlehrer Athanasius[4]

«Zwei Arten von Menschen, Christen und Juden»,
«Licht und Finsternis», «Sünder», «Mörder»,
«aufgerührter Schmutz».
Der hl. Kirchenlehrer Augustinus[5]

«Verfolgung der Andersdenkenden ist überall das
Monopol der Geistlichkeit.» Heinrich Heine[6]

Von Palästina abgesehen, ging es den Juden in heidnischer Zeit jedoch eher gut.

Gewiß hatte es längst Antisemitismus gegeben. Ältester urkundlicher Beleg: die aramäischen Elephantine-Papyri. 410 v. Chr. wurde in Elephantine (vgl. S. 103) ein Jahwe-Heiligtum zerstört, vermutlich weil die Juden Gegner der ägyptischen Selbständigkeit und Sympathisanten der persischen Fremdherrschaft waren. Um 300 v. Chr. ist der Antijudaismus anscheinend schon weit verbreitet, kursiert zum Beispiel bald das Gerücht, die Juden stammten von Aussätzigen ab. Für solche Feindschaft gab es hauptsächlich religiöse, auch politische, weniger wirtschaftliche und kaum rassemäßig bedingte Gründe.[7]

Nach den Aufständen unter Nero, Trajan, Hadrian erschienen die Juden – immerhin 7 bis 8 Prozent der Gesamtbevölkerung des Reiches – zwar häufig als gemeingefährlich. Sie galten weiterhin als suspekt. Man empfand ihr hochmütiges Herabsehen auf alle sonstigen Kulturen, Religionen, Nationen, ihre gesellschaftliche Absonderung (amixia) als störend. Der maßvolle Tacitus, der ihnen Verachtung der Götter und des Vaterlands nachsagt, spricht von ihrem Fremd-, ihrem Anderssein (diversitas morum). Und wie bei ihm, so erklären sich wohl die – gewiß nicht folgenlosen – judenfeindlichen Äußerungen weiterer Heiden, des älteren Plinius, des Juvenal, im Mittelalter «Schulautor», des Quintilian, der im Unterricht der frühen Neuzeit eine Rolle spielt, besonders aus Eindrücken, die der Jüdische Krieg (S. 112 ff) hinterließ. Doch schreibt auch Seneca, schon 65, ein Jahr vor Beginn dieses Kriegs, zum Selbstmord gezwungen: «Solche Macht haben die Bräuche des höchst verruchten Volkes bereits gewonnen, daß sie in allen Ländern eingeführt sind; sie, die Besiegten, haben ihren Siegern Gesetze gegeben.»[8]

DULDUNG DER JÜDISCHEN RELIGION DURCH DEN HEIDNISCHEN STAAT

Aber selbst die Herren Roms übten gegen die Juden – meist Bauern, Handwerker, Arbeiter, nie noch als Händler charakterisiert – gewöhnlich Toleranz, bezeigten ihnen manchmal Sympathie. Sie genossen, zumal im Osten, Sonderrechte, wie das Sabbatprivilegium. Sie mußten nicht vor römische Gerichte gehen, bevorzugten sie eigene Richter. Caesar förderte sie sehr. Reich beschenkte Augustus den Tempel in Jerusalem. Täglich wurden hier, nach kaiserlicher Stiftung, dem «höchsten Gott» ein Stier und zwei Lämmer geschlachtet. Augustus' engster Freund, Agrippa, begünstigte gleichfalls die Juden. Der etwas exzentrische Caligula (37–41) allerdings, der einen eignen Tempel beanspruchte, öffentlich in Gestalt verschiedener Gottheiten, auch weiblicher, erschien, mit seiner Schwester Drusilla eine Geschwisterehe führen und sein Bild sogar im Allerheiligsten Jerusalems aufstellen lassen wollte, vertrieb die Juden aus den größeren parthischen Städten, wo sie besonders zahlreich waren. Doch hatte selbst Kaiser Claudius, bevor er die Juden Roms angriff, im Jahr 42 noch ein Edikt zu ihren Gunsten verfügt und ihnen freie Beobachtung ihrer Gepflogenheiten im ganzen Reich erlaubt. Freilich warnte er zugleich vor Mißbrauch seiner freundlichen Gesinnung und Verachtung der Sitten andrer Völker. Hingegen war Neros Frau, Poppaea Sabina, wieder eine eifrige Beschützerin des Judentums. Bewies doch überhaupt die römische Regierung gewöhnlich «fortwährend den Willen, allen billigen und unbilligen Ansprüchen der Juden so weit wie möglich entgegenzukommen» (Mommsen).[9]

Auch nach der Eroberung Jerusalems bekämpften die Kaiser nirgends den jüdischen Glauben; er war religio licita. Vespasian und seine Nachfolger gestanden den Juden die schon von Caesar und Augustus erlassenen Privilegien zu. Wie jeder römische Bürger konnten Juden Ehen, Verträge schließen, Eigentum erwerben, öffentliche Ämter innehaben, Sklaven halten und anderes mehr. Ihre Gemeinden hatten auch das Recht auf eigene Vermögensverwaltung und, begrenzt, auf eigene Gerichtsbarkeit. Noch nach dem Bar-Kochba-Aufstand (S. 115 ff) gewährten ihnen Hadrian und die folgenden Herrscher freie Kultausübung sowie Dispens von jenen allgemeinen Bürgerpflichten, die sich mit ihrem Bekenntnis nicht vertrugen. Selbst in den lateinischen Provinzen ergriff man kaum Restriktionen gegen sie, erlaubte ihnen, Synagogen zu bauen, Vorsteher zu bestellen, und befreite sie mit Rücksicht auf ihre Religion weiterhin vom Kriegsdienst.[10]

Denn wie noch heute der Glaube der Naturvölker keinen Absolutheitsanspruch eines «höchsten» Wesens kennt, so herrschte auch im antiken Hellenismus Toleranz. Exklusivität widersprach dem Polytheismus prinzipiell. Vaterländische Kulte konnten sich mit fremden verbinden. Man war großzügig, freundschaftlich-kollegial, ließ zu allen möglichen Göttern beten, glaubte, in andren die eignen wiederzufinden, und «Bekehrung» betrieb man überhaupt nicht. Intoleranz, sagt Schopenhauer, ist nur dem Monotheismus wesentlich, ein alleiniger Gott, «seiner Natur nach, ein eifersüchtiger Gott, der keinem andern das Leben gönnt. Hingegen sind polytheistische Götter, ihrer Natur nach, tolerant: sie leben und lassen leben: zunächst dulden sie gern ihre Kollegen, die Götter derselben Religion, und nachher erstreckt diese Toleranz sich auch auf fremde Götter.» Der Glaube an einen Gott aber erschien den Heiden wie öde Gleichmacherei, Entgötterung des Weltalls, Atheismus. Nichts war ihnen fremder als der Gedanke, «alle Götter der Völker sind Götzen», als das jüdische «Du sollst keine fremden Götter neben mir haben», als eine Gottheit, die nie ermüdet zu schreien: «Ich bin der Herr», «ich bin der Herr», «ich bin der Herr, euer Gott» – so allein im kurzen 19. Kapitel des 3. Buches Mose sechzehnmal! Zu dem mit «Bundesblut» besiegelten Pakt zwischen Jahwe und seinem «auserwählten Volk» gibt es im Heidentum keine Parallele. Und nichts an den

Juden erregte so Unwillen wie das Verhalten, das ihnen ihr Glaube aufzwang. Léon Poliakov behauptet sogar: «Nichts außer ihrem Gottesdienst!»[11]

INTERPRETATIO CHRISTIANA

Die Christen aber, für die Juden selbstverständlich Irrlehrer, münzten den Glauben an die «Auserwähltheit» Israels zum Absolutheitsanspruch des Christentums, den jüdischen Messianismus zur Botschaft von der Wiederkunft Christi um – der erste große Schritt innerhalb der frühkirchlichen Entwicklung: die Lösung des Christentums von seiner jüdischen Mutterreligion.

Nicht die Juden, die Christen waren jetzt «Israel Gottes»; nicht die Christen, die Juden jetzt abgefallen. So entriß man ihnen das Alte Testament und gebrauchte es als Waffe gegen sie: ein ungeheueres Betrugsverfahren, interpretatio Christiana genannt; ein beispielloser, in der gesamten Religionsgeschichte singulärer Vorgang und nahezu der einzige originelle Zug christlicher Glaubenshistorie überhaupt. «Eure Schriften», sagt im 2. Jahrhundert der hl. Justin, «oder vielmehr nicht eure, sondern unsere!» Zumal die Juden, wie Justin weiß, «wenn sie darin lesen, ihren Sinn nicht verstehen». Denn gegen den tatsächlichen spielte man, in haarsträubender Exegese, ihren angeblich geistlichen Sinn aus und unterstellte, die Juden verstünden «nichts von der Schrift». Die Kirche bezog auf sich nur, was günstig war, Lobpreis, Verheißung, alle edlen Helden oder was sie dafür hielt, zumal die Erzväter und Propheten, während sie die sinistren Figuren, die Gangster, mit den Juden identifiziert und demgemäß auch alle Drohreden gedeutet hat. Noch das «Märtyrer-Gebein» der Makkabäerzeit (S. 105 f, 110 f), seit dem 2. vorchristlichen Jahrhundert in der Hauptsynagoge Antiochiens verwahrt, gab man als christlich aus und machte, im späteren 4. Jahrhundert, durch Wegnahme der Gräber, den Juden jede weitere Verehrung unmöglich. Statt dessen feierten die Christen, besonders pompös, nun selber das Fest, das noch heute zum Kirchenjahr gehört.[12]

Diese ganze antijüdische Polemik nahm den Juden, was die Christen brauchen konnten. Ja, das Christentum, höhnt Gabriel Laub, hätte gar nicht entstehen können, hätte es «schon in den alttestamentarischen Zeiten eine internationale Urheberrechtskonvention gegeben». Bereits im 1. Jahrhundert nennen die Christen Abraham «unseren Vater» und behaupten: «Moses, auf den ihr eure Hoffnung setzt, ist in Wirklichkeit euer Ankläger.» Im 2. Jahrhundert beweisen sie mit Moses schon Alter und Ansehen der Christenheit. Und schließlich sind «die Führer der Hebräer» ganz einfach «unsere Stammväter»[13].

Die christliche Theologie hat dies alles – und mehr – schönstens systematisiert. Das Alte Testament war der «Vorläufer», das kleinere Frühere für das größere Spätere: die christliche Theologie spricht vom «Folienmotiv». Das Alte Testament galt bloß relativ, das Neue absolut: die christliche Theologie spricht vom «Absolutheitsmotiv». Das Alte Testament gab es, damit im Neuen «die Schrift erfüllt werde»: «Erfüllungsmotiv». Natürlich erschien alles «besser» jetzt, «größer», «vollkommener», «mehr»: «Überbietungsmotiv». Was nicht so recht paßte, änderte man: «Änderungsmotiv». Was gar nicht paßte, wurde abgeschafft: «Abschaffungsmotiv». Nicht paßten vor allem die Juden selber wegen ihres Unglaubens: «Abfallmotiv»[14].

Wie gesagt: «interpretatio Christiana»! Eine Religion raubt – und schmäht, bekämpft, verfolgt dann die beraubte Religion durch zwei Jahrtausende.

Dies aber mußte man tun, da alles im Christentum, was nicht heidnisch war, restlos von den Juden stammte: ihr Gott, ihr Monotheismus, die kirchliche Liturgie, soweit nicht hellenistisch, der Ausschluß der Frau vom Dienst am Wort, der Wortgottesdienst selbst, das Vaterunser samt vielen anderen Gebeten, die Verfluchungs- und Exkommunikationsformeln des Klerus, trotz Nächsten- und Feindesliebe schon früh und oft gebraucht; ferner die (von der Kirche im 4. Jahrhundert noch verdammten!) Engelheere, Ausgeburten eines alten Polytheismus, mit den Erzengeln an der Spitze; zahlreiche Zeremonien, wie Handauflegen bei Ordination oder Taufe; die Fasttage und Feste, Ostern, Pfingsten . . . Ist ja noch das Wort Christus (vom griech. «Christos») eine Übersetzung des hebräischen «maschiach» oder «Messias»[15].

Doch auch die Hierarchie des Judentums, die Einteilung in Hohepriester, Priester, Leviten, Laien, wurde das genaue Vorbild beim Aufbau der christlichen Gemeinden. Die Parallelen sind so frappierend, daß man im spätjüdischen Kirchenwesen geradezu das Modell für den vollentwickelten römischen Katholizismus sah. Den Begriff des heilsnotwendigen Dogmas übernahm man ebenso wie die Betonung der bischöflichen Überlieferung. Die kirchliche Kassenverwaltung war ähnlich organisiert wie die Verwaltung des jüdischen Sakralfonds. Selbst die christlichen Katakomben besaßen ihr Vorbild in den unterirdischen Friedhöfen der Juden. Ebenso hat die katholische Moraltheologie ihren Vorläufer in der Kasuistik der rabbinischen Morallehre. Ist ja überhaupt die christliche Moral weitgehend jüdisch. «90 Prozent» davon findet Michael Grant «bereits im Judentum . . . einschließlich der Nächstenliebe; die Aufforderung, seinen Feind zu lieben, war die augenfälligste Neuerung» – doch in Wirklichkeit auch sie längst bekannt: im Buddhismus, bei Platon, der Stoa, selbst Jeremia und Jesaja erschien es «ein köstlich Ding», sich auf die Backe schlagen und viel Schmach antun zu lassen.[16]

Gerade als Bastard aber schämte das Christentum sich seiner Herkunft, seiner mangelnden Originalität. Und weil, wie begreiflich, die Juden den plötzlich christlichen Charakter ihres Glaubens nicht einsehen, vielmehr weiter Gottes «auserwähltes Volk» sein wollten, attackierten die Christen nun die Juden und schlossen sich dabei deren Mission an – die wilde Intoleranz ihres Nomadengötzen vor Augen, eines der rachsüchtigsten Religionsidole der Welt. Sie agitierten besonders in den bisher von den Juden bearbeiteten Kreisen und erzielten «einen beträchtlichen Teil» ihres Erfolgs «auf Kosten des Judentums» (Brox).[17]

Die Judenfeindschaft des
Neuen Testaments

Tonangebend wurde bereits Paulus, der eigentliche Gründer des
Christentums. Denn so hinreißend der Apostel, der «Mitarbeiter
Gottes», wie er sich bescheiden selber nennt, die Liebe besingt,
weit mehr förderte er, von Porphyrios über Voltaire bis zu Nietzsche und Spengler erkannt, den ungeheuerlichsten Haß. Er wurde
ein Klassiker der Intoleranz, der Prototyp des Proselytenmachers;
genialer Ausbilder auch jenes zwischen schwammiger Anpassung
und rücksichtsloser Schroffheit schamlos lavierenden Stils, der
dann vor allem in der Großkirche Schule macht; ein so engstir-
nig-rechthaberischer Agitator, daß christliche Theologen der Nazizeit von seinen Gemeinden Parallelen zogen zu den «Standarten
der braunen Hitler-Armee» und von einer «SA Jesu Christi»
schwärmten. (Goethe meinte: «Hätte man Sanct Paulen ein Bistum geben, / Poltrer wär' worden ein fauler Bauch / Wie ceteri
confratres auch.»[18])

Paulus also (auch im Judentum übrigens weithin als Schöpfer
des Christentums geltend) eröffnet dessen Kampf gegen die Juden
und setzt ihn zeitlebens fort. Dabei predigt er mit Vorliebe in den
Synagogen, geradezu «Ausgangs- und Stützpunkt» (Hruby) seiner Mission. Sonst aber sind die Christen, die Heidenchristen
zumal, nun das wahre Israel – ältester Beleg: Gal. 6, 16. Ergo
wirbt er gern um die Heiden und läßt durch den «Fall» der Juden
«den Heiden das Heil widerfahren». Vor den Juden schüttelt er
die Kleider aus: «Euer Blut komme über euer Haupt», worauf er
fortfährt: «Rein gehe ich von nun an zu den Heiden.» «Die
Heiden . . . haben die Gerechtigkeit erlangt», die Juden jedoch
«das Gesetz der Gerechtigkeit nicht erreicht.» Zwar opfern sie
«um Gott, aber mit Unverstand». Und «an den meisten von ihnen
hatte Gott kein Wohlgefallen, denn sie wurden niedergeschlagen
in der Wüste»[19].

Natürlich schlugen auch die Juden zu. Deutsche Katholiken
betonten dies besonders unter Hitler, etwa in dem Buch ‹Heilige
deutsche Heimat› (mit kirchlicher Druckerlaubnis), wo immer-

fort die Juden Paulus, dies «Wunder des Geistes und der Gnade», «verleumden, verwünschen und verfolgen», die Juden sich verschworen gegen «den verhaßten ‹Heidenfreund›», die Juden planen, «ihn zu töten», die «Juden bald wieder auf Mordanschläge sannen» und Paulus «wie ein Aussätziger oder Pestbehafteter aus den Synagogen» fliegt, hinausgefeuert «in alles Ungemach des Himmels, in Wälder und Wüsteneien zu dem reißenden Getier» et cetera.[20]

Tatsächlich geißelten die Juden den Apostel wiederholt. Und diese Strafe, die im Christentum noch eine große Zukunft haben sollte, war so grausam, daß die Hiebe gelegentlich die «nackten Knochen» trafen und man der Tortur manchmal erlag. Völlig sinnwidrig aber spielt Paulus das Alte Testament gegen die Juden aus. Er wirft ihnen auch schon die Verfolgung der Propheten und den Tod Jesu vor – später eines der wirkungsvollsten stereotypen Schlagwörter der Kirche. In Wirklichkeit war dieser Prozeß in den Evangelien «offenkundig nur ein Kniff», ein ungeschickter obendrein, «um die hauptsächliche Verantwortung» für Jesu Hinrichtung «auf die Juden abzuwälzen» (Guignebert). Paulus beschuldigt die Juden *generell*, daß sie ehebrechen, stehlen, Tempel plündern. Er erklärt einen Rückfall ins Judentum für gerade so schlimm wie einen Rückfall ins Heidentum. Er läßt die Juden im ältesten Zeugnis des Neuen Testaments verdammt sein «bis ans Ende der Welt». Ja, «der liebreichste Verkünder des Evangeliums» (Katholik Walterscheid) gebraucht dieselben stereotypen Wendungen wie die antiken Antisemiten und nennt den ganzen geistigen und religiösen Besitz der Juden «Dreck»[21].

Die Apostelgeschichte brandmarkt sie immer wieder als «Verräter und Mörder», der Hebräerbrief als Leute, die «gesteinigt, gefoltert, zersägt, durchs Schwert getötet» haben. Das Johannesevangelium, der judenfeindlichste Bibeltext, präsentiert die Juden über fünfzigmal als Jesu Gegner. Fast unausgesetzt trachten sie ihm nach dem Leben. Sie erscheinen als Inbegriff der Schlechtigkeit, Sprößlinge des Teufels. Der Antijudaismus war ein Leitmotiv dieses Evangelisten, eine krasse Schwarzweiß-Zeichnung die Folge: da die Kinder Gottes, Licht, Wahrheit, Glaube, dort die

Söhne Satans, Nacht, Lüge, «Ketzerei». «Schärfer», schreibt Theologe Weinel (1928), «ist nie über das Judentum als Ganzes geurteilt worden.» Die Apokalypse schmäht die Juden «Synagoge Satans»[22].

Von Paulus aber, Johannes und den übrigen Inspirierten der Bibel nehmen die Kirchenväter, was sie brauchen. Seit 70 sind in der Diaspora Judentum und Christentum überall geschieden; die antijüdische Polemik wächst.[23]

KIRCHLICHER ANTIJUDAISMUS
VOM 2. BIS INS 4. JAHRHUNDERT

Die zunehmende Judenfeindschaft der Frühzeit beweisen die Schriften der Patres aevi apostolici, der Apostolischen Väter; eine von der Patristik des 17. Jahrhunderts zuerst gebrauchte Bezeichnung für einige Leute, die bald nach den Aposteln lebten – als «die Erde noch warm war vom Blute Christi» (Hieronymus).

Der einzige von ihnen, den wir näher kennen, Ignatius, Bischof von Antiochien in Syrien, schreibt im frühen 2. Jahrhundert in mehreren Episteln gegen die Juden. «Wenn euch nun jemand Judentum vorreden sollte», predigt Ignatius, «den höret nicht.» Judaistische Lehren nämlich sind «falsche Lehren», «Arglist», «alte Sagen, die nichts nützen», «schlimme Kunstgriffe», sind «wie Grabsäulen und Totenkammern». Die Juden haben «die Gnade nicht empfangen», vielmehr «die gotterleuchteten Propheten» verfolgt. «Schaffet also weg den schlechten Sauerteig . . .»[24]

Derart schmäht bald, wie schon das Neue Testament, die ganze christliche Literatur die Juden Mörder der Propheten – als habe man diese am laufenden Band massakriert. Das Alte Testament aber, das zahlreiche Propheten aus vielen Jahrhunderten nennt, berichtet insgesamt zwei Prophetenmorde[25] – dagegen hatte allein der Prophet Elia, laut Bibel, 450 Baalspriester geschlachtet (S. 95).

Der Barnabasbrief, um 130 in Syrien entstanden, von der alten

Kirche hochgeehrt und zeitweise zu ihren Vorlesebüchern gezählt, spricht den Juden ihre «Heilige Schrift» ab. Sie verstanden sie gar nicht, «weil ein böser Engel sie beschwatzte». Dafür bietet der Schreiber des Briefes, ein heidenchristlicher Lehrer, sichtlich erleuchtet, Proben weit besseren Verstehens. Zum Beispiel bedeute das Verbot, Hasenbraten zu essen, man dürfe kein Knabenschänder sein oder dergleichen, da der Hase jährlich seinen After vervielfältige. «Denn so viele Jahre er lebt, so viele Öffnungen hat er.» Der unbekannte Verfasser erkennt den Juden auch keinerlei Bund mit Gott mehr zu. Sie waren «wegen ihrer Sünden . . . nicht würdig». Kam Christus doch nicht zuletzt deshalb, «damit er das Sündenmaß für diejenigen voll mache, die schon seine Propheten bis zum Tode verfolgt». So werden Jerusalem und Israel «dem Untergang anheimgegeben»[26].

Der hl. Justin, führender Apologet des 2. Jahrhunderts, ist – wie Tertullian, Athanasius und andere – entzückt über die grauenhafte Verwüstung Palästinas durch die Römer (S. 116), die Zerstörung seiner Städte, die Verbannung der Bewohner. All dies hält der Heilige für ein himmlisches Strafgericht, für «recht und gut, daß euch das zugestoßen . . . ihr verkommenen Söhne, ehebrecherisches Gezücht, Dirnenkinder». So überhäuft der «milde Justin» (Harnack), dessen Fest seit Leo XIII. (gest. 1903) das römische Brevier und Missale am 14. April verzeichnet, die Juden mit einer Flut unverschämter Invektiven. Er nennt sie seelisch krank, verkommen, blind, lahm, Götzendiener, Hurenkinder, voll jeder Schlechtigkeit. Er eifert, alle Wasser des Meeres könnten sie nicht reinigen. Ja, der Mann, der, so Kirchenschriftsteller Euseb, «ganz im Dienst der Wahrheit» steht, für die «Verkündigung der Wahrheit» stirbt, behauptet, die Juden seien schuld am Unrecht, «das alle anderen Menschen überhaupt begehen» – eine Verleumdung, die nicht einmal Streicher unter Hitler überbot. Gleichwohl verliert Benediktiner-Prior Groß im ‹Lexikon für Theologie und Kirche›, 1960, keine Silbe über Justins wütende Judenfeindschaft. Vielmehr glänzt dieser noch 1970 in einer «Geschichte der Alten Kirche im Unterricht» als «exemplarische Gestalt»![27]

Im späten 2. Jahrhundert hält Melito von Sardes – bald darauf von seinem Kollegen Polykrates von Ephesus zu den großen Sternen der kleinasiatischen Kirche gezählt – eine erschreckende Rede. Denn Bischof Melito geißelt immer wieder die «Undankbarkeit» der Juden und bürdet ihnen auch das «furchtbare Wort vom Gottesmord ... wie eine Erbschuld» auf (Katholik Frank).

> «Undankbares Israel ...
> Unschätzbar sind seine Wohltaten an dir!
> Du aber hast schändlich
> ihm nur mit Undank vergolten
> und vergaltest ihm Gutes mit Bösem
> und Freude mit Trübsal
> und Leben mit Tod!
> Du hättest für ihn sterben müssen.»

Doch nein, droht die Stimme dieses «noch von einem Abglanz der urchristlichen Zeit beschienenen und als Prophet verehrten Mannes» (Quasten) aus seiner erst 1940 aus einer Papyrushandschrift edierten Predigt:

> «Getötet hast du den Herrn
> inmitten Jerusalems!
> Höret es, alle Geschlechter
> und sehet:
> Unerhörter Mord geschah ...»[28]

Im frühen 3. Jahrhundert richtet der römische Bischof Hippolyt, Schüler des hl. Irenäus und einer der «altkatholischen Väter», ein giftiges Pamphlet «Gegen die Juden», die «Sklaven der Völker». Doch nicht 70 Jahre sollen sie verknechtet sein, wie in Babylonien, nicht 430, wie in Ägypten, sondern «immer»! Der hl. Cyprian, der, sehr reich, erst Rhetor war, dann, von seiner Frau geschieden, 248 Bischof von Karthago wurde, sammelt emsig judenfeindliche Bibelsprüche – Munition für die christlichen Antisemiten bis ins Mittelalter. Ja, der berühmte Märtyrer, ausgezeichnet durch «Milde, warmherzige Menschenfreundlichkeit» (Ehrhard), lehrt: die Juden haben «den Teufel zum Vater» – was noch in der Nazizeit über den Schaukästen des «Stürmer» stand! Kirchenschriftsteller Tertullian nennt die Synagogen «die Quellen der Verfolgung» (fontes persecutionum), obwohl sich die Juden an den Christenverfolgungen des zweiten, dritten und vierten Jahrhunderts überhaupt nicht beteiligten. Freilich gehören solche Vorwürfe zum Repertoire interreligiöser Kommunikation beziehungsweise Lüge. Tertullian weiß auch, daß Juden nicht in den Himmel kommen, daß sie nicht einmal Gott mit den Christen gemeinsam haben, und behauptet gar: «Wenn sich Israel auch jeden Tag an allen Gliedern wüsche, so würde es doch niemals rein.» Selbst der edle, bald indes verketzerte Origines hält alle Lehren zeitgenössischer Juden für Gefabel, leeres Geschwätz, und wirft ihren Vorfahren wieder «das abscheulichste Verbrechen» vor «gegen den Retter des ganzen Menschengeschlechts ... Deshalb war es notwendig, daß die Stadt, in der Jesus so litt, von Grund aus zerstört wurde, daß das jüdische Volk aus seiner Heimat vertrieben wurde ...» Und der Diognetbrief, dem noch die heutige Theologie hohes gedankliches wie sprachliches Niveau attestiert, verhöhnt die Bräuche der Juden und schimpft sie selber dumm, abergläubisch, heuchlerisch, lächerlich, gottlos, kurz, er bietet einen «ganzen Lasterkatalog der Juden» (C. Schneider).[29]

Im 4. Jahrhundert nimmt mit der Macht des Klerus auch seine Judenfeindschaft ständig zu. «Der Antijudaismus», so Theologe Harnack, «ist in der Kirche immer heftiger geworden.» Mehr und mehr «Väter» schreiben durch Jahrhunderte Kampfschriften «Gegen die Juden». Das beginnt, nach einigen verschwundenen Pamphleten, mit dem (später abgesprungenen) Tertullian, dem römischen Gegenbischof Hippolyt (S. 128), und führt über den hl. Kirchenlehrer Augustin (S. 511 ff) zu dem hl. Kirchenlehrer Isidor von Sevilla im 7. Jahrhundert. Der antijüdische Traktat wird in der Kirche «Literaturgattung» (Oepke).[30]

Gregor von Nyssa, noch heute als großer Theologe gefeiert, verdammte die Juden – gebetsweise – in einer einzigen Suada als:

Mörder des Herrn und Mörder der Propheten, Feinde Gottes, Menschen, die Gott hassen, die Gesetze verachten, Fürsprecher des Teufels, Lästerrasse, Verleumder, Pharisäergezücht, Sünder, Steiniger, Feinde der Redlichkeit, Satansversammlung et cetera. Hat doch, rühmen noch während des Zweiten Vatikanums «strenggläubige Katholiken» in einer vielhundertseitigen Hetzschrift, «nicht einmal Hitler in so wenigen Worten so viele Anschuldigungen gegen die Juden ausgesprochen, wie vor 1600 Jahren dieser heilige Bischof»[31].

Der hl. Athanasius (vgl. 8. Kap.), eine der «bedeutendsten Erscheinungen der Kirchengeschichte» und «von der göttlichen Vorsehung» gesandt (Lippl), greift nicht nur lebenslang unflätig Heiden wie «Ketzer» an, sondern auch die Juden, deren «Verkehrtheit», «Wahnsinn», einen «Wahnwitz», der «als solcher vom Verräter Judas stammt». «Die Juden nämlich irren von der Wahrheit ab», die Juden «rasen . . . noch ärger als der Teufel». «Die Juden haben nun die gerechte Strafe für ihre Leugnung; denn sie haben mit ihrer Stadt auch ihren Verstand verloren.»[32]

Häufig und nicht ohne Genugtuung spricht Kirchengeschichtsschreiber Euseb, Bischof von Caesarea, vom Schicksal der Juden, fast unaufhörlich beteuernd, «daß mit den Zeiten des Pilatus und den Verbrechen an dem Erlöser das Unglück des ganzen Volkes begonnen habe»; daß seitdem «in der Stadt und in ganz Judäa Aufstände und Kriege und Anschläge über Anschläge kein Ende nehmen wollten». Und als «nach der Himmelfahrt unseres Erlösers die Juden zu dem Verbrechen an dem Erlöser auch noch die höchst zahlreichen Vergehen an seinen Aposteln begangen hatten» – Steinigung des Stephanus, Enthauptung des Jakobus, die «unzähligen Todesgefahren» der «übrigen Apostel» –, «da brach zuletzt das Strafgericht Gottes über die Juden wegen der vielen Freveltaten . . . herein und vertilgte gänzlich dieses Geschlecht der Gottlosen aus der Menschheitsgeschichte»[33].

Diese antijüdische Geschichtstheologie, der Triumph über die «Verbrechen» der Juden, wie es immer wieder heißt, ihr «unbeschreibliches Unglück», «stets neue Unglücksfälle», «immer größere Not», wobei die Juden «schonungslos niedergemacht», wobei «30 000 Juden zu Tode getreten wurden», «durch Hunger und Schwert . . . im ganzen eine Million und hunderttausend» Juden zugrunde gingen, die Genugtuung also, wie «über alle Maßen furchtbar die Erlebnisse» der Gottesmörder waren, dies alles wirkte wohl schon auf den ersten christlichen Kaiser, dessen Gunst Bischof Euseb sehr früh gewann und auf den er auch großen Einfluß bekam. Kaum zufällig hat sich die antijüdische Gesetzgebung bereits unter Konstantin verschärft (S. 272 f).[34]

KIRCHENLEHRER UND ANTISEMIT EPHRÄM

Der hl. Ephräm (306–373), durch den höchsten Titel der Catholica geehrt, «Zither des Heiligen Geistes» genannt, «Sanftmut», «Gottes Friedensmann», wurde einer der wildesten Judenfeinde nicht nur seiner Zeit. Denn wie er, aus christlicher Familie stammend, als Junge schon schmähsüchtig war, roh, die Kuh eines Armen einmal stundenlang zu Tode steinigte, so geißelte er später die Juden. Als Professor der christlichen Hochschule von Nisibis (vgl. S. 301, 335 ff) im Zweistromland des Euphrat und Tigris, schimpfte er sie Schurken und Sklavennaturen, Wahnsinnige, Teufelsdiener, Verbrecher, von unersättlichem Blutdurst, «99mal so schlecht wie die Nichtjuden». Werden die «Gottesmörder» für den Kirchenlehrer doch jetzt «Mörder» überhaupt! Freilich schuf der hl. Antisemit auch die ältesten Kirchenlieder, wurde er «der erste Weihnachtssänger der Christenheit». «Ein Jungfrauenchor, den er bildete, trug seine Lieder in den Kirchen vor. Von dort nahmen sie ihren Weg, vom Volk begeistert aufgenommen, durch ganz Kleinasien . . . ein gesungenes Evangelium, das keiner Erklärung bedurfte» (Katholik Hümmeler).[35]

Keiner Erklärung bedurfte auch Ephräms Antijudaismus. Unermüdlich konfrontierte der Heilige, dessen die Kirche infolge seiner Verdienste jährlich gleich zweimal gedenkt (die orientalische am 28. Januar, die des Westens am 18. Juni), die strahlende Reinheit des Katholizismus und der Propheten mit der «Tollheit», dem «Gestank» und dem «Morden» des jüdischen Volkes. «Heil dir, hehre Kirche, aus jedem Mund, die du frei bist . . . von dem Gestank der stinkenden Juden!» Das jüdische Volk, behauptet Ephräm, erst 1920 zum Doctor ecclesiae erhoben, «will seine frühre Krankheit den Gesunden verschaffen; durch Schneiden, Brennen und Arzneien, die gegen seine eigenen Krankheiten bestimmt waren, sucht es die gesunden Glieder zu zerfleischen . . . Der rohe Sklave bemüht sich, den Freien seine eigenen Fesseln anzulegen.»[36]

Eindringlich suggeriert «der bewunderungswürdige Ephräm» (Theodoret), «der große Klassiker der syrischen Kirche» (Katholik Altaner): das jüdische Volk hat die Propheten, hat selbst Gott gemordet, massakriert es da nicht erst recht jeden andern? «Es hat zuviel Blut gekostet, daher konnte es das Morden nicht mehr lassen. Damals mordete es offen, jetzt mordet es heimlich . . . Armseliger, fliehe vor ihm (dem Judenvolk); denn nichts gilt ihm dein Tod und dein Blut! Es hat das Blut Gottes auf sich genommen, sollte es da vor deinem Blute zurückschrecken? . . . Gott hing es am Kreuze auf . . . Sie (die Juden) schlachteten die Propheten wie fehlerlose Lämmer ab. Ärzte kamen zu ihnen, sie aber wurden denselben zu Schlächtern. Fliehe und rette dich vor dem rasenden Volke, nimm eilends deine Zuflucht zu Christus! . . . (Gottes Sohn) kam zum Samen Abrahams, aber die Erben wurden zu Mördern.»[37]

Der verhältnismäßig lange Artikel über Ephräm im ‹Lexikon für Theologie und Kirche›, 1959 von dem Benediktiner und Theologen Edmund Beck (Rom) verfaßt, erwähnt den wilden Antijudaismus dieses Heiligen mit keinem Wort.[38]

KIRCHENLEHRER UND ANTISEMIT
JOHANNES CHRYSOSTOMOS

Rabiater noch als Ephräm attackierte Johannes Chrysostomos (354–407) die «elenden, nichtnutzigen» Juden und wird, wenn nicht deshalb, so doch trotzdem, seit dem 6. Jahrhundert Chrysostomos, «Goldmund», seit dem 7. «(abschließendes) Siegel der Väter» gerühmt.[39]

In vielen Schriften und acht langen Brandreden, die der äußerlich unscheinbare, oft kränkelnde, schwachstimmige, aber populäre Kanzeltäter («Das Predigen macht mich gesund») 386/87 in seiner Geburtsstadt Antiochien hielt, gibt es wenig Laster und Verbrechen, die er den Juden nicht unterstellt. (In einer Predigt, worin er gleich eingangs renommiert, er habe das Ziel erreicht, den Sieg errungen, den Juden den Mund gestopft, sprach er so lange, daß er heiser wurde – und setzte am nächsten Tag seinen Kampf fort: es war das Versöhnungsfest.[40])

Der Sohn eines hohen Offiziers und ehemalige Rechtsanwalt, der die Aufgabe des Predigers vornehmlich im «Zuspruch», in der «Tröstung» sieht, da doch «die ganze Schrift» nur Tröstliches enthalte, geißelt den «von jeher mordlustigen Sinn» der Juden, «ihre Mordlust und Blutgier». Wie gewisse «Tiere schädliches Gift besitzen», weiß Chrysostomos, «ebenso seid ihr wie eure Väter voll von Mordlust». Besonders die Juden der Zeit Jesu «begingen die größten Sünden», waren «blind», «ohne Gewissensbedenken», «Lehrer der Bosheit», «von einer ganz besonderen Verderbtheit der Seele», «Väter- und Muttermörder». Sie haben «ihre Lehrer mit eigener Hand getötet», wie sie ja auch Christus getötet, ein «Kapitalverbrechen», das «alle Untaten in den Schatten» stelle; wofür sie «fürchterlich würden gestraft», «würden verworfen werden» – «nicht einfach nach dem gewöhnlichen Lauf der Weltgeschichte», nein, «Rache des Himmels» werde es sein, eine «so unerträgliche Rache», daß sie «alles bisher Dagewesene, sei es unter den Juden oder sonstwo auf der Welt, an Grauenhaftigkeit überragt»[41].

Der Patron der Prediger, dessen Schriften (achtzehn Bände in

Mignes Patrologia Graeca) im 20. Jahrhundert Benediktiner Chrysostomos Baur als «unerschöpfliche Fundgrube» feiert, «ein Abbild inniger Vermählung christlichen Geistes und hellenischer Formschönheit», schimpft die Juden in einem fort teuflisch, schlechter als die Sodomiter, grausamer als Bestien. Er wirft ihnen, deren Kult und Kultur gerade die antiochenischen Christen stark anzog, immer wieder Götzendienst vor, Betrug, Raub, Diebstahl, Völlerei, Geilheit. Juden leben nur ihrem Bauch, ihren Trieben, verstehen nichts als Fressen, Saufen und sich den Kopf blutig zu schlagen. «In ihrer Schamlosigkeit übertreffen sie sogar Schweine und Ziegen.» – «Die Predigten bewegen sich meist in edlem, gehobenem Konversationston» (Baur). Chrysostomos, dessen Schriften mehr verbreitet und gelesen wurden als die eines anderen Kirchenvaters, diffamiert die Juden gemeiner als irgend jemand zuvor. Der «größte Mann der alten Kirche» (Theiner), der seinerseits klagt: «Es gibt ja wahrlich nichts Unerträglicheres als Beschimpfungen», lehrt: mit Juden darf man so wenig verkehren wie mit dem Teufel, sie seien «nicht besser als Schweine und Böcke», «schlimmer als alle Wölfe zusammen», ja, mordeten ihre Kinder mit eigener Hand – was er später freilich widerrufen muß: Auch wenn sie nicht mehr länger(!) ihre eigenen Kinder töten, so haben sie doch Christus getötet, was ärger sei. «Die Juden sammeln die Chöre der Lüstlinge, das Gesindel der unzüchtigen Weiber und ziehen das ganze Theater samt den Schauspielern in die Synagoge. Denn zwischen Synagoge und Theater ist kein Unterschied. Die Synagoge ist nicht bloß ein Theater, sie ist ein Hurenhaus, eine Räuberhöhle und Zufluchtsstätte unreiner Tiere, eine Wohnstätte der Teufel. Und nicht bloß die Synagogen sind Wohnstätten von Räubern, Händlern und Teufeln, sondern auch die Seelen der Juden selbst.» Christen sollen keine jüdischen Ärzte konsultieren, sondern «lieber sterben», von allen Juden sich abwenden «wie von der Pest und von einer Seuche des Menschengeschlechts». Und weil die Juden «gegen Gott selber gesündigt», wird ihre Knechtschaft «kein Ende haben», sich im Gegenteil «mit jedem Tag verschlimmern»[42].

Streicher verblaßt fast neben diesem «Prediger von Gottes

Gnaden» (Baur). Doch attestiert man ihm noch nach dem Zweiten Weltkrieg «Größe», «Menschlichkeit», «einen rosenzart duftenden Humor» (Anwander); eine «lebendige, zu Herzen gehende Sprache», die «auch den heutigen Menschen noch unmittelbar anzureden» vermöge (Kraft); können Johannes' Homilien doch «wohl als einzige aus dem ganzen griechischen Altertum zum Teil noch heute als christliche Predigten gelesen werden» (v. Campenhausen); während Hümmeler ausgerechnet unter Hitler, «in einer Zeit des Umbruchs», des Kirchenlehrers «hinreißende Beredsamkeit» und unerhörte «Macht über die Seelen» preist.[43]

Oft und eindringlich kommt Johannes Chrysostomos auf die immerwährende Knechtschaft der Juden zurück und droht mit Paulus und den Propheten für ihren Unglauben «die schwerste Strafe» an. Selbst wenn Paulus vielleicht nach Gründen sucht, die alles «in einem milderen Licht erscheinen lassen», stellt Johannes befriedigt fest: «aber er findet, wie die Sache einmal steht, keine. Ja, aus dem, was er gesagt hat, ergibt sich eigentlich nur eine noch schwerere Anklage gegen sie», ergibt sich «wieder eine Verurteilung der Juden», ein «Hieb». Und der Prophetenfluch: «Finster werden sollen ihre Augen, damit sie nicht sehen und ihren Rücken krampfe ganz und gar zusammen», bedarf für den Heiligen gar keines Kommentars. Denn: «Wann waren die Juden so leicht zu ergreifen wie jetzt? Wann so leicht zu fangen? Wann hat Gott ihren Rücken so zusammengekrampft? Und was noch mehr ist, es gibt auch keine Erlösung von diesen Übeln.»[44]

Wann waren die Juden so leicht zu greifen, zu fangen – heißt das nicht Aufhetzen zur Judenjagd? Juden sind für «Johannes, das große Licht des Erdkreises» (Theodoret), «wie die unvernünftigen Tiere», voller «Trunkenheit und Fettleibigkeit . . . äußerster Bosheit . . . nehmen das Joch Christi nicht an und ziehen nicht den Pflug der Lehre . . . Solche Tiere aber, die zur Arbeit unnütz sind, sind reif zur Schlachtung. So geht es auch ihnen: sie haben sich für die Arbeit als unnütz erwiesen und sind deshalb reif zur Schlachtung geworden. Deshalb sagt auch Christus: ‹Meine Feinde, die mich als König über sich nicht haben wollten, führt herbei und haut sie nieder (wörtl.: schlachtet sie ab) (Luk. 19, 27)›.»[45]

Mit Recht fällt es Franz Tinnefeld schwer, «hier keine konkrete Aufforderung zum Judenmord zu sehen». Und der Zusammenhang zwischen solchen Hetzreden und antijüdischen Aktionen im Osten des Reiches «ist sehr wahrscheinlich, wenn auch nicht beweisbar.» Dabei legt Johannes – methodisch besonders perfid – in seinen Judenpredigten systematisch «Christus» in den Mund, was bloß metaphorisch gemeint ist und aus Gleichnissen stammt, wie hier aus dem Gleichnis von den anvertrauten Pfunden. Nicht «Christus» sagt das Wort; Jesus zitiert nur den König, der zu seinen Knechten spricht![46]

Bezeichnenderweise freilich insistiert Chrysostomos häufig auf dem «früheren Lasterleben» der Juden – denn seine Schäfchen kannten die zeitgenössischen. Ihnen aber konnte er moralisch nicht mehr anhängen als den Christen. Die einstige Judenschaft dagegen hatte «gottlos gelebt und Unzucht, ja Unzucht schwerster Art getrieben . . . das goldene Kalb angebetet . . . den Tempel entweiht», hatte «Propheten gemordet, Altäre geschleift», kurz, das Judentum war «zu jeder Art von Schlechtigkeit herabgesunken», und dies «bis zum Übermaß».[47]

Jetzt zwar sah es oft anders aus. Und in Antiochien, der östlichen Reichshauptstadt mit einer großen Judengemeinde, fand man sie gar nicht so unattraktiv: man konsultierte ihre Ärzte, feierte ihre Feste, tanzte nacktfüßig mit Juden auf dem Markt, machte ihre Fasten mit, schwor bei den heiligen Büchern der Synagoge, erbat den Segen des Rabbi, was gerade Johannes Chrysostomos stark provoziert haben mag. Doch, schreibt er, «ganz merkwürdig – das Laster hat aufgehört, die Strafe aber hat sich gehäuft, und es ist auch gar keine Hoffnung, daß es anders werde. Nicht 70 Jahre geht es so fort, nicht 100 oder 200, sondern 300 und viel darüber, und noch immer ist auch nicht ein Schatten von Hoffnung zu erspähen. Und dabei treibt ihr nicht Abgötterei noch etwas dergleichen, was ihr euch früher erkühnt hattet. Woran liegt es nun? . . . Das weissagt der Prophet, wenn er spricht: ‹Krampfe ihren Rücken ganz und gar zusammen.›» Denn eben dies bedeutet nach dem «Goldmund» «die endlose Dauer der Züchtigung», «endloses Elend».[48]

DIE HL. JUDENFEINDE HIERONYMUS UND
HILARIUS VON POITIERS

Nicht geringen Judenhaß versprüht auch die ohnehin giftige Feder des Kirchenlehrers Hieronymus – übrigens am leidvollen Untergang seines Kollegen Chrysostomos durch seine «Schergendienste» (Grützmacher) für dessen Hauptgegner beteiligt.

Hieronymus' Antijudaismus steckt vor allem in seiner Bibelerklärung, besonders im Kommentar zu Jesaia, wo etwa die Polemik und der grelle Hohn gegen die sinnlichen Zukunftshoffnungen der Juden das ganze Buch durchziehn – nebenbei: auch gegen die christlichen Chiliasten («halbe Juden» für ihn, «die erbärmlichsten der Menschen»), die ein tausendjähriges Reich Christi schon auf Erden, schon hier Gerechtigkeit und Glück erwarteten, ein weitverbreiteter, auch von Irenäus, Tertullian, Victorinus von Poetavium und Laktanz geteilter Glaube der alten Christenheit. Die Juden aber haben nach Hieronymus die «Heilige Schrift» wieder einmal gar nicht verstanden. Er macht sie lächerlich, verhöhnt sie, erklärt ihre ganze Eschatologie als Betrug. Er preist beredt den Triumph der Christenheit über die Juden, die freilich noch immer in ihren Synagogen dreimal täglich die Christen unter dem Namen der Nazarener verfluchen dürfen. Er geißelt ihren Hochmut, besonders ihre Geldgier, und will, so groß ist sein Haß, nicht einmal, wie einst doch selbst Paulus, von Israels Bekehrung am Ende der Zeiten wissen.[49]

Sogar noch Hieronymus' Briefe an Augustin, selber ein entschiedener Judenfeind, bekunden seine scharfe Aversion. Er sagt den Juden «Unkenntnis» nach, «Bosheit». Er nennt sie «Gotteslästerer».

Er belehrt Augustin: «Bei Jesus Christus gilt weder die Beschneidung etwas noch die Vorhaut . . .» Oder er behauptet: «Die jüdischen Gebräuche bergen für die Christen Verderben und Tod in sich. Wer sie beobachtet, mag er Juden- oder Heidenchrist sein, ist ein dem Teufel verfallener Bösewicht.» Gehe es doch hier um Dinge, aus «den Synagogen des Satans»[50].

Im Westen weigert sich der gallischem Adel entstammende hl.

Hilarius von Poitiers (um 315–367), «der Kämpfer mit der glühenden Christusliebe und dem leidenschaftlichen Christusglau-
ben» (Antweiler), mit Juden zu essen, ja, bloß ihren Gruß zu
erwidern. Und jener reiche Gewaltmensch der Bibel, der verruchte Tyrann und Betrüger, dessen Untergang Psalm 52 prophezeit, symbolisiert selbstverständlich, nach Hilarius, das jüdische
Volk, das, von Satanas bessen, immerfort nur Schlechtes tue. «Sie
sind weder Kinder Abrahams noch Kinder Gottes, sondern ein
Schlangengezücht und Knechte der Sünde . . ., die Söhne eines
teuflischen Willens.» Und weil ausgeschlossen von der Möglichkeit, gerechtfertigt zu werden, «ist es notwendig, sie aus dem
Buch des Lebens zu streichen». Bloß die Arianer, so Hilarius,
wüten noch ärger wider Christus. Denn der hl. Bischof, nur allzu
treffend «Athanasius des Abendlandes» genannt, errang weit
größere Meriten noch als «Ketzer»-Bekämpfer (S. 160 f) und
wurde 1851 zum Kirchenlehrer erhoben, zu der höchsten Ehre
bekanntlich für Katholiken; von allen Päpsten genießen sie nur
zwei.[51]

Der Antijudaismus weiterer Kirchenführer des Westens, des
Ambrosius und Augustinus, wird später belegt (S. 438 ff, 511 ff).

Die Intensität der altchristlichen Judenfeindschaft läßt sich
kaum groß genug denken. Selbst unter Hitler, im Jahr 1940, kennt
Carl Schneider «selten in der Geschichte einen so grundsätzlichen
und kompromißlosen Antisemitismus . . . wie im Frühchristen-
tum». Dies aber war vor allem das Werk des Klerus, dem das
Volk, und bald nicht nur das Volk, weit mehr Gehör schenkte als
heute, dessen Ansprachen man noch nicht in chronischer Ver-
döstheit hinnahm.[52]

Schon Paul von Samosata, seit 260 sexfreudiger Oberhirte
Antiochiens, rügte alle, die sich bei Predigten ruhig verhielten.
Man klatschte wie im Zirkus und Theater. Tücherwehen,
Schreien, Stampfen, Aufspringen waren üblich, Zwischenrufe
durchgellten die Kathedralen: Rechtgläubiger! Dreizehnter Apo-
stel! Anathema dem, der anders lehrt! Gerade bei den Auftritten
des Chrysostomos, dessen beifallumbrauste Haßtiraden mehrere
Stenographen mitschrieben, soll die Gemeinde sich toll benom-

men, er selbst zwar häufig Ruhe erbeten und erklärt haben, das Gotteshaus sei kein Theater, der Prediger kein Komödiant. Doch genossen die geistlichen Demagogen den Beifall, forderten geradezu Lob, wie Bischof Paul, oder dankten durch Komplimente, wie der Mönch Hesychius von Jerusalem. War ja auch Augustin für Applaus empfänglich und verabscheute nur den der falschen Seite – der Sünder.[53]

ANTIJÜDISCHE LÜGEN DER KIRCHE UND IHR EINFLUSS AUF DAS STAATLICHE RECHT

Die Forschung hat die judenfeindlichen Ungeheuerlichkeiten der alten Kirche zusammengestellt. Anderwärts von mir schon auszugsweise genannt, seien sie, ihrer Wichtigkeit wegen, hier wörtlich wiederholt: «Die Juden sind gar nicht Gottes Volk, sondern stammen von aussätzigen Ägyptern ab. Gott haßt sie, und sie hassen Gott. Er nimmt ihr Opfer nicht an, sie verunehren ihn mehr als die Heiden. Sie verstehen nichts vom Alten Testament, sie haben es verfälscht, nur die Christen vermögen es wieder zu reinigen. Die Juden wollen keine Geistigkeit, keine Kultur, sie sind der Inbegriff des Bösen, Kinder des Satans, sie sind unsittlich, stellen jeder Frau nach, heucheln, lügen, sie hassen und verachten die Nichtjuden. Mit Vorliebe demonstrieren die Christen auch, wie antijüdisch gelegentlich die Propheten selbst über die Juden urteilen.» Weiter: «*Nur* die Juden haben Christus gekreuzigt. Schon die Evangelien entlasten den römischen Statthalter und belasten die Juden, das wird später gesteigert. Nicht die römischen Soldaten, sondern die Juden quälen und verhöhnen Jesus, die Heiden bekehren sich am Kreuz zu ihm, die Juden schmähen ihn noch im Tod. Wie sie aber den Herrn getötet haben, so würden sie am liebsten alle Christen töten, denn ‹der Jude bleibt sich zu allen Zeiten gleich›. Solche Sätze schreiben nicht etwa christliche Fanatiker, sondern ruhige und vornehme Menschen wie Clemens von Alexandria, Origines und Chrysostomos neben radikalen . . . Es kann *keinen Kompromiß* zwischen Juden und Christen geben. Die Juden dürfen aber den Christen Sklavendienste leisten.»[54]

Nach den antiken Kirchenlehrern, deren antijüdische Traktate Mittelalter noch und Neuzeit prägen, müssen die Juden ständig zerstreut bleiben, heimatlos die Welt durchtaumeln, Sklaven der Völker sein. Sie dürfen nie wieder, so Kirchenlehrer Hieronymus, ihren Tempel in Jerusalem errichten; nie wieder, so Kirchenlehrer Chrysostomos, ein Volk sein in einem Land; sollen aber, lebendiger Beweis gleichsam für die «Wahrheit» des Christentums, so Augustin, nicht ganz vernichtet werden. Vielmehr habe das Wort der Christusmörder «Sein Blut komme über uns und unsere Kinder» an ihnen sich zu erfüllen bis ans Ende der Zeiten.[55]

Die im ältesten Christentum nur literarische Judenfeindschaft wirkt seit dem frühen 4. Jahrhundert auch auf die kirchliche Gesetzgebung ein. Die Juden werden für die Christen «ein kriminell schuldiges Volk» (Poliakov).[56]

Systematisch zerstört der hohe Klerus das meist gute Verhältnis von Christen und Juden und erschwert zwischen ihnen jeden gesellschaftlichen Verkehr. Das christliche Volk, betont Katholik Kühner, wurde «erst durch seine Kirchenführer verhetzt und verhärtet»! Die Synode von Elvira (Südspanien) untersagt 306, bei strengen Strafen, das Essen mit Juden, das Segnenlassen der Felder durch sie, Mischehen zwischen ihnen und Christen, ja, sie verpönt bereits den Umgang mit Juden unter Androhung des Ausschlusses von der Kommunion. Die Synode von Antiochien verbietet 341 die gemeinsame Osterfeier. Kleriker sollten deswegen abgesetzt und verstoßen, sogar nach Synagogenbesuch schon depositiert werden. Und bald wimmelt es von antisemitischen Synodaldekreten.[57]

Unter kirchlichem Einfluß aber wurde auch die weltliche Gesetzgebung ausgesprochen judenfeindlich.

War die jüdische Religion früher selbstverständlich erlaubt (S. 119 ff), engte man sie nun immer mehr ein und drückte sie nieder. Die christlichen Kaisererlasse schimpften sie «verruchte Sekte», «secta nefaria, iudaica perversitas, nefanda superstitia».

Man unterstellte ihren Kult der Zensur und verbot jede Mission. Gewiß hatte es schon unter einzelnen heidnischen Herrschern antijüdische Gesetze gegeben; doch die christlichen Kaiser nahmen sie verschärft wieder auf. Bereits 315 erklärte Konstantin die Bekehrung zum Judentum als Kapitalverbrechen: der bekehrende Jude und der bekehrte Christ sollten durch den Tod büßen (vgl. S. 272). Derart bedrohte der christliche Staat auch die Ehe zwischen Juden und Christen, und zwar seit 339 den jüdischen, seit 388 beide Ehepartner. Konstantins Söhne ahndeten den Übertritt eines Christen zum Judentum mit Konfiskation des gesamten Besitzes und die Heirat eines Juden mit einer Christin sowie die Beschneidung von Sklaven mit der Todesstrafe (S. 315 f). Bald entzog man den Juden die bürgerliche Gleichberechtigung. Man verwehrte ihnen christliche Rechte, schränkte ihre testamentarischen Befugnisse ein, warf sie aus vielen Berufen, den Hofämtern, der Advokatur (der militia palatina und togata), auch aus dem Heer (404) – ein Gesetz, das bis ins 19. Jahrhundert in Kraft blieb und bei Hitler wieder auftauchte. 438 nannte man sie unfähig zur Bekleidung irgendeines Amtes. Nur das allgemein gemiedene kostspielige Decurionat, die Stadtratssitze, zwang man ihnen mehrmals auf, «damit wir diesen verabscheuungswürdigen Menschen nicht eine Wohltat erweisen, wo wir sie doch verdammen wollen» (Theodosius II.). Geringfügige Übertretungen kosteten bereits Hab und Gut oder das Leben.[58]

Nach einer kürzlich erfolgten systematischen Zusammenstellung bekämpften die christlichen Kaiser schon des 4. Jahrhunderts die Juden gesetzlich durch: unbestimmte Strafe, Begrenzung des Sklavenverkaufs, Enteignen bestimmter Sklaven, Geldbuße, Testamentsbeschränkung, Heiratsbeschränkung, Vermögensentzug und Todesstrafe. Letztere verhängten bereits Konstantin I., Konstantin II. und Theodosius I. Nach dem Codex Theodosianus leben Juden als Irrgläubige verkehrt. Sie sind frech, sittlich minderwertig, abscheulich, schmutzig, ihre Lebenanschauung steckt an wie tödliche Krankheit. «Dieses ganze Vokabular persönlicher Diffamierung ist, wie ein Vergleich mit dem aus den ersten drei Jh. n. Chr. erhaltenen Material beweist, erst seit Konstantin in die Sprache der römischen Gesetze eingedrungen» (Lengenfeld).[59]

Kaiser des späten 4. und frühen 5. Jahrhunderts tolerierten die Juden mitunter noch juristisch, waren freilich oft zu schwach, sich gegen die stets häufiger die Synagogen stürmenden, demolierenden, verbrennenden und enteignenden Christen durchzusetzen (S. 438 ff). Die immer heftigere Verfolgung beeinflußten zwar auch wirtschaftliche, weniger rassische Motive, entscheidend aber waren religiöse. Wurde in der Antike und frühem Mittelalter die antijüdische Gesetzgebung doch stets rein religiös begründet. Als übereinstimmende Ansicht der christlichen Autoren nachapostolischer Zeit nennt Harnack, daß «Israel eigentlich zu allen Zeiten die After- bzw. die Teufelskirche gewesen»[60].

Vom Teufel besessen, ja, Teufel selber, sind freilich längst auch alle andersgläubigen Christen.

3. KAPITEL

DIE VERTEUFELUNG VON CHRISTEN DURCH CHRISTEN BEGINNT

«Wollte Gott, daß sie ausgerottet würden, die euch verstören!»
Der hl. Paulus[1]

«Ich warne euch aber vor den Tieren in Menschengestalt.»
Der hl. Ignatius[2]

«Nicht nur aufzeigen, sondern von allen Seiten verwunden
wollen wir die Bestie.» Der hl. Irenäus[3]

«Denn jeder, der nicht bekennt, daß Christus im Fleische
erschienen ist, ist ein Antichrist . . . ist aus dem Teufel . . . ist der
Erstgeborene Satans. Der hl. Polykarp[4]

«Alle Ketzer sind keine Christen. Sind sie aber keine Christen,
sind sie Teufel»; «Schlachtvieh für die Hölle.»
Der hl. Kirchenlehrer Hieronymus[5]

«Wenn wir aber gegeneinander die Waffen ergreifen, dann
braucht es keinen Teufel mehr zu unserem Verderben. Jeder
Krieg ist verderblich, am meisten aber der Bürgerkrieg. Unser
Krieg ist aber noch verderblicher als der Bürgerkrieg.»
Der hl. Kirchenlehrer Johannes Chrysostomos[6]

«Sie sprechen für ihre Religion nicht mit der Mäßigung und
Verträglichkeit, die ihnen ihr großer Lehrer mit Tat und Worten
predigte, sondern . . . mit einer Hitze, als wenn sie unrecht
hätten.» Lichtenberg[7]

«Kaum haben sie Christus gepredigt, beschuldigen sie sich
gegenseitig, Antichristen zu sein . . . und natürlich gab es unter
diesen theologischen Gezänken kein einziges, das nicht auf
Absurditäten und Betrügereien aufgebaut gewesen wäre.»
Voltaire[8]

WIE DIE CHRISTEN SOGLEICH – verbal – die Juden anfielen, bevor sie a verbis ad verbera, vom Beschimpfen zum Schlagen, schritten, zu Raub, Vertreibung im großen, vieltausendfachen Mord, stritten sie auch, sofort und mit aller Heftigkeit, untereinander, bis sie sich bald gegenseitig umbrachten, was früher anfängt, als man gewöhnlich glaubt.

AM ANFANG DES CHRISTENTUMS STAND KEINE «RECHTGLÄUBIGKEIT»

Nach kirchlicher Lehre beginnt das Christentum mit «Orthodoxie», mit «Rechtgläubigkeit», der dann die «Häresie» (aíresis = die erwählte Meinung) als Abweichung gleichsam vom Ursprünglichen, seine Verfälschung, folgte. Der Begriff «Häresie», bereits im Neuen Testament vorhanden, erscheint erstmals eindeutig negativ bei Bischof Ignatius im frühen 2. Jahrhundert, der auch als erster den Begriff «katholisch» bringt – Jahrzehnte noch bevor es eine katholische Kirche gibt. Doch das Wort «Häresie» hatte ursprünglich keinesfalls die Bedeutung, die es bekam. Biblische wie jüdische Autoren gebrauchten es anfangs nicht als Gegensatz zu dem – ja erst entstehenden – Phänomen der Orthodoxie. Vielmehr bezeichnete «Häresie» auch in der klassischen Literatur zunächst nur irgendeine wissenschaftliche, politische oder religiöse Ansicht, Gruppierung, Partei. Allmählich jedoch bekam der Begriff den Beigeschmack der Absonderung, wurde er diskreditiert, wurde der «Häretiker» zum «Ketzer», wenn dieser

Ausdruck selbst auch erst seit dem 12. Jahrhundert in Deutschland üblich wird.[9]

Das Schema aber: erst «Rechtgläubigkeit» dann «Ketzerei», das die Kirche schon zur Aufrechterhaltung ihrer Fiktion einer angeblich ununterbrochenen apostolischen Überlieferung braucht, ist nichts als eine nachträgliche Konstruktion und offenkundig falsch – so falsch wie die Lehre von dieser Tradition selbst. Das Geschichtsbild, das an den Ursprung des Christentums die reine, unverdorbene Lehre stellt, die im Lauf der Zeit durch Häretiker und Schismatiker beschmutzt worden sei – «diese beliebte Abfalltheorie», schreibt heute selbst der katholische Theologe Stockmeier, «entspricht nicht der historischen Wirklichkeit». Vielmehr konnte es eine solche Entwicklung gar nicht geben, weil nirgends anfangs ein homogenes Christentum bestand. Es gab nur locker gefügte Glaubensanschauungen und -sätze. Aber es gab «sicher» weder ein «maßgebliches christliches Glaubensbekenntnis (authoritative Christian creed) noch irgendeinen bestimmten Kanon der christlichen Heiligen Schrift» (E. R. Dodds).[10] Selbst der Rekurs auf Jesus nützt da nichts, weil die ältesten christlichen Schriften nicht die Evangelien, sondern die Briefe des Paulus sind, die den Evangelien in Wesentlichem widersprechen, von weiteren großen Problemen hier zu schweigen.

Nicht an gleiche, sondern an sehr verschiedene Überlieferungsströme und -formen also knüpfen die frühen Christen an. Schon in der Urgemeinde rivalisierten mindestens zwei Fraktionen, «Hellenisten» und «Hebräer». Auch zwischen Paulus und den Uraposteln kam es zu heftigem Streit. Und was später verteufelt, verfolgt worden ist, war den Ursprüngen oft durchaus näher als die «Rechtgläubigkeit», die es dann verketzerte. Zum Beispiel aus machtpolitischen Gründen, wobei man immer wieder die Theologie, den angeblich «rechten» Glauben, vorschob, um kirchenpolitische Konkurrenten besser bekämpfen zu können (vgl. bes. 8. Kap.). Oder aus Gründen der Opportunität, weil ein solcher Glaube dem vorherrschenden Glauben einer Gegend entsprach. In gewissen Gebieten Kleinasiens, Griechenlands, Makedoniens, besonders aber in Edessa, Ägypten, somit in einem großen Teil der alten Welt, wurde das Christentum von Anfang an (!) in einer Form gepredigt, die nicht dem entsprach, was man nachmals «orthodox» nannte! Doch galt sie natürlich in all diesen Gebieten als das Christentum schlechthin. Auch sah ihr Anhang gerade so hochmütig und borniert auf andere Gläubige, etwa orthodoxe Christen, herab wie diese auf sie. Denn jede Richtung, Kirche, Sekte hielt sich für das «eigentliche», das «wahre» Christentum.[11]

Somit stand weder eine «reine Lehre» im protestantischen Sinn am Beginn des neuen Glaubens, noch eine katholische Kirche. Vielmehr erfolgte nach der Trennung einer judaistischen Sekte von ihrer jüdischen Mutterreligion als zweiter großer Schritt die Entstehung der heidenchristlichen Gemeinden unter Führung des Paulus – häufig in scharfer Auseinandersetzung mit den Judenchristen, den Uraposteln in Jerusalem. Dann konstituierte sich in der ersten Hälfte des 2. Jahrhunderts die Kirche Markions, die das ganze römische Reich umspannte und wahrscheinlich internationaler war als die in der zweiten Jahrhunderthälfte sich bildende altkatholische Kirche, die mit Ausnahme des religiösen Grundgedankens fast alles von Markion übernahm, dem Schöpfer auch des ersten Neuen Testaments.

Nach der communis opinio entstand die altkatholische Kirche zwischen 160 und 180. Die bisher rechtlich voneinander unabhängigen Gemeinden schlossen sich nun zusammen, suchten eine Einigung über die christliche Lehre und entschieden, wer als «rechtgläubig» zu gelten habe und wer nicht. Auch diese Kirchen aber waren kein fertiger, unveränderlicher Hort der «Orthodoxie», sondern eigentümlich flexibel. Und die bald immer zahlreicher auftauchenden «Häretiker» und «Häresien» brachen nicht von außen in die Kirche ein – dies «ist nachweislich ungeschichtlich» (v. Soden). Vielmehr kamen diese «Ketzer» gewöhnlich von innen heraus. Doch da man ihre meisten Schriften vernichtet hat, sind wie nur sehr einseitig, entstellend, oft völlig falsch über sie unterrichtet.[12]

Im späteren 2. Jahrhundert, als sich die katholische Kirche konstituierte, höhnt der heidnische Philosoph Celsus (S. 207 ff), seit die Christen zu einer Menge angewachsen seien, entstünden unter ihnen Spaltungen und Parteien, und jeder wolle sich – «denn danach trachteten sie von Anfang an» – einen eignen Anhang schaffen. «Und infolge der Menge trennen sie sich wieder voneinander und verdammen sich dann gegenseitig; so daß sie sozusagen nur noch eins gemeinsam haben, nämlich den bloßen Namen . . . im übrigen aber hält es von den Parteien diese so und jene anders!» Im frühen 3. Jahrhundert kennt Bischof Hippolyt von Rom 32, Ende des 4. Jahrhunderts Bischof Philaster von Brescia 128 konkurrierende christliche Sekten (und 28 vorchristliche «Häresien»!). Doch da politisch machtlos, tobt die vorkonstantinische Kirche, wie gegenüber den Juden, sich auch im «Ketzer»-Kampf vorerst bloß verbaliter aus, kommt zu dem stets schwerer werdenden Zerwürfnis mit der Synagoge die gleichfalls immer gehässigere Konfrontation mit allen andersgläubigen Christen. Ist ja gerade für die Kirchenväter jede Abweichung vom Glauben die schlimmste Sünde. Das nämlich brachte Spaltung, Anhängerschwund, Machteinbußen. So suchte man bei der Polemik weder den anderen Standpunkt wirklich kennenzulernen noch klärte man, weil oft unmöglich oder gefährlich, ganz über den eigenen auf. Vielmehr war es das einzige Ziel, «den Gegner mit allen verfügbaren Mitteln zu schlagen» (Gigon). «Die antike Gesellschaft hatte wegen ihres sehr anderen, undogmatischen Religionsverständnisses solche Glaubensstreitigkeiten vorher nicht gekannt» (Brox).[13]

«Verketzerung» im Neuen Testament

Wieder ging Paulus, «der *erste Christ*, der Erfinder der Christlichkeit» (Nietzsche), voran. Als Jude hatte er mit «Wohlgefallen» der Steinigung des Stephanos zugesehen, ja, vom Hohenpriester eine Vollmacht erbeten, Jesu Anhang auch außerhalb Jerusalems jagen zu können. Er «wütete gegen die Gemeinde», «schnaubte mit Drohen und Morden wider die Jünger des Herrn». Paulus selber bekennt, er habe sie «über die Maßen» verfolgt; «bis auf den

Tod», sagt die Apostelgeschichte – vielleicht alles tendenziöse Übertreibung, gar Legende, um seine Bekehrung desto grandioser erscheinen zu lassen, aber zu seinem fanatischen Wesen auch wieder passend.[14]

Schildert der «edelste unter den Kämpfern» (Gregor von Nazianz), der «Athlet Christi» (Chrysostomos und Augustin), sich doch selber als Fechter, der «keine Streiche in die Luft macht». Auch weiß man längst, daß sich ihm die Verhältnisse leicht «zu strategischen Aufgaben» formen, daß es bei ihm wimmelt von Wendungen aus dem militärischen Bereich, daß er seine ganze Existenz als «militia Christi» auffaßt und schon viele Mechanismen frappierend ausbildet, mittels derer dann die Päpste die Weltherrschaft erstreben. Nicht zuletzt gilt das für seine Elastizität, sein opportunistisches Paktieren, wenn keine andre Möglichkeit besteht; für die gelenkige Anpassung dessen, der «die Heiden Miterben» nennt und sein Amt preist, «weil ich der Heiden Apostel bin», bei Bedarf freilich durchaus predigt: «Ich bin auch ein Israelit», «Wir sind von Natur Juden und nicht als Heiden geborene Sünder.» So daß er schließlich rundheraus erklärt: «Für alle bin ich alles geworden . . .», ja: «Wenn aber die Wahrheit Gottes durch meine Lüge (!) herrlicher wird zu seinem Preis, warum sollte ich dann noch als ein Sünder gerichtet werden?»[15]

Ein besonderes Vorbild aber für das alle Andersgläubigen verteufelnde Rom wurde der Fanatiker Paulus, der Klassiker der Intoleranz; hat er doch geradezu «eine Schlüsselrolle für die Anfänge solcher Auseinandersetzungen» (Paulsen).[16]

Dies zeigt sein Verhältnis zu den Uraposteln, auch zu Petrus. Denn ehe die kirchliche Legende das ideale Paar der Apostelfürsten Peter und Paul fabrizierte – noch 1647 verurteilt Papst Innozenz X. die Gleichstellung beider als häretisch: heute feiert Rom ihr Doppelfest am 29. Juni –, befehdeten ihre Parteien und sie selber einander mit aller Leidenschaft. «Aufruhr», «heftigen Streit», gibt selbst die Apostelgeschichte zu. Paulus, dem Christus doch «das Amt verliehen, das die Versöhnung predigt», widersteht Petrus «ins Gesicht», bezichtigt ihn der «Heuchelei», und

mit ihm, berichtet Paulus, «heuchelten auch die anderen Judenchristen». Er verspottet die Jerusalemer Führer als «Erz-» oder
«Überapostel», deren Ansehen ihm gleichgültig sei, kanzelt sie
als «Verstümmelte» ab, «Hunde», «Lügenapostel». Er klagt über
«eingedrungene falsche Brüder», über Spaltungen, Parteien, die
nach ihm, Petrus und anderen firmieren. Er wirft seinen Gegnern
Neid, Haß, Zank vor, Verwirrung, Verhetzung, Verhexung, Verfälschung des Glaubens und verflucht sie wiederholt. Andererseits bezichtigt die Urgemeinde ihn selber alles dessen, der
Habsucht auch, des Finanzbetrugs, schmäht ihn feig, anormal,
verrückt, und will ihm die eigenen Sprengel entreißen. Agitatoren
aus Jerusalem brechen in seine Gebiete ein, selbst Petrus, der
«Heuchler», tritt in Korinth «der Irrlehre des Paulus entgegen».
Der Streit verschärft sich sogar bis zu beider Tod und geht danach
weiter. Der (paulinische) Brief an Titus schimpft die Judenchristen «Schwätzer und Schwindler», denen man «den Mund stop-
fen» müsse, während das (judenchristliche) Matthäusevangelium
die Nichtjuden Hunde und Schweine heißt.[17]

Gott spendet, jauchzt Origines, seine Weisheit in der Bibel «in
jedem Buchstaben».[18]

Die Hauptbriefe des Paulus, der sein Werk mit einem Box-
kampf vergleicht, der «Kriegsdienst» leistet für Christus, sind
durchweg Streitschriften. Eigenwillige wie Apollos oder Barna-
bas hält es nicht lange in seiner Nähe; junge Leute bleiben bei
ihm, wie Timotheus, Neulinge wie Titus, Anpassungsfähige wie
Lukas.[19]

Denn Pauli Liebe gilt – anders als die des synoptischen Jesus –
nur den Gesinnungsgenossen! Und Theologe und Nietzsche-
freund Overbeck (der bekannte: «Das Christentum hat mich
mein Leben gekostet. Sofern ich . . . mein Leben gebraucht habe,
um es los zu werden») wußte, warum er schrieb: «Alle schönen
Seiten des Christentums knüpfen sich an Jesus, alle unschönen an
Paulus. Gerade dem Paulus war Jesus unbegreiflich.» Verdammte
übergibt der Fanatiker schon förmlich «dem Satan», das heißt: sie
sollen tatsächlich sterben! Die gegen den Korinther Blutschänder
verhängte Strafsanktion – mit einer typisch heidnischen Devo-

tionsformel – soll dessen physischen Tod bewirken. Hat doch auch der Fluch des Petrus für Ananias und Sapphira tödliche Wirkung. Peter und Paul und die christliche Liebe! Ja, wer immer ihm, Paulus, nicht folgt, den «soll das Schwert fressen»! Jeder, der anders lehrt – und wär's «ein Engel aus dem Himmel» –, wird verflucht. «Fluch über ihn!» donnert er. «Wollte Gott, daß sie ausgerottet würden, die euch verstören!» – «Wer den Herrn nicht liebt, der sei verflucht.» Ein Anathema sit, das zum Urbild katholischer Bannbullen wurde. Doch noch ein flammendes Fanal für einen später beliebten Kirchen- (und Nazi-)Brauch setzt der Apostel (der ja auch warnt vor «Philosophie und leerem Trug, gegründet auf der Menschen Lehre»): in Ephesus – wo man «in Zungen» sprach, wo selbst die verschwitzte apostolische Unterwäsche Krankheiten ausfahren ließ, Teufel – schleppten viele Christen (alter Zauberkünste, angesichts der neuen, leid) «Bücher zusammen· und verbrannten sie vor aller Augen. Man berechnete den Wert auf 50 000 Drachmen. So wuchs das Wort durch die Kraft des Herrn . . .»[20]

Auch sonst werden schon im Neuen Testament, Spiegel bereits einer großen Vielfalt rivalisierender Richtungen, «Irrgeister und Teufelslehren» verketzert, «die mit Scheinheiligkeit Lügen verbreiten», ihre «ungeistlichen, losen Geschwätze und das Gezänke der fälschlich so genannten Erkenntnis»; werden alle Andersdenkenden bereits verunglimpft, «frißt ihr Wort um sich wie der Krebs», wandeln sie nur «nach ihren Lüsten», stecken sie tief «im Taumel fleischlicher Begierden», im «Schlamm der Liederlichkeit». Schon im Neuen Testament ist «Ketzerei» gleich Gotteslästerung, der Christ anderen Glaubens «Gottesfeind» schlechthin, titulieren Christen Christen «gottlose Leute», «Sklaven des Verderbens», «Schmutz- und Schandflecken», «Kinder des Fluches», «Kinder des Teufels», «vernunftlose Tiere, die ihrer Natur entsprechend nur dazu geschaffen sind, daß man sie fängt und abtut». Da bereits «bestätigt sich an ihnen die Wahrheit des Sprichworts: ‹Ein Hund kehrt zu seinem eigenen Gespei zurück› und ‹Ein Schwein wälzt sich nach der Schwemme wieder im Kot›.» Da schon droht man, daß Gott die «umbrachte, die nicht glaubten»; da schon zitiert man: «Mein ist die Rache, ich will vergelten.»²¹

«Es ist ungemein nützlich, die Heilige Schrift zu lesen», animiert Johannes Chrysostomos, «das richtet den Geist himmelwärts.»²²

In Wirklichkeit herrscht bereits im Neuen Testament die äußerste Intoleranz, verpönt es jeden Umgang mit dem Nichtorthodoxen, weil er «ein Sünder» ist. «Nehmt ihn nicht ins Haus und bietet ihm auch keinen Gruß.» Denn wer ihn auch bloß «begrüßt, macht sich an seinem bösen Tun mitschuldig.» Das bedeutet Abbruch jeglichen Verkehrs; eine hier schon wiederholt – und später sehr häufig – erhobene Forderung. Weiter lehrt die «göttliche Schrift»: «Einen ketzerischen Menschen meide, wenn er einmal und abermals ermahnt ist, und wisse, daß ein solcher ganz verkehrt ist.» Angeblich war dies bereits Praxis der Apostel, die schon «über große Verbrecher unter den Christen» klagten (J. A. und A. Theiner). Zumindest überliefert Polykarp von Smyrna, einer der «Apostolischen Väter», der in seiner Jugend noch den Apostel Johannes gehört und «viele Häretiker» bekehrt haben soll: Johannes, der Jünger des Herrn, sei, als er in Ephesus ein Bad nehmen wollte, aber den Cerinth dort sah, augenblicklich wieder fortgestürzt mit dem Ruf: «Lasset uns fliehen! Denn es ist zu fürchten, daß die Badeanstalt einstürze, da Cerinth, der Feind der Wahrheit, darin ist.»²³

Die Geschichte geht auf Kirchenvater Irenäus zurück. Doch wer Cerinth wirklich war, ist noch heute kontrovers. In katholischer Überlieferung erscheint er als Gnostiker, als Chiliast und Judaist. Eine seiner greulichen «Ketzereien» jedenfalls bestand in der Erklärung, Jesus sei «nicht aus der Jungfrau geboren», denn das schien Cerinth unmöglich, sondern «der Sohn Josephs und Marias» und von daher allen übrigen Menschen gleich, habe er auch «mehr als alle vermocht an Gerechtigkeit, Klugheit und Weisheit».²⁴

Weniges eingeschränkt, klingt dies nicht dumm. Und so klang es offenbar schon für viele der Antike. Ein «Rechtgläubiger» aber konnte bereits seinerzeit mit einem «Ketzer» zusammen nicht baden, ohne den Tod fürchten zu müssen – nach der Legende, der «Fabel», die erst der hl. Irenäus, schreibt Eduard Schwartz, in Kurs gesetzt, «mit raffinierter Unwahrhaftigkeit, um sich selbst die Gloriole eines indirekten Apostelschülers ums Haupt zu legen . . .» Kirchenschriftsteller Euseb, Mitteiler des Irenäus-Histörchens, ergänzt: «Die Apostel und ihre Schüler hielten sich gegenüber denen, welche die Wahrheit fälschten, so sehr zurück, daß sie sich nicht einmal in ein Gespräch mit ihnen einließen.»[25]

Missachtung von Eltern, Kindern, «falschen Märtyrern» um Gottes willen

Ein *solches* Verhalten hat die Kirche stets respektiert, besonders die «communio in sacris» immer wieder verboten, das Gebet mit Christen anderer Konfession, den Besuch ihrer Kirchen, Gottesdienste, den amtlichen Verkehr mit ihren Klerikern, selbstverständlich auch jede kirchliche Gemeinschaf mit Exkommunizierten. Dabei gestand schon Paulus von seinen *eigenen* Gemeinden, daß sie «einander beißen und auffressen». Grassierten doch, laut Neuem Testament, «bittere Eifersucht und Zank» selbst unter den «Rechtgläubigen», «Unfrieden und alle Arten bösen Tuns», «Streit und Krieg». «Ihr mordet und seid neidisch», «ihr lebt in Kampf und Streitigkeiten . . .»[26]

Wie oft schlug jenes Schwert auch zu, das schon Jesus schärfte, indem er den Sohn wider den Vater, die Tochter wider die Mutter trieb – «und des Menschen Feinde werden seine Hausgenossen sein». Welche Szenen, Zwiste, Entzweiungen zumal in den untersten, unwissenden Schichten – Tragödien bis heute! Wie haben Engstirnige, verpfaffte Bigotte, die Familien vergiftet, gegen Eltern, Ehemänner, Ehefrauen gehetzt, zur Unmenschlichkeit verleitet, zur Preisgabe fast aller sozialen Beziehungen, zum Verlassen, Verstoßen, Fortgang ins Kloster – Chrysostomos verdammte jeden, der seine Kinder abhielt davon. Noch christliche Sklaven

stimulierten die Jugend zum Glaubenswechsel, zur Widersetzlichkeit auch gegenüber Vätern und Lehrern.[27]

Besonders aber drangen, ging es um ihre Sache, die Kirchenführer auf Undank, Ungehorsam, jede Rücksichtslosigkeit. Clemens von Alexandrien: «Wenn einer einen gottlosen Vater oder
Bruder oder Sohn hat . . . mit diesem soll er nicht zusammenstim-
men und *eines* Sinnes sein, sondern er soll die fleischliche Haus-
genossenschaft der geistigen Feindschaft wegen auflösen . . .
Christus sei in dir Sieger.» Kirchenlehrer Ambrosius: «Die Eltern
widersetzen sich, doch sie wollen überwunden werden . . . Über-
winde, Jungfrau, erst die kindliche Dankbarkeit. Überwindest du
die Familie, überwindest du auch die Welt.» Nach Kirchenlehrer
Chrysostomos darf man seine Eltern gar nicht erkennen, behin-
dern sie ein asketisches Leben. Kirchenlehrer Kyrill von Alexandrien verbietet «die Ehrfurcht vor den Eltern als unangebracht
und gefährlich», wenn «der Glaube Schaden leidet». Auch muß
«das Gesetz der Liebe zu Kindern und Geschwistern zurücktreten
und schließlich für die Frommen der Tod den Vorzug verdienen
vor dem Leben».

Kirchenlehrer Hieronymus treibt den Mönch Heliodor (später
Bischof von Altinum bei Aquileja), den die Liebe zur Heimat, zu
seinem Neffen Nepotian, schon bald vom Orient wieder heim-
kehren ließ, zum Bruch mit den Seinen: «Mag dir auch dein
kleiner Neffe am Halse hängen, mag auch deine Mutter mit
aufgelösten Haaren und zerrissenen Kleidern die Brüste zeigen,
an denen sie dich genährt, mag sogar dein Vater auf der Schwelle
liegend dich beschwören: schreite mutig über den Vater weg, und
fliehe trockenen Auges zum Panier Christi!» (Dabei charakterisiert es Hieronymus, daß für ihn selber beim Verlassen der Eltern
und Schwestern das größte Opfer der Verzicht auf die Freuden
einer reich besetzten Tafel war, eines üppigen Lebens – sein
eigenes Bekenntnis!) Kirchenlehrer Papst Gregor I.: «Denn wer
nach den ewigen Gütern gierig verlangt, soll . . . auf keinen Vater,
auf keine Mutter, auf keine Gattin, auf keine Kinder . . . achten.»
Der hl. Kolumban d. J., der Apostel Alemanniens, schritt über
seine Mutter, die weinend auf der Erde lag, hinweg und rief, in

diesem Leben werde sie ihn nicht wiedersehn. Und Jahrhunderte
später schrieb, mit starkem Anklang an Hieronymus, der selber
so viele literarisch bestahl, Kirchenlehrer Bernhard: «Wenn dein
Vater sich über die Schwelle geworfen hätte, wenn deine Mutter
mit entblößten Busen dir die Brüste zeigte, an denen sie dich
nährte . . . tritt mit Füßen über deinen Vater! tritt mit Füßen über
deine Mutter! und trockenen Auges enteile zum Panier des Kreuzes!»[28]

Trockenen Auges, ja, mit Haß und Hohn mustert man sogar
Blutzeugen anderen christlichen Glaubens.

Gemäß dem augustinischen Axiom «Martyrem non facit
poena sed causa»: Märtyrer wird man nicht durch die Strafe (die
man erleidet), sondern durch die Sache (die man vertritt), verbot
die Großkirche strikt die Verehrung nichtkatholischer Märtyrer.
Waren sie doch, so im 4. Jahrhundert die Synode von Laodicea
(Phrygien), «falsche Märtyrer» und «fern von Gott». Sie vergossen, nach Cyprian, Chrysostomos, Augustinus, sinnlos ihr Blut
(nur zu wahr freilich) und blieben Verbrecher. Augustins Fanatismus bezeugt sein Diktum: Auch wer sich für Christus lebendig
verbrennen ließe, wäre ewiger Höllenpein sicher, gehört er nicht
der katholischen Kirche an. Und ganz ähnlich lehrt, ein knappes
Jahrhundert später, Fulgentius, Bischof von Ruspe – in einer
Schrift, die, im Mittelalter als augustinisch geltend, viele Leser
fand –, mit unerschütterlichem Glauben festzuhalten, «daß kein
Häretiker oder Schismatiker . . . gerettet werden kann, auch
wenn er noch so reichlich Almosen gespendet oder sogar sein Blut
für den Namen Christi vergossen hätte!»[29]

Katholiken, die in Märtyrerkapellen von «Häretikern» beteten, wurden gebannt, zumindest exkommuniziert, bis sie gebüßt
hatten und die Glaubenshelden der jeweils anderen Partei oft mit
den ungeheuersten Verleumdungen überschüttet. Cyprian, Tertullian, Hippolyt, Apollonius und weitere leisteten da Staunens-
wertes. Letzterer, zum Beispiel, behauptet von dem Montanisten
Alexander, er sei «Räuber» gewesen und «nicht wegen seines
Glaubens» verurteilt worden, sondern wegen seiner «Räubereien», die er, versteht sich, «als bereits Abtrünniger verübt». Und

mitunter mag man nicht einmal verleumdet haben! Während jedenfalls die eigne Seite stets hoch und heilig glaubt, bekennt, für die Wahrheit leidet, stirbt, steckt jede andere Seite zutiefst in Unglauben, Neid, in Bosheit, Starrsinn, Fälschung, Wahn, Verrat – das Jahrhunderte durchgellende antihäretische Geschrei. Statt sachlicher Widerlegung – wie auch! – meist nur Demagogie und Verteufelung. «Die Verunglimpfung des Gegners spielt in diesen Kreisen eine größere Rolle als etwa der Schriftbeweis» (Walter Bauer).[30]

Das zeigt die frühchristliche Literatur auch außerhalb des Neuen Testaments.

DAS HOHE LIED DER LIEBE UND DIE «BESTIEN» DES 2. JAHRHUNDERTS (IGNATIUS, IRENÄUS, CLEMENS ALEXANDRINUS)

Schon der um 96 in Rom – vom angeblich dritten Nachfolger Petri – verfaßte 1. Clemensbrief, die älteste Schrift der «apostolischen Väter», verruft die Führer der korinthischen Opposition, die sich nun nach dem Osten richten, vom Westen trennen wollen, als «hitzige und verwegene Leute», als «Führer zu verruchter Eifersucht», zu «Streit und Zwist». Sie «reißen und zerren . . . die Glieder Christi auseinander, sie essen, trinken, sind dick, fett, frech, eitel, Streit- und Prahlhälse, Heuchler und Dummköpfe», «eine große Schande . . .» – – «ein hohes Lied auf die alles verzeihende, alles ertragende Liebe, die ein Abglanz der göttlichen Liebe ist. Schöner hat auch Paulus nicht gesprochen» (Hümmeler).[31]

Im 2. Jahrhundert sprang Ignatius von Antiochien in die Arena – ein Heiliger, der den «monarchischen Episkopat» begründet, somit für die ganze katholische Kirche schließlich die Anschauung durchgesetzt hat, daß jeder Gemeinde oder Kirchenprovinz nur ein Bischof vorstehen könne; wobei man, nach Bischof Ignatius, «den Bischof wie den Herrn selbst ansehen muß!» Ignatius –

eine «charismatisch begabte ... einzigartige Persönlichkeit»
(Perler), die «von Paulus gelernt» hat, «den christlichen Glauben
wirklich als eine existentielle Haltung zu verstehen» (Bultmann)
– schimpft alle andersgläubigen Christen «Wortführer des
Todes», «Verseuchte», «wilde Tiere», «tolle Hunde», «Bestien»,
ihre Dogmen «stinkenden Unrat», ihren Gottesdienst «Teufelsdienst». Irrlehrern, ruft Ignatius – dessen «Hingabe an Christus ... sich seiner Sprache» überträgt (Zeller), dessen «stärkste
Eigenschaft» die «Sanftmut» ist (Meinhold) –, Irrlehrern «müßt
ihr ausweichen wie wilden Tieren. Das sind nämlich wütende
Hunde, die heimlich beißen», sind «Wölfe, die vertrauenswürdig
scheinen» – «tödliches Gift».[32]

Die metaphorische Anwendung dieses Wortes ist häufig in der
patristischen Literatur, die «Ketzer» und «Ketzerei» gern mit
Zauberern vergleicht – selbst Petrus figuriert als «maleficus»,
ähnlich Paulus, Zauberer Simon als «magus maleficus» –, die ihr
Gift in Büchsen bei sich tragen, im Herzen, auf der Zunge, unter
den Lippen, das Gift todbringender Tiere, das Gift von Vipern,
auch immer wieder, um so gefährlicher, im süßen Honig ver-
abreichtes Gift. Seine tatsächliche Anwendung ist zumindest seit
dem 4. Jahrhundert für Christen bezeugt, zum Beispiel für Kaiser
Konstantin, der seinen Sohn Krispus wahrscheinlich vergiftet
(S. 264) oder, bald darauf, für einen bestochenen Priester, der
mittels vergifteten Abendmahlweins mordet (S. 307). Dann sind
es vor allem hochgestellte Christinnen, Königinnen, Königs-
töchter, die mit vergiftetem heiligen und weniger heiligen Wein
töten – «In Gottes Milch wird übel Gips gemischt», wie ein
unbenannter Autor formuliert ...[33]

«Ketzer» leben «nach Judenart», sagt Ignatius, kolportieren
«falsche Lehren», «alte Fabeln, die nichts taugen». «Wer sich
dadurch befleckt hat, wird in das unauslöschliche Feuer wandern», «wird sogleich sterben». Auch die Irrlehrer «sterben in
ihrer Streitsucht». «Ich warne euch vor den Bestien in Menschengestalt.» Dieser hl. Bischof, der sich selbst als «Weizen Gottes»
versteht, dem man noch im 20. Jahrhundert «herzgewinnende
Milde» nachrühmt (Hümmeler) und eine «altehrwürdige ...

Sprache» (Kardinal Willebrands), bringt als erster das Wort «katholisch», die Konfession heute von 700 Millionen Christen – obwohl schon Pierre Bayle (1647–1706), einer der redlichsten Denker nicht nur seiner Zeit, schreibt und begründet, «daß jeder anständige Mensch es *als Beleidigung ansehen sollte, katholisch genannt zu werden*».[34]

Um 180 wettert der hl. Irenäus, Bischof von Lyon, «Gegen die Häresien». Er ist der «erste Kirchenvater», weil er als erster die katholische Kirche als Begriff voraussetzt und theologisch erörtert; der erste aber auch, der mit der «Verteufelung des Irrlehrers als Person» beginnt, der «die andere Überzeugung zur bewußten Bosheit erklärt» (Kühner).[35]

Wie bald viele großkirchliche Autoren attackiert Irenäus vor allem den Gnostizismus, einen der gefährlichsten Gegner des Christentums. Er vertrat einen noch schrofferen, noch pessimistischeren Dualismus, war sicher älter, wenn auch sein Ursprung dunkel und vieles bis heute umstritten ist. Seine Ausbreitung aber erfolgte ungeheuer schnell, in verwirrend vielen Spielarten. Und da man dabei allerlei auch aus christlicher Tradition entlehnte, hielt die Kirche die Gnosis insgesamt für eine christliche Häresie und bekämpfte sie, ohne freilich auch nur ein einziges gnostisches Schul- oder Sektenhaupt «bekehren» zu können. Wirkten doch manche Gnostiker, konzediert Katholik Erhard, vermöge persönlicher Vorzüge «auf Mitglieder der Kirchengemeinden ... faszinierend». Der Katholizismus aber hat seit etwa 400 das außerordentlich reiche Schrifttum dieser Religion systematisch vernichtet. Und noch im 20. Jahrhundert (in dem man, 1945/46 bei Nag-Hamadi in Oberägypten, eine ganze gnostische Bibliothek entdeckte) diffamierte man auf klerikaler Seite die Gnosis – dies «eingedrungene Gift», die «Giftherde», die «auszumerzen» waren (Baus).[36]

Irenäus geißelt die «Hirngespinste» der Gnostiker, «die Hinterlist ihres Betruges und die Bosheit ihres Irrtums». Er schimpft sie «Possenreißer und leere Sophisten», Leute, die «der Verrücktheit die Zügel schießen» lassen, «notwendigerweise überschnappen». Ja, dieser Heilige, in seiner Bedeutung für Theologie und Kirche «kaum hoch genug» einzuschätzen (Camelot), schreit in seinem Hauptwerk «Au, au und o weh» über die Krankheit der «Ketzer». Oder: «Dies geht noch über das Au und Weh und über jeglichen Jammerruf und Schmerzensschrei.» Besonders brandmarkt der Kirchenvater den Hedonismus seiner Gegner. Die Markosianer, die bis ins Rhônetal vordrangen, wo Irenäus sie kennenlernte, sollen gern vornehme und reiche Frauen umgarnt haben, die den Katholiken allerdings auch stets lieber waren als arme. Gewiß sind manche Gnostiker Libertinisten gewesen, andere aber rigorose Asketen. Doch immer wieder insistiert Irenäus auf ihrer Unkeuschheit. Die «Vollkommensten», behauptet er, tun «alles Verbotene ohne Scheu ... dienen maßlos den Lüsten des Fleisches ... schänden heimlich die Weiber, die sie in ihrer Lehre unterrichten». Der Gnostiker Markus, der in Asien lehrte, wo er die Frau eines Diakons beschlafen haben soll, hat «einen kleinen Dämon als Beistand», ist «Vorläufer des Antichrist», ein Kerl, der «viele Männer und nicht wenige Weiber verführte». «Auch manche ihrer Wanderprediger haben viele Weiblein verführt.» Die Priester von Simon und Menander dienen gleichfalls «der Sinnenlust», «gebrauchen Beschwörungen und Zaubersprüche, üben sich in Liebestränken». Ebenso die Anhänger des Karpokrates. Und selbst den ethisch so einwandfreien Markion schimpft Irenäus «schamlos und gotteslästerlich». «Nicht nur aufzeigen, sondern von allen Seiten verwunden wollen wir die Bestie».[37]

Um die Wende zum 3. Jahrhundert sind für Clemens von Alexandrien «Ketzer» Menschen, «die alle täuschen», «ganz schlechte Leute», unfähig, «zwischen Wahrem und Falschem zu unterscheiden», unbekannt natürlich auch mit dem «wahren Gott», und wieder schrecklich geil. Sie «geben sich den Lüsten hin und vergewaltigen die Deutung der Schrift im Sinne ihrer eigenen Begierden». Sie «verdrehen», «mißbrauchen», «vergewaltigen» sie, kurz, Clemens, noch heute katholischerseits wegen seiner «geistigen Weite und verstehenden Milde» gerühmt, nennt andersgläubige Christen einfach jene, die weder die «göttlichen Ratschlüsse» noch die «Überlieferungen Christi» kennen, «die zum Schein den Herrn fürchten, aber sündigen und dadurch dem

Schwein ähnlich werden». «Gerade also, wie wenn jemand aus einem Menschen zu einem Tier würde ... geht es denen, die der kirchlichen Überlieferung verächtlich einen Fußtritt gegeben.»[38]

DIE «TIERE IN MENSCHENGESTALT» DES 3. JAHRHUNDERTS (TERTULLIAN, HIPPOLYT, CYPRIAN)

Zu Beginn des 3. Jahrhunderts schreibt Tertullian, aus Karthago, ein Unteroffizierssohn und zeitweilig Rechtsanwalt in Rom (wo er den Becher der Lust, wie er selbst sagt, bis zur Neige geleert), «Prozeßeinreden gegen die Häretiker» – und wird gleich darauf, für die letzten zwei Jahrzehnte seines Lebens, selber «Ketzer», Montanist und scharfzüngiges Haupt einer eigenen Partei, der Tertullianisten. In seiner «Praescriptio» aber «beweist» der spöttisch-schlagfertige, alle Register der Rhetorik beherrschende Tunesier noch, daß die katholische Lehre ursprünglich und darum wahr, jede Häresie jedoch eine Neuerung sei, der «Ketzer» kein Christ, sein Glaube vielmehr Irrtum, ohne Würde, Autorität, Zucht. (Später brandmarkt der Polemiker aus Leidenschaft mit derselben witzig-wütenden Zungenfertigkeit die Katholiken, deren institutionellen Kirchenbegriff er doch schuf, deren Sünden- und Gnaden-, Tauf- und Bußlehre, deren Christologie und Trinitätsdogma – selbst der Begriff Trinität stammt von ihm – er vorgebildet hat.) Der noch Kirchenhörige freilich, geradezu Begründer des Katholizismus genannt, warnt eindringlich vor jedem Streit mit «Ketzern». Bringe er doch nichts als «eine Erschütterung des Magens oder des Gehirns». Er spricht «Häretikern» sogar rundweg die Schrift ab. Sie werfen «Heiliges den Hunden und Perlen, wenn auch unechte, den Säuen hin». Sie selber sind «verkehrten Sinnes», «Verfälscher der Wahrheit», «reißende Wölfe». Tertullian «kennt nur den Kampf; der Gegner muß erschlagen werden» (Kötting).[39]

Um dieselbe Zeit behandelt Hippolyt, der erste Gegenbischof

Roms, in seiner «Refutatio» 32 Häresien, davon 20 gnostische. Teilt er doch unter allen Häresiologen der vorkonstantinischen Zeit am meisten über die Gnostiker mit – und hatte überhaupt keine eigene Kenntnis von ihnen! Er benützte diese «Häresien» nur, um sich auf seinen eigentlichen Gegner, den römischen Bischof Kallist und die «Ketzerei» der «Kallistianer» einzuschießen.[40]

Nach Hippolyt, der einmal meint, er wolle den Anschein der «Schmähsucht» vermeiden, sind viele «Ketzer» wieder nichts als «Schwindler, voller Narrheiten», «kecke Nichtswisser», Spezialisten für «Zauberei und Beschwörungen, Liebestränke und Verführungsmittel». «Simon deutet das Gesetz Mosis sinnlos und böswillig um.» Die Noetianer bilden den «Unheilsherd für alle». Die Enkratiten «sind und bleiben aufgeblasen». Die peratische Sekte ist «widersinnig», «töricht». Die Montanisten lassen sich «von Weibern einnehmen»; ihre «vielen dummen Bücher» sind «unhaltbar und keines Wortes wert». Die Doketen vertreten eine «wirre unwissenschaftliche Häresie». Und sogar der selbstlose, ethisch hochachtbare Markion ist nur ein «Plagiator», «Streithans», «noch viel verrückter» als andere, von «noch größerer Schamlosigkeit», seine «Schule voll Widersinn und hündischen Lebens», «eine gottlose Ketzerei». «Markion oder einer seiner Hunde», schreibt Gegenbischof, Heiliger und Pferdepatron Hippolyt und behauptet schließlich, «das Labyrinth der Häresien nicht mit Gewalt durchbrochen» zu haben, sondern «durch die Kraft der Wahrheit.»[41]

Einen gnadenlosen Kampf gegen Andersgläubige führt um die Mitte des 3. Jahrhunderts auch der hl. Bischof Cyprian, der Urheber des Nazischlagworts: Der Teufel ist des Juden Vater (S. 129) und bereits ein typisch arroganter Vertreter seiner Zunft. Fordert doch schon er, daß man vor dem Bischof «wie einst vor den heidnischen Götterbildern aufstehe» – obwohl ja der johanneische Christus sagt: «Wie könnt ihr glauben, die ihr Ehre voneinander nehmt?»[42]

Gleich Juden und Heiden, sind für Cyprian auch seine christlichen Widersacher des Teufels, bezeugen sie «alle . . . durch ihre wütende Stimme täglich ihre giftige Raserei». Denn während jede katholische Schrift «fromme Unschuld atmet», strotzen die Auslassungen der «Verräter des Glaubens und Bekämpfer der katholischen Kirche», der «ruchlosen Anhänger der häretischen Verkommenheit» von «irgendwelchen bellenden Schmähungen und Beschimpfungen», stecken sie selbst «in auflodernder und immer schlimmer ausartender Zwietracht», in «Räubereien und Verbrechen»[43].

Eindringlich insistiert Cyprian, etwa in seinem 69. Brief, darauf, daß ein «Ketzer» ein «Feind des Friedens unseres Herrn» sei: «daß Ketzer sowohl wie Abtrünnige allesamt den Heiligen Geist nicht haben»; «daß sich alle der Schuld und Strafe aussetzen, die sich in ruchloser Verwegenheit mit Abtrünnigen gegen die Vorsteher und Bischöfe vereinigen»; daß sie «alle ohne Ausnahme bestraft», daß sie «aller Hoffnung verlustig» werden, alle «in das größte Verderben stürzen», daß jeder dieser Teufel «zugrunde geht». Mit «Ketzern», erweist der Heilige aus dem häufig bemühten Alten Testament, darf man «nicht einmal Brot essen und Wasser trinken», «nicht einmal irdische Speise und weltlichen Trank teilen», geschweige «das heilbringende Wasser der Taufe und die himmlische Gnade». Und mit dem Neuen Testament hetzt er, «einen Ketzer müsse man meiden wie einen ‹verkehrten, von sich selbst verurteilten Sünder›»[44].

Bischof Cyprian duldet keinerlei Kontakt mit andersgläubigen Christen. «Die Trennung erstreckt sich auf alle Lebensbereiche» (Girardet). Für Cyprian, der wiederholt «regelrechte Ketzerlisten» aufstellt (Kirchner), ist die katholische Kirche alles und alles andere im Grunde nichts. Die Kirche rühmt er als versiegelte Quelle, verschlossenen Garten, wasserreiches Paradies, als «Mutter» immer wieder, von der nur «der hartnäckige Parteigeist und die ketzerische Versuchung» die Rechtgläubigen losreißen wollen, die bald als «blökende und herumirrende Schafe» erscheinen, bald als «ruhmbedeckte, wackere Krieger», als «Christi Heerlager», Leute jedenfalls, denen er zur Erhöhung himmlischer Lust, durch alle Ewigkeit die Schau der Qualen ihrer Verfolger verheißt! Jeder aber, der nicht in der Kirche ist, muß verdursten,

denn er steht (ein fast unaufhörlich wiederholtes Wort) «draußen» (foris): ein fürchterlicher Ort, wo alles leer erscheint, falsch,
ist doch, wer «draußen» steht, soviel wie tot. «Draußen» weicht
«das Licht der Finsternis, der Glaube dem Unglauben, die Hoffnung der Verzweiflung, die Vernunft dem Irrtum, die Unsterblichkeit dem Tode, die Liebe dem Haß, die Wahrheit der Lüge,
Christus dem Antichrist». «Draußen» darbt und verdirbt jeder,
«draußen» ist man samt und sonders nicht getauft, mit Wasser
bloß begossen, besudelt, nicht besser als Heiden. Nichts hat
Cyprian mit «Ketzern» gemein, mit Schismatikern, zwischen denen er gar nicht unterscheidet, weder Gott noch Christus, den
Heiligen Geist, weder Glauben noch Kirche. Alle sind sie Feinde
für ihn – alieni, profani, haeretici, schismatici, adversarii, blas-
phemantes, inimici, hostes, rebelles; kurz, sie sämtlich sind: antichristi.[45]
   Das aber bleibt die übliche Tonart im interkonfessionellen
Verkehr. Während man die eigne Kirche als «Lazarett» anpreist,
«wasserreiches Paradies», sind die Lehren der Gegner stets «Unsinniges, Wirres», «infame Lüge», «Zauberei», «Krankheit»,
«Tollheit», «Schlamm», «Pest», «Geblök», «wildes Heulen» und
«Gekläff», «Traumgebilde und Altweibergeschwätz», «die größte
Gottlosigkeit». Stets sind christliche Konkurrenten «aufgeblasen», «verblendet», der «Meinung, mehr als die anderen zu sein»,
sind sie «Atheisten», «Narren», «Lügenpropheten», «Erstgeborene des Satans», «Sprachrohr des Teufels», «Tiere in Menschengestalt», «giftspeiende Drachen», «verrückt»; geht man gelegentlich doch sogar exorzistisch gegen sie vor. Immer auch sind
«Ketzer» sittlich suspekt, verkommen, «Schlemmer», in ihren
«Leib verliebt und ganz fleischlich gesinnt», bloß auf «Befriedi-
gung des Magens und der noch tiefer gelegenen Organe» bedacht.
Sie treiben «in schamloser Weise Unzucht», sie sind wie Böcke,
die viele Ziegen an sich ziehen, wie Rosse, die nach Stuten wie-
hern, grunzende trächtige Sauen. Für den Katholiken Irenäus
macht der Gnostiker Markus die Seinen sich durch «Liebestränke
und Zaubermittel» willig, «um ihren Leibern Schmach anzutun».
Nach dem Montanisten Tertullian saufen und koitieren die Ka-

tholiken bei ihren Abendmahlsfeiern. Katholik Kyrill verschreit
die Montanisten als Kinderschlächter und -fresser. Christen unter
sich! Dabei rief sogar Augustin: «Glaubt doch nicht, daß Ketzereien durch ein paar hergelaufene kleine Seelen entstehen könnten. Nur große Menschen haben Ketzereien hervorgebracht.»[46]
Auch er selber freilich jagte sie zeitlebens. Und schon mit Hilfe
des «weltlichen Arms» (S. 469 ff, 492 ff)!

«Wenn es eine Zeit gegeben hat», behauptet Katholik Antweiler, «die sich der Sachlichkeit hätte rühmen können, so war es die
der Kirchenväter.» Und fügt hinzu: «Es ist hier vor allem an das
vierte Jahrhundert gedacht.»[47]

DER «GOTT DES FRIEDENS» UND DIE «SÖHNE DES TEUFELS» IM 4. JAHRHUNDERT (PACHOMIUS, EPIPHANIUS, BASILIUS, EUSEB, JOHANNES CHRYSOSTOMOS, EPHRÄM, HILARIUS)

Im 4. Jahrhundert aber, als immer neue Spaltungen erfolgen, als
Sekten, Schismen, Häresien sich immer selbstbewußter, eigen-
ständiger entfalten, wird das antihäretische Geschrei noch
schroffer, aggressiver, wird der Kampf gegen alles Nichtkatholi-
sche auch immer mehr juristisch untermauert, kommt es zu
geradezu pathologischen Agitationen und Aktionen, einer förm-
lichen «Verkrankung» (Kaphan).[48]

Im 4. Jahrhundert haßt der hl. Pachomius, der erste christliche
Klostergründer (etwa seit 320) und früheste Verfasser einer –
koptischen – Mönchsregel, «Ketzer» wie die Pest. Der «General-
abt», der seine Briefe teilweise in Geheimsprache schreibt, erkennt «Häretiker» schon am Geruch und erklärt: «Jeder Mensch,
der den Origenes liest, fährt in die unterste Hölle.» Alle Opera
dieses größten vorkonstantinischen Theologen (selbst von Fanatiker Athanasius noch als höchstgelehrt und fleißig verteidigt)
wirft Pachomius in den Nil.[49]

Im 4. Jahrhundert warnt Bischof Epiphanius von Salamis – ein jüdischer Apostat und gehässig-phantastischer Antisemit – in seinem «Arzneikasten» (Panarion) vor 80 «Ketzereien», selbst schon vor 20 vorchristlichen! Dabei irritiert jede «Häresie» den Heiligen so gewaltig, daß das geringe Quantum klaren Denkens, das ihm die Natur geschenkt, vor Abscheu noch mehr schrumpft. Steht doch sein Feuereifer für den Glauben im umgekehrten Verhältnis zu seinem Verstand – was heute unbestritten ist, einst den hl. Hieronymus, seinen Mitkämpfer, aber nicht abhielt, ihn als «patrem paene omnium episcoporum et antiquae reliquias sanctitatis» zu preisen; wie denn noch das Zweite Konzil von Nicaea (787) Epiphanius den Titel eines «Patriarchen der Orthodoxie» verleiht. In seinem «Arzneikasten», ebenso konfus wie umständlich weitschweifig, die Geduld des Lesers strapazierend, will der fanatisch-bigotte Bischof alle von giftigen Schlangen, eben den «Ketzern», Gebissenen durch viel «Gegengift» heilen. Der «Patriarch der Orthodoxie» vermag in der bis dahin umfangreichsten «Ketzerbestreitung» selbst «die wildesten und unwahrscheinlichsten Nachrichten als Fakten mitzuteilen und notfalls sogar eigene Zeugenschaft zu behaupten» (Kraft). Ja, der Oberhirte Cyperns denkt sich aus erfundenen «Ketzer»-Namen auch völlig neue «Ketzereien» aus.[50]

Christliche Geschichtsschreibung!

Im 4. Jahrhundert findet Kirchenlehrer Basilius «der Große» sogenannte Häretiker voll von «Tücke», «Schmähung», «Verleumdung», «nackter und schamloser Lästerung». «Ketzer» fassen «alles gern von der schlechten Seite auf», führen «teuflischen Krieg», haben «weinschwere Köpfe», sind vom «Rausche» benebelt, «wahnwitzig», ein «Abgrund der Heuchelei», der «Gottlosigkeit». Glaubt der Heilige doch, «daß ein Mensch, der mit verkehrten Lehren aufgezogen wurde, das Laster der Häresie ebensowenig aufgeben kann wie ein Mohr je seine Hautfarbe ändern oder ein Panther seine Flecken» – weshalb man Häresien «brandmarken», «ausrotten» müsse.[51]

Eusebius von Caesarea, der zwischen 260 und 264 geborene «Vater der Kirchengeschichte», der später immer mehr die Gunst Kaiser Konstantins gewinnt, nennt eine greuliche «Ketzerei» nach

der andern. Der berühmte Bischof, für heutige Theologen nur
«wenig gedankenreich» (Ricken S. J.), «theologisch unfähig»
(Larrimore), geißelt «falsche, verführerische Männer» in Mengen: Simon den Magier, Saturninus aus Antiochien, Basilides aus
Alexandrien, Karpokrates – «gottfeindliche Ketzerschulen», die
mit «Betrug» arbeiten und «die häßlichsten Schandtaten» be-
gehn.[52]

Doch «stets neue Häresien» erheben ihr Haupt. Da wird Cerdo
«schlechter Lehren überführt», macht Markion, wie es mit Irenäus heißt, «durch seine schamlosen Lästerungen noch mehr
Schule», schüttelt Bardesanes «den Schmutz des alten Irrtums
nicht vollständig ab»; da erscheint Novatus mit seiner «ganz
unmenschlichen Anschauung», kommt Mani, «der Wahnsinnige,
benannt nach seiner vom Teufel besessenen Häresie», ein «Barbar», gerüstet «mit der Waffe der Geistesverwirrung», seinen
«falschen und gottlosen Lehrsätzen» – «ein tödliches Gift».[53]

Auch Johannes Chrysostomos, der große Judenfeind (S. 133 ff),
sieht in «Häretikern» bloß «Söhne des Teufels», «bellende
Hunde» – Tiervergleiche sind im «Ketzer»-Kampf besonders beliebt.

In seinem Kommentar zum Römerbrief bekämpft Chrysostomos mit Paulus, «dieser geistigen Posaune», alle nichtkatholischen Christen und zitiert befriedigt: «Der Gott des Friedens (!)
wird den Satan zermalmen unter euren Füßen.» Chrysostomos
warnt vor der «Arglist der Schlechtgesinnten», ihrem «sündhaf-
ten Wesen», ihrer «Krankheit», komme davon doch so «recht
das Verderben der Kirche», «das Ärgernis», «die Spaltung», und
Spaltung komme von «der Bauchdienerei und den anderen Leidenschaften». «Ketzer» nämlich haben «Diener des Bauches zu
Lehrern» und dienen, mit Paulus wieder, «nicht unserm Herrn
Christus, sondern ihrem Bauche». Dasselbe sage er im Brief an die
Philipper: «Deren Gott der Bauch ist». Und im Brief an Titus:
«Schlimme Bestien, faule Bäuche!» Aber: «Er, der seine Freude
hat am Frieden, wird die Friedensvernichter schon kaltstellen. Er
sagt nicht: ‹er wird sie unterwerfen›, sondern: ‹Er wird sie zermalmen›, und . . . nicht bloß zermalmen, sondern: ‹unter euren Fü-

ßen›.» So appelliert Chrysostomos in einer Predigt an die Christen, öffentliche Gotteslästerer – und als solche galten seinerzeit längst Juden, Heiden, «Ketzer»; Häresiarchen hießen geradezu «Antichristi» – zur Rede zu stellen und notfalls zu verprügeln.[54]

Bei Kirchenlehrer Ephräm, dem Judenhasser (S. 131 f), figurieren seine christlichen Gegner als «der greuliche Frevler», «der reißende Wolf», «das schmutzige Schwein».

Markion, dem ersten christlichen Kirchengründer (Schöpfer auch des ersten Neuen Testaments und radikaler Verdammer des Alten), der Jesu Evangelium «tiefer erfaßt als alle seine Zeitgenossen» (Wagemann), erkennt Ephräm schlichtweg die Vernunft ab, doch die «Lästerung» als Waffe zu. Er ist «verblendet», «der Rasende», «eine Buhlerin, die sich schamlos aufführt», und seine «Apostel» sind nichts als «Wölfe».

Auch in Bardesanes, syrisch Bar Daisan (154–222), dem Vater der syrischen Poesie, einem am Hof Abgars IX. von Edessa lebenden gebildeten Theologen, Astronomen und Philosophen, dessen Lehre für Edessa und die Osrhoëne bis ins 4. Jahrhundert die vorherrschende Form des Christentums war, erblickt Ephräm nur «einen Speicher voll Unkraut», das «Urbild der Gotteslästerung; ein Weib ist er, das heimlich hurt im Schlafgemach», «eine Legion Dämonen im Herzen und Unseren Herrn auf den Lippen». Jahrhundert um Jahrhundert hat die Kirche Bardesanes als Gnostiker verketzert. Heute weiß man, daß Bardesanes kaum Gnostiker genannt werden darf, «ein sehr persönlicher und unabhängiger Kopf» war (Cerfaux), Vertreter eines nicht unoriginellen Synkretismus aus christlichen Gedanken, griechischer Philosophie und babylonischer Astrologie, der unterging, auch wenn es Bardesaniten noch im frühen 8. Jahrhundert gab.

Übel diffamiert Ephräm auch Mani, einen Perser vornehmer Abkunft, dessen Religion Militärdienst verbot, Verehrung der Kaiserbilder und jede Zugehörigkeit zu fremden Kulten. 216 nahe der parthischen Residenz Seleukeia-Ktesiphon geboren, wurde Mani von der Täufersekte der Mandäer erzogen, von Bardesanes beeinflußt, bis er schließlich, in die Religionspolitik der sassanidischen Könige hineingezogen, für seine aus buddhistischen (In-

dienreise!), babylonischen, iranischen und christlichen Vorstellungen bestehende Lehre unter König Bahram I. um 276 in Ketten
starb: «Der bedeutendste religiöse Führer der Zeit», Stifter «einer
Weltreligion, ja nahezu ... *der* Weltreligion» (Grant). Indes sind
Manis Apostel für Ephräm nur «Hunde». «Kranke Hunde sind
sie ... ganz irrsinnig, und sie müßten niedergeschlagen werden.»
Mani selbst, «der so oft den Speichel des Drachens aufleckte, speit
das Bittere für seine Anhänger (wieder) aus und das Scharfe für
seine Schüler», durch ihn wühlt der Teufel «wie durch Schweine
immerdar seinen Kot empor». Und so schließt Kirchenlehrer
Ephräm seinen 56. Hymnus gegen «die Kinder der Schlange auf
Erden»: «Heil dir, hehre Kirche, aus jedem Mund, die du frei bist
von Schmutz und Unrat des Anhanges Markions, des Rasenden,
die du rein bist von der Hefe und dem Frevel des Anhanges Manis,
die du losgelöst bist von der Unreinheit des Truges des Bardaisan
und auch von dem Gestank der stinkenden Juden.»[55]

Kann man irgendwo Haß lernen, schänden lernen, schamlos
lästern, lügen, verleumden, dann bei den Heiligen, den größten
Heiligen des Christentums! Alles, wirklich, was nicht denkt wie
sie, zerren sie in die Gosse – Christen ebenso wie Juden (S. 131 f)
oder «rücksichtslos allen heidnischen Unrat» (Ephräm), da dieser
natürlich auch Heiden für nichts als «einsichtslose Toren» hält,
«in jeder Beziehung Betrüger», für Leute, die «alle gelogen haben», die «Leichen verzehren» und selber «Schweine» sind, «eine
Herde, welche die Welt beschmutzt ...»[56]

Das Buch ‹Helden und Heilige› freilich malt Ephräm – unter
Hitler kirchlich genehmigt und in Massenauflage –, wie ihm «vor
innerer Ergriffenheit die Tränen über das Antlitz» laufen, und
erklärt seine Schärfe «nur aus der Hitze jener Kampfjahre und aus
der heiligen Empörung eines gottliebenden Gemütes ...; denn
sein ganzes Wesen ist friedvoll und beschaulich. Erhob er sich
nach durchwachter Nacht zur Morgenandacht, so kam sofort der
Geist Gottes über ihn ...»[57]

Dies aber ist immer eine schlimme Sache, wie man auch an
Kirchenlehrer Hilarius sieht, der zwar gleichfalls Juden her-
abreißt (S. 137 f) und Heiden, diese «Schamlosen», «Blutgieri-

gen», dies vernunftlose «Joch- und Herdenvieh», das seine Nachkommen «gezeugt und geboren fast wie die Jungen von Raben»[58],
dessen Hauptfeinde aber die «Ketzer» sind.

Im frühen 4. Jahrhundert in Gallien aufgewachsen, tritt er vor
allem gegen die Arianer an und bekämpft, so Katholik Hümmeler
noch nach 1500 Jahren, «diese Pest bis zum letzten Atemzug».
Dazu allerdings mag sich Hilarius, der vorerst seinem Gegenspie-
ler, Bischof Saturninus von Arles, unterliegt und bereits klagt,
«daß es jetzt so vielerlei Glauben» gebe «wie Lebensweisen», um
so mehr berechtigt fühlen, als man ihm nur «mit ausdrücklichem
Falschglauben widersprechen kann», weil er doch «die gesunde
Lehre» predigt, «Verkünder des gesunden Glaubens» ist, und
eben darum, 356 durch die Synode von Biterrae (Béziers) abgesetzt, zeitweilig im phrygischen Exil hockt, denn «das Hören
unserer gesunden Lehre erträgt man nicht»[59].

Vermutlich hatte Konstantius II. Hilarius freilich kaum aus
Glaubensgründen verbannt, sondern wegen politischer «crimina». Gerade aber sein Exil im Osten (356–359) – für die Arianer
zuletzt derart lästig, daß sie den «Störenfried des Orients» wieder
in die Heimat schicken ließen – gab ihm Muße, komplett sein
Hauptwerk gegen sie zu vollenden: zwölf Bücher ‹Über die Trinität›. Zwischen anödender Einfallslosigkeit füllen Beschimpfungen die Seiten. Denn: «So verderblich hat nicht die plötzliche
wüste Vernichtung von Städten samt ihrer ganzen Bewohner-
schaft gewütet [!] ... wie zum Verderben des Herrscherge-
schlechtes diese unheilvolle Irrlehre», eine «Kirche, die ... des
Antichristes Gemeinde ist»[60].

Von Hieronymus dermaßen bestaunt, daß dieser in Trier eigenhändig ein Hilarius-Opus abschrieb, von Augustin als gewaltiger
Verteidiger der Kirche gerühmt und von Pius IX. 1851 zum Kirchenlehrer erhoben, zieht der Heilige mit Ergüssen auf Taufe,
Dreieinigkeit, den Kampf Satans gegen Christus nun vom Leder
gegen «Bosheit und Torheit», «die schlüpfrigen Windungen des
Schlangenweges», «das Gift der Falschheit», «das verborgene
Gift», «ganze Gift», den «Irrwahn der Irrlehrer», ihre «Fieber-
hitze», «Seuche», «Krankheit», «tödlichen Erfindungen», ihre

«Fallgruben», «Fangschlingen», ihren «gewalttätigen Wahnwitz», den «Lügenaufwand ihrer Worte» et cetera, et cetera.[61]

Derart betörend füllt Hilarius – «jeglicher Phrase abhold»,
«der erste Dogmatiker und namhafte Exeget des Abendlandes»
(Altaner), bei dem die «rechtgläubige» Forschung einen «geradezu auffällige[n] Fortschritt des Gesichtskreises» feststellt, «Begabung und Begnadung», wie übrigens «bei jeder kraftvollen und
eigenständigen Persönlichkeit der katholischen Kirche» (Antweiler) – derart füllt Hilarius zwölf Bücher ‹De trinitate›, «die beste
antiarianische Schrift» (Anwander). Unterbrochen wird die mo-
notone Haßflut nur durch noch ermüdendere Erhellungen, besser: Verdunkelungen der «Dreieinigkeit», einer gewiß schwierigen Materie, steht doch selbst der hl. Kirchenlehrer nicht auf dem
Boden des Dogmas. Vielmehr wirbt er in einer weiteren Haupt-
schrift, ‹De synodis›, für die eusebianische Theologie, für eine
Verbindung also des östlichen «homoiusios», der gemäßigten
Arianer, mit dem «homousios» des Westens! (Vgl. S. 356). Bei
seiner eignen Kirche (381) so ohne Gegenliebe bleibend, schreit
der Suspekte gleichwohl fortgesetzt: «Welch irrlehrerische Un-
klarheit und törichte Weltweisheit!» «O verwerflicher Wahn
hoffnungsloser Geistesart! O törichte Verwegenheit blinder Gottlosigkeit!» «Du unvermögende Torheit irrlehrerischer Gottlosigkeit, was an Lügen bringst du wahnwitzigen Geistes dagegen
vor?» – und hat noch «gemäß dem Geschenk des Heiligen Geistes
die Darstellung des gesamten Glaubens maßvoll dargelegt!»[62]

DER HL. HIERONYMUS UND
SEIN «SCHLACHTVIEH FÜR DIE HÖLLE»

Dem Kirchenlehrer Hieronymus dagegen, wohlhabend und aus
gut katholischem Haus, glaubt man gern sein Bekenntnis, «daß
ich niemals die Irrlehrer geschont habe, daß es mir ein Herzens-
bedürfnis war, die Feinde der Kirche möchten auch meine Feinde
werden». Tatsächlich bestritt Hieronymus den «Ketzer»-Kampf

derart hitzig, daß sich die Heiden bei ihm mit Munition eindeckten, selbst, zum Beispiel, aus einem Büchlein über die von ihm verherrlichte Virginität. Der Heilige, offensichtlich noch lüstern wie in geilsten Jugendtagen, hatte es an Eustochium gerichtet, eine blutjunge Römerin aus altem Adel, siebzehnjährig, seine Schülerin, «Jüngerin», eine veritable Heilige auch (ihr Fest: 28. September), die Hieronymus, so sein moderner Biograph, Theologe Georg Grützmacher, «mit allem Schmutz und allen Lastern bekannt macht» – «widerlich»[63].

Während Hieronymus aber bis zur Weißglut sich gegen die «Ketzer» erhitzt, gelegentlich auch selber «Ketzer» genannt wird, klaut er literarisch, wo er kann, und sucht zugleich durch ungeheuere Belesenheit zu imponieren. So schreibt er beinah wörtlich Tertullian ab, ohne ihn zu nennen. Oder er bezieht sein ganzes medizinisches Wissen von dem großen Heiden Porphyrios (vgl. S. 210 ff), wieder ohne jeden Hinweis auf ihn. Oft enthüllt sich die «abscheuliche Verlogenheit des Hieronymus» (Grützmacher).[64]

Es klingt noch zahm aus seinem heiligen Mund, wenn er Origines, den er gleichfalls «in unverschämter Weise ausschreibt», «seitenweise bestiehlt» (Schneider), einmal bloß «Gotteslästerungen» unterstellt; wenn er Basilides den «ältesten, durch seine Unwissenheit hervorragenden Irrlehrer», Palladius einen «Mann von niedriger Gesinnung» schimpft. Schon deutlicher schlägt die gewöhnliche Tonart dieses Menschen durch, wenn er «Ketzer» als «zweibeinige, distelfressende Esel» diffamiert (auch das Gebet der Juden, nur Untermenschen für ihn, nennt er Eselsgeschrei); wenn er andersgläubige Christen mit «Schweinen» vergleicht und «Schlachtvieh für die Hölle», wenn er sie überhaupt nicht Christen heißt, sondern «Teufel». «Omnes haeretici christiani non sunt. Si Christi non sunt, diaboli sunt.»[65]

Dieser hochheilige Kirchenlehrer, der hier etwas näher betrachtet sei (weil dem rein theologischen Schriftsteller nicht, wie den Kirchenpolitikern Athanasius, Ambrosius und Augustin, ein eigenes Kapitel gilt), verfeindete sich, zeitweise oder für immer, sogar heftig mit Leuten der eigenen Partei. Zum Beispiel mit dem

Patriarchen Johannes von Jerusalem, der Hieronymus und seine Mönche in Bethlehem jahrelang schikanierte. Oder, mehr noch, mit Rufinus von Aquileja, wobei es jedesmal, zumindest vordergründig, um Origenes ging.[66]

Origenes, dessen Vater Leonidas 202 den Martertod fand, wie er auch selber, unter Decius, ohne zu widerrufen, gefoltert wurde, war bereits um 254 (etwa im 70. Lebensjahr) gestorben. Es ist unsicher, ob an den Folgen der Tortur. Sicher aber zählt Origenes zu den edelsten Christen überhaupt.[67]

Der Schüler des Clemens von Alexandrien repräsentierte zu seiner Zeit die christliche Theologie im gesamten Orient. Und noch lang nach seinem Tod schätzten ihn viele, wohl die meisten namhaften Bischöfe des Ostens hoch, darunter die Kirchenlehrer Basilius und Gregor von Nazianz, die gemeinsam eine Blütenlese aus seinen Schriften verfaßten, die «Philokalia». Sogar Kirchenlehrer Athanasius schützte Origenes und berief sich auf ihn. Überhäufen ihn doch auch heute katholische Theologen wieder mit Lob, und vermutlich bedauert die Kirche längst seine einstige pauschale Verketzerung.[68]

In der Antike gab es wegen Origenes fast ständig Streit, wobei man allerdings, wie üblich, den Glauben oft nur vorschob; zumal um 300, 400 und Mitte des 6. Jahrhunderts, als Kaiser Justinian 553 in einem Edikt neun Sätze des Origenes verdammte unter Zustimmung bald aller Bischöfe des Reiches, besonders des Patriarchen Mennas von Konstantinopel und des Papstes Vigilius. Motiviert hatte den Herrscher ein (kirchen-)politischer Grund: der Versuch, die theologisch gespaltenen Griechen und Syrer im gemeinsamen Haß auf Origenes wieder zu einen. Doch gab es auch dogmatische Gründe – die indes stets *gleichfalls politische Gründe sind* –, nämlich einige «Irrtümer» des Origenes, wie seine subordinatianische Christologie, wonach der Sohn geringer als der Vater, der Geist geringer als der Sohn ist, urchristlichem Glauben zweifellos gemäßer als das spätere Dogma. Oder seine Lehre von der Apokatastasis, der Allversöhnung: die Bestreitung einer *ewigen* Hölle, ein Greuel, der für Origenes weder vorstellbar noch mit Gottes Barmherzigkeit zu vereinbaren und (freilich auch neben der gegenteiligen Lehre) im Neuen Testament begründet war.[69]

Der Origenismusstreit um 400 geht auf eine peinliche Predigtaffäre zwischen den Bischöfen Epiphanius von Salamis und Johannes von Jerusalem in der dortigen Grabkirche 394 zurück und brachte Hieronymus in einen heftigen Konflikt mit Kirchenschriftsteller Rufinus von Aquileja.[70]

Rufin, ein Mönchspriester, der sechs Jahre, bis 377, in Ägypten, dann als Eremit in der Nähe von Jerusalem lebte, bevor er, 397 nach Italien zurückgekehrt, auf der Flucht vor Alarichs Westgoten, 410 in Messina starb, war seit seiner Studienzeit mit Hieronymus befreundet und, wie dieser, ein begeisterter Übersetzer des Origenes. Bei dem neuen Streit aber rückte Rufin, trotz kläglichen Lavierens und eines orthodoxen Glaubensbekenntnisses vor Papst Anastasius, weniger von Origenes ab als Hieronymus, der einst, vom hl. Gregor von Nazianz für Origenes entflammt, diesen hochgefeiert hatte. Doch als man ihn zu verketzern begann, wechselte Hieronymus, stets ängstlich auf die neueste Rechtgläubigkeit bedacht, sofort die Front. Er brandmarkte Origenes jetzt, ja, geißelte dessen spiritualistische Lehre von der Vernichtung der Leiber als «die schrecklichste aller Ketzereien», wobei er, das Übelste, gewöhnlich so tat, als habe er Origenes schon immer verdammt.[71]

Rufin aber holte zur selben Zeit, als er sich vor dem mißtrauischen Papst Anastasius rechtfertigte, in zwei Büchern zu einem drastischen Schlag gegen Hieronymus aus: meist übertreibende, entstellende, teilweise unwahrhaftige Invektiven, die oft gar nicht mehr Origenes galten, nur noch Hieronymus treffen sollten, ihn freilich manchmal auch trafen. So stimmten Rufins Vorwürfe, daß Hieronymus sein eidliches Gelöbnis gebrochen, keine Klassiker mehr zu lesen; daß er in einer Epistel an seine sehr junge Freundin Eustochium deren Mutter Paula die Schwiegermutter Gottes genannt; daß er Origenes erst als «größten Lehrer der Kirche seit den Aposteln» verherrlicht, dann als Patron der Lüge und des Meineids hingestellt; daß er den hl. Ambrosius anonym als «Krähe» angefallen habe und «pechschwarzen Vogel». «Wenn du aber alle jene, die du einst gelobt, wie Origenes, Didymus, Ambrosius, später verdammt hast, was beklage ich mich, der ich im Vergleich mit jenen ein Floh bin, wenn du mich jetzt zerreißest, den du vorher in deinen Briefen gelobt . . .».[72]

Kirchenvater Rufin, fleißig, doch unoriginell, trotz einiger Heterodoxien – was heißt das schon seinerzeit! – durchaus orthodox, charakterlich eine Mixtur aus Mut und Memmentum, Perfidie und Heuchelei, hatte den ganzen Schwall seiner Pfeile zwischen einem erbaulichen Auftakt und erbaulichen Schluß plaziert, wie es frommem christlichen Brauch entsprach und entspricht. Zunächst habe er gemäß den Worten des Evangeliums, Selig seid ihr, wenn ihr verfolgt werdet, wie sein Herr Jesus, der himmlische Arzt, auf die Anklagen des Hieronymus schweigen wollen, äußerte er anfangs. Und zuletzt, nachdem er Gift und Galle verspritzt, schrieb er: «Laßt uns nicht antworten auf seine Schmähungen und Verleumdungen; denn darauf zu schweigen, lehrte uns unser Lehrer Jesus.»[73]

Hieronymus war wütend. Und obwohl er Rufins Attacke gleichsam nur vom Hörensagen, aus Briefen andrer, kannte, setzte er sogleich seine gefürchtete Feder in Bewegung. Dem Gegner an Kenntnissen, Scharfsinn und stilistischer Kraft überlegen, an Schmähsucht und Skrupellosigkeit aber ebenbürtig, stürzte sich der Heilige auf allzu Ungeschütztes oder Falsches, griff triumphierend Rufins pure Bosheit auf, um die eigene desto besser bemänteln zu können, ignorierte dessen wahre Bezichtigungen und setzte seinerseits halbwahre oder unwahre in die Welt, ja, unterstellte Rufin versteckt, mit seinen Gönnern durch Geld sich des Römischen Stuhls bemächtigen zu wollen und dem antiorigenistischen Papst Anastasius insgeheim den Tod zu wünschen.[74]

Jetzt schäumte Rufin. Es kam zu einer angeregten Korrespondenz beider Kirchenväter. Sie warfen sich gegenseitig Diebstahl vor, Meineid, Fälschung. Rufin drohte Hieronymus, falls er nicht schweige, mit einer Anzeige nicht vor dem geistlichen, sondern dem weltlichen Gericht sowie weiteren intimsten Enthüllungen aus seinem Leben. Hieronymus replizierte: «Du rühmst dich,

Verbrechen zu kennen, welche ich dir als meinem einstigen besten Freund bekannt habe. Du willst sie in die Öffentlichkeit zerren und mich mit meinen Farben malen. Ich kann dich auch mit deinen Farben malen.» Und inmitten all des Hämischen, Höhnischen, der Flut des Wahren und Verlogenen, appelliert auch Hieronymus an den «Mittler Jesus» und beklagt, daß «zwei Greise der Ketzer wegen zum Schwert greifen, besonders da sie beide als Katholiken gelten wollen. Mit demselben Eifer, mit dem wir Origenes gelobt haben, laßt uns jetzt den vom ganzen Erdkreis Verdammten verdammen. Laßt uns einander die Hände reichen, die Herzen vereinigen . . .»[75]

Doch daraus wurde nichts. Hieronymus, er müßte kein Heiliger und Kirchenlehrer sein, jubelte noch bei der Nachricht von Rufins Tod 410: «Der Skorpion ist auf dem Boden Siziliens gestorben, und die Hydra mit den vielen Köpfen hat endlich aufgehört, gegen uns zu zischen.» Und kurz darauf: «Im Schildkrötengang ging der Grunzende einher . . . Innerlich ein Nero, äußerlich ein Kato, durch und durch eine Zwittergestalt, daß man sagen möchte, er sei ein aus verschiedenen und entgegengesetzten Naturen zusammengesetztes Monstrum, eine neue Bestie nach dem Wort des Dichters: Von vorn ein Löwe, von hinten ein Drache, und in der Mitte selbst eine Chimäre.»[76]

Kirchenlehrer Hieronymus, der Rufin, wann immer er auf ihn, den lebenden, den toten, zu sprechen kam, unflätig begeiferte, stritt sogar mit Kirchenlehrer Augustinus, wobei allerdings der – weit weniger heftige – Konflikt von dem jüngeren Augustin ausging.

Erstmals hatte sich Augustin 394, noch als einfacher Priester, an Hieronymus gewandt, als der bereits einer der meistgefeierten christlichen Gelehrten war. Diesen Brief bekam Hieronymus damals freilich nicht. Und auch ein zweiter Brief Augustins, 397 geschrieben, erreichte ihn erst im Jahr 402 und überdies nur als Kopie ohne Unterschrift. Eigenarten, die Hieronymus' Mißtrauen von vornherein wecken mußten. «Schicke mir diesen Brief unterzeichnet mit Deinem Namen oder höre auf, einen Greis zu reizen, der einsam und still in seiner Zelle lebt!» Und noch saurer mußte es Hieronymus machen, daß Augustin in seinen Episteln den berühmten Bibelexegeten, zwar höflich, doch entschieden, manchmal nicht ohne maliziöse Spitzen kritisiert, sogar «mit einer Lanze von der Schwere einer Falarica», eines mächtigen Wurfspeers also. «Aber wenn Du meine Worte scharf tadelst und Rechenschaft über meine Schriften forderst, wenn Du auf Änderungen bestehst, Widerruf verlangst und mir böse Augen zudrehst . . .» schreibt Hieronymus, der Augustin – zwei Heilige, zwei Kirchenlehrer unter sich – allenfalls nur «einen Nadelstich» verpaßte, nein, etwas, das «noch geringfügiger ist». Nicht zuletzt mochte es den Gefeierten verärgern, daß ihn Augustin ahnungslos ersucht hatte, seine Übertragung griechischer Bibelausleger ins Lateinische fortzusetzen, besonders des einen, den er in seinen Schriften am liebsten (!) zitiere, des Origenes, der inzwischen ja längst als «Ketzer» auf seiner schwarzen Liste stand.[77]

Freilich erkannte der Mann in Bethlehem, daß ihm dieser Afrikaner, der ihm eine weitere und verschärfte Kritik an seiner Bibelübersetzung schickte, gewachsen, daß er kein Rufin war, demgegenüber er als «vir trilinguis» (hebraeus, graecus, latinus) auftrumpfen konnte: «Ich, der Philosoph, Rhetor, Grammatiker, Dialektiker, Hebräer, Grieche, Lateiner, der Dreisprachige, du der Zweisprachige, der du eine solche Kenntnis des Griechischen und Lateinischen hast, daß dich die Griechen für einen Lateiner und die Lateiner für einen Griechen halten.» Nein, das ging hier nicht, und so kaschierte Hieronymus bei dem nun folgenden Schlagabtausch mehr oder minder seinen Zorn. Er sei gelaufen, schrieb er, habe seine Zeit gehabt, und da Augustin nun laufe und große Schritte tue, könne er sich Ruhe gönnen. Er bat den Bischof, ihn nicht zu belästigen, nicht einen Alten herauszufordern, der schweigen möchte, nicht mit seinem Wissen zu prunken und ihn selber nicht für einen «Anwalt der Lüge» zu halten, einen «Herold der Lüge». Es sei die bekannte «kindische Prahlsucht», berühmte Männer anzuklagen, um selber berühmt zu werden. «Reize auf dem Gebiet der Heiligen Schrift als Jüngling nicht den Greis, damit sich nicht an dir das Sprichwort erfülle: Der müde Ochse tritt schwerer auf.»[78]

Hieronymus, der es auch ablehnte, übersandte Augustin-Schriften zu kritisieren (er habe genug mit den eignen zu tun), ersuchte immer wieder Augustin, sich zu zähmen. Wolle er mit Gelehrsamkeit brillieren, sein «Licht leuchten lassen», gebe es versierte junge Leute genug in Rom, die bei einem Bibelstreit mit einem Bischof durchaus anzubinden wagen. Hieronymus, selber ohne Rang in der Hierarchie, was ihn noch mehr kränken mochte als Augustins aufkommender Ruhm, erinnerte auch an das seltsame Schicksal seiner ersten Briefe. Die so verspätete Zustellung sei (nach Meinung seiner Vertrauten, «wahre Diener Christi») Absicht, «Suche nach Ruhm und dem Beifall des Volkes . . . Viele sollten sehen, wie Du mich angreifst, während ich mich furchtsam verkrieche, wie Du, der Gelehrte, aus dem Vollen schöpfest, während ich, der Unwissende, nichts zu sagen wisse. Du solltest als der erscheinen, der meiner Geschwätzigkeit Schweigen gebot und die nötigen Zügel anlegte.» Augustins Schmeicheleien dagegen, äußert Hieronymus, sollten nur den Tadel seiner Person mildern. Dabei hatte er ihn nicht für fähig gehalten, «um ein bekanntes Wort zu gebrauchen, mich mit einem mit Honig bestrichenen Schwerte anzugreifen». Schließlich erklärte er ihn sogar für einen Anhänger der ebionitischen «Ketzerei». Augustin reagierte, wie von Anfang an, im allgemeinen beherrscht, doch ohne nachzugeben, und Hieronymus beantwortete seinen letzten Brief nicht mehr, focht aber gleichwohl Seite an Seite mit ihm gegen die «Ketzer».[79]

Was dabei ein Heiliger leistet, der selbst gegen Kirchenväter mehr oder minder rüd um sich schlägt, zeigt Hieronymus' kurze, nach eignem Bekenntnis in einer Nacht verfaßte Schrift ‹Gegen Vigilantius›, einen gallischen Priester, der zu Beginn des 5. Jahrhunderts ebenso klar wie leidenschaftlich den greulichen Reliquien- und Heiligenkult bekämpfte, alle Askese, das Mönchtum, Zölibat, wobei ihn auch Bischöfe unterstützten.

«Der Erdkreis hat vielerlei Ungeheuer hervorgebracht», eröffnet Hieronymus seinen Ausfall. «Nur Gallien nannte noch kein Ungeheuer sein eigen . . . Da erschien plötzlich Vigilantius, oder besser gesagt, Dormitantius, um mit seinem unreinen Geiste den

Geist Christi zu bekämpfen.» Und nun schimpft er Vigilantius, einen Abkömmling «von Räubern und zusammengelaufenem Volk», einen «verkommenen Geist», «Mann mit verdrehtem Kopf, würdig der Hippokratischen Zwangsjacke», «Schlafmütze», «Kneipwirt», «Schlangenzunge», «Lästermaul». Er attestiert ihm «teuflische Schliche», «treuloses Gift», «Gotteslästerung», «zügellose Schmähreden», «Geldsucht», «Trunkenheit», daß er «der Vater Bacchus» sei, «in den Kot ziehe», «statt des Kreuzbanners des Teufels Feldzeichen» führe. Er schreibt: «der lebende Hund Vigilantius». «O du Ungeheuer, das man an das Ende der Welt bringen sollte!» «O Schande! Er soll Bischöfe zu Genossen seiner Freveltat haben . . .». Er witzelt: «Du aber schläfst wachend und schreibst schlafend.» Er geifert, Vigilantius habe seine Bücher «im Weinrausch schnarchend gebrochen», speie «aus dem Abgrund seines Innern seinen kotigen Unflat heraus». Er zeigt sich entsetzt über Vigilantius' Schamlosigkeit. Hatte der doch bei einem plötzlichen Erdbeben um Mitternacht nackt seine Klosterzelle verlassen! Auch weiß der Freund der Eustochium, daß die «Schlafmütze ihren Lüsten die Zügel schießen läßt und den natürlichen Brand des Fleisches . . . durch ihre Ratschläge verdoppelt oder besser gesagt, zum Erlöschen bringt durch den Beischlaf mit Frauen. Schließlich unterscheiden wir uns durch nichts mehr von den Schweinen, es bleibt kein Abstand zwischen uns und den unvernünftigen Tieren, zwischen uns und den Pferden . . .» und immer so fort.[80]

Ähnlich rüd polemisiert Hieronymus auch gegen den in Rom tätigen Mönch Jovinian.

Jovinian hatte sich von radikaler Askese bei Wasser und Brot zu einer etwas weltfreundlicheren Lebensweise hin entwickelt und die Anklang findende, von ihm auch biblisch begründete Meinung vertreten, Fasten und Virginität seien keine besonderen Verdienste, Jungfrauen nicht besser als Ehefrauen, wiederholte Ehen erlaubt und die himmlischen Genüsse dereinst für alle gleich. Hieronymus dagegen folgerte aus dem Neuen Testament, die Ehe der Christen, die er freilich, wie die Dinge standen, nicht ganz verwerfen konnte, müsse eine Scheinehe sein. «Wenn wir uns vom Beischlaf enthalten, so halten wir die Weiber in Ehren. Wenn wir uns davon nicht enthalten, so tun wir offenbar ihnen an Stelle der Ehrenerweisung das Gegenteil, die Beschimpfung, an.» Er selbst aber, der frenetische Verherrlicher der Mönchsideale, beschimpfte Jovinian derart, daß ihm einer seiner römischen Freunde, Domnio, eine Liste der anstößigen Stellen der Schmähschrift zur Verbesserung oder doch Erklärung schickte, ja, daß selbst der Initiator seiner beiden Bücher ‹Gegen Jovinianus›, Pammachius, Schwiegersohn der Hieronymus-Freundin Paula, die Exemplare in Rom aufkaufte und einziehen ließ. Bezeichnend dabei wieder: Hieronymus wagte seine Traktate gegen Jovinian erst zu schleudern, nachdem diesen zu Beginn der neunziger Jahre des 4. Jahrhunderts zwei Synoden verdammt hatten; eine Synode in Rom unter Bischof Siricius, eine in Mailand unter Ambrosius, dem seinerseits Jovinians vernünftige Ansichten nur als «wildes Heulen» und «Gekläff» erschienen. Roch doch auch Augustin gleich «Ketzerei», appellierte an den Staat, ließ zur größeren Beweiskraft seiner Thesen den Mönch mit Bleiknuten auspeitschen und samt Genossen auf eine dalmatinische Insel stecken. «Nicht Grausamkeit ist, was man vor Gott mit frommem Herzen tut», schrieb Hieronymus.[81]

Hieronymus' «Hauptkunst» bestand tatsächlich darin, «seine Gegner samt und sonders als niederträchtige Lumpen erscheinen zu lassen» (Grützmacher).

Dies war der typische Polemikstil eines Heiligen, der etwa auch den Priester seiner Vaterstadt Stridon, Lupicinus, dessen Feind er geworden, beschimpft und dann mit dem Sprichwort verhöhnt: «Für ein Eselsmaul sind Disteln ein passender Salat.» Oder der den sittenstrengen, wirklich ethisch denkenden und hochgebildeten Pelagius, mit dem er einst befreundet war, einen von Haferbrei fetten Dummkopf nennt, einen Teufel, korpulenten Hund, «ein Riesentier und wohlgenährt und fähig, mehr noch mit den Pfoten als mit den Zähnen zu schaden. Dieser Hund stammt von der berühmten irländischen Rasse, nicht weit von Britannien, wie jeder weiß. Diesen Hund muß man mit einem Schlag des geistlichen Schwertes vernichten wie den Zerberus der Fabel, um ihn mit Pluto, seinem Meister, ewig zum Schweigen zu bringen.» Und derselbe Polemiker bezichtigt seine Gegner, «alle Irrlehrer»: «Wenn sie uns auch mit dem Schwerte nicht umbringen können, am Willen dazu fehlt es ihnen keineswegs.»[82]

Während der Gottesmann aber so mit dem weithin geachteten Asketen Pelagius umspringt, kann er Asketismus und Mönchtum, denen seine meisten Opera gelten, kraft unglaublicher Lügengeschichten derart verherrlichen, daß noch Luther in seinen Tischreden stöhnt: «Ich weiß keinen Lehrer, dem ich so feind bin als Hieronymo . . .» Kann er – sein literarisches Debüt – die Geschichte einer zeitgenössischen Christin berichten, die, angeblich zu Unrecht des Ehebruchs geziehen, von einem bösen, versteckt als Heide gezeichneten Richter, zum Tod verurteilt und, nach grausigen, mit allem Raffinement erfundenen Folterqualen, von zwei Scharfrichtern siebenmal vergeblich mit dem Schwert getroffen wird. Kann Hieronymus – «zu seiner Zeit der größte Gelehrte, den die christliche Kirche aufzuweisen hatte» (J. A. und A. Theiner) – einen Mönch schildern, der, in einer Grube liegend, nie mehr als täglich fünf Feigen ißt, oder einen, der seit 30 Jahren bloß von etwas Brot und schmutzigem Wasser lebt, oder er kann den sagenhaften Paulus aus der Thebais, an dessen Existenz er selber zweifelt, durch haarsträubende Histörchen in der Welt berühmt machen, zum Beispiel behaupten (während er die unverschämten Lügen andrer über Paulus verhöhnt), ein Rabe habe ihm 60 Jahre lang täglich ein halbes Brot gebracht – «bester Romancier seiner Zeit» (Kühner).[83]

Mit untrüglichem Instinkt erhob man diesen teils kaltblütig ehrabschneidenden, teils verlogen preisenden Hieronymus, der zeitweilig Berater und Sekretär von Papst Damasus, dann Klostervorsteher in Bethlehem, im Mittelalter sehr volkstümlich war, schließlich zum Patron gelehrter Schulen beziehungsweise theologischer Fakultäten und des Asketentums. Ja, leicht hätte auch Hieronymus Papst werden können. Zumindest bezeugt er selber, daß er nach dem Urteil fast aller für die höchste Priesterwürde bestimmt schien. «Ich wurde heilig genannt, demütig, beredt.» Doch seine innigen Beziehungen zu diversen Damen des römischen Hochadels erregten die Eifersucht des Klerus. Auch machte ihm der Tod eines jungen Mädchens, den das erzürnte Volk wohl kaum zu Unrecht durch das «detestabile genus monachorum» verursacht sah, unmöglich in Rom. Und so floh er, gefolgt bald von den Freundinnen, die Stadt seiner ehrgeizigen Träume.[84]

Noch im 20. Jahrhundert aber «glänzt» Hieronymus in dem großen ‹Lexikon für Theologie und Kirche›, von dem Regensburger Bischof Buchberger ediert, trotz gewisser «Schattenseiten», «durch Lauterkeit und Hoheit des Strebens, durch Ernst der Buße und unerbittliche Strenge gegen sich, durch aufrichtige Frömmigkeit und warme Liebe zur Kirche». «Bei den Besten seiner Zeit genoß er Hochachtung» (Schade). Ein so renommierter Theologe jedoch wie Carl Schneider, einer der hervorragenden Kenner des antiken Christentums, wirft heute dem zur höchsten Würde der Catholica aufgestiegenen Kirchenlehrer und Patron ihrer theologischen Fakultäten die «dümmsten Albernheiten» vor, die «gewissenlosesten Verleumdungen und Fälschungen», «verlogene Intrigensucht und krankhafte Eitelkeit, Triebhaftigkeit und Treulosigkeit», «Dokumentenfälschungen, geistige Diebstähle, Haßausbrüche, Denunziationen . . .»[85]

Gelegentlich bekennen die Kirchenführer des späten 4. Jahrhunderts selber den «inneren Krieg», in rhetorischen Aufschreien oder echten Klagen.

«Ich habe unsere Väter sagen hören», schreibt Johannes Chrysostomos, «früher, während der Verfolgungen, ja, da habe es wahre Christen gegeben.» Doch jetzt, fragt er, wie soll man da noch Heiden bekehren? «Durch Hinweis auf Wunder? Die geschehen nicht mehr. Durch das Vorbild unseres Wandels? Der ist durch und durch verderbt. Durch Liebe? Davon ist nirgends eine Spur zu entdecken.» Alles sei zerstört und vernichtet. «Wir, die von Gott gesetzt sind, die anderen zu heilen, bedürfen selbst der Heilung.»[86]

Ähnlich ruft Kirchenlehrer Gregor von Nazianz, der seinen geistlichen Ämtern sich immer wieder durch Flucht entzog: «Welch ein Unheil! Wir fallen übereinander her und verschlingen einander . . . Überall wird da der Glaube vorgeschoben; bei persönlichen Streitigkeiten muß dieser ehrwürdige Name herhalten. So kommt es natürlich, daß die Heiden uns hassen. Und, was das Schlimmere ist, wir können nicht einmal behaupten, daß sie unrecht haben ... Dies hat uns der innere Krieg beschert.»[87]

Und im Jahr 372 bekundet auch Kirchenlehrer Basilius sein Leid – verzweifelnd, eine Klage zu finden «so groß wie das Unglück»: «Die Ehrfurcht von Leuten, die den Herrn nicht fürchten, sucht den Weg zu den Kirchenämtern: schon winkt sichtlich der Vorsitz als Preis der Gottlosigkeit, so daß der größte Lästerer für das bischöfliche Amt als der Berufenste erscheint ... die Herrschsüchtigen das Geld der Armen nur zu eigenem Gebrauch und zu Geschenken vergeuden ... Unter dem Vorwande, als kämpften sie für die Religion, kämpfen sie verhohlen persönliche Feindschaften aus. Andere aber stacheln, um nicht wegen ihrer größten Schändlichkeiten zur Verantwortung gezogen zu werden, die Völker zu gegenseitigem Hader auf, damit bei der allgemeinen Schlechtigkeit ihre Schandtaten nicht auffallen.»[88]

Gewiß brandmarkt Basilius hier vor allem «das Übel der Häresie», das von den Grenzen Illyriens bis zur Thebais grassiere, schon «die Hälfte des Erdkreises» verschlungen habe. Doch *auch «Häretiker» sind Christen!* Und ausdrücklich nennt der Bischof «das Allerbeklagenswerteste, daß auch der Teil, der gesund zu sein scheint, in sich selbst gespalten ist», daß neben dem «Krieg von außen» noch der «innere Aufruhr» tobe, neben «dem offenen Kampf der Ketzer» auch der «unter den anscheinend Rechtgläubigen».[89]

Zum «Krieg von außen» aber, zum Streit gegen Juden und «Ketzer» und dem untereinander kam noch der gegen die Heiden.

4. KAPITEL

DER ANGRIFF AUF DAS HEIDENTUM ERFOLGT

«Die Heiligen sollen fröhlich sein . . . Ihr Mund soll Gott erheben; sie sollen scharfe Schwerter in ihren Händen halten, daß sie Vergeltung üben unter den Heiden, Strafe unter den Völkern, ihre Könige zu binden mit Ketten und ihre Edlen mit eisernen Fesseln, daß sie an ihnen vollziehen das Gericht . . . Halleluja!» Psalm 149,5 ff.

«Und wer da überwindet und hält meine Werke bis ans Ende, dem will ich Macht geben über die Heiden; und er soll sie weiden mit einem eisernen Stabe, und wie eines Töpfers Gefäß soll er sie zerschmeißen.»
Die Offenbarung des Johannes 2,26 f.

«Doch auch euch, allerheiligste Kaiser, wird der Zwang zu züchtigen und zu strafen aufgenötigt, und es wird euch durch das Gesetz des höchsten Gottes geboten, daß eure Strenge die Untat des Götzendienstes in jeder Weise verfolge.»
Kirchenvater Firmicus Maternus[1]

«Zwei Maßnahmen lagen Firmicus besonders am Herzen: die Zerstörung der Kultstätten und die Verfolgung der Andersgläubigen bis zum Tode.»
Karl Hoheisel[2]

BEKÄMPFTE DAS CHRISTENTUM Juden und «Ketzer» von Anfang an mit allem «heiligen» Zorn, so hielt es sich zunächst etwas zurück gegenüber den Heiden, von den christlichen Schriftstellern des 4. Jahrhunderts «Héllēnes» und «éthnē» genannt. Der sehr komplexe, sowohl den religiösen Kult wie die Intelligenz umfassende Begriff «Heidentum» schloß nur Christen, Juden und später Mohammedaner aus. Er entstammt natürlich nicht der Wissenschaft, sondern der Theologie, geht auf spätjüdisch-neutestamentliche Zeit zurück und ist entsprechend negativ abgestempelt. Im Lateinischen übertrug man ihn zunächst mit «gentes» (nach dem hl. Ambrosius: die «arma diaboli»), dann, als die Anhänger der alten Religion meist nur noch auf dem Land lebten, mit «pagani», «paganus». Das Wort zur Bezeichnung des Nichtchristen, erstmals in zwei lateinischen Inschriften des beginnenden 4. Jahrhunderts erscheinend, bedeutete im weltlichen Sprachgebrauch «ländlich», aber auch «zivil» im Gegensatz zu «militärisch». «Pagani», Menschen also, die nicht Soldaten Christi waren, wurde im Gothischen mit «thiudos», «haithns», übersetzt, im Althochdeutschen mit «heidan», «haidano», vermutlich: Wilder![3]

Mit diesen «Wilden» ging das Christentum anfangs ziemlich sanft um. Ein bemerkenswertes Faktum. Kündigt es doch die jahrtausendelange Taktik der Großkirche an, Majoritäten möglichst zu schonen, um, von ihnen geduldet, erst selbst überleben, dann sie, falls möglich, vernichten zu können. Bei Mehrheit: gegen Toleranz, ohne sie: dafür – der klassische Katholizismus bis heute! Freilich erklärte noch in unseren Tagen auch Karl Barth, der reformierte Theologe und religiöse Sozialist, die Religionen enthielten nichts als Abgötterei und müßten «vollkommen ausgerottet werden, um der Offenbarung Platz zu machen»[4].

Die Christen erschienen den Heiden zunächst nur als judaistische Sekte, jüdische Dissidenten, auf die man um so mehr die Abneigung gegen die Juden übertrug, als sie auch deren Intoleranz und religiösen Dünkel teilten, doch nicht einmal, wie diese, eine einheitliche Nation repräsentierten. Bald in ungezählte Gruppen zersplittert, galten sie den Altgläubigen überdies als «gottlos». Auch mieden sie das öffentliche Leben, was sie moralisch anrüchig machte. Kurz, man verachtete sie weithin, legte ihnen Pest und Hungersnot zur Last und schrie gelegentlich wohl auch: «Die Christen vor die Löwen!» – (für einen jüdischen Autoren, notiert Léon Poliakov: ein seltsam bekannter Ton). So schrieben die Kirchenväter der vorkonstantinischen Zeit religiöse Toleranz groß, so machten sie aus ihrer Not eine strahlende Tugend, verlangten fortgesetzt Kultfreiheit, Rücksicht, beteuerten ihre Langmut, Güte, behaupteten, noch auf Erden zu sein, doch schon im Himmel zu wandeln, alle zu lieben, keinen zu hassen, nichts Böses mit Bösem zu vergelten, Unrecht lieber zu ertragen als hervorzurufen, nicht zu prozessieren, zu rauben, zu schlagen, zu töten.[5]

War bei den Heiden auch beinah alles «schändlich», fanden die Christen sich selber «rechtschaffen und heilig». «Und weil sie wissen, daß jene im Irrtum sind, lassen sie sich von ihnen schlagen . . .» Athenagoras belehrt um 177 die heidnischen Kaiser, «daß man einem jeden die Götter seiner Wahl lassen muß». Um 200 plädiert auch Tertullian für Religionsfreiheit; der eine möge zum Himmel, der andere zum Altar der Fides beten, der eine Gott verehren, der andere den Jupiter; es sei «ein Menschenrecht und eine Sache natürlicher Freiheit für jeden, das zu verehren, was er für gut hält, und die Gottesverehrung des einen bringt dem anderen weder Schaden noch Nutzen . . .» Origenes nennt noch eine lange Reihe von Gemeinsamkeiten heidnischer und christlicher Religion, um deren eignes Renommee zu heben, duldet auch keinerlei Schmähung der Götter, selbst nicht bei eklatantem Unrecht.[6]

Manche Kirchenväter mögen so aus Überzeugung, manche aus Kalkül nur und Opportunismus gesprochen haben.

Die antiheidnische Thematik im frühen Christentum

Doch wie sehr auch immer sie Freiheit der Religion postulierten – wie sie Juden und «Ketzer» angriffen, so auch die Heiden. Die Polemik dagegen, sporadisch, fast zufällig erst, nimmt bald einen breiten Raum ein, und seit Ende des 2. Jahrhunderts, als man sich schon stärker fühlt, geht man entschiedener vor. Bereits aus der Regierungszeit Marc Aurels (161–180) kennt man die Namen von sechs christlichen Apologeten sowie drei Apologien (von Athenagoras, Tatian, Theophilos).[7]

Die antiheidnischen Themen sind zahlreich, doch (auch später noch) meist arg zerstreut. Sie betreffen die pagane Theogonie und Mythologie, den Polytheismus, das Wesen der Götter, die Beschaffenheit ihrer Bilder, ihre Manufaktur, den teuflischen Ursprung des «Götzendienstes». Er galt als schwerstes Verbrechen für Christen und führte in den ersten drei Jahrhunderten zum Ausschluß.[8]

Die Argumentation im frühchristlichen Schrifttum – und darüber hinaus – ist wahrlich nicht überwältigend, auch literarisch «erfolglos» (Wlosok). Sie hat kaum Einfluß auf die öffentliche Meinung oder gar die Politik, und sie gleicht sich – ein trüber, öder, geistarmer Strom – meist zum Verwechseln durch die Jahrhunderte. Dabei stehen viele Einwände der Christen bei den Heiden selbst, gewisse Vorwürfe, von Kirchengeschichtler Euseb, von Kirchenlehrer Athanasius, oft bereits bei den Vorsokratikern! Nicht zuletzt waren die Skandalchroniken des Götterhimmels, allzu obszöne Züge der Mythologie, schon in vorchristlicher Zeit immer wieder aufs Korn genommen worden, doch auch die bildlichen Darstellungen der Kultgötter längst und heftig umstritten.[9]

Die antiken Mythen empfanden die Christen als anstößig, schreiendes Ärgernis, weil «unmoralisch»; übervoll von «amores», «cupiditas», Lastern.

Arnobius von Sicca, der Lehrer des Laktanz, wirft in sieben pathetisch weitschweifigen Büchern ‹Gegen die Heiden› deren Göttern ein Geschlecht «wie an Hunden und Schweinen» vor, «schamwürdige Glieder, die auch nur mit Namen zu nennen der schamhafte Mund verabscheut». Er tadelt, daß sie «nach Art des zuchtlosen Viehs» sich der Leidenschaft ergeben, «mit rasender Begier dem wechselseitigen Verkehr», dem «Unflat der Begattung». Arnobius präsentiert, gleich andren «Vätern», ganze Listen allerhöchster Amouren, Jupiter entbrenne für Ceres, er begatte Leda, Danae, Alkmene, Elektra, tausend sonstige Jungfrauen und Frauen, den Knaben Catamitus – «überall muß Jupiter dran . . ., so daß es den Anschein hat, als wäre der Unglückselige nur dazu geboren, die Saat der Verbrechen, der Stoff zu Beschimpfungen und der Gemeinplatz zu sein, in welchen sich aller Unflat aus den Theater-Cloaken ergieße», aus Theatern, die so Arnobius, eigentlich niedergerissen, zerstört werden müßten, wie auch viele Schriften und Bücher verbrannt.[10]

Denn bricht ein Gott die Ehe, ist das tausendmal schlimmer als schickt einer die Sintflut! Die Göttergeschichten Homers oder Hesiods erschienen den Christen sagenhaft lächerlich. Schwängerte jedoch der Heilige Geist eine Jungfrau ohne Verletzung ihrer Jungfrauschaft, so bewies dies todernst einer der berühmtesten Katholiken der Antike, Ambrosius (dessen «Größe» freilich «nicht in der Originalität der Gedanken liegt»: Wytzes), durch die Geier, die gleichfalls ohne Geschlechtsverkehr zu ihren Jungen kommen. «Für unmöglich will man bei der Gottesmutter halten, dessen Möglichkeit man bei den Geiern nicht in Abrede stellt? Ein Vogel gebiert ohne Männchen, und niemand widerspricht dem: und weil Maria als Verlobte geboren hat, stellt man die Keuschheit in Frage.» Daß Heiden ein Götterbild begraben, beklagen und umjubelt wieder auferstehen lassen, war erneut zum Lachen für die Christen – ihre eigene Karfreitags- und Osterliturgie aber hochheilig. Kein Jota weniger seriös als der Auferstehungsbeweis wieder des hl. Ambrosius: die Metamorphose der Seidenraupe, der Farbwechsel des Chamäleons und des Hasen sowie die Wiederauferstehung des Vogels Phönix![11]

Die Christen verdachten den Altgläubigen, daß sie das Geschöpf statt des Schöpfers anbeten, und eine stets wiederkehrende «Enthüllung» war die Beschaffenheit der Götterbilder: «Vor dem Machwerk seiner Hände fällt man nieder», jammert schon Jesaia. «Sie haben Mäuler und reden nicht», höhnt Psalm 115, «sie haben Augen und sehen nicht, sie haben Ohren und hören nicht, sie haben Nasen und riechen nicht . . .» In Wirklichkeit identifizierte die antike Religion diese Bilder gar nicht mit den Göttern. Sie waren nur «symbolhafte Repräsentationen, aber nicht die Gottheiten selbst» (Mensching). Doch für die Christen waren die Götter «tot und nutzlos» (Aristides), konnten sie «weder sehen noch hören noch wandeln» (Offenbarung des Johannes). Und nach Gregor von Nyssa, einem katholischen Startheologen jener Zeit, übertrug sich die Bewegungslosigkeit der Götterstatuen sogar auf ihre Verehrer! Ja, diese Götzen, ein «leeres Nichts», wie Kirchengeschichtler Euseb erkannte, verbargen «viel Schändlichkeit». Sie waren mit Knochen, Abfall, Stroh ausgestopft, eine Zuflucht von Insekten, lichtscheuen Schaben, von Mäusen, nistenden Vögeln. Minucius Felix, Clemens von Alexandrien, Arnobius und andere malen die Verunreinigung der heiligen Bildnisse mehr oder weniger aus – «wie unter dem Gewölbe der Tempel die Schwalben umherfliegen, den Kot fallen lassen, und bald die Köpfe, bald das Antlitz der Gottheit besudeln, den Bart, die Augen, die Nase . . . Errötet also vor Scham . . .» Die Götter, spottet Arianerbischof Maximin, werden von Spinnen und Würmern ruiniert. Und das «Martyrium Polycarpi» sieht sie gedüngt mit Hundedreck.[12]

Furchtbar wie ihre Verehrung, Beschaffenheit: ihre Produktion. Tertullian stellt sie, mit Ehebruch und Hurerei, an die Spitze aller Todsünden. Denn scharfsichtig bemerkten die Christen: die Götter waren gehauen, geschnitzt, gehobelt, geleimt – «in Töpferofen brannte man sie, mit Dreheisen und Feilen glättete man sie, mit Säge, Bohrern und Äxten schnitt, behaute, mit dem Hobel ebnete man sie. Ist das also kein Irrwahn?» Und manchmal stammten sie «vielleicht» gar «aus dem Schmuck der Huren, dem Putz der Weiber, aus Kamelknochen . . .» (Arnobius). Athenagoras behauptet, man kenne noch den Produzenten eines jeden Gottes; ganz verkommene Künstler, nach Origenes, dieselbe Sorte wie Gaukler und Giftmischer. Sie steckten voll jeder Schlechtigkeit, wußte Justin, der hl. Judenfeind (S. 127), verführten auch ihre jungen Sklavinnen, die Helfershelfer beim teuflischen Werk.[13]

Viele antiheidnische Vorwürfe, wenn nicht die meisten, ließen sich natürlich genauso gegen die Christen wenden.

Wie Clemens von Alexandrien oder Arnobius berichten, schuf mancher Künstler Götter nach menschlichen Modellen, selbst nach «ehrlosen Dirnen»; Praxiteles etwa die knidische Aphrodite nach seiner Geliebten Cratina. Aber entstanden Madonnen- und Heiligenbilder, Figuren der biblischen Geschichte, nicht analog? Malte Fra Filippo Lippi die Nonne Lucrezia Buti (seine spätere Frau, von ihm 1456 entführt) nebst Kind nicht wiederholt als Maria mit dem Jesusknaben? Verewigte Dürer die Kebsweiber des Mainzer Kardinals Albrecht II. (1514–1545), Käthe Stolzenfels und Ernestine Mehandel, nicht als Töchter Loths, Lukas Cranach die Ernestine als «hl. Ursula», Grünewald die Käthe als «hl. Katharina in der mystischen Ehe»? Minucius Felix, ein in Rom tätiger Anwalt aus Afrika, kritisiert das Mitführen von Götterbildern in heidnischen Prozessionen. Doch trug man bei christlichen Umzügen schließlich ganze Scharen von Heiligen mit – Erzbischof Albrecht von Magdeburg im Reliquienschrein als «lebendige Heilige» gar eine Kurtisane. Und sieht Bischof Euseb im Aufstellen der Götter Betrug an Kindern, an unreifen Erwachsenen, was dürfen wir in millionenfach präsentierten heiligen Gipsköpfen sehn?[14]

Weiter: Die antiheidnische Polemik verabscheut das Verneigen vor Werken von Menschenhand – die Christen selber aber verneigen sich vor Christus und den Heiligen. Sie verhöhnen das Küssen von «Götzen» – und küssen selber Heiligenbilder, Reliquien. Sie erklären, das Erscheinen der Götter beweise nicht ihre Existenz –

beweist das Erscheinen Christi die seine? Augustin trumpft auf:
die «Götzenbilder» schützen Menschen nicht im Krieg – die
Heiligenbilder? Clemens, Arnobius und andere verhöhnen Tem-
pelbrände, die Zerstörung von Tempeln – allein dem Zweiten
Weltkrieg fielen Tausende von Kirchen zum Opfer. (Und ihren
Blitzableiter belächelte schon Lichtenberg.) Die Christen meinen,
das Material der Götter könnte Besserem dienen; die Götter
müssen vor Dieben gesichert werden «unter mächtigen Schlös-
sern und ungeheuren Riegeln, unter Schranken, Schrauben»
(Arnobius) – die christlichen Kirchenschätze auch. Kein Gottvertrauen! Die Christen kritisieren, die römische Religion, das
römische Reich seien durch Verbrechen entstanden – ja, die
christlichen Kirchen, die christlichen Reiche nicht?[15]

Was hinter der Idolatrie stand, war natürlich der Teufel, ein
ganzes Heer unreiner Wesen. Von Anfang an geistergläubig und
magieverseucht, nicht anders als die Heiden, glaubten die Christen den Götterkult geradezu von Dämonen verursacht; manche,
wie Tertullian, sahen damit auch den Zirkus verbunden, das
Theater, Amphitheater, Stadion. Nur die Dämonen, behaupten
die Kirchenväter, seien es, die den Trug der Götter erzeugen, die
Heiden täuschen, sie abhalten von der Anbetung des Christengottes, die das hl. Kreuz im Götterbild parodieren, die Orakel zu
ihren Werkzeugen, die Idole zu ihren Schlupfwinkeln machen, die
heidnischen Wunder bewirken, die Dichter mit Lügengeschichten
füttern – und sich selber mit dem Blut- und Fettdampf der kulti-
schen Opfer.[16]

Bezeichnend aber eben, daß all dies Abtun, Anklagen, Verspotten erst allmählich zunimmt, schärfer wird, daß man anfangs, als
verschwindende Minderheit, noch leidlich gute Miene macht
zum bösen Spiel. Beinah die ganze Welt war heidnisch, und gegen
die Übermacht tritt der Christ meist kleinlaut auf, ja, mit ihr, muß
es sein, arrangiert er sich, aber nur um sie eines Tages liquidieren
zu können.

Auch dies zeigt bereits wieder der älteste christliche Autor.

Kompromisse und Heidenhass im Neuen Testament

Die Predigt des Paulus gegen Heiden ist meist maßvoller als die gegen «Ketzer» und Juden. Nicht nur einmal spielt er die Heiden gegen die Juden aus (S. 124). Wiederholt wendet er sich ostentativ «den Heiden zu». Wie er denn selbst «der Heiden Apostel» sein will, die Heiden «Miterben» nennt, «den Heiden das Heil» verheißt, auch die (heidnische!) Obrigkeit preist, die «von Gott» sei, «Gottes Ordnung» repräsentiere und «das Schwert nicht umsonst» trage (das seinen eignen Kopf doch abschlug – und immerhin dreimal traf ihn, trotz seines Bürgerrechts, die römische Strafe des Peitschens. Und siebenmal sperrte man ihn ein).[17]

Freilich kann auch Paulus schon kein gutes Haar an den Heiden lassen; sieht er sie «wandeln in der Eitelkeit ihres Sinnes, verfinstert im Verstande», in «Unwissenheit», «Stumpfheit», «Verstockung», in «Ausübung jeglicher Unlauterkeit», «jeder Ungerechtigkeit, Bosheit, Habsucht, Schlechtigkeit, voll Neid und Mord», sie sind, sagt Paulus, «nach Gottes Recht des Todes würdig»! Auch hat «Götzendienst» – ganz in der Tradition des ihm so verhaßten Judentums – Unzucht und Habgier zur Folge, «Götzendiener» nennt er wiederholt in einem Atemzug mit Räubern. Doch schimpft er sie auch Lästerer, Unzüchtige, Trunkenbolde, Ohrenbläser, Verleumder, Gottesverächter. Und so warnt er vor ihren Festen, untersagt die Teilnahme am Kult ihrer «Götzen», ihrer sakramentalen Mähler, an «der Teufel Gemeinschaft», «der Teufel Kelch», dem «Tisch der Teufel» – starke Worte. Und ihre Philosophen? «Da sie sich für weise hielten, sind sie zu Narren geworden.»[18]

Doch auch sonst lodert im Neuen Testament schon der Haß auf das Heidentum.

Ohne Zögern setzt der 1. Petrusbrief den altgläubigen Lebenswandel gleich mit «Trunkenheit, Fresserei, Sauferei und greulichem Götzendienst». Die Offenbarung des Johannes schmäht Babylon – ein Name, der für Rom und römische Herrschaft steht – «Behausung der Teufel», «Gefängnis aller unreinen Geister».

Sie stellt die «Götzendiener» sogar neben die Mörder, neben «die Ungläubigen und Frevler und Totschläger», die «Unzüchtigen und Zauberer . . . und alle Lügner, deren Teil wird sein in dem Pfuhl, der mit Feuer und Schwefel brennt». Denn Heidentum, «das Tier», gehört dorthin, «wo der Satan wohnt», des «Satans Thron ist». Also soll der Christ die Heiden weiden «mit einem eisernen Stabe, und wie eines Töpfers Gefäß soll er sie zerschmeißen». Alle frühchristlichen Schriftsteller, selbst, betont E. C. Dewick, die liberalsten, übernehmen «diese kompromißlose Feindschaft»[19].

Die Diffamierung des Kosmos, der paganen Religion und Kultur (Aristides, Athenagoras, Tatian, Tertulilian, Clemens u. a.)

Etwa Mitte des 2. Jahrhunderts brandmarkt einer der frühesten Apologeten, Aristides (in einer erst 1889 im Katharinen-Kloster auf dem Sinai entdeckten Apologie) die Vergöttlichung des Wassers, des Feuers, der Winde, der Sonne, nicht zuletzt die Verehrung der Erde – ein Ort für «den kotigen Unflat von Menschen, wilden und zahmen Tieren . . . die blutige Unreinigkeit Ermordeter», ein «Leichenbehälter». Doch trifft der besondere Zorn dieses Christen – wie noch vieler unserer Zeit, die «the obscure and tortuous cloak of Egyptian mythological language» (McKenzie) verspotten – die Ägypter. Denn sie, weil «einfältiger und unvernünftiger als alle Völker der Erde», haben selbst das Tier geheiligt (wobei religionsgeschichtlich fraglich ist, ob man je Tiere als solche für Götter hielt und nicht nur für deren Erscheinungsformen). Den Kirchenmännern aber schien dies der Skandal schlechthin und jedes Tadels wert. Immer aufs neue entrüsteten sie sich über die Anbetung theriomorpher Götter, die Verehrung von Fisch, Taube, Hund, Esel, von Rinds- und Widderköpfen, aber auch von Knoblauch und Zwiebeln. «Und nicht merken die Elenden bei all diesen Dingen, daß dieselben nichts (!) sind . . .»[20]

Das ganze Tierreich – nichts! Die Pflanzenwelt: nichts! Die Lust: nichts! Und die Götterwelt: «Irrwahn», «gottloses, lächerliches und albernes Gerede» – «alles Böse, Häßliche und Scheußliche» herbeiführend: «eine große Lasterhaftigkeit», «langwierige Kriege, große Hungersnöte, bittere Gefangenschaft und vollständige Entblößung», all das bricht wegen des Heidentums, «einzig aus diesem Grunde», über die Menschen herein.[21]

Im späteren 2. Jahrhundert sieht auch Athenagoras aus Athen Gott, den Vater der Vernunft, in vernunftlosen Geschöpfen, das Göttliche in Bildern von Menschen, sogar von Vögeln und Kriechtieren, verehrt. Doch ist der Christ vorsichtig, erklärt, «daß man einem jeden die Götter seiner Wahl lassen muß»; versichert, ihre Bilder nicht vorsätzlich anzugreifen, leugnet nicht einmal deren wundertätige Wirkung – ähnlich übrigens selbst Augustin! Und wie demütig noch, fast devot, ersucht Athenagoras in seiner «Bittschrift für die Christen» die Heiden Marc Aurel und Commodus «um Nachsicht», preist ihre «weise Regierung», «Güte und Milde», «unbegrenzte Friedsamkeit und Menschenliebe», ihren «Wissensdrang», ihre «Wahrheitsliebe», «Wohltaten», ja, gibt ihnen Ehrentitel, die ihnen gar nicht zukommen.[22]

Zur selben Zeit aber, um 172, richtet im Orient Tatian, der Syrer, bereits eine aufreizende Philippika an das Heidentum. Denn für den (in Rom Christ gewordenen) Schüler des hl. Justin und nachmaligen Führer der «ketzerischen» Enkratiten, für den «Barbarenphilosophen Tatian», wie er sich selber nennt, sind Heiden Angeber, Nichtwisser, Streithähne und Speichellecker. Sie sind voll von «Dünkel» und «prunkenden Phrasen», sind geil und lügen. Ihre Einrichtungen, ihre Sitten, ihre Religion und Wissenschaft, alles ist «albern», «vielfältige Torheit», «wahnwitzig». In seiner «Rede an die Bekenner des Griechentums» verunglimpft Tatian die «Großsprecherei der Römer», die «Windbeutelei der Athener», die «zahllose Menge eurer nichtsnutzigen Dichterinnen, Buhldirnen und Taugenichtse». Der einstige Sophistenschüler wirft dem Diogenes «Unmäßigkeit» vor, dem Platon «Völlerei», Aristoteles «Unwissenheit», Pherekydes und Pythagoras «Altweibergeschwätz», Empedokles

«Prahlerei». Die Sappho ist «ein unzüchtiges, liebestolles Frauen-zimmer», Aristippos «ein scheinheiliger Lüstling», Heraklit «ein hoffärtiger Autodidakt», kurz: «Lärmer sind sie, keine Lehrer», höhnt der Christ, «in Worten großmäulig, aber im Erkennen schwachsinnig», und sie «gehen mit Nägeln umher wie die wilden Tiere»[23].

Tatian verdonnert die antike Rhetorik, die Schule, das Theater, «diese Hörsäle, die . . . mit Vorträgen von Schweinereien ergöt-zen»; er reißt selbst die Plastik herunter (wegen ihrer Thematik, ihrer Modelle), und stets von neuem, was heute noch die Welt bewundert, griechische Dichtkunst und Philosophie; wobei er immer wieder der heidnischen «Windbeutelei», «Torheit», «Krankheit» die christliche «Weltweisheit» konfrontiert, den «Kampf- und Truglehren verblendeter Dämonen» die «Lehren unserer Wissenschaft».

Jeder, der Philosophie schätze, behauptet Tatian, der gehe in die Kirche. «Wir sind ja keine Narren, ihr Anhänger der Grie-chenlehre, und wir reden keine Possen», «und *wir* lügen nicht», «albern ist *euer* Geschwätz . . .» Zu «der Wahrheit, deren He-rold ich bin», gehörte auch Tatians Greuelmärchen, die Heiden äßen Fleisch von Christen, um deren Auferstehung zu verhin-dern![24]

Mit dieser Rede – «eine einzige vernichtende Anklage gegen die gesamten Leistungen des hellenischen Geistes auf sämtlichen Ge-bieten» (Krause) – beginnt jene unflätige Herabsetzung der gan-zen heidnischen Kultur, der dann deren Verfemung, fast Verges-senheit im Abendland durch mehr als ein Jahrtausend folgt. Doch während ein kritischer Forscher wie Johannes Geffcken den Syrer Tatian einen «orientalischen Bildungsfeind», «affektierten Heuchler», «prahlenden Aftergelehrten» nennt, einen «seichten Denker» und «verlogenen Menschen von äußerst geringer Ehr-lichkeit gegen andere und sich selbst», verteidigt man auf katho-lischer Seite, gleichfalls noch im 20. Jahrhundert, die «Schönheit und Nützlichkeit» des Hauptinhalts der zitierten Schrift, von der schon im 4. Jahrhundert Kirchengeschichtsschreiber Euseb be-richtet, daß sie bei vielen «den größten Ruhm genießt». Scheint sie doch auch diesem Bischof «das schönste und nützlichste von allen Werken Tatians zu sein»[25].

Tatian aber steht nur in jener Front der antiken Kirche, die von dem hl. Ignatius (der jeden Kontakt mit heidnischer Literatur, auch beinah den ganzen Schulunterricht verwirft) und dem genauso denkenden Bischof Polykarp von Smyrna zu Kirchenschriftsteller Hermias führt und seiner ebenso rüden wie dürftigen, «Verspottung der heidnischen Philosophen», zu Kirchenvater Irenäus, dem antiochenischen Bischof Theophilus und anderen, die die gesamte antike Philosophie hassen, verdammen als «lügenhafte Flunkerei», als «Abenteuerlichkeit, Unsinn oder Wahnwitz oder Absonderlichkeit oder alles zugleich». Sämtliche Repräsentanten der griechischen Kultur verbreiten, laut dem hl. Theophilus, einem sehr bescheidnen Geist, doch auf einem der angesehensten Bischofssitze, nur «Wortschwall», «nutzloses Gerede», sie haben «nicht einmal den geringsten Funken der Wahrheit», «auch nicht das kleinste Körnlein davon gefunden»[26].

Tertullian bläst ins gleiche Horn. Zwar kann er, doppelzüngig, wie es Christen zusteht, auch für Toleranz eintreten, zu Jupiter und zum Altar der Fides beten lassen, kann er dagegen protestieren, daß man «jemand die Freiheit der Religion nimmt und ihm die freie Wahl seiner Gottheit verbietet». Doch höhnt er auch: was haben ein Philosoph und ein Christ, der Schüler Griechenlands und der des Himmels, der Verfälscher der Wahrheit und ihr Erneuerer, ein Dieb und der Wächter der Wahrheit gemeinsam? So lehnt er im allgemeinen, wiewohl selbst davon lebend, rigoros Philosophie ab, ja, bricht den Stab über die griechische Kultur insgesamt. Mit Christentum habe sie nichts zu tun, wohl aber mit Ohrenkitzel, Torheit, Dämonentum, und nähere sie sich einmal der Wahrheit, sei es Zufall oder Diebstahl![27]

Als Inbegriff der Sünde aber, als Gipfel von sieben Kapitalverbrechen, die Tertullian den Heiden generell unterstellt, erscheint ihm der Kult der Götter – im wesentlichen ja nicht mehr, aber auch nicht weniger meist als personifizierte und eben divinisierte Kräfte der Natur oder sexueller Potenz. Doch wie kaum ein andrer früher Christ bekämpft Tertullian gerade diesen Kult fast

systematisch. Befriedigt konstatiert er den geringen Respekt der
Heiden vor ihren eigenen Idolen, eignen Religionsgebräuchen. Er
nimmt die Leblosigkeit der Götter aufs Korn, die Unwürdigkeit
ihrer Mythen, er spottet, macht lächerlich, er empört sich darüber, daß ein Christ nirgendwo hingehen könne, ohne auf Götter
zu stoßen. Er verbietet Christen jede Tätigkeit, die mit dem
«Götzendienst» auch nur zu tun hat, das Anfertigen von Götterbildern und deren Verkauf ebenso wie alle Berufe, die dem Heidentum dienen, einschließlich des Militärdienstes.[28]

Selbst ein Freund griechischer Philosophie aber wie Clemens
Alexandrinus verunglimpft um die Wende zum 3. Jahrhundert in
seiner «Mahnrede an die Heiden» all die «hochgeehrten Mythen», «die gottlosen Heiligtümer», «auch des sonstigen Wahrsa-
gens, vielmehr Wahnsinns wertlose Orakelstätten», alles «wahrlich wahnwitzige Sophistenschulen für ungläubige Menschen und
Spielhöllen voll von vollendetem Irrwahn». Auch was die «Mysterien der Gottlosen» betrifft, will Clemens den in ihnen «verborgenen Schwindel aufdecken», «ihren heiligen Wahnsinn».
Sind doch auch diese «Orgien voll von Betrug», «völlig un-
menschlich», «Samen des Unheils und des Verderbens», gottlose
Kulte, die offenbar nur wirken «auf die ärgsten Barbaren unter
den Thrakern, auf die größten Dummköpfe unter den Phrygern,
auf die Abergläubischen unter den Griechen»[29].

Alles, was wirklich schön ist, voller Sinn, die Heiligung der
Gestirne, der Sonne, zu der besonders die Perser beteten, die
Heiligung der Erde, ihrer Pflanzen, Früchte, des Wassers, das vor
allem bei den Ägyptern (lange dort nur das Nilwasser) Verehrung
fand, nicht weniger als Erotik und Sexualität, verabscheut dieser
Kirchenvater wie schon vor ihm Aristides (S. 192 f) und nach ihm
etwa Firmicus Maternus oder Kirchenlehrer Athanasius in seiner
«Oratio contra gentes», worin dieser Bischof nicht nur die Vergöttlichung von Bildern, Menschen, Tieren verteufelt, sondern
auch die der Sterne und Elemente, dabei die Grundlage aller
paganen Frömmigkeit in nichts anderem sehend als in sexueller
Ausschweifung, in Amoral.[30]

Die antiken Christen hatten meist wenig Verständnis für den

faszinierenden, vom Heidentum gefeierten Kreislauf der Vegeta-
tion, seine naturmythologische, auf uralte Fruchtbarkeitssymbo-
liken zurückgehende Ausdeutung, die Teilnahme am tellurischen,
kosmischen Geschehen, den zutiefst frommen Widerhall, den
Schönheit und Fülle des Daseins in jenen Menschen bewirkten.
«Alles was diese Götter betrifft», schreibt Plutarch von der ägyptischen Religion, «wird mit dem Pflügen, Säen und dem Aufsprie-
ßen der Feldfrüchte in Beziehung gesetzt.» Sie waren, wie viele
andre, Symbolfiguren für Werden und Vergehen.[31]

Doch auch Clemens von Alexandrien erkennt in den Vereh-
rungsformen für Sonne, Mond und Sterne, für die Erde mit ihrer
Fruchtbarkeit, ihren Freuden, nichts als «Höhepunkte der Torheit», «Gottesleugnung und Aberglauben», «die schlüpfrigen und
gefährlichen Abwege von der Wahrheit, die den Menschen vom
Himmel herabführen und in den Abgrund stürzen lassen». «Wehe
über solche Gottlosigkeit!» ruft Clemens. «Warum habt ihr den
Himmel verlassen und die Erde geehrt? . . . Habt ihr (denn ich
will es noch einmal wiederholen) . . . die Frömmigkeit auf den
Erdboden herabgezogen . . . Ich bin aber gewohnt, die Erde mit
meinen Füßen zu treten, nicht sie anzubeten.»[32]

Hier, wo die Erde getreten, mit Füßen getreten wird, dröhnt
geradezu – deutlicher noch als bei Aristides – das Echo des
alttestamentlichen «Machet sie euch untertan!» Hier bricht etwas
mehr und mehr Verheerendes, in seinen Folgen kaum zu Über-
schätzendes ein. Hier tritt an die Stelle des «natürlichen Kosmos»
ein «kirchlicher Kosmos», ein radikal religiöser Anthropozentris-
mus, dessen vielfältige Fortwirkungen und «Fortschritte» die
mittelalterliche Kirchenherrschaft überdauern und hinführen,
wie A. Hilary Armstrong anschaulich schreibt, zu «a wholly
man-centred technocratic paradise, which is beginning to look to
more and more of us more and more like hell»[33].

Der protestantische Theologe Albrecht Peters aber rühmt vielsagend noch 1968 mit ausdrücklichem Bezug auf den erwähnten
Bibelauftrag: «Indem der Mensch in der Gottesbegegnung zugleich befreit wurde von den kosmischen Elementarmächten,
vom Zwang zur Vergötzung des Welthaft-Zuhandenen, indem

ihm im Gegenüber zu dem *einen* Gott die *eine* Welt zur Einheit zusammenwuchs ... gewann der Mensch die Möglichkeit zur *Säkularisation*, erhielt er die innere Freiheit . . ., sich der so entzauberten (!) Welt auch technisch zu bemächtigen ... Diese Säkularisation im Raume des Christentums übertrifft alle früheren Säkularisierungserscheinungen an innerer Stoßkraft und reißt in ihrer technischen Weltbewältigung alle Kulturen in ihren Strudel hinein.»[34]

Wie die Verherrlichung des Kosmos, so wird durch Clemens Alexandrinus auch die der Sexualität verteufelt, zumal sie mit dem paganen Kult, systematisch im «Protreptikos» bekämpft, eng zusammenhängt, «mit euren Dämonen und Göttern und Halbgöttern, wenn welche so heißen, so wie man von Halbeseln (Mauleseln) spricht». In ihren Häusern, empört sich Clemens, der die Götter mit Teufeln gleichsetzt, stellen die Heiden «die unreinen Gelüste der Dämonen in Bildern dar», weihen sie «Denkmäler der Schamlosigkeit den Göttern», «kleine Panfiguren und nackte Mädchen und trunkene Satyrn und aufgerichtete Zeugungsglieder» – «bei der Tugend seid ihr Zuschauer, bei der Schlechtigkeit aber Wettkämpfer geworden». «O wie offenbar ist die Schamlosigkeit!»[35]

Konnte schon Clemens so erklären, «jede Handlung eines Heiden ist sündhaft», konnte er jenen, «die Götzen anbeten», schon unterstellen, was bald, Wort für Wort, ungezählte christliche Mönche auszeichnen wird: «schmutziges Haar, dreckige, zerlumpte Kleider, sie haben noch nie etwas von einem Bad gehört, ihre langen Nägel gleichen den Krallen der wilden Tiere», konnte schon Clemens die alten Heiligtümer «nur Gräber und Gefängnisse» schimpfen, konnte schon er vom Götterbild der Ägypter sagen, es sei ein Tier, das in eine Höhle passen würde oder auf einen Misthaufen, so wird man sich kaum wundern, fällt das Christentum nach seinem Sieg die Heiden in bisher unerhörter Weise an.[36]

Auch die Synode von Elvira zwar hatte schon zu Beginn des 4. Jahrhunderts eine lange Reihe antipaganer Bestimmungen erlassen – Verfügungen gegen «Götzenkult», heidnische Magie, heidnische Bräuche, gegen die Verheiratung von Christinnen mit Heiden, mit deren Priestern – und dafür hohe und höchste Kirchenstrafen verhängt. (Für heidnischen Kult – wie für Totschlag und Unzucht – Verweigerung der Kommunion selbst in articulo mortis.) Doch ungeachtet solcher Verbote dämmte das Konzil allzu krasse Bekundungen der Frömmigkeit wenigstens insofern ein, als Kanon 60 keinen als Märtyrer anerkannte, der beim Zertrümmern von «Götzenbildern» umgekommen war.[37] Schließlich galt das Christentum noch immer nicht als erlaubte Religion.

Nach dem Umsturz aber schlägt man ganz andere Töne an. Im Konflikt mit den Altgläubigen beginnt nun die große Wende, markiert durch das Jahr 311, als Kaiser Galerius das Christentum, wenn auch widerwillig, akzeptiert (S. 205), und durch das Jahr 313, seitdem Kaiser Konstantin dieser Religion immer mehr seine Sympathie samt einer Fülle von Vorrechten schenkt (S. 224 f, 235 ff). Verbündet mit der stärksten Macht der Welt, ändert sich jetzt nicht nur der Ton der christlichen Traktate, sondern zum Teil auch ihre Sehweise beträchtlich und fast wie über Nacht.[38]

DIE CHRISTENVERFOLGUNGEN IM SPIEGEL KIRCHLICHER GESCHICHTSSCHREIBUNG

Vor allem werden den Heiden nun, kurz nach der letzten Christenverfolgung, eben diese Verfolgungen vorgehalten und sogleich gigantisch übertrieben – bis tief ins 20. Jahrhundert hinein, wo man noch in dessen zweiter Hälfte das Christentum schon vom Ende des 1. Jahrhunderts an «in seinem eigenen Blute waten» sieht, mit der «ungeheuren Schar heroischer Gestalten» prahlt, «die, die Stirnen von Martyrerblut gezeichnet, das ganze zweite Jahrhundert durchziehen» (Daniel-Rops); wobei man gerade noch, 1956 (!), zugibt, es seien «nicht Millionen» gewesen (Ziegler). Seriösere Forscher schätzten die Zahl der christlichen Opfer gelegentlich, nicht unwidersprochen, auf 3000, auf 1500 –

in allen drei Jahrhunderten! Wie problematisch diese Zahl sein mag: die Christen erschlugen in Mittelalter und Neuzeit mehr Juden häufig *in einem einzigen Jahr*, manchmal *an einem einzigen Tag!*[39]

Ein so achtunggebietender Christ wie der 254 gestorbene Origenes (vgl. S. 171) – dessen eigener Vater Märtyrer war und der auch selbst gefoltert wurde – nannte die Zahl der christlichen Blutzeugen «klein und leicht zu zählen». Tatsächlich sind die meisten «Märtyrerakten» gefälscht, sind viele heidnische Kaiser gar keine Christenverfolger gewesen, hat der Staat die Christen gar nicht wegen ihrer Religion behelligt. In Wirklichkeit begegneten viele altgläubige Beamte den Christen so nachsichtig wie möglich. Sie gaben ihnen Bedenkzeit, übergingen Verordnungen, gestatteten Betrug, entließen sie aus der Haft oder verrieten Christen juristische Tricks, wie sie, ohne ihren Glauben zu verleugnen, freigesprochen werden konnten. Sie schickten sich selber Denunzierende wieder nach Hause und quittierten nicht selten noch ihre Provokationen gelassen.

Schon Bischof Euseb aber, der «Vater der Kirchengeschichte», wird in der ersten Hälfte des 4. Jahrhunderts nicht müde, uns wahre Schauermärchen über die bösen Heiden aufzutischen, die schlimmen Christenverfolger. Er verwendet dafür das ganze achte Buch seiner ‹Kirchengeschichte›, von dem gewiß auch gilt, was ein Kenner vor allem vom 9. und 10. Buch dieses Werkes sagt (unsere fast einzige Quelle für die ältere Kirchengeschichte!): «Emphase, Umschreibung, Auslassung, Halbwahrheit und sogar Urkundenfälschung ersetzen die wissenschaftliche Interpretation sicherer Dokumente» (Morreau)[40].

Immer wieder werden da durch die verruchten Heiden – tatsächlich durch Bischof Euseb – die Christen, die «wahrhaft wunderbaren Streiter», gemartert, mit Geißelhieben, mit Folter und Schabmesser zerfleischt, der Bauch, die Waden, Wangen, Beine zerbrochen, die Nasen abgeschnitten, Ohren, Hände, die restlichen Glieder zerstümmelt. Euseb rührt Essig und Salz in die Wunden, treibt scharfes Schilfrohr durch die Nägel, die Finger, verbrennt die Rücken durch kochendes Blei, brät die Dulder auf einem Rost «zwecks langer Peinigungen». Und bei all dem und vielem mehr sind diese Helden standhaft, guten Mutes, in bester Verfassung. «Ja, sie jubelten und sangen dem Gott des Alls Lob- und Danklieder bis zum letzten Atemzug.»[41]

Andere Christgläubige, weiß Euseb, wurden «auf Befehl der Dämonendiener» in die Tiefen des Meeres versenkt, wurden gekreuzigt, geköpft – «bisweilen sogar hundert Männer nebst kleinen Kindern (!) und Weibern an einem einzigen Tag . . . Das Richtschwert wurde stumpf . . . die Henkersknechte mußten sich vor Erschöpfung gegenseitig ablösen.» Wieder andere warf man «menschenfressenden Bestien» vor, wilden Ebern, Bären, Panthern. «Wir selbst waren bei diesen Kämpfen zugegen (!) und sahen, wie die göttliche Kraft unseres Erlösers Jesus Christus, dem das Zeugnis galt, erschien . . . Und wenn die Bestien je zum Sprunge ansetzten, wichen sie, wie von einer göttlichen Kraft angehalten, immer wieder zurück.» Von Christen – «fünf waren es im ganzen» –, die ein «wütender Stier» zerfetzen sollte, berichtet der Bischof: «So sehr er mit den Füßen stampfte und mit dem Gehörn hierhin und dorthin stieß und, durch glühendes Eisen gereizt, Wut und Verderben schnaubte, er wurde von der heiligen Vorsehung zurückgedrängt.»[42]

Christliche Geschichtsschreibung!

Einmal erwähnt Euseb «ein ganzes von Christen bewohntes Städtchen in Phrygien», dessen Bewohner man «samt Frauen und Kindern» verbrannte – unterschlägt aber leider den Namen des Ortes. Überhaupt weicht er, obwohl ja wiederholt Augenzeuge, genaueren Angaben in der Regel geflissentlich aus, renommiert jedoch unentwegt mit «zahllosen Scharen», kennt «große Massen», teils durchs Schwert hingerichtet, teils verbrannt, «unzählige Männer mit Weibern und Kindern» (!), die «um der Lehre unseres Erlösers willen . . . auf verschiedene Weise» starben. «Ihre Heldentaten sind über jede Beschreibung erhaben.»[43]

Es sei nicht unerwähnt, daß 335 auf dem Konzil von Tyrus (S. 373) der ägyptische Bischof Potamon von Herkleia Bischof Euseb des Abfalls während der Verfolgung bezichtigt hat. Freilich ist dies unbewiesen und kann auch, wie so oft, Verleumdung eines Amtsbruders durch einen Amtsbruder sein.[44]

Der Verfolgung in Gallien im Jahr 177 unter Mark Aurel (161–180), dem Philosophen auf dem Kaiserthron (dessen «Selbstbetrachtungen» noch Friedrich II. von Preußen bewundert), rühmt Euseb «Zehntausende von Märtyrern» nach. Die Martyrologien zu der Verfolgung in Gallien unter Mark Aurel aber nennen – 48 Märtyrer. Und davon bleiben selbst im ‹Lexikon für Theologie und Kirche› noch acht Märtyrer übrig; die hl. Blandina «mit dem hl. Bischof Potinus und sechs anderen Genossen». Dagegen ist später die Zahl der *heidnischen* Märtyrer in Gallien «besonders . . . groß» (C. Schneider).[45]

Von der Christenverfolgung Diokletians, wider Willen des bedeutenden Herrschers die härteste überhaupt, konnte Euseb, da den Zeitgenossen noch bekannt, nicht mehr Zehntausende von Opfern (mehr bewundern als) beklagen. (Verfolgungen sind Kirchenführern häufig willkommen. Auch bei Päpsten des 20. Jahrhunderts kann man dies lesen.[46] Verfolgungen pulvern auf, treiben zu engerem Zusammenschluß – die beste Propaganda durch die Zeiten!) Euseb, der «über die Märtyrer in Palästina» eine gesonderte Schrift publizierte und in seiner Kirchengeschichte schreibt: «Wir kennen diejenigen aus ihnen, die in Palästina . . . sich hervorgetan», Euseb nennt nun nicht mehr «Zehntausende», sondern eine Gesamtzahl von 91 Märtyrern. 1954 überprüfte de Ste Croix in ‹Harvard Theological Review› die Angaben des «Vaters der Kirchengeschichte», wobei noch sechzehn Märtyrer übrigblieben – in der schlimmsten und zehnjährigen antiken Christenverfolgung in Palästina nicht einmal zwei pro Jahr. Trotz allem hielte einer seiner heutigen Verteidiger den Schluß für verfehlt, Euseb «habe keinerlei wissenschaftliches Gewissen gehabt» (Wallace-Hadrill).[47]

Selbst die heidnischen Kaiser aber, von «Gott» gesandt doch, Repräsentanten seiner «Ordnung» (S. 191), wurden jetzt durch den ärgsten kirchenväterlichen Dreck gezogen. Waren sie für Athenagoras im späten 2. Jahrhundert noch gütig und mild, weise und wahrheitsliebend, friedfertig, wohltätig, wissensdurstig

(S. 193), geißelt man sie schon im frühen 4. Jahrhundert als
Monstra ohnegleichen.

DIE HEIDNISCHEN KAISER – RETROSPEKTIV

Das christliche Triumphgeheul eröffnet um 314, also gleich nach
dem Umsturz, Laktantius mit der Hetzschrift ‹Von den Todesarten der Verfolger› – derart gemein nach Thema, Stil, Niveau, daß
sie viele dem «Cicero christianus» lange nicht zuerkennen wollten, während die Echtheit heute (fast) unbestritten ist. Es gibt
wenig, was Laktanz in dieser Schrift – in Gallien publiziert, als er
Konstantins Sohn Krispus erzog – den römischen Kaisern erspart:
den «Widersachern Gottes», den «Tyrannen», die er Wölfen
gleichsetzt, als Raubtiere beschreibt, «Bestien». Der Umschwung
war kaum vollendet, und schon, kommentiert von Campenhausen, «ist die alte Märtyrer- und Verfolgungsideologie der Kirche
wie weggeblasen und fast in ihr Gegenteil verkehrt»[48].

Kaiser Decius (249–251), ein Christenverfolger, der nach Aus-
weis von Münzen («pax provinciae») ein friedliches Regime führen wollte, nach den Geschichtsquellen ein vorzüglicher Mann
war, bis er bei Abrittus in der Dobrudscha dem Gotenführer
Kniva unterlag und fiel, Decius ist für Laktanz ein «Feind Gottes»,
«ein verabscheuungswürdiges Ungeheuer», der Fraß schließlich
von «Raubtieren und Vögeln». Von Valerian (253–260), der
gleichfalls die Christen verfolgte, dann in persischer Gefangenschaft starb, behauptet Laktanz, man habe ihm «die Haut
abgezogen und mit roter Farbe getüncht, um im Tempel der
barbarischen Götter zum Andenken an den herrlichen Triumph
aufbewahrt zu werden». Diokletian (284–305), der den armen
Laktanz als «rhetor Latinus» nach Nikomedien berufen und auch
während der Verfolgung, von Laktanz in der kaiserlichen Hauptstadt verbracht, nicht angetastet hatte, nennt der Kirchenvater
«groß in Erfindung von Verbrechen». Und Maximian (285–305),
Diokletians Mitkaiser, so erzählt Laktanz, versagte «seiner bösen

Lust nicht das Geringste». «Wohin er immer den Weg nahm, da wurden die Jungfrauen aus den Armen der Eltern gerissen, um sogleich zur Verfügung zu sein.»[49]

Doch «die Bösen alle, die je gelebt», übertraf Diokletians Schwiegersohn, Kaiser Galerius (305–311), den Laktanz für den eigentlichen Urheber der 303 einsetzenden Pogrome hielt. Folglich richtete er sein Augenmerk «auf die Mißhandlung des Erdkreises». So oft «der Ruchlose» sich «ergötzen wollte», rief er einen seiner Bären, «ihm an Wildheit und Größe ganz ähnlich», und fütterte ihn mit Menschen. «Und wenn ihnen die Gliedmaßen auseinandergerissen wurden, so konnte er aufs Vergnüglichste lachen, und nie speiste er am Abend ohne Menschenblut»; «nur Feuer, Kreuz und wilde Tiere waren alltägliche und geläufige Dinge», nur «allgemeine Willkür» herrschte. Bei der Eintreibung der Steuern starben Menschen und Haustiere weg. «Nur die Bettler waren noch übrig . . . Doch siehe, der mildherzige Mann erbarmte sich auch dieser, um ihrer Not ein Ende zu machen. Er ließ sie alle zusammenbringen, auf Booten hinausschaffen und ins Meer versenken.»[50]

Christliche Geschichtsschreibung!

Wobei Laktanz in diesem «ersten christlichen Beitrag zur Philosophie und Theologie der Geschichte» (Pichon) nicht zu beteuern vergißt, er habe «all diese Vorgänge . . . mit gewissenhafter Treue» gesammelt, «damit nicht etwa das Andenken an so große Ereignisse sich verliere oder ein künftiger Geschichtsschreiber die Wahrheit entstelle»![51]

Als Strafe Gottes erteilt Galerius der Krebs, «ein bösartiges Geschwür am unteren Teil der Genitalien» – Euseb spricht dezenter von jenen Partien, «die man nicht nennen mag». Die Kirchenschriftsteller Rufinus und Orosius fabeln später von Selbstmord. Laktanz aber, seit dem Galerius in der Historiographie als «wilder Barbar» gilt (Altendorf), schildert genußvoll über Seiten hinweg den Krankheitsverlauf (versüßt er doch auch, an andrer Stelle, wie schon Bischof Cyprian [S. 161], den Gläubigen durch alle Ewigkeit den Blick auf das Elend der Verdammten): «Es bilden sich Würmer im Leibe. Der Geruch dringt nicht bloß durch den Palast, sondern verbreitet sich über die ganze Stadt»! . . . «Er wird von Würmern zerfressen und unter unerträglichen Schmerzen löst sich der Leib in Fäulnis auf . . .» Bischof Euseb ergänzt: «Von den Ärzten wurden die einen, die den über alle Maßen abscheulichen Gestank schlechthin nicht zu ertragen vermochten, niedergemacht, die anderen, die . . . kein Heilmittel finden konnten, erbarmungslos hingerichtet.»[52]

Christliche Geschichtsschreibung!

Dabei hatte der todkranke Galerius, dessen Ende die Kirchenväter in allen Farben antiker Topik malten, am 30. April 311 das «Toleranzedikt von Nikomedien» verfügt. Der Erlaß beendete die Christenverfolgung – hier noch einmal gerechtfertigt durch die diokletianische Staatsideologie – und machte das Christentum zur religio licita, indem er den Christen erlaubte, ja gebot, ihre Kirchen wiederherzustellen, «jedoch unter der Bedingung, daß sie in keiner Weise gegen die Ordnung handeln». Kraft dieser gewiß nicht sehr freundlich formulierten «Magna charta» der neuen Religion aber stellte der wenige Tage darauf in Serdica sterbende Galerius «seiner persönlichen Lauterkeit ein rühmendes Zeugnis» aus (Hönn); wurden so doch «zum erstenmal in der Geschichte Christen in gewisser Weise gesetzlich anerkannt» (Grant).[53]

Galerius, der über die Donauprovinzen und den Balkan regierte, mit Sirmium als bevorzugter Residenz, hatte das Reich nach den Vorstellungen am diokletianischen Hof erneuern wollen, politisch und religiös. Er war nicht das Scheusal, das den Federn von Laktanz und andren Kirchenvätern entsprang, sondern, zuverlässigeren Quellen zufolge, zwar reichlich ungehobelt, doch wohlmeinend und gerecht. Aurelius Victor, 389 Stadtpräfekt von Rom und Autor einer römischen Kaisergeschichte, attestiert dem früheren Viehhirten neben «Ungeschliffenheit» und «Ungezogenheit» auch «Fähigkeiten, mit denen die Natur ihn ausgezeichnet hatte». Er rühmt unter anderem seine Gewinnung fruchtbaren Landes in Pannonien (der nach seiner dem Christentum geneigten Frau Valeria benannten Provinz Valeria), die Ausrottung ungeheurer Wälder, den Abfluß, den er dem See Pelso, vielleicht dem Plattensee, in die Donau gab.[54]

Laktanz freilich, der erst vor kurzem, als man das Christentum noch unterdrückt, gerufen: «Es bedarf nicht der Gewalt und des Unrechts; denn Religion kann nicht erzwungen werden»; «mit Worten, nicht mit Prügeln muß man die Sache vertreten», «durch Geduld, nicht durch Grausamkeit, durch Glauben, nicht durch Verbrechen»; Laktanz, der eben noch als «Wurzel der Gerechtigkeit und die gesamte Grundlage der Billigkeit» den Satz genannt, «daß man dem Nächsten nichts zufüge, was man selbst nicht erleiden will; daß man nach sich selbst bemesse, wie es dem Nebenmenschen zumute ist», dieser Laktanz schimpft nun die heidnischen Herrscher Verbrecher gegen Gott und jauchzt, daß von ihnen «weder Sproß noch Wurzel übrigblieb». «Am Boden liegen sie, die da Gott widerstrebten; die den heiligen Tempel umstürzten, sind in noch mächtigerem Sturze gefallen – spät, aber tief und nach Verdienst». Dagegen bejubelt der Kirchenvater Konstantins Massenmorde an kriegsgefangenen Franken im Trierer Amphitheater. Und überströmend dankt er am Schluß seiner «Todesarten der Verfolger» der «ewigen Erbarmung Gottes» dafür, daß er «endlich auf die Erde herabblickt . . ., daß er sich gewürdigt hat, seine Herde, die von reißenden Wölfen teils verwüstet, teils zerstreut war, wiederherzustellen und zu sammeln und die bösen Untiere auszurotten . . . Der Herr hat sie ausgetilgt und weggefegt von der Erde. So laßt uns also den Triumph Gottes mit Frohlocken feiern, den Sieg des Herrn mit Lobliedern begehen! Laßt uns . . .» et cetera.[55]

Und auch ein weiterer Günstling Konstantins, Kirchenhistoriker Euseb, gebärdete sich entsprechend und verleumdete die heidnischen Kaiser nicht weniger. Er ließ Valerian «unglückliche Kinder schlachten, Kinder bedauernswerter Eltern opfern, die Eingeweide Neugeborener durchforschen, die Gebilde Gottes zerschneiden und zerhacken». Ähnliches hing Euseb Kaiser Maxentius an, bei dem noch die Schlachtung von Löwen und schwangeren Frauen dazukam (neben dem angeblichen Massenmord an Senatoren; vgl. S. 220). Doch derartiges hat man Heiden häufig nachgesagt, es war geradezu ein Topos kirchlicher Geschichtsschreibung und wurde durch Galerius, Maximian, Seve-

rus und natürlich Kaiser Julian, dem «Apostaten», unterstellt. Es
konnte Euseb nicht schwerfallen, einem Mann, der in seiner
«Praeparatio evangelica» Schmutz und Schlechtigkeit des Heidentums sowie Hoheit und Tugendglanz der eignen Seite in fünfzehn Büchern demonstriert, Euseb, dem sich der gesamte Hellenismus in Gestalt eines Teufels verkörperte, eines «heidnischen
Dämons, der das Gute haßt und das Böse liebt», der «nach Art
eines wütenden Hundes» die ach so edlen Christen angefallen,
im «tierischen Wahnsinn», «mit unheilvollen und seelenverder-
benden Giften», der «jedes wilde Tier und jedes Ungeheuer in
Menschengestalt gegen uns» gehetzt. Also ist auch Euseb jetzt
überglücklich, daß Konstantin, «gerade diejenigen verfolgte, die
dieses getan hatten, und züchtigte sie mit der gebührenden göttlichen Strafe»; daß die Herrscher nun «den toten Götzen ins
Gesicht speien», «die Gesetze der Dämonen mit Füßen treten»,
den heidnischen «Wahn» verlachen; «verschwunden die ganze
Gottlosenbrut . . . aus dem Gesichtskreis der Menschen», «die
wilden Tiere, die Wölfe und jegliche Art grausamer und reißender
Bestien . . .»[56]

Bevor wir aber die neuen, die christlichen Majestäten betrachten, sei kurz noch zurückgeblickt auf die zwei ersten großen
Gegner des Christentums, weil ihre Attacken zeigen, wie schon
früh Heiden die Ausführungen der Kirchenväter scharfsinnig in
Frage gestellt, nicht selten überzeugend widerlegt, ja, ad absur-
dum geführt haben.

CELSUS UND PORPHYRIOS –
DIE ERSTEN BEDEUTENDEN GEGNER
DES CRISTENTUMS

Zwar wurden die antichristlichen Schriften dieser Philosophen,
es versteht sich fast von selbst, bereits durch die ersten christlichen Kaiser vernichtet, doch konnte man sie aus Traktaten ihrer
Widersacher teilweise rekonstruieren; das Werk des Celsus vor

allem aus Origenes, der 248 eine Erwiderung von acht Büchern
verfaßte, worin der einflußreichste christliche Theologe der Frühzeit sich sichtlich schwertut, Celsus zu widerlegen, um so schwerer, als ihm dessen Argumente oft selber einleuchten. Origenes,
doch einer der achtbarsten Christen überhaupt (S. 171), versucht
dabei allerlei Ausflüchte, kürzt Wesentliches, unterschlägt es
ganz – trotz wiederholter gegenteiliger Versicherung! Er unter-
schiebt Celsus, der zweifellos tendenziös schreibt, immer aber auf
Tatsachen fußt, auch eigene Erfindungen und nennt ihn so oft wie
möglich einen Wirrkopf ersten Ranges, obwohl gerade seine
eigne Replik den «besten Gegenbeweis» liefert (Geffcken).[57]

Das «Wahre Wort» (Alethés Logos) des Celsus, im späteren
2. Jahrhundert entstanden, war die erste Streitschrift gegen das
Christentum. Als Diatribe eines platonischen Philosophen ist sie
meist verhältnismäßig gewandt, nuanciert, bald nüchtern bewei-
send, bald ironisch, nicht gänzlich unkonziliant. Ihr Verfasser
zeigt sich im Alten Testament bewandert, in den Evangelien, auch
mit der Entwicklung der christlichen Gemeinden vertraut, ein
Autor, von dem wir persönlich wenig wissen, dessen Werk ihn
aber nicht als leichtfertig erweist.[58]

Scharfsinnig erkannte Celsus die prekärsten Punkte. Etwa die
Mixtur der christlichen Lehren einerseits aus Judentum, andererseits aus stoischen, platonischen, ägyptischen, persischen Ele-
menten, aus dem Mysterienglauben. Fand er doch «diese Dinge
besser bei den Griechen ausgedrückt . . . und ohne hochfahrendes
Wesen und Ankündigungen, wie wenn sie von Gott oder dem
Sohne Gottes kämen». Celsus mokiert sich über die Anmaßung
der Juden und Christen, ihren lächerlichen Auserwähltheitsdünkel: «Zuerst ist Gott da, und dann gleich wir, von ihm geschaffen
und ihm in allem ähnlich; uns ist alles untertan, die Erde, das
Wasser, die Luft und die Gestirne, um unseretwillen ist dies alles
da und uns hat es zu dienen.» Demgegenüber vergleicht Celsus
«das Geschlecht der Juden und Christen» mit «einem Schwarm
von Fledermäusen oder mit Ameisen, die aus ihrem Bau hervor-
kommen, oder mit Fröschen, die um einen Sumpf herum Sitzung
halten, oder mit Regenwürmern . . .» und meint, der Mensch

habe keine so wesentlichen Vorzüge gegenüber dem Tier und sei nur ein Teil des Kosmos, dessen Schöpfer es ums Ganze gehe.[59]

Celsus fragt sich auch bereits, weshalb Gott eigentlich herabgekommen sei. «Etwa damit er die Zustände bei den Menschen kennen lerne? Weiß er denn nicht alles? Er weiß es also, bessert's aber nicht . . .» Und wenn Gott kam, warum so spät? Und weshalb sollte nur ein Teil gerettet, doch «das ganze übrige Menschengeschlecht ausgebrannt werden»? Wie auch könne ein völlig zerstörter Leib wieder auferstehen und seinen ersten Zustand erlangen? «Da sie hierauf nichts zu antworten wissen, so behelfen sie sich mit der höchst abgeschmackten Ausflucht, daß für Gott alles möglich sei.»[60]

Auch an Jesu sittlicher Lehre bemerkt Celsus, ein Meister bereits des religionsgeschichtlichen Vergleichs, nichts Neues. Er behauptet – zu Recht – von der christlichen Ethik, «sie sei dieselbe wie die der anderen Philosophen und keine ehrwürdige noch neue Wissenschaft». Selbst das Gebot der Feindesliebe findet er «sehr alt und gar trefflich schon früher ausgesprochen», nur nicht in so «bäuerischer Form». Zum Beweis zitiert er länger die berühmte Stelle aus Platons Kriton 49 B–E, den Dialog von Sokrates und Kriton, der eindringlich darlegt, daß man «unter keinen Umständen Unrecht» tun darf, «auch nicht, wenn uns ein Unrecht zugefügt ist», «selbst wenn man noch so viel Böses» erfahre; «daß es niemals Recht sei, Unrecht zu tun oder mit Unrecht zu erwidern, oder wenn man selbst Böses erleidet, sich dadurch zu wehren, daß man seinerseits Böses tut . . .» Celsus deutet sogar an, daß schon vor Platon göttliche Männer dieselbe Ansicht vertraten; vermutlich eine Anspielung auf pythagoreische Lehren.[61]

Mit allem religionshistorischen Recht insistiert der Heide darauf, daß Christus keinesfalls ungewöhnlich wirke neben Herakles, Asklepios, Dionysos und so manchen sonst, deren Leben nicht weniger hilfreich war und wunderbar als das seine. «Oder meint ihr, was von den andern erzählt wird, das sei Fabel und gelte auch dafür, von euch dagegen sei der Ausgang des Schauspiels schicklich oder glaubwürdig erfunden worden, nämlich sein Ausruf am Pfahl, als er verschied, und das Erdbeben und die

Finsternis?» Sterbende und wiederauferstehende Gottheiten, my-
thische und historische, gab es vor Jesus, und auch dessen Wunder wurden sozusagen schon vor ihm bezeugt samt einer Menge
weiterer «Kunststücke» und «Taten der Gaukler». «Da jene Leute
solche Dinge vollbringen können, müssen wir sie dann für Gottes
Söhne halten?» Freilich, denen, «die betrogen werden wollen,
hätten auch viele andere von der Art, wie Jesus war, erscheinen
können»[62].

Immer wieder betont Celsus, daß die Christen aus den ungebil-
detsten, wundersüchtigsten Kreisen kommen, daß ihre Lehre nur
die «einfältigsten Leute» gewinne, «da sie selbst einfältig sei und
wissenschaftlichen Charakters entbehre». Vor Gebildeten aber,
die sie nicht betrügen können, sagt Celsus, ergriffen die Christen
«eiligst die Flucht». Dafür lockten sie Ungebildetere, indem sie
ihnen «großartige Dinge» erzählten und erklärten, «man brauche
weder auf den Vater noch auf die Lehrer zu achten, sondern nur
ihnen allein zu glauben. Jene würden nur dummes und hirnver-
branntes Zeug reden . . . Sie allein wüßten, wie man leben müsse,
und wenn die Kinder ihnen folgten, so würden sie glückselig
werden . . . So reden sie. Wenn sie aber bemerken, daß ein Lehrer
der Bildung und ein kluger Mensch oder gar der Vater selbst in die
Nähe kommt, dann laufen die vorsichtigeren unter ihnen schleunigst davon; die frecheren aber hetzen die Kinder zum Ungehorsam auf, indem sie ihnen zuflüstern, in Anwesenheit des Vaters
und der Lehrer wollten und könnten sie den Kindern nichts
Wertvolles mitteilen; mit so unfähigen und verdrehten Menschen,
die ganz verdorben, tief in die Schlechtigkeit hinein geraten seien
und sie nur züchtigen würden, wollten sie nichts zu schaffen
haben. Falls die Kinder wollten, sollten sie den Vater und die
Lehrer fahren lassen . . .»[63]

Man wird den Inhalt solcher Sätze im wesentlichen kaum
bezweifeln können, bedenkt man, wie fanatisch die Kirchenväter
noch sehr viel später zur gröbsten Mißachtung der Eltern treiben,
sobald diese ihren Zwecken widerstreben (S. 152 ff).

Ein Jahrhundert nach Celsus setzte Porphyrios den literarischen Kampf wider die neue Religion fort. Um 233 wohl in Tyrus

(Phönizien) geboren, lebte Porphyrios seit 263 jahrzehntelang in Rom, wo er der bedeutendste Schüler Plotins wurde, eines Denkers, den trotz aller Tugendhaftigkeit, so Kirchenvater Firmicus, sein elendes Zugrundegehn am Aussatz gebührend widerlegt. Von Porphyrios' fünfzehn Büchern ‹Gegen die Christen›, Frucht einer Rekonvaleszenz auf Sizilien, blieb nur einiges durch Zitate und Auszüge erhalten. Das Werk selbst fiel den Vernichtungsbefehlen der christlichen Herrscher, zunächst Konstantins, dann, 448, der Kaiser Theodosius II. und Valentinian III., zum Opfer: das erste Bücherverbot im Interesse der Kirche.[64]

Leider wissen wir von dieser Kampfschrift viel weniger als von der des Celsus. Daß Porphyrios das «Wahre Wort» kannte, läßt sich allenfalls vermuten. Naturgemäß kehrt manches, mehr oder weniger gleichklingend, wieder. So fragt auch Porphyrios, was haben denn die Völker so vieler Jahrhunderte vor Christus getan? «Weshalb war es notwendig, daß er erst in jüngster Zeit gekommen ist und nicht, bevor eine zahllose Menge von Menschen zugrunde ging?» Porphyrios arbeitet systematischer als Celsus, ist gelehrter, ihm als Historiker und Philologe überlegen, kennt die Geschichte noch genauer, ebenso die christlichen Schriften. Er dringt mehr ins Detail, übt scharfe Kritik am Alten Testament, an den Evangelien, und indem er beharrlich deren Widersprüche aufdeckt, wird er geradezu ein Vorläufer rationalistischer Bibelkritik. Entschieden leugnet er die Göttlichkeit Jesu. «Selbst wenn unter den Griechen einer stumpfsinnig genug wäre, anzunehmen, daß die Götter in den Standbildern hausen, so hätte er eine viel weniger trübe Vorstellung als derjenige, der glaubt, daß die Gottheit in den Leib der Jungfrau Maria eingegangen, daß sie zum Fötus geworden und nach der Geburt in Windeln gelegt worden sei.»[65]

Porphyrios kritisiert auch Petrus und vor allem Paulus, den er anscheinend – wie so mancher bis heute (S. 124) – besonders widerlich fand. Er hält ihn für vulgär, einen Dunkelmann, Zauberkünstler, und unterstellt ihm, nach dem Vorgang freilich schon von Christen (S. 149), Habsucht, erkläre Paulus doch selber: «Wer zieht jemals in den Krieg auf seinen eignen Sold? Wer

weidet eine Herde und nährt sich nicht von der Milch der Herde?»
Auch berufe der Apostel sich auf Moses: «Du sollst dem Ochsen
nicht das Maul verbinden, der drischt.» Porphyrios behauptet
sogar, da Paulus arm gewesen, wollte er – Hauptzweck geradezu
seiner Propagandareisen – leichtgläubige reiche Frauen schröpfen. Hat ja selbst der hl. Hieronymus die Bezichtigung, die christlichen Gemeinden würden von Frauen regiert, die Gunst der
Damen entscheide über die Zulassung zum Priesteramt, nicht
leicht genommen.[66]

Ferner rügt der Heide die Lehre von der Erlösung, die christliche Eschatologie, die Sakramente, Taufe, Abendmahl; steht doch
überhaupt der Vorwurf der Unvernunft, der Irrationalität, im
Mittelpunkt seines Angriffs, wobei Beschimpfungen keinesfalls
fehlen. Immerhin urteilt Frederik Poulsen 1949: «Das Werk des
Porphyrios war mit einem solchen Aufgebot an Gelehrsamkeit,
verfeinertem Intellektualismus und religiösem Verständnis geschrieben, wie es keine antikirchliche Abhandlung vorher oder
nachher je erreicht hat. Der gesamten Bibelkritik der Neuzeit
wird hier vorgegriffen, so daß der moderne Forscher einmal über
das andere wiedererkennend nickt.» Und der Theologe Harnack
schrieb, «auch heute noch ist Porphyrius nicht widerlegt». «In
dem meisten, was er grundsätzlich behauptet, hat er recht.»[67]

Selbstverständlich steht, neben kritisch Aufklärerischem, auch
manch Zeitgebundenes bei Porphyrios, etwa ein blühender Ora-
kel- und Dämonenglaube. Ebenso mutet im Werk seines Vorgängers nunmehr vieles naiv an. Doch auch dem Celsus attestiert
Theologe Ahlheim 1969 eine «vernichtende Kritik am Jesusbild
der Evangelien». Und wenn Celsus «nicht unversöhnlich»
schließe, sondern mit dem Appell an die Christen, am Staatsleben
teilzunehmen, am Militärdienst, so seien sie später, meint der
Theologe, einer Forderung, wie sie Celsus stelle, nur allzugern
nachgekommen. «Von heute auf morgen schlugen sie sich unter
Konstantin auf die Seite der Mächtigen, der Unterdrücker. Die
unselige Allianz von Thron und Altar hatte begonnen.»[68]

Den Auftakt dieser Allianz, die folgenschwer fortwirkt bis
heute, zeigt das nächste Kapitel.

5. KAPITEL

DER HL. KONSTANTIN, DER ERSTE CHRISTLICHE KAISER. «SIGNATUR VON SIEBZEHN JAHRHUNDERTEN KIRCHENGESCHICHTE»

«In allen Kriegen, die er unternahm und leitete, siegte er glänzend . . .» Kirchenlehrer Augustinus[1]

«Er allein hatte ja unter den römischen Kaisern Gott, den höchsten Herrn, mit unglaublicher [!] Frömmigkeit verehrt, er allein mit Freimut die Lehre Christi verkündet, er allein seine Kirche verherrlicht wie nie einer seit Menschengedenken, er allein jeden Irrtum der Vielgötterei ausgerottet und alle Arten von Götzendienst abgeschafft.» Bischof Eusebius von Caesarea[2]

«Konstantin war Christ. Wer so handelt und vor allen Dingen so handelt in einer Welt, die überwiegend heidnisch ist, ist Christ, und zwar Christ dem Herzen, nicht nur der äußeren Handlung nach.» Der Theologe Kurt Aland[3]

«Als leuchtendes Vorbild stand der Christenheit Kaiser Konstantin d. Gr. vor Augen.» Der Theologe Peter Stockmeier[4]

«Auch seine seelische Haltung war die eines wirklichen Gläubigen . . .» Der Theologe Karl Baus[5]

«. . . dieses Ungeheuer Konstantin . . . Dieser kaltblütige und scheinheilige Rohling durchschnitt seinem Sohn die Kehle, erdrosselte seine Frau, ermordete seinen Schwiegervater und seinen Schwager und unterhielt an seinem Hofe eine Clique blutdürstiger und bigotter christlicher Priester, von denen ein einziger genügt hätte, die eine Hälfte der Menschheit zur Abschlachtung der anderen aufzureizen.» Percy Bysshe Shelley[6]

Die edlen Ahnen und der Schrecken am Rhein

Konstantin, um 285 in Naissus (Niš), der Gegend des heutigen Sofia, geboren, fälschte schon früh seine Familiengeschichte, die Religion des Vaters und seine Herkunft.

Konstantius I. Chlorus hatte seine Karriere als protector, kaiserlicher Leibwächter, begonnen, wurde Militärtribun, Prätorianerpräfekt, 293 Caesar und 305 Kaiser über den westlichen Reichsteil. Er war Heide, wenn auch, vermutlich, unfanatisch. Konstantin aber präsentierte ihn später als Christen, als «dem göttlichen Worte sehr gewogen» (Euseb). Nun beachtete Konstantius zwar als einziger seiner Mitherrscher Diokletians Edikte gegen die Christen bloß lax. Doch befahl auch er – nach Euseb «in keiner Weise an dem Krieg gegen uns» beteiligt – die Entlassung von Christen aus dem Heer; fühlte er sich ja überhaupt mehr zu Mars hingezogen, dem Kriegsgott also, dem zweiten in der alten Trinität Jupiter–Mars–Quirinus. Und selbst Laktanz berichtete die Zerstörung von Kirchen durch Konstantius. Sogar Märtyrerakten gibt es aus Gallien, seinem Herrschaftsgebiet, was freilich nicht viel heißen muß (S. 199 ff).

Wie Konstantin die Religion des Vaters kompromittierend fand, so auch seine Vorfahren. Konstantius war Illyrier niederer Abstammung. Heidnische Kaiser hatten solche nicht selten offen bekannt. Vespasian beispielsweise, der «Mulio» (Maultiertreiber), «von dunkler Herkunft und ohne irgendwelchen Glanz der Ahnen» (Sueton), besuchte oft seinen Geburtsort, ließ sein Vaterhaus im ursprünglichen Zustand und trank sein Leben lang an

Fest- und Feiertagen aus dem kleinen silbernen Mundbecher seiner Großmutter Tertulla. Konstantin dagegen dichtete seinem Vater – damit die eignen Mitherrscher zu Usurpatoren stempelnd – die Abkunft von Kaiser Claudius II. Gothicus an, dem berühmten Gotenbesieger; bereits 314, zur Legitimierung der eignen Diktatur, auf Münzen bezeugt. Auch Kirchenhistoriker Euseb rühmt «angestammten Adel». Und Konstantins Mutter, die hl. Helena, bald als britische Prinzessin ausgegeben, war eine heidnische Schankwirtin (stabularia) vom Balkan. Mit dieser Heiligen lebte Konstantius Chlorus vor seiner ersten Ehe (mit Kaiserin Theodora) längere Zeit im Konkubinat, dann in Bigamie. Die griechisch-römische Oberschicht nannte Konstantin den «Konkubinensproß». Selbst Kirchenlehrer Ambrosius schreibt von Helena, Christus habe sie «von der Miste auf den Thron erhoben». (Als aber 326, bei ihrer «Pilgerfahrt» ins «Heilige Land», Bischof Eustathius von Antiochien sich entsprechend über sie äußerte, schickte ihn Konstantin ins Exil, aus dem er nie wiederkam.) Die führenden heidnischen Familien verachteten Helena wegen ihrer Herkunft, und die künftige Heilige, «intrigant, autoritär und völlig bedenkenlos» (Benoist-Méchin), tat nun, unterstützt durch Christen, alles, um Theodora von Konstantius zu trennen, sie samt Familie in einen Seitenflügel des Palastes zu verdrängen und ihrem eignen Sohn den Thron zu sichern.[7]

Der christlichen Propaganda zum Trotz war Konstantin ungewöhnlich kriegerisch und scheute, schien es erfolgversprechend, kein Verbrechen und keine Grausamkeit. Schon sein Vater, als westlichster von Diokletians Mitregenten in Augusta Treverorum (Trier) residierend, wo sein Palast den ganzen nordöstlichen Teil der damaligen Weltstadt einnahm, führte fast unentwegt Krieg. Er soll Tausende von Franken getötet, gefangen, fortgeschleppt und versklavt haben, figuriert auf katholischer Seite aber noch im 20. Jahrhundert als der «milde und rechtliche Fürst» (Bihlmeyer). Und obwohl «sein ganzes Leben lang», wie bereits Euseb beteuert, «voll Milde und Wohlwollen», «überaus freundlich und gütig gegen jedermann», schlug er an der Rheinfront schwere Schlachten, zog gegen Picten und Scoten, errang zwischen 293 und 297 zahlreiche Siege über die Usurpatoren Carausius und Allectus, denen er Britannien entriß. Und auch Sohn Konstantin, lange als eine Art Geisel bei Diokletian, hatte diesen schon auf Feldzügen in Ägypten begleitet, unter Galerius wider die Perser, die Sarmaten, gefochten, auch bereits im Zweikampf gegen «Barbaren» und wilde Tiere brilliert – nicht immer freiwillig wohl, doch «die Hand Gottes beschützte den jungen Krieger» (Laktanz)[8].

Als Konstantius I. Chlorus am 25. Juli 306 in Eboracum, dem heutigen York in England, nach einem Sieg über die Picten starb, erhoben die Truppen sofort den jungen Konstantin zum Kaiser. Galerius jedoch, faktisch und formell erster Augustus jetzt innerhalb des tetrarchischen Systems, erkannte Konstantin nur als Cäsar an. Seine Erhebung war ein illegaler Akt, die Ordnung der zweiten Tetrarchie durchbrochen, ja, gefährlich gestört; gewollt freilich, weiß Bischof Euseb, «lange zuvor schon von Gott selbst, dem König der Könige». Wurde es doch Konstantins «erste und wichtigste Angelegenheit», so Kirchenvater Laktanz, «den Christen die Ausübung ihrer Religion wieder zu gestatten. Das war seine erste Verordnung, die Wiederherstellung der heiligen Religion.» Herr nun über Britannien und Gallien, raubte er 310 Spanien, nicht zuletzt wohl, um Rom von der spanischen Getreidezufuhr abzuschneiden und durch Aushungern gegen Maxentius zu erbittern. Vor allem aber führte Konstantin zahlreiche Grenzkriege, die ihn zum Schrecken am ganzen Rhein werden ließen – obwohl, wie schon der Vater, «von Natur», sagt Euseb, «milde, gütig und menschenfreundlich wie nur einer», weshalb ihm Gott auch «alle möglichen Barbarenstämme zu Füßen legte». Bereits «von Anfang an» wurde in seiner Außenpolitik «ein aggressiver Zug sichtbar», trug er doch Kriege gewöhnlich «im Gegenschlag in das feindliche Gebiet hinein» (Stallknecht). 306 und 310 dezimierte er die Brukterer, raubte ihr Vieh, verbrannte ihre Dörfer und warf die Gefangenen massenweise in der Arena den Bestien vor. «Auch die Brukterer hast Du unverhofft angegriffen; unzählige wurden getötet», jauchzt ein Festredner in Trier, seit 293 offiziell Kaiserresidenz. «Wer von den gefangenen Männern sich wegen seiner Unzuverlässigkeit nicht zum Soldaten und wegen der Wildheit nicht zum Sklaven eignete, kam zur Strafe in den Circus; durch ihre Menge haben sie selbst die wilden Tiere ermüdet.» Sogar für die damalige Zeit war dies ungewohnt und furchtbar. Der junge Kaiser erstickte Aufstände in Blut, schlug 311 und 313 die (schon von seinem Vater schwer getroffenen) Alemannen, die Franken und ließ deren Könige Ascaricus und Merogaisus zur allgemeinen Augenweide von hungrigen' Bären zerfleischen. (Die heidnischen Franken haben Kriegsgefangene geschont – und der Alemannenkönig Erocus hatte 306 in Eboracum die Erhebung Konstantins zum Kaiser angeregt.⁹)

Konstantin aber, der seine Opfer in der Trierer Arena – unter den 71 bekannten Amphitheatern der Antike mit mindestens 20 000 Sitzplätzen das zehntgrößte – dem Raubzeug vorwerfen ließ, fand damit soviel Anklang, daß er diese Darbietung zur Dauereinrichtung erhob. Als «Fränkische Spiele» bildeten sie vom 14. bis 20. Juli den jährlichen Höhepunkt der Saison. (Möglicherweise waren die «fränkischen» Könige Ascaricus und Merogaisus in Wirklichkeit Brukterer oder Tubanten.¹⁰)

Während der junge Regent mit solchen Genüssen Trier verwöhnte, hatte er noch drei Mitkaiser im Römischen Reich: im Westen Maxentius, der von Rom aus über Italien und Afrika gebot; im Osten Maximinus Daia, der den nichteuropäischen Teil des Imperiums (alle Provinzen südlich des Taurus nebst Äypten), sowie Licinius, der die Donaugebiete (Pannonien und Rätien) beherrschte. Drei weitere Kaiser aber empfand Konstantin als unerträglich und schickte sich an, Diokletians System der Tetrarchie, geschaffen zur Festigung des riesigen Reiches, zu zerschlagen. Er begann, die bestehende «Ordnung» durch einen Krieg nach dem andern und die Beseitigung eines Mitregenten nach dem andern zu zerstören und dabei das Reich mit der christlichen Kirche zu verbinden. Diese «Revolution» Konstantins führte zwar zur größten Umwälzung in der Geschichte des Christentums, sie brachte eine neue Herrenschicht, den christlichen Klerus, behielt jedoch die alten, auf Krieg und Ausbeutung beruhenden Verhältnisses bei. Man nannte es: das beginnende «metaphysische Weltzeitalter» (Thieß)¹¹.

KRIEG GEGEN MAXENTIUS

Zur Sicherung seiner Flanke verbündete sich Konstantin zunächst mit dem einen Herrn des Ostens, Licinius, wartete den Tod von Kaiser Galerius ab und überfiel dann, gegen den Rat seiner Umgebung – aus purem «Mitleid mit den bedrückten Einwohnern Roms» (Euseb) –, plötzlich seinen Mitherrscher im Westen, Maxentius, dessen Lage der «eines umstellten Wildes» glich (Groag).[12]

Es gibt freilich viele Historiker, die Konstantin hier, wie so oft, zu entlasten suchen. Seeck beispielsweise, der den Aggressor gern verteidigt, behauptet nicht nur grundsätzlich, «der unbezwingliche Kriegsheld» habe «sogar alle Kriege vermieden, die ihm nicht aufgedrungen wurden», sondern formuliert im Hinblick auf Maxentius im besonderen, so sehr Konstantin auch bemüht gewesen sei, den Kampf zu vermeiden, «hat er ihn doch schon lang kommen sehn und auf das sorgfältigste vorbereitet». Von Maxentius schreibt Seeck: «Obgleich er einen Angriffskrieg zu führen gedachte, hatte er doch das Gros seines Heeres zum Schutze seiner werten Person in Rom behalten und die Stadt mit Kornvorräten auf ungemessene Zeit ausgestattet.» Tatsächlich nämlich gebot Maxentius über eine geringe Streitmacht, war unzureichend auf den Krieg vorbereitet und machte wohl gerade deshalb auch keinen Hehl aus seiner friedliche Gesinnung. Dagegen kannte Konstantin «nur dieses Ziel einer größeren Herrschaft» (Vogt), eben das der Universalmonarchie – «principatum totius orbis adfectans» (Eutrop). Seit langem gerüstet, entfesselte er einen wahren Propagandahagel gegen die «Tyrannis» des Römers. Und die Kirche stieß bald ins gleiche Horn und verteufelte Maxentius über die Maßen.[13]

In Wirklichkeit hatte Maxentius (römischer Kaiser 306–312), die Christenverfolgung einstellen lassen, das Edikt des Galerius (S. 205), das den Christen 311 bedingte Religionsfreiheit gewährte, übernommen, peinlich genau beachtet, in Rom und Afrika noch überboten. Bischof Optatus von Mileve nennt ihn korrekt den Befreier der Kirche. Zwar verbannte er Roms Ober-

hirten Eusebius und dessen Nachfolger Marcellus, aber nur wegen blutigem Streit nach unklaren Wahlen: «eine reine Polizei-
maßnahme» (Ziegler). Die römische Christengemeinde bekam
durch ihn – dies war mehr, als das Edikt vorschrieb und ist um so
bemerkenswerter, als sich Maxentius am Tempelgut vergriffen
haben soll – die konfiszierten Kirchengüter (einschließlich der
Grundstücke) zurück, sie erhielt neue Begräbnisstätten, die Möglichkeit ungestörter Ausübung des Gottesdienstes und freier Bischofswahl. Dieselbe tolerante Religionspolitik befolgte Maxentius gegenüber den afrikanischen Christen. Manche seiner Wohltaten für den Klerus wurden später geradezu auf Konstantin
übertragen. Maxentius war auch nicht untüchtiger als andre
Herrscher und sorgte zumal für die Hauptstadt. Von Anfang an
als «conservator urbis suae» gefeiert, hat er Rom nie verlassen
und wie kein Kaiser sonst die stadtrömische Überlieferung gepflegt. Trotz seiner kurzen Regierung und einer in jeder Hinsicht
schwierigen Situation schuf er riesige Bauwerke, darunter, zum
Gedächtnis seines Sohnes, den Circus an der Via Appia, den
(durch Brand zerstörten) großen Doppeltempel der Venus und
Dea Roma sowie das «größte gedeckte Bauwerk» des klassischen
Altertums, die «Basilica Constantiniana», die Konstantin nur
vollendet hat. Wie kein anderer Imperator der Spätzeit kümmerte
er sich um den Ausbau des Straßennetzes vor allem um Rom, aber
auch in ganz Italien, ja, bis zum Rand der afrikanischen Wüste.
Und sicher war er nicht der abscheuliche Tyrann, zu dem die
klerikale Haßpropaganda ihn gestempelt. Zwar verlangte er von
den Großgrundbesitzern, einer gerade der Kirche bald sehr ge-
nehmen Klasse, gewaltige Steuerleistungen, war aber, nicht zuletzt dadurch, lange beim Volk beliebt. Dies änderte sich erst
infolge mangelnder Getreidezufuhr und einer Hungersnot, die
der längere Verlust von Afrika (durch einen Gegenkaiser) und der
Verlust von Spanien hervorrief, das ihm Konstantin schon 310
genommen hatte.[14]
 Gewiß fügte Maxentius, der das hauptstädtische Volk weitgehend schonte, doch die Landbewohner schröpfte, den bisherigen
Steuerlasten neue hinzu, holte sich aber sein Geld in erster Linie

eben dort, wo es fast unbegrenzt vorhanden war. Dabei soll er gegenüber den unermeßlich reichen, doch bisher geschonten senatorischen Großgrundbesitzern, die ihre Leistungen in Gold entrichten mußten, zur Gewalt gegriffen und viele von ihnen verbannt, eingekerkert und ohne rechtmäßiges Urteil beseitigt haben. In Wirklichkeit ist kein einziger von Maxentius getöteter Senator bekannt. Vielmehr sehen wir die führenden römischen Aristokraten, die «das Schwert des Henkers furchtbar» traf (Seeck), unter Konstantin wieder in Amt und Würden. Und wie sie vordem, trotz allem, Kaiser Maxentius würdelos huldigten, huldigten sie bald darauf Kaiser Konstantin.[15]

Obwohl es also unhistorisch ist, Konstantins Krieg gegen Maxentius als Kreuzzug hinzustellen, als Befreiung der Kirche vom Joch eines fanatischen Tyrannen, obwohl selbst Konstantin dem Gegner keine Christenfeindschaft ankreiden kann, obwohl sogar christliche Quellen Maxentius tolerante Haltung bezeugen, machte der Klerus aus einem Raubüberfall bald eine Art Religionskrieg und aus Maxentius ein wahres Untier.[16]

Damit beginnt schon Euseb, der gar nicht zu sagen vermag, «durch welche Untaten dieser Mann während seiner Gewaltherrschaft in Rom die Untertanen knechtete». «Er verfiel in jeden Frevel, ließ keine gottlose und freche Tat unverübt und beging Ehebrüche und Schändungen aller Art . . . Alle, Bürger und Beamte, hoch und nieder, fürchteten ihn und litten schwer unter . . . der blutigen Roheit des Tyrannen . . . Die Zahl der Senatoren, die er hinrichten ließ, weil er nach ihrem Vermögen strebte, kann gar nicht berechnet werden. In Massen ließ er sie bald unter diesem, bald unter jenem Vorwand ermorden . . . bald schwangere Frauen öffnen, bald die Eingeweide neugeborener Kinder durchforschen . . . um Dämonen zu beschwören und *den Krieg abzuwenden* (!).»[17]

Christliche Geschichtsschreibung!

Das verleumderische Bild von dem «gottlosen Tyrannen» verbreiteten die Christen sogleich nach dem Untergang des Kaisers; sie verfälschten völlig seine Biographie. Sie malten die Lüste eines Herrschers aus, der in Wirklichkeit ein inniges Familienleben führte. Sie melden die Schändung von Frauen und Mädchen durch ihn, die Einkerkerung ihrer Ehemänner und Väter, blutrünstige Zerfleischungen. Sie phantasieren sogar von seinem Wüten wider die Christen. Kurz, man entwirft, auch durch alle folgenden Jahrhunderte, das Zerrbild eines allgemein verhaßten, ebenso feigen wie fürchterlichen Despoten. Selbst kritische Forscher, wie Schwartz oder Ernst Stein, sind davon beeinflußt. Und lapidar meldet noch das durch den Regensburger Bischof Buchberger edierte ‹Lexikon für Theologie und Kirche› über den in nur wenigen Zeilen erwähnten Maxentius: «Ein grausamer und zügelloser Tyrann.»[18]

Dagegen hat Groag in einer eingehenden Würdigung des Kaisers gezeigt, daß Maxentius, rings von Feinden umstellt und dauernd in furchtbaren Zwangslagen, friedlich gesinnt, ohne jede kriegerische Ader war, daß er den Kampf nicht als Selbstzweck ansah, nicht militärische Übungen besuchte, freilich vorzügliche Heerführer wählte, daß sein Verhalten gegenüber der römischen und karthagischen Kirche keineswegs Tyrannenallüren, sondern Toleranz bekundet, «eine anerkennenswerte Verbindung von Wohlwollen und Nachsicht mit Festigkeit». Energie verrate auch eine Bauleidenschaft von «bewundernswerter Großartigkeit» und die Leitung eines streng geregelten Verwaltungsapparates. «Für seine angebliche Grausamkeit weiß die Überlieferung keinen einzigen konkreten Beleg vorzubringen.»[19]

Erst als Maxentius Afrika und bald darauf Spanien verlor, so daß in Rom eine furchtbare Hungersnot ausbrach (S. 219), verlor er auch die Beliebtheit beim römischen Volk, für das er zuvor reichlich gesorgt hatte.[20]

Bei Konstantins Überfall aber geschah alles sozusagen «mit Gott», ja mit «göttlichen Heerscharen».

Der Aggressor, der den Krieg lang vorbereitet, auch erklärt hatte, überschritt, ohne auf Widerstand zu stoßen, im Frühjahr 312 in Eilmärschen die Westalpen mit nur rund einem Viertel seiner Streitmacht, vielleicht 25 000 bis 30 000 Fußsoldaten und Reitern – «weniger als Alexander der Große ins Feld führte», rühmt ein Festredner. Ein Teil des Expeditionskorps, das bereits

Bischöfe begleiteten, bestand aus Germanen, und das rasche
Vorrücken der in Oberitalien auch numerisch überlegenen Invasoren erschreckte sogar Konstantins Offiziere. Er kassierte, «im
Vertrauen auf den göttlichen Beistand» (Euseb), in einer seiner
beliebten Blitzoffensiven die Grenzfeste Segusio (Susa), gewann,
mit demselben Gottvertrauen und neuer Taktik gegen die Panzer-
reiter des Feindes, eine offene Feldschlacht bei Turin und eine
weitere, besonders blutige, vor Verona, wo man bis tief in die
Nacht einander abstach und Maxentius seinen besten Feldherrn,
den Praetorianerpräfekten Pompeianus Ruricus, verlor. Konstantin legte die Besatzung in Ketten, nahm noch das wichtige
Grenzkastell Aquileia und stürmte gegen Rom. Am 28. Oktober
stand er am Pons Milvius, dem heutigen Ponte Molle. Maxentius
aber – ein vielerörtertes Problem – hatte die Mauern verlassen
und in offener Feldschlacht mit dem Tiber im Rücken gekämpft,
wobei die Hauptmasse seines Heeres freilich nicht ernstlich focht,
die Prätorianer jedoch, ohne zu weichen, bis auf den letzten
Mann fielen. Samt einer Menge seiner Soldaten ertrank er im Fluß
– «entsprechend der göttlichen Prophezeiung: ‹Sie gingen im
tiefen Wasser unter wie Blei›» (Euseb). Oder wie Laktanz weiß:
«die Hand Gottes waltete über dem Schlachtfeld».[21]

Mit zum Sieg, in der ganzen Kirchengeschichte als Wende zum
christlichen Reich gepriesen, verhalfen Konstantin germanische
Truppen, vor allem das auxilium (Söldnerkontingent) der cornuti
(Horngeschmückten), das von entscheidender Bedeutung war;
aus Erkenntlichkeit führte er anscheinend ihr Schildzeichen im
römischen Heer ein.[22]

Die Kirchenväter ziehn – mit der antiken christlichen Kunst –
Parallelen vom Untergang der Ägypter im Roten Meer, sogar von
der Damaskusvision des Paulus zu der welthistorischen Schlächterei (durch Raffaels Fresco gleichsam verewigt) und deuten sie
als unmittelbare göttliche Berufung des «neuen Moses». Ein Sil-
bermedaillon von Ticinum (315) stellt seinen Triumph am Pons
Milvius als Fügung des Christengottes dar: «der früheste welt-
lich-offizielle Beleg für die Verchristlichung des weltherrschaftli-
chen Gedankens durch Konstantin» (Alföldi). Und Euseb und

Laktanz machen – mit Hilfe einander widersprechenden Legenden (das heißt: «frommer» Lügen) – diesen Sieg über Maxentius
zu einem Sieg ihrer Religion über die alte. Sie begründen damit
eine im Christentum völlig neue, über Karolinger, Ottonen, bis in
den Ersten und Zweiten Weltkrieg buchstäblich verheerend fort-
wirkende politisch-militante Religiosität, die sogenannte Kaiser-
theologie. In Wirklichkeit hatte der unterlegene Maxentius, dessen Vater Konstantin schon zwei Jahre zuvor umgebracht, von
Anfang an die Christen toleriert, begünstigt, andrerseits sein
Gegner aber auch den gallischen Apoll verehrt, bis 310 Herkules.
Seitdem und noch lange erschien der unbesiegte Sonnengott auf
Konstantins Münzen, ferner Juppiter Conservator und Mars,
wenn sich auch der Sol Invictus offiziell am längsten behauptet
und noch bei der Einführung des Sonntags, des dies Solis (321),
eine Rolle spielt, womit der judenfeindliche Kaiser offenkundig
den Sabbat durch den christlichen Herrentag ablöste. Doch noch
in seinen letzten Lebensjahren läßt Konstantin sich in einer Por-
phyrstatue wie Helios abbilden, ja, noch einen Tag vor seinem
Tod schärft ein Gesetz ein, «daß die heidnischen Priester für
immer von allen niederen Lasten frei sein sollen». Wie er denn
selber der Meinung war, den Gott, zu dem er betete, nie gewechselt zu haben.

   In Rom wird Maxentius aus dem Schlamm gefischt, der abge-
schlagene Kopf beim Triumphmarsch mit Steinen beworfen, mit
Kot, dann bis Afrika getragen, schließlich auch der Sohn des
Besiegten samt seinen politischen Anhängern über die Klinge
gejagt, das ganze Haus des Maxentius ausgerottet. «Du hast
Milde mehr angeboten als erbitten lassen», feiert Konstantin ein
Festredner. «Welch ein Glück herrscht in Rom über einen so
gütigen Sieg.» War Konstantin aber auch mit der Parole der
Befreiung gekommen, figurierte er auch bald, in Stein und auf
Münzen, als «Befreier der Stadt» (Liberatori urbis), als «Wieder-
hersteller der öffentlichen Freiheit» und «bester Kaiser» (restitu-
tor publicae libertatis, optimus princeps), brachte er faktisch die
«Befreiten» bald um jede politische Macht.[23]

ERSTE PRIVILEGIERUNG
DES CHRISTLICHEN KLERUS

Das heidnische Opfer für den Juppiter Capitolinus unterließ der
Sieger am 29. Oktober, den christlichen Klerus förderte er sofort
nach der Schlacht; gab es in Italien und Afrika doch mehr Christen als in Gallien. Und in Rom, wo ihm der Senat den noch heute
beim Kolosseum stehenden Triumphbogen baute, schenkte er
vielleicht schon damals Bischof Miltiades die domus Faustae
nebst ihren Ländereien, den Kaiserpalast, einst der Familie Laterani, dann, als Erbe ihres Vaters Maximian, seiner zweiten Frau
Fausta gehörend. Da Fausta aber keine Christin war, übereignete
Konstantin den Lateran wohl erst nach ihrer Ermordung der
Kirche. Der römische Pontifex verbesserte jedenfalls dadurch
seine Residenz beträchtlich. Bis 1308 bleibt das Gebäude päpstlicher Wohnsitz. Ferner weist der Herrscher schon jetzt die
Bischöfe zur Erweiterung ihrer Kirchen an oder zum Bau neuer,
wobei er «reiche Unterstützung aus seinen Mitteln» gewährt
(Euseb). In Afrika, ihm nun durch seinen Sieg unterstellt, resti-
tuiert er um die Jahreswende 312/13 den Kirchen ihr beschlagnahmtes Eigentum, selbst wenn es inzwischen Privatleuten gehört. Ausdrücklich befiehlt er Anylinus, dem Prokonsul, dafür zu
sorgen, daß auch dieser Besitz «von Bürgern oder anderen Personen ... Gärten und Häuser und alles» der Kirche «samt und
sonders so schnell wie möglich zurückerstattet wird»[24].

Außerdem unterstützt Konstantin den hohen Klerus mit Geld.

Karthago bekommt für die «rechtmäßige und hochheilige katholische Kirche» sogleich mehrere hunderttausend Mark. Der
Kaiser selbst teilt dem Bischof Caecilian nach der Einnahme
Roms mit, er habe Ursus, «den hochangesehenen Finanzverwal-
ter Afrikas», beauftragt, «daß er an deine Strenge die Auszahlung
von 3000 Folles verfüge». Die Summe – ein «follis» war ein Beutel
von etwa 100 Mark – mußte, nach einer von Hofbischof Hosius
von Cordoba, Konstantins kirchenpolitischem und ihm persönlich befreundeten Berater, aufgestellten Empfängerliste, an die
Bischöfe verteilt werden. Bei Bedarf konnten weitere (die Staats-

kasse schwer belastende) Beträge folgen. Denn, lockt der Kaiser den Oberhirten Karthagos (der den schismatischen Donatisten nur standhalten konnte, weil ihn Konstantin massiv unterstützte, ebenso Rom – unter der Bedingung freilich, daß er die Sakramentstheologie des hl. Cyprian preisgab!): «Solltest du aber merken, daß die Summe ... ihnen allen nicht genüge, dann magst du den Betrag, den du noch für notwendig erachtest, unbedenklich von Heraklid, unserem Domänenverwalter, anfordern.» Und bereits 313 tagt eine Synode in Rom – allerdings nicht im «Papst»-, sondern im Kaiserpalast![25]

Den Prokonsul von Afrika, Anylinus, aber wies der Herrscher nachdrücklich darauf hin, daß «dem Staat große Gefahren» bevorstünden, würde «die höchste Ehrfurcht vor der heiligsten, himmlischen Macht» vernachlässigt, weshalb es auch nötig sei, daß jene, «die ihre Dienste dieser heiligen Religion widmen und die sie Kleriker zu nennen pflegen, von allen staatlichen Dienstleistungen ein für allemal völlig frei bleiben». Der christliche Klerus war damit als privilegierter Stand anerkannt.[26]

Der spendable Eroberer, der sich seitdem als «Schützling (famulus) Gottes» mit besonderer Mission betraut fühlte, hatte nun noch die beiden Potentaten des Ostens vor sich, Maximinus Daia, der in Antiochien, und Licinius, der in Serdica residierte.[27]

KRIEG GEGEN MAXIMINUS DAIA

Maximinus Daia (römischer Kaiser 309–313), Nachfolger des Galerius, war unter Diokletian in seinem Herrschaftsbereich, den Dioecesen Oriens und Ägypten, ein rigoroser Christenverfolger gewesen. Nach dem Toleranzedikt des Galerius, am 30. April 311 in Nikomedien publiziert (S. 205), aber hatte Maximinus Konzessionen gemacht, reserviert, gewiß, widerwillig. Doch die entscheidende Wendung zur Duldung der Christen ist auch bei ihm «uneingeschränkt vorhanden» (Castritius) und erwiesenermaßen Eusebs Behauptung unwahr, Maximinus Daia habe das Toleranzedikt des Galerius geheimgehalten und dafür gesorgt, «daß es in den ihm unterstellten Gebieten nicht bekannt werde». Wahr dagegen ist, daß Bischof Euseb den Namen des Maximinus in seiner Abschrift des Edikts unterschlug! Gewiß ließ es Maximinus – formal keineswegs ungewöhnlich – nicht im Wortlaut veröffentlichen und wohl nur unter dem Druck seiner Mitherrscher, vielleicht auch dem des Armenienkrieges, in den er verwickelt war. Hatte dieser Kaiser doch überhaupt das Heidentum durch ein einheitliches Kirchensystem wieder gefestigt und antichristliche Propaganda getrieben, etwa die gefälschten «Pilatusakten» zur Pflichtlektüre in den Schulen gemacht. Auch der Bitte der Behörden von Nikomedien, Tyrus und anderen Orten, die Christen aus den Städten auszuweisen, entsprach Maximin, «falls sie in ihrem verfluchten Wahnsinn verharren», und verhieß zum Lohn für das «gottgefällige Streben» der Antragsteller «jedwedes Entgegenkommen . . .» Nach Euseb und Laktanz hatte der Herrscher die christenfeindlichen Petitionen der Städte selbst stimuliert, was aber, obschon in seinem Sinn, offenbar nicht stimmt. Doch überbot, so Euseb, «der allergottloseste Mensch und grimmigste Feind der Frömmigkeit» an Schlechtigkeit noch Kaiser Maxentius. Er war «ein Feind des Edlen und Widersacher alles Guten», erpreßte «unsägliche Summen Geldes», steigerte «seinen Hochmut bis zum Wahnsinn», verfiel dem Suff bis zur Besinnungslosigkeit, wurde auch «an Völlerei und Ausschweifung von niemand übertroffen», «konnte durch keine Stadt ziehen, ohne Frauen zu entehren und Jungfrauen zu entführen» und weiter so im bekannten Sinne.[28]

  Natürlich verging Maximinus Daia sich nicht ungestraft. Der «Vater der Kirchengeschichte», ja, «Vater der Weltgeschichte» (Erhard), wird nicht müde, die Racheakte des lieben Gottes zu berichten: «Die gewöhnlichen Regen und Wolkengüsse fielen zur Winterszeit nicht mehr in gewohnter Menge . . . Unerwartete Hungersnot . . . dazu die Pest und als Beigabe noch eine andere Krankheit . . . so daß unzählige Männer, Weiber und Kinder erblindeten.» Nicht genug – wir kennen Gottes «Fürsorge» für die Seinen schon aus der jüdischen Geschichte (1. Kap.), es kam noch der Krieg mit den Armeniern dazu. Kurz, Schlachten, Hunger, Pest, Krankheit, Wolkenbrüche, die Menschen taumelten «wie Gespenster dahin», ihre Leichen füllten Gassen und Plätze, «wurden sogar Hunden zum Fraße». Und all dies: nichts als die Antwort des Himmels auf «den verwegenen Übermut des Tyrannen wider die Gottheit», «und für die Beschlüsse der Städte gegen uns».[29]

Wie so viele Apologeten ist Bischof Euseb besessen von der Tendenz, alles Christenfeindliche nach Strich und Faden zu diffamieren, durch «fromme» Übertreibungen oder Lügen. Zum Beispiel: Maximinus Daia habe die Antiochener bewogen, «sich als besondere Gnade von ihm zu erbitten, in keiner Weise zu erlauben, daß ein Christ ihre Stadt bewohne». Oder: der Kaiser habe das Galeriusedikt nicht anschlagen lassen. Oder: der Kontrolleur der städtischen Finanzen, Theoteknos, habe «Zahllose in den Tod getrieben». Tatsächlich wurden damals nur wenige Christen Märtyrer, Euseb selbst kennt namentlich bloß drei – und Jacob Burckhardt wußte schon, warum er den «Vater der Kirchengeschichte» nicht nur den «widerlichsten aller Lobredner» nannte, sondern auch «den ersten durch und durch unredlichen Geschichtsschreiber des Altertums».[30]

Laktanz freilich ist kein Jota redlicher. Auch nach ihm nämlich war Kaiser Maximin, der zeitweilig die Christenverfolgung – aus Abneigung gegen Galerius – in seinem Herrschaftsbereich sogar aussetzen ließ (zwischen Juli und November 309), ein «ruchloses Ungeheuer», seine Verschwendung «ohne Maß», seine Ausschweifung derart, daß ihm «kein Früherer gleichkam». «Verschnittene und Kuppler durchspürten alles. Wo sich immer ein edleres Angesicht fand, mußten Vater und Gatte zurücktreten . . .» Und fiel ihm «ein Christ in die Hände . . . so ließ er ihn insgeheim ins Meer versenken». Auch diese Tonart wurde beispielgebend für die Diffamierung des Kaisers bis heute, so daß, vereinzelte Rehabilitationsversuche (durch Stein, A. Piganiol) beiseite, auch die modernen Historiker den «zélote du paganisme» (Grégoire) fast einhellig verdammen.[31]

In Wirklichkeit war Maximinus Daia keineswegs ein unfähiger

Regent. Weder fehlte ihm der Sinn für Verwaltung noch für Literatur und Wissenschaft, die er, trotz geringer Herkunft und Bildung, gefördert hat. Seine Verfolgung aber der Christen 311/312, recht «maßvoll» übrigens, so resümiert die jüngste und gründlichste Studie über diesen Herrscher, «hatte ihre Ursache in Forderungen lokaler Instanzen, die wirtschaftlich bedingt waren und denen sich der Kaiser aus einsichtigen Gründen nicht verschließen konnte» (Castritius). Denn die Ausübung des Christentums bedrohte ernsthaft besonders die wirtschaftliche Wohlfahrt der Städte, von denen der Monarch stark abhing.[32]

Gewisse religiöse Gedanken waren Maximinus nicht fremd, wie selbst das Reskript zeigt, mit dem er die städtischen Bittgesuche beantwortet: «Sie (die Heiden) mögen die Staaten der weiten Ebenen sehn, wie sie blühn, wie ihre Ähren wogen, und die Wiesen, die wohltuender Regen mit Kräutern und Blumen schmückt, die Luft, die wieder mild geworden und ganz ruhig. Alle sollen sich freuen, daß durch unsre Frömmigkeit und Ehrfurcht, unser Opfern, die Macht des gar gewaltigen und starken Mars besänftigt ist und beglückt sein durch den heiteren Frieden, den sie in Sicherheit so genießen und Ruhe.»[33]

Der Frieden war freilich nicht geheuer. Dafür sorgten Konstantin und Licinius, eigens «vom König der Könige, dem Gott des Alls und Erlöser, erweckt, zwei gottgeliebte Männer gegen die zwei gottlosesten Tyrannen». Nach der Beseitigung des einen, Maxentius, erneuerte Konstantin im Februar 313 in Mailand den Pakt mit Licinius und gab diesem, zur Festigung der Bindung, seine Schwester Konstantia zur Frau. Beide Kaiser anerkannten in einer Konstitution, dem sogenannten Mailänder Edikt, das Christentum als Rechtssubjekt und verkündeten die volle Religionsfreiheit im römischen Reich mit besonderem Bezug auf die Christen. Nach der Besiegung des Maximinus sollten sie auch im Orient Toleranz genießen; doch galt jeder Kult nun rechtlich soviel wie der andere. Maximin, der in allen Städten Tempel bauen, zerstörte wieder herstellen ließ, den eifrigsten heidnischen Priestern sogar eine Leibwache stellte, sah unschwer, was auf ihn zukam. Im harten Winter 312/13 fiel er während der Abwesenheit des Licinius von Syrien her in dessen Gebiet ein, nahm Byzanz und Heraklea und prallte am 30. April 313 auf dem «Campus Serenus» bei Tzirallum mit dem Gegner zusammen, der den Feldzug schon mit christlichen Devisen unternommen hatte; für Kirchenvater Laktanz bereits ein richtiger Religionskrieg, doch auch für Johannes Geffcken «der erste wirkliche Religionskrieg der Welt». Licinius, dem in der Nacht zuvor «ein Engel Gottes» erschien, kommandierte anderntags Helm ab zum Gebet, seine Schlächter hoben «die Hände zum Himmel», riefen dreimal zu Gott – «und nunmehr, das Herz voll Mut, setzen sie die Helme wieder auf und erheben die Schilde . . .» Kein Wunder, daß jetzt «eine solche Masse Soldaten von geringer Mannschaft niederge-mäht», «eine ungeheure Menge niedergemacht» wurde. Die Religion der Liebe mit der Kriegsbemalung! Zwar konnte Maximin selbst, als Sklave verkleidet, in rasender Flucht nach Nikomedien entkommen und von dort mit den Seinen über das Taurische Gebirge nach Cilicien. Doch starb er, im gleichen Jahr noch, in Tarsos, angeblich durch Selbstmord oder Krankheit, als die Truppen des Licinius zu Wasser und zu Land bereits auf die Stadt vorrückten.

Euseb liefert dazu zwei einander widersprechende Berichte, malt aber auch das Ende des Maximinus, der «von unsichtbarem, von Gott gesandten Feuer verzehrt wurde», wieder des längeren genußvoll aus. Laktanz behauptet sogar, daß Maximin «vier Tage lang in der Aufregung des Wahnsinns Erde mit den Händen aufraffte und wie im Heißhunger verschlang. Als er dann nach langen und schrecklichen Qualen mit dem Kopf gegen die Wände rannte, sprangen ihm die Augen aus den Höhlen. Jetzt erst, nachdem er das Augenlicht eingebüßt, begann er Gott zu sehen, wie er mit Diakonen in weißen Gewändern über ihn zu Gerichte saß . . . bekannte er Christus, indem er immer wieder bat und flehte, er möchte sich seiner erbarmen.»[34]

Christliche Geschichtsschreibung!

Doch die «Frohe Botschaft» hatte nun erstmals im ganzen Römischen Reich gesiegt, und «die übrigen Feinde der Gottes-frucht», so Euseb, die Anhänger des Maximinus Daia, «wurden

sämtlich getötet . . . nach einer langen Kette von Peinigungen»;
«vor allem jene», jubelt der Bischof, «die, um ihm zu schmeicheln,
in hochfahrendem Wahne gegen unsere Religion gewütet». Tatsächlich dokumentierte Licinius, schreibt Eduard Schwartz,
«seine Sympathie für die Kirche wesentlich damit, daß er unter
der heidnischen Umgebung Maximins ein schauderhaftes, von
den Christen mit Triumphgeschrei begrüßtes Blutbad anrich-
tete». Was an Frauen und Kindern anderer Kaiser oder Cäsaren
noch lebte, starb jetzt. Ermordet wurden unter anderem der Sohn
des selbst schon 307 ermordeten Kaisers Severus, Severianus;
ermordet der Sohn des Kaisers Galerius, Kandidian – sterbend
hatte ihn einst der Vater dem Licinius empfohlen; ermordet aber
sogar – und aufs brutalste – Prisca und Valeria, Gattin und
Tochter Diokletians, nebst Kindern, trotz der Bitten des greisen,
längst freiwillig abgedankten und noch im selben Jahr sterbenden
Herrschers. Ermordet wurden die Frau des Maximinus Daia und
seine Kinder, ein achtjähriger Sohn, eine siebenjährige Tochter,
die Verlobte Kandidians. Und «auch jene, die ehedem der Ver-
wandtschaft mit dem Tyrannen sich rühmten . . . erlitten unter
äußerster Schmach dasselbe Schicksal», kurz, ganze Familien
wurden beseitigt, «die Gottlosen ausgetilgt» (Euseb). Ja, «alle
Gottlosen», jauchzt auch Laktanz, hatten nun «in wahrem und
gerechtem Gerichte Gottes den gebührenden Lohn für ihre Taten
empfangen», gestürzt sah sie die Welt, so «daß von ihnen weder
Stamm noch Wurzel übrig blieb».[35]

KRIEG GEGEN LICINIUS

Zwei Kaiser waren verschwunden; «zwei gottgeliebte Männer»,
laut Euseb, noch da. «Eingedenk der ihnen von Gott gespendeten
Wohltaten, säuberten (!) sie vor allem die Welt von der Feind-
schaft gegen Gott». Immer das wichtigste Geschäft auf Erden.
Und wahrscheinlich 316 (nicht schon 314) bekriegte Konstantin
Licinius auf dem Balkan, hatte ihm doch, so er selbst, «die

höchste Gottheit durch ihr himmlisches Walten die Lenkung aller
irdischen Dinge anvertraut». Am 8. Oktober kam es bei Cibalae
an der Save zur Schlacht, wo Konstantin, ein «leuchtendes Vorbild . . . der Christenheit» (Katholik Stockmeier), mehr als 20 000
seiner Feinde vernichtet haben soll. Danach folgte bei Philippo-
polis eines der schlimmsten Gemetzel jener Zeit, das indes unent-
schieden blieb. Immerhin nahm Konstantin dem Schwager fast
alle europäischen Provinzen (das heutige Ungarn, Bulgarien, Rumänien, Dalmatien, Mazedonien und Griechenland), verstän-
digte sich wieder mit ihm, der nicht mehr «gottgeliebt» jetzt war,
sondern «der böse Feind» (Euseb), rüstete ein Jahrzehnt, trom-
melte zugleich für das Christentum, gab es doch im Osten, etwa
in Kleinasien, schon Gebiete, wo die Christen beinah die Hälfte
der Bevölkerung ausmachten, und erreichte zehn Jahre später
eine Endlösung.[36]

Der «Heiland und Wohltäter» hatte den Entscheidungskampf
mit religionspolitischen Aktionen vorbereitet, auch im Land des
Teufels, wo viele Christen für Konstantin Partei ergriffen, hatte
Licinius als «den allgemeinen Feind der zivilisierten Welt» verru-
fen, hatte ihn eingekreist durch ein Bündnis mit den Armeniern,
die schon Christen waren (6. Kap.), und hatte den Krieg auch als
Kreuzzug, als «einen Religionskrieg» (Katholik Franzen) geführt,
«certainly . . . as a war of religion» (C. T. H. R. Ehrhardt): mit
Militärpfaffen, dem Labarum, den Initialen Christi, Feldzeichen
der Leibgarde, und überhaupt «voll höherer Begeisterung» (Euseb). Auf der anderen Seite – wo Licinius das Heidentum wieder-
belebt und die Kirche bekämpft hatte durch Verbot von Synoden,
Entlassung von Christen aus Heer und Beamtenschaft, Erschwe-
ren des Gottesdienstes, durch Strafen und Zerstörungsakte –
sicherte man sich mittels Orakelsprüchen und Opfer, marschierten jetzt Götterbilder gegen das Kreuzpanier, gegen den «fremden
Gott» und sein «schmachvolles Zeichen». In Wirklichkeit ging es
um die Alleinherrschaft, die Universalmonarchie. Ungewöhnlich
große Heeresmassen – sogar die Grenzen hatte man entblößt –
rückten im Sommer 324 gegeneinander: 130 000 Mann angeblich
und 200 Kriegsschiffe sowie mehr als 2000 Transporter auf Seite

Konstantins, 165 000 Mann (darunter, von Fürst Alica geführt, auch ein starkes gotisches Kontingent) und 350 Kriegsschiffe auf der des Licinius, was eine gewaltige Ausplünderung des gesamten Imperiums voraussetzte. Am 3. Juli wurde bei Adrianopel Licinius' Heer, am Hellespont seine Flotte geschlagen, und am 18. September verlor er auch die letzte und schwerste Runde bei Chrysopolis (Skutari), gerade gegenüber dem Goldenen Horn, bereits auf dem asiatischen Ufer des Bosporus.[37]

Ganz offensichtlich: Eine Entscheidung des Himmels. Hatte doch nicht nur Konstantin wieder gebetet, «heilig und rein», sondern auch seine Truppe, dreimal hintereinander, wie ausdrücklich befohlen, und mit lauter Stimme: «Alleiniger Gott, dich erkennen wir! König der Herrscher, dich bekennen wir! Helfer in Not, dich flehen wir an! Von deiner Hilfe erhoffen wir Sieg und schlagen den Feind mit göttlicher Kraft . . .» 40 000 Leichen bedeckten kurz darauf das Feld. Dann rammte man, unter dem siebzehnjährigen Krispus, in den Dardanellen die gegnerische Flotte, deren Rest, wunderbarerweise, ein Orkan an den Steilküsten von Gallipoli zertrümmerte; 130 Schiffe und 5000 Matrosen gingen zugrunde. (Doch noch 1959 kommentiert der katholische Theologe Stockmeier die konstantinischen Abschlachtungen: «Diesem großen Vorbild nachzueifern bemühte sich jeder christliche Kaiser; beliebig ließ sich auch darauf verweisen, um ein Ideal [!] vor die Augen der Fürsten zu stellen.») Licinius verblieben nach Chrysopolis noch etwa 30 000 Mann. Auf Fürbitte Konstantias versprach ihm Konstantin eidlich das Leben, ein Jahr später ließ er ihn in Thessalonike (Saloniki), wo er, hieß es, mit den Goten konspiriert haben soll, erwürgen; ebenso seinen Generalissimus Martinianus. Überhaupt wurden in allen Städten des Ostens nun viele prominente Parteigänger des Licinius getötet, durch Gerichte und ohne sie. Nach über zehnjährigem Bürgerkrieg, lauter Angriffskriegen Konstantins, war dieser «aller Völker siegreicher Feldherr», wie er sich titulieren ließ, «Leiter des gesamten Erdkreises» – und das Christentum endgültig Sieger im römischen Reich.[38]

Als Konstantins Haltung noch unklar, Licinius Schirmherr der

Christen schien, wurde natürlich Licinius von Euseb hofiert. Der berühmte Bischof, der die späteren Fassungen seines Werkes nicht nur nach «seiner jeweiligen Kenntnis» änderte, sondern auch nach seiner «politischen Berechnung» (Vogt), überschüttete damals Licinius mit Schmeicheleien. Nachdem dann beide Kaiser sich verbündet, priesen Euseb und Laktanz auch beide als Auserwählte Gottes, waren «beide ausgezeichnet durch Klugheit und Gottesfurcht», waren es «zwei gottgeliebte Männer», durch die nun Gott «den ganzen Erdkreis» reinigte «von allen Gottlosen und verderbten Menschen». Gibt Euseb doch auch von Licinius zu, daß er «fortgesetzt» zugunsten der Christen gearbeitet habe durch Gesetze, Ehrungen der Bischöfe, Geldgeschenke. Folglich erschien auch sein Kopf, wie der Konstantins, auf Münzen mit einem «nimbus», einem Heiligenschein: Symbol ihrer inneren göttlichen Erleuchtung. Als Licinius aber Gegner Konstantins wird, korrigieren die «Väter» ihre Texte und verteufeln den Licinius. Ja, Euseb tilgt in späteren Ausgaben seiner Kirchengeschichte ganze Stellen über ihn. Noch eben «a paragon of virtue and piety», wird Licinius jetzt «a monster of depravity and lust» (Barnes), der «Ruchlose», «Gottlose», «der gottgehaßte Mann», «der gesetzloseste Mensch», «der Menschenhasser». Er ist durch «angeborene Bosheit mit furchtbarer Blindheit geschlagen», einem «Übermaß von Grausamkeit», «dem Wahnsinn verfallen». Jeden, der wieder in seinen Dienst treten würde, bedroht das Konzil von Nicaea (S. 362 ff) mit Exkommunikation.[39]

Wie brutal Licinius sein konnte, zeigte schon die Abschlachtung der kaiserlichen Familien, worüber die Kirchenväter freilich noch gejubelt hatten (S. 229 f). Auch gänzlich unschuldige Philosophen sollen sein Opfer geworden sein. War er doch überhaupt ein Feind höherer Bildung, besonders der Rechtswissenschaft, «dieser giftigen Pest des Staates», wie er sagte. Andererseits kam Licinius dem Christentum, trotz dessen größerer Verbreitung im Osten, nie so weit entgegen wie Konstantin. Schon gar nicht dachte er daran, der Kirche staatliche Funktionen einzuräumen. Ferner bewährte er sich besser auf dem Gebiet der Verwaltung und Wirtschaftspolitik. Er schränkte die Hofhaltung ein, den

Aufwand, die Ausgaben und attackierte hart die Besitzer großer Vermögen. Gleichzeitig suchte er, durch seine Herkunft den Bauern verbunden, diesem schwer geschundenen Stand zu helfen.[40]

Der allerchristlichste Kaiser aber und die bald immer reichere Ecclesia verfuhren ganz anders, und ihre Sprachrohre schieden dabei die Menschheit in Gute und Böse – ein schon dem Alten, dem Neuen Testament und auch nichtchristlichen Erdteilen wohlbekanntes Schema, das der Geschichtstheologie Konstantins selbst entsprach. Es blieb, besonders gegenüber aufzuputschenden Kollektiven, eine nie abreißende Kirchenpraxis bis heute, wo die Welt, wiederum in Ost und West gespalten, wieder so manches aus dem Mund ihrer Anführer hört, gar nicht so unähnlich der damaligen Verdummungsstrategie. Jeder wurde seinerzeit zum Teufel, der Kirche und Christenheit bekämpfte, viele Kaiser der vorkonstantinischen Ära, dann auch Maxentius, Maximinus Daia, endlich Licinius – während auf der eigenen Seite «der allweise und gottgeliebte Führer» figuriert, «ein allgütiger Kaiser», der dem Teufel auch noch «Zeichen aufrichtigen Wohlwollens» gab, ihn «der höchsten Verschwägerung» würdigte, einer Teilhabe «an dem angestammten Adel und kaiserlichem Blute» (vgl. S. 214 f)[41].

Doch der Finsterling vergalt dies böse; durch die Schlechtigkeit der gottlosen Tyrannen», durch «einen gottlosen und schrecklichen Krieg», «ohne Rücksicht auf Eide, Blut und Verträge». Vergeblich natürlich, war Gott selbst ja «Konstantins Freund und Hort und Beschützer», so daß er «den hinterlistigen Anschlägen des Verruchten» entkam, daß er auf dem Schau- und Schlachtplatz der Geschichte erschien «wie aus tiefer Finsternis und dunkelster Nacht ein großes Licht und ein Erlöser zugleich», daß er, der «Wohltäter», «Beschützer der Guten», der «überlegene Fürst», der «Heiland», «als verdienten Lohn für seine Frömmigkeit Triumph und Sieg über die Gottlosen errang» und nur «durch Beseitigung einiger (!) Bösewichte so rasch den größten Teil der Menschheit retten (!)» konnte. Licinius lag «niedergeschmettert am Boden. Konstantin aber, der mächtigste Sieger, ausgezeichnet durch jegliche Tugend der Gottesfurcht, nahm mit seinem Sohne

Krispus, dem gottgeliebtesten Kaiser, der dem Vater in allem ähnlich war, den ihm zugehörenden Osten in Besitz . . . Genommen war nun von den Menschen jede Furcht vor denen, die sie einst bedrängt. In Glanz und Prunk begingen sie festliche Tage. Alles war von Licht erfüllt.»[42]

WACHSENDE BEGÜNSTIGUNG
DES KATHOLISCHEN KLERUS

Das Paradies begann nun offenbar auf Erden; jedenfalls für Konstantins «Hofbischof» und die katholische Hierarchie, die sich gegenüber dem Kaiser genauso unterwürfig verhielt, wie Euseb schreibt – «im Ton des Psalmisten, wenn er von Gott spricht» (Kühner). Freilich jubelten dann noch ganz andre mit, die Kirchenlehrer Ambrosius, Chrysostomos, Hieronymus, Kyrill von Alexandrien. Grund genug hatten sie. Nicht nur war das Christentum aus einer unterdrückten zu einer anerkannten, geförderten Religion geworden, sondern gerade die katholische Kirche und ihre Prälaten genossen bald immer mehr, immer größere Privilegien, wurden mächtig und reich.[43]

Konstantins Gunsterweise beschränkten sich nämlich nicht nur auf jene nach dem Sieg 312 an der Milvischen Brücke (S. 224 f) und nicht auf Rom, wo der Liber pontificalis, das offizielle Papstbuch, ein «imposantes Bild von dem rasch emporblühenden Reichtum der römischen Kirchen» vermittelt (Caspar). Denn diese Kirchen, die Lateranbasilika, St. Peter, St. Paul, haben nun Grundbesitz nicht bloß im Stadtgebiet, in der nächsten Umgebung, sondern auch in Süditalien und Sizilien. Der Kaiser vermachte dem Klerus Güter in Syrien, Ägypten, in Tarsos, Antiochien, Alexandrien und anderen Städten, wobei die Schenkungen im Orient außer Geld auch kostbare Importwaren eintrugen, seltene Spezereien, Gewürze, die in Rom gewinnbringend abgesetzt wurden. Kurz, es entstand der Grundstock des berüchtigten «Patrimonium Petri», mit dem wir es noch oft zu tun haben werden.[44]

Konstantin ließ auch «die von Gott eingegebenen Bücher . . . in prachtvoller Ausstattung verfielfältigen und verbreiten». Vor allem aber erbaute er, und zwar wieder «aufs prächtigste, sogar auf Kosten des kaiserlichen Schatzes», monumentale Basiliken; allein in Rom sieben. Er schmückte sie großzügig mit Gold und Silber und stiftete, oft noch großzügiger, Grundbesitz dazu, in Italien, Afrika, Kreta, Gallien, der für eine einzige Kirche jährlich mehr als 14 000 Solidi abwarf, über 200 Pfund Gold. Weiter schenkte Konstantin allein der römischen Kirche über eine Tonne Gold und fast zehn Tonnen Silber. Das größte und finanziell am besten dotierte «Gotteshaus» Roms, die Basilica Constantiniana, verdankte ihren Standort den militärischen Erfordernissen und wurde sinnigerweise auf dem Unterbau einer Kaserne errichtet, der früheren Unterkunft der equites singulares imperatoris, der Reitergarden. Kein anderer als Maxentius hatte diese «Konstantin-Basilika» (S. 219) bereits zu bauen begonnen.[45]

Konstantin – zu dessen Zeit sich die Gleichsetzung (im Griechischen wie Lateinischen) des Wortes «Kirche» auf Kirchengemeinde und Kirchengebäude vollzog, doch nannte man letzteres häufig auch «Tempel» (templum), aedes und anders – Konstantin stiftete weiter Kirchen in Ostia, Alba, Neapel, auch in Kleinasien und Palästina, und sie sollten, schreibt er an Euseb, «unserer Prachtliebe würdig» sein, Dankesmale für den Sieg. Viele von ihnen wurden nach der Zerstörung bestehender heidnischer Tempel erbaut und, auf Antrag, durch Zivil- und Militärbehörden finanziert. «Den Statthaltern der östlichen Provinzen gab er die Weisung, reichlich und im Überfluß zu spenden», berichtet Euseb. Den Bischof Macarius von Jerusalem animiert er, «daß nicht nur eine Basilika erstehe, herrlicher als alle, die irgendwo sich finden, sondern auch das übrige so werde, daß dieser Bau die schönsten Werke in jeder Stadt samt und sonders überstrahle». Nach Niederringung des Licinius verfügt er gesetzlich für das geraubte Gebiet, «die Bethäuser höher zu bauen und die Kirchen Gottes breiter und länger . . ., mit Gaben und Geld nicht zu sparen, sondern selbst aus dem kaiserlichen Schatze die Baukosten zu bestreiten». Er befiehlt, darauf zu achten, daß man «alle Sorgfalt verwende», daß man bestehende Kirchen wiederherstelle, größer mache oder neue schaffe. «Was hierzu notwendig ist, sollst du selber und durch deine Vermittlung auch der übrige Episkopat von den Befehlshabern und von der Provinzstatthalterschaft verlangen.»[46]

All diese Kirchen aber – in Rom die Petersbasilika und andere mehr, in Jerusalem die Heiliggrabkirche, die, in Konstantins Anwesenheit (335) eingeweiht, alle Kirchen der Welt an Pomp übertreffen sollte, in Bethlehem die Geburtskirche, in Konstantinopel die den Aposteln und dem Frieden (Irene) gewidmeten Kirchen, die «Große Kirche» in Antiochien, die Kirchen in Tyrus, Nikomedien – all diese Kirchen, errichtet «mit reicher und wahrhaft kaiserlicher Pracht», geschmückt «mit sehr vielen, unbeschreiblich schönen Weihegeschenken . . . aus Gold, Silber, Edelgestein», verschlangen gigantische Summen. Um so mehr, als der Herrscher sie mit «immer noch reicherem und vornehmeren Material» ausstatten ließ, «in verschwenderischer Freigebigkeit der Kosten nicht achtend». Um so mehr, als andere Mitglieder seines Hauses im Kirchenbau förmlich mit ihm wetteiferten, besonders seine Mutter Helena. Hofhistoriker Euseb wird nicht müde, das schier unerschöpfliche Füllhorn kaiserlicher Gaben zu preisen. «Sahen wir doch . . ., wie die Kirchen wieder von Grund aus zu unermeßlicher Höhe erstanden und viel herrlicher wurden als die zerstörten gewesen»; «wie wenn der Wahn der Vielgötterei schon aus dem Weg geschafft wäre». Freilich bildete sich dabei im ganzen 4. Jahrhundert weder ein christlicher Kunststil heraus noch gab es auch nur eine durch die Christen bevorzugte Stilform.[47]

Doch warum überhaupt der ungeheure, das Volk gewaltig ausbeutende Aufwand für monumentale Kirchenbauten? Ein Aufwand, den in der ausgehenden Antike allenfalls Kaiser Justinian übertraf? Hier gibt es bloß eine zutreffende Antwort: Konstantin demonstrierte damit, «wo er den Rückhalt seines Reiches suchte» (Doerries).[48]

Doch dies war längst nicht alles.

Euseb selbst berichtet immer wieder von «reichen Spenden»,

manchmal sogar «zur Unterstützung der Armen, um auf solche Weise zur schleunigen Annahme der Heilslehre anzutreiben» – ja auch wieder der Vorteil des Klerus! «Der Kirche Gottes ließ er aber in ganz besonderem Maße zahlreiche Gaben zukommen.» Und vor allem würdigte er «jene Männer einer größeren Auszeichnung, die ihr Leben der göttlichen Weisheit geweiht hatten». Auf manchen Synoden oder Kirchweihen ehrte sie der Herrscher «durch glänzende Festmahle und Trinkgelage» oder «jeden seinem Rang und seiner Würde entsprechend mit Gastgeschenken». «Bischöfe empfingen kaiserliche Schreiben und Ehrungen und Geldzuweisungen», was sich hier auch auf Licinius bezieht.[49]

Besonders Konstantin aber würdigte den Klerus «der höchsten Ehren und Auszeichnung und gab den Männern als seinem Gott geweihten Personen in Wort und Tat Zeichen seiner wohlwollenden Gesinnung». Immer wieder liest man, «er machte sie geehrt und beneidenswert in aller Augen», «verschaffte ihnen durch seine Befehle und Gesetze noch mehr Ansehen», «öffnete mit kaiserlicher Großherzigkeit alle Schatzkammern und teilte seine Gaben mit reichlich spendender, großmütiger Hand aus». Nicht wenige Bischöfe konnten an ihren Amtssitzen schon das Gepräge und Zeremoniell des kaiserlichen Hofs nachahmen. Sie haben Anspruch auf besondere Titel, auf Weihrauch, werden kniefällig begrüßt und sitzen auf einem Thron, der Abbild des göttlichen Thrones ist.[50]

Andern predigen sie Demut!

Konstantin aber «spendete dazu noch sehr viele Gunstbezeigungen», wodurch Einfluß und wirtschaftliche Macht der Priester rasch wuchsen. So ließ er ihnen Getreide zuteilen, hob für sie die Gesetze auf, die Ledige und Kinderlose benachteiligten. Er gab den Bischöfen den gleichen Rang wie den hohen Beamten, doch mußten sie den Kaiser nicht kniefällig verehren wie alle andren. Er befreite sie schließlich von Eidesleistungen und Zeugnisabgabe. Er erlaubte ihnen auch die Benutzung der Staatspost, die sie bereits unter seinem Sohn Konstantius II. derart strapazierten, daß sie in vielen Provinzen fast zugrunde ging. (Zur Staatspost gehörte der «cursus clabularis», ein Ochsengespann,

das den Bischöfen zustand, und der «cursus velox», ein schnelle-
rer Depeschendienst.) Bereits 313 befreite Konstantin den Klerus
von allen persönlichen munera, den Dienstleistungen für Stadt
und Staat, und in einem späteren Gesetz – da Geistliche meist
noch einen Nebenberuf haben – von den Gewerbetaxen. Begründung: «Es ist ja sicher, daß die Gewinne, die sie aus ihrem
Handwerk ziehen, den Armen zugute kommen werden»! Die
Bischöfe genossen bald so große Privilegien, nicht zuletzt durch
ihre Steuerbefreiung, daß der Kaiser schon 320 Reichen die Aufnahme in den Klerus verbot, da sie sich derart dem Steuerdruck
zu entziehen suchten. 321 wurde die Kirche auch allgemein zur
Annahme von Erbschaften berechtigt. Heidnischen Tempeln
hatte man Erbfähigkeit nur gelegentlich und durch Sonderrechte
zugestanden. Der Kirche aber trug sie jetzt soviel ein, daß der
Staat kaum zwei Generationen später Gesetze erließ «gegen eine
Ausbeutung frommer Gläubigkeit, besonders der Frauen durch
den Klerus» (Caspar). Gleichwohl wuchs dessen Besitz schon im
nächsten Jahrhundert ins Riesenhafte, da immer mehr Christen
um ihres «Seelenheiles» willen der Kirche ein Legat oder ihr
ganzes Vermögen hinterließen, ein Brauch, der im Mittelalter
epidemische Ausmaße annahm: die Kirche besaß ein Drittel Europas.[51]

Natürlich war das im Prinzip nicht neu. Auch die heidnischen
Priester hatten sich schon aus Profitgründen hinter den Staat
gesteckt, mit ihm gerungen, mit ihm kollaboriert, hatten um
Steuerfreiheit ersucht, Freistellung von Dienstleistungen – und
alles mit ihrem Nutzen für den Staat begründet, für die Fürsten.
Als Diodorus Siculus 59 v. Chr. Ägypten bereiste, besaßen die
Priester, die er intelligenter fand als andere Leute, ein Drittel des
Landes und zahlten «keine Steuern irgendwelcher Art». Ein Jahrhundert später bewilligte der Präfekt von Ägypten – anscheinend
jedoch eine seltene Ausnahme – den Priestern des Krokodilgottes
von Arsinoë die Freistellung von Arbeiten in der Landwirtschaft.
Und wieder fast ein Jahrhundert danach, als eine römische Ver-
waltungsstelle aus Ägypten Gesuche von «vielen Priestern und
vielen Erbpropheten» bekam mit der Bitte um Dispens von Dien-

sten in der Landwirtschaft, beriefen sich diese Bittsteller auf «die heiligen Gesetze» und die vom Präfekten von Ägypten schon getroffenen Entscheidungen. Manche Priester begründeten ihre Petitionen mit der Zeit, die sie brauchten für die Erziehung ihrer Söhne zu Priestern – notwendig «für das Anschwellen des allerheiligsten Nil und für die Fortdauer der ewigen Herrschaft des Herrn und Kaisers».[52]

Zu den allgemeinen Privilegien des Klerus aber kamen noch private Wünsche, die man zusätzlich vorbrachte. So betrieb der katholische Bischof von Oxyrhynchos um 336 bei einem Staatsbeamten dieser Stadt die Befreiung von der Verwaltung eines Landgutes und von der Vormundschaft über mehrere Kinder. (Derselbe Beamte bekam eine Bittschrift von einem örtlichen «Priester vom Tempel des Zeus, der Hera und ihnen verbundener großer Götter, Diener der Götterstatuen und ihrer siegreichen Ausbreitung».[53])

Selbst gewöhnlichen Christen räumte Konstantin Vergünstigungen ein. So belohnte er die Bürger von Maiuma, dem Hafen von Gaza in Palästina, nach einer Massenbekehrung mit dem Stadtrecht, das sie bis zur Zeit Kaiser Julians von Gaza unabhängig machte. Begreiflich, wenn im Jahr 325 eine phrygische Stadt um besondere Steuerprivilegien nur deshalb ersuchte, weil ihre Einwohner bis zum letzten Mann Christen seien.[54]

Auf die Prälaten aber baute Konstantin derart, daß er ihnen sogar staatliche Macht abtrat. Nicht nur stand die Zeugenaussage eines Bischofs noch über der von «Angesehenen» (honoratiores) und war unangreifbar, sondern das bischöfliche Gericht wurde jetzt auch in allen Zivilsachen zuständig («audientia episcopalis» genannt). Jeder konnte nun bei einem Rechtsstreit zum Bischofsgericht gehen, dessen Spruch, so bestimmte Konstantin, als «heilig und ehrwürdig» galt. Ja, der Bischof durfte Recht sprechen auch gegen den ausdrücklichen Willen einer Prozeßpartei; wobei es überdies keinerlei Appellation gab, der Staat vielmehr die bischöfliche Sentenz mit seinen Machtmitteln vollstreckte – nicht nebenbei: *das Gegenteil der Lehre Jesu*, der jedes Prozessieren und Schwören verwirft; der erklärt: «Mensch, wer hat mich zum Richter und Erbschlichter über euch gesetzt?»; der gebietet, dem, der einen Rechtsstreit beginnen und den Rock nehmen wolle, auch noch den Mantel zu lassen. Und außer der richterlichen Befugnis gestand Konstantin den Bischöfen – vermutlich auf Bitte des Bischofs Hosius von Cordoba, der sich, als sein wichtigster christlicher Berater, von 312 bis 326 dauernd am Hof befand – auch die Freilassung von Sklaven zu, die sogenannte manumissio in ecclesia. Kleriker konnten ihnen auf dem Sterbebett, sogar ohne Zeugen und Schriftsatz, die Freiheit schenken. «So wuchs die Kirche früh zum Staate im Staate empor» (Kornemann).[55]

Die Vergünstigungen des Kaisers für den christlichen Klerus waren so beträchtlich, daß viele Stadträte in dessen Reihen drängten und Konstantin 326 dies «Schutzsuchen hinter dem Namen und Amt der Geistlichkeit» verbieten, auch bereits drei Jahre später erneut befehlen mußte: «Es soll die Anzahl der Geistlichen nicht unbesonnen und maßlos vergrößert werden, vielmehr soll, wenn ein Geistlicher stirbt, ein neuer ausgewählt werden, der keine Verwandtschaftsbeziehungen zu einer Dekurionenfamilie (Stadtratsfamilie) hat.» Und das uneingeschränkte Recht, letztwillige Verfügungen, Vermächtnisse, anzunehmen, trug der Kirche bald, wie erwähnt, so viel ein, daß es ihr 370 wieder entzogen wurde, während, klagt Hieronymus (394), «Götzenpriester, Schauspieler, Wagenlenker und Prostituierte Vermächtnisse erhalten dürfen».[56]

KONSTANTIN ALS HEILAND, ERLÖSER UND STELLVERTRETER GOTTES

Nun gibt niemand, schon gar kein homo politicus wie Konstantin, all diese Macht und Herrlichkeit, all die Ehren, Würden, Gelder, Rechte umsonst. Er gibt sie auch nicht – wie das verdummte Volk sein Wohl und Wehe – um «Gottes Lohn». Wobei es kaum sehr erheblich ist, inwieweit der Kaiser, der den Sonnenkult

mehr als alle seine Vorgänger betont hatte, sich schließlich als
Christ verstand, ein unter modernen Historikern stark umstrittenes Problem, ob er in einer Epoche, in der es nach Meinung der
Forschung den Typ des Freidenkers nicht gab, gläubig war und
wie sehr. Als er über Gallien herrschte, wo das Christentum
zahlenmäßig noch keine Rolle spielte, spielte es auch noch keine
für ihn. Dies änderte sich, als er Italien und Nordafrika eroberte,
wo wesentlich mehr Christen lebten als in Gallien. Und es änderte
sich noch einmal mit der Eroberung des da und dort schon bald
christlichen Ostens. Entscheidend ist, daß Konstantin, der Mann
der «Wende», der «Revolutionär», als Christ galt und gilt, als
großartiges Beispiel sogar eines christlichen Fürsten. Entscheidend vor allem sind die Folgen dieser *im Namen des Christentums und mit dessen ganzer Hilfe* getriebenen Politik, Folgen, die
– über Merowinger, Karolinger, Ottonen, das «Heilige Römische
Reich» – bis heute dauern. Denn mit seinem Bekenntnis und
seinen Kriegen begründete Konstantin das christliche Abendland.
Ja, Rudolf Hernegger kennt kaum eine zweite Persönlichkeit,
«deren Ausstrahlungskraft so ungebrochen über siebzehn Jahrhunderte reicht», und betont mit Recht: «konstantinisch» wurde
geradezu die «Signatur von siebzehn Jahrhunderten Kirchengeschichte».[57]

Konstantin, von früh an viel gereist, war gut informiert, auch
religionspolitisch, zumal über die straffen, fast militärisch diszi-
plinierten, das ganze Imperium umfassenden Kader der Catholica, die geschlossenste Organisation der spätantiken Welt. Und
in dieser Kirche sah er wohl so etwas wie das Modell seines eignen
Reiches präfiguriert. Die Bekehrung des Kaisers war nicht nur
religiös, wahrscheinlich weit mehr politisch motiviert, was für
das zeitgenössische Bewußtsein eng zusammenhing, war nicht
zuletzt «eine militärische Angelegenheit» (Chadwick) – vermutlich zuerst!

Konstantins Vorgänger hatten das Christentum gefürchtet,
teilweise bekämpft. Er spannte es durch die Fülle seiner Gunsterweise und Vorrechte für sich ein und konnte sich selbst einen
«Bischof für die äußeren Belange» (episkopos tōn ektós) der

Kirche nennen – «c'est-à-dire», spottet Grégoire, «le gendarme de l'Église». Tatsächlich nahm er den Klerus in Dienst und zwang ihm seinen Willen auf. «Schon sehr bald beherrschte er den Episkopat wie seine Beamtenschaft und verlangte unbedingten Gehorsam gegenüber den staatlichen Anordnungen, auch wenn diese in rein innerkirchliche Dinge eingriffen» (Katholik Franzen). Die Kirche wurde zwar mächtig, verlor aber jede Freiheit, sie wurde – schon im 4. Jahrhundert erkannt – ein Teil des Reiches, nicht das Reich ein Teil der Kirche. Der Staat war ihr übergeordnet. Die Bischöfe blickten sogar dankbar zum Kaiser auf, ihrem Gönner, Freund, Beschützer, und gehorchten ihm. Er war ihr Herr, er berief die Konzilien und er entschied, so verworren seine eigene Christologie erscheint – wie freilich jede! – auch in Fragen des Glaubens, dessen Formeln er und seine Nachfolger erzwangen. Er und sie machten die Kirche «zur *Staatskirche*, in welcher das Wort des Kaisers, wenn nicht oberstes Gebot, so doch aber maßgebende Instanz ist, und zwar nicht nur in Dingen der äußeren Ordnung, sondern auch in den Fragen der Lehre» (Aland). Und mochte Konstantin bei schlimmen Himmelszeichen oder Blitzschlägen auch gesetzlich noch die Befragung der Eingeweideschauer befehlen und ihre Einblicke bedenken, so hat er doch die eigene Familie zu Christen gemacht, auch selber zuletzt die Taufe empfangen, sich immer wieder den von Gott erwählten Heilsbringer genannt, das «Bollwerk des Heils», «Diener Gottes», «Mensch Gottes». Er hat erklärt, alles, was er sei und vermöge, dem «größten Gott» zu schulden, er hat sich als «Stellvertreter Christi» (vicarius Christi) feiern und als «dreizehnter Apostel» bestatten lassen.[58]

Zwar durfte man Konstantin nicht mehr, wie noch Diokletian samt Mitregenten, Divus nennen – auch frühere große römische Herrscher hießen so, im Unterschied zu den dei des Olymp –, aber doch nah an Gott rücken, ihm «Gottähnlichkeit» attestieren, in Superlativen der Verehrung ihn verherrlichen. Seine Person blieb sacer und sanctus, Heiden wie Christen mußten ihn als sacra maiestas, mußten ihn kniefällig verehren, mit Ausnahme wohl der Bischöfe. Noch was mit ihm in Berührung stand, galt als geheiligt. (Begriffe wie sanctus oder sanctitas, im Heidentum längst üblich, waren seit der Kaiserzeit auch Teil der kaiserlichen Titel.)

Den Mittelpunkt von Konstantins neuer, nach ihm benannter Hauptstadt bildete er selbst und sein äußerst prunkvoller, in orientalischer Pracht erbaute Hof – auf einem Territorium viermal so groß wie das alte Byzanz «iubente Deo» (auf Befehl Gottes) und mit Hilfe von 40 000 gotischen Arbeitern gegründet; wodurch übrigens Rom, dessen Nachbildung das «neue Rom» war, endgültig auf den zweiten Platz verdrängt, der griechische Osten immer deutlicher führend und der Gegensatz zwischen östlicher und westlicher Kirche größer wurde. Dabei übertraf Konstantin das seit alters vergottete Kaisertum dadurch, daß er seinen Palast, Vorbild der früheren Basilika, des «Hauses des Königs», nicht mehr Lager (castra), sondern Tempel (domus divina) nennen ließ – ein Abbild des himmlischen Thronsaales. Wie er denn, lange vor dem Papst, auch als Stellvertreter Gottes fungierte und sich nicht nur «Mit-Bischof», sondern nostrum numen, «Unsere Gottheit», nannte. Auch das Prädikat «sacratissimus» ist für Konstantin bezeugt, ebenso für die christlichen Kaiser der nächsten Jahrhunderte, sogar für Bischöfe. Dementsprechend gewann das «sacrum cubiculum», der private Haushalt des Herrschers, wie alles, was seine Person betraf, in christlicher Zeit noch «erhöhte Bedeutung» (Ostrogorsky). Auch wurde der Thronsaal in Basilikaform wie ein Heiligtum eingerichtet und ein Zeremoniell geschaffen, das göttlicher Verehrung fast gleichkam, ja, dessen religiöser Charakter am christlichen Hof in Byzanz seit Konstantin eher eine Steigerung erfuhr.[59]

In der Ära, die Vergöttlichungen selbst von Privatpersonen kannte, galten die Kaiser längst (beinah) als göttlich, als dominus et deus, und wurden auch – durch Niederwerfen aufs Gesicht – mit göttlichen Ehren gefeiert. Das begann lange vor Nero, der den Titel Caesar, Divus, Soter führte, der Kaiser, der Herrgott, der Heiland; oder vor Augustus, dem Messias, Heiland, Sohn Gottes; oder vor Caesar und Octavian, den Weltheilanden – ein Herrscherkult, der tief auf das Neue Testament und die Ausgestaltung des Christusbildes, die Vergottung Jesu, gewirkt hat. Die Kirche verbot zwar das Opfer für den Herrscher, übernahm sonst aber den gesamten Kaiserkult, einschließlich des Kniefalls der Adoration; auch die Bekränzung der Kaiserbilder (laureata), denen das Volk, wie in heidnischer Zeit, mit Kerzen und Weihrauch entgegeneilte.[60]

Freilich galt diese Andacht jetzt nicht mehr dem Kaiser, sondern Gott, dem sie, in der Verehrung des Kaisers, dargebracht wurde; ein theologischer Trick, der zwar verbal das Devotionsmoment stark betont, ja, gewöhnlich apologetisch übersteigert hat, praktisch aber alles beim alten beließ, in Byzanz bis ins 15. Jahrhundert. Auch die christlichen Monarchen setzen somit das hellenische Hofzeremoniell und den Kaiserkult fort. Auch sie werden göttlich verehrt, als Gottheit angesprochen, und sie nennen sich auch selber so, selbst wenn sie, seit Konstantin, theoretisch eben nicht mehr Gott, sondern seine Stellvertreter sind. Gott wirkt und spricht durch sie, er inspiriert sie. Der Kaiser, dies ist entscheidend, handelt gleichsam in Gottes Auftrag, untersteht deshalb auch keiner Kritik, schuldet niemand Rechenschaft. Sein Wille ist Gesetz, der Staat «ein regelrechter Zwangsstaat» (Grant), die Verfassung die orientalische Autokratie, der Dominat, das absolute Kaisertum. Die Senatoren sind entmachtet, aus der Regierung, der Gesetzgebung, ausgeschaltet, die alten Provinzlandtage nahezu verschwunden. Es gibt im Grunde keine Untertanen – schon gar keine Menschenrechte. Recht hat immer nur der Kaiser, der Staat, deren Gewalt schon die alte Kirche einmütig zurückführt auf Gott. So wird im Bewußtsein der byzantischen Christen das ganze Reich ein corpus politicum mysticum, wird auch Konstantin nach seinem Tod zum divus erhoben. Auf Münzen aus den Prägstätten seiner christlichen Söhne fährt er zum Himmel auf, wie schon sein Vater. Lampen und Kerzen brennen vor seiner Statue. Andachten finden dort statt zur Heilung von Krankheiten. Und vor seinem Standbild im Hippodrom, das in der Hand eine goldene Tyche der Stadt hielt, sollte der jeweilige Regent samt Volk sich erheben und verneigen.[61]

Nach Erringung der Alleinherrschaft frönte Konstantin immer

größerem Pomp in seiner neuen Residenz, wo die Bauarbeiten unmittelbar nach dem Sieg über Licinius (324) begonnen hatten. Er machte Anleihen beim persischen und indischen Hofzeremoniell. Im goldnen Panzer und edelsteingeschmückt trat er vor das Heer, im juwelenbeladenen Galakostüm vor den Senat. Nur seinen Gewändern sollte die Purpurseide, nur seinen Bildnissen der ägyptische Marmor vorbehalten bleiben, nur er durfte auf bestimmten porphyrnen Kreisen seiner Empfangsräume stehn. Auch dachte er sich neue glanzvolle Titel für seine Würdenträger aus; kurz, das ganze Hofleben wurde immer üppiger.[62]

Gleichzeitig aber begründete Konstantin in diesem prachtstrotzenden Palast eine christliche Gemeinde und versammelte sie zu Bibelbetrachtungen und gemeinsamem Gebet. Wie er denn auch selbst angeblich zu Gott betete, vor der Schlacht ein Gebetszelt aufzusuchen pflegte und sogar theologische Reden über fundamentale Glaubensfragen verfaßte.[63]

Zeitgenössische Bischöfe und «Väter» attestieren ihm jetzt eine charismatische Sonderstellung, vergleichen ihn mit Abraham und Moses, preisen ihn als «fromm», den «gottgeliebten Führer», den «von Gott eingesetzten allgemeinen Bischof» (koinós epískopos), den «einzigen von allen römischen Kaisern, der ein Freund Gottes gewesen ist», ein «Liebling Gottes», titulieren ihn unwidersprochen, «Heiland», «Erlöser», nennen ihn «für alle Menschen ein leuchtendes Beispiel gottesfürchtigen Lebens», machen ihn zum Idealtyp des christlichen Regenten. Bis tief in die Neuzeit wird diese Vergötterung oder doch die Formel Gott-Christus-Kaiser (und die Bevorzugung der Monarchie vor allen anderen Verfassungen!) die Welt beeinflussen. Und nicht die «profane» Geschichte, die Kirchengeschichte gibt Konstantin den Beinamen «der Große», und zwar «mit vollem Recht» (Katholik Ehrhard). Noch im mittelalterlichen England werden ihm zahlreiche Gotteshäuser errichtet. Und noch im 20. Jahrhundert bestätigt man ihm «eine eindeutig christliche Glaubenshaltung», «missionarischen Eifer» (Katholik Baus), «ein allmählich tieferes Hineinwachsen in das Christentum und eine gesteigerte Freude an der Religion» (Katholik Bihlmeyer), feiert man ihn als «leuchtendes

Vorbild . . . der Christenheit», «*princeps christianus*» (Katholik Stockmeier), als «Christ dem Herzen, nicht nur der äußeren Haltung nach» (Protestant Aland). Ja, im Osten, der ihn als «apostelgleich», auch als «13. Apostel», samt seiner Mutter in die Zahl der Heiligen aufnahm, hängen seine Konterfeis noch heute in den griechischen Kirchen, wo man sein Fest noch immer am 21. Mai pompös und überschwenglich begeht. Konnte Konstantin, geradezu «religiösester aller Kaiser» (religiosissimus Augustus) genannt, doch zur «Idealfigur nicht mehr nur des *einen* christlichen Kaisers, sondern christlichen Herrschertums überhaupt werden» (Löwe).[64]

VON DER KIRCHE DER PAZIFISTEN ZUR KIRCHE DER FELDPFAFFEN

Doch dieser Fürst, inmitten der Grabstelen der Apostel beigesetzt und von der Ostkirche heiliggesprochen – wie freilich so mancher seines Schlages auch im Westen, Karl etwa, der (wahrlich nicht nur) *Sachsen*schlächter, Heinrich II.: «tausend heiliggesprochene Verbrecher» (Helvétius) –, doch dieser hl. Konstantin, der nie eine Schlacht verlor, der «Mann des Krieges» (Prete), «die vollkommenste Verkörperung des Soldatentums» (Seeck), führte einen Krieg und Großkrieg nach dem andern, die, zumindest teilweise, «furchtbare Härte» charakterisiert (Kornemann): Noch im Sommer oder Herbst 306 gegen die Brukterer, erst auf römischem, dann auf ihrem eignen Gebiet. 310 erneut gegen die Brukterer, deren Dörfer er verbrennt, deren Gefangene er lebendig zerfleischen läßt. 313 gegen die Franken, die Stammesführer büßen mit dem Leben. 314 gegen die Sarmaten, die er bereits unter Galerius bezwang; er wird nun «Der Sarmatensieger größter» (Sarmaticus Maximus). 315 gegen die Goten (Gothicus maximus). 320 schlägt Sohn Krispus die Alemannen, 322 er selber nochmals die Sarmaten. Er heimst reiche Beute ein und verschleppt zahlreiche Gefangene als Leibeigene auf römischen Boden. 323 besiegt er

die Goten, wobei er jeden, der ihnen beisteht, lebendig zu ver-
brennen befiehlt. Was überlebt, wandert wieder in Gefangen-
schaft. Neuer Titel: «Gothorum Victor Triumphator». Neue
Stiftung: die alljährlich vom 4. bis 9. Februar gefeierten «ludi
Gothici» (vgl. die «fränkischen Spiele» S. 217). In seinen letzten
Jahrzehnten kämpft Konstantin häufig in den Donauländern,
versucht schon, sie «zu missionieren» (Kraft), verursacht den
Germanen Niederlagen, die sich auswirken «bis in ihre religiöse
Geschichte hinein» (Doerries). 328 unterwirft er die Goten im
Banat. 329 vernichtet Konstantin II. ein Alemannenheer fast
ganz. 332 überwältigen Vater und Sohn bei Marcianopolis abermals die Goten, deren Tote, Opfer auch von Hunger und Frost
(«fame et frigore»: Anonymus Valesianus), man auf hunderttausend berechnete, anscheinend auch viele Frauen und Kinder darunter: «Gotensieger der Große». Noch in seinem Todesjahr rüstet
der «Schöpfer des *christlichen* Weltreiches» (Dölger), besonders
vom Klerus Armeniens gedrängt (S. 296 ff), intensiv gegen die
Perser, die er ausdrücklich durch einen Kreuzzug besiegen will,
mit vielen Militärbischöfen, einem tragbaren Kultzelt, liturgischen Geräten.[65]

Grundsätzlich neu war auch dies nicht, Religion vielmehr von
früh an mit dem Krieg verknüpft. Überall hatte man Kriegsgötter
und focht auf ihr Geheiß, mit ihrer Billigung. In Indien begleitete
der Priester den Feldherrn. Das germanische Heer sammelte sich
häufig im heiligen Hain und trug Kultsymbole im Kampf; kannten die Germanen doch sogar bewaffnete Geistliche in der Heer-
folge und fanden «auch in christlichen Zeiten daran nichts Be-
fremdliches» (Andresen/Denzler). Stark beachteten die Religion
im Krieg die Römer. Ihr Kriegsgott Mars hatte Tempel auf dem
Marsfeld, an der Via Appia, im Circus Flaminius, einen als Ultor
(«Rächer») auf dem Forum des Augustus. Im März und Oktober,
offenbar zu Beginn und Ende der Feldzüge, wurden dem Mars
Feste gefeiert, die Kriegshörner (am 23. März und 23. Mai)
gereinigt, auch die Pferde geweiht. Die Salier, die Tanzpriester,
führten sakrale Tänze auf, einer ihrer Schilde war direkt vom
Himmel gefallen, mit dem Carmen Saliare riefen sie die Götter an

– wie der Feldherr mit dem Ruf «Wache, Mars» vor dem Kriegszug die «Marslanzen» schütteln mußte. Eine noch größere Rolle
spielte die Religion im Krieg bei den Juden, deren «Testament»
das Christentum eben übernahm (S. 121 ff), ohne freilich *zunächst* dessen Kriegsgebrüll zu übernehmen.[66]

So glaubt Origenes, der bedeutendste Theologe frühchristlicher Zeit, ein Christ, der das Alte Testament wörtlich verstehe,
müsse «erröten» angesichts der so viel «feiner und vernünftiger
wirkenden Menschengesetze, etwa der Römer oder Athener»!
Nur in geistlicher Weise schienen Origenes die kriegerischen
Bibelpartien erklärbar. Sonst, meint er, hätten nie die Apostel
«diese Bücher der Hebräer zur Lesung in den Kirchen den Jün-
gern des Christus übergeben». «Wir sind gekommen, den Ermah-
nungen Jesu gehorsam die Schwerter zu zerbrechen . . . und ver-
wandeln in Pflugscharen die Speere . . . Wir ziehen nicht mehr das
Schwert gegen irgendein Volk und lernen nicht mehr zu kriegen . . .»[67]

Schließlich tritt der synoptische Jesus als Nichtkrieger auf, als
Pazifist; ist er frei von chauvinistischen Instinkten, von Machtambitionen. Nie erlaubt er, die «Frohe Botschaft» mit Feuer und
Schwert durchzusetzen. Vielmehr verwirft er jede Gewalt, gebietet Verzicht auf Gegenwehr, den Heroismus des Duldens, nicht
den der Selbstbehauptung. Ja, er verlangt, das Böse mit Güte zu
belohnen.[68]

Im Neuen Testament sollen die Christen nur «den Schild des
Glaubens» ergreifen, «den Helm des Heils und das Schwert des
Geistes, welches ist das Wort Gottes». Und in Übereinstimmung
mit den neutestamentlichen Tötungsverboten *wird im Christentum der ersten drei Jahrhunderte nirgends der Kriegsdienst erlaubt*! Justin, Tatian, Athenagoras, Tertullian, Origenes, Cyprian, Arnobius, Laktanz, wie unterschiedlich auch immer
menschlich und theologisch, ob sie «Ketzer» geworden, «verketzert» worden, «rechtgläubig» geblieben sind, sie alle ermüden
nicht, der Welt Gewaltlosigkeit zu verkünden. Sie alle versichern,
wie Athenagoras, daß Christen «ihre Feinde nicht hassen, sondern sogar lieben . . . sie sogar segnen und für die, welche ihnen

nach dem Leben streben, sogar beten», daß sie «geschlagen nicht wieder schlagen, ausgeraubt nicht prozessieren». «Wir dürfen so nicht Widerstand leisten», kommentiert der hl. Justin die Bergpredigt. Der Kaiser könne kein Christ, ein Christ niemals Kaiser sein. Scharf konfrontiert Tertullian Christenpflicht und Kriegsdienst, göttlichen und menschlichen Fahneneid, «das Feldzeichen Christi und das Feldzeichen des Teufels, das Lager des Lichts und das Lager der Finsternis». Er nennt sie «unverträglich» und erklärt jede Uniform «bei uns verboten, weil sie das Abzeichen eines unerlaubten Berufs ist». «Wie kann man Krieg führen, ja selbst im Frieden Soldat sein ohne das Schwert, das der Herr fortnahm?» Er nämlich habe «Petrus entwaffnet und damit jedem Soldaten das Schwert genommen». Clemens Alexandrinus geht bis zur Ablehnung von Militärmusik (– wie, aus andren Gründen, noch Albert Einstein, nach dem jeder, der im Gleichschritt gern nach Musik marschiert, «sein Gehirn aus Versehen» bekommen hat). Verwarfen die Theologen doch auch jede Notwehr und die Todesstrafe – die das Alte Testament sogar für Ehebrecher fordert, für Homosexuelle, «unkeusche» Tiere (S. 78)![69]

Selbst die Jäger müssen nach der Kirchenordnung des römischen Bischofs und Heiligen Hippolyt (aus dem 3. Jahrhundert, der zweitältesten, die wir kennen) das Jagen aufgeben oder die Konversion. Das Tötungsverbot galt für Christen eben unbedingt. Die Kirchenväter vor Konstantin haben Jesu Bergpredigt stets wörtlich verstanden. «Einem Soldaten, der seinen Dienst bei einem Statthalter verrichtet, sage man, daß er keine Hinrichtung vollziehe», lehrt Hippolyt in seiner «Apostolischen Überlieferung». «Wer die Schwertgewalt oder die Verwaltung einer Stadt innehat, wer den Purpur trägt, trete ab, oder man weise ihn zurück. Wenn ein Taufbewerber oder ein Gläubiger Soldat werden will, dann weise man ihn zurück; denn er hat Gott verachtet.» Man war also konsequent gegen das Töten eines Menschen, gleich aus welchem Grund und mit welchem Recht: auf dem Schlachtfeld, bei Notwehr, im Zirkus oder Strafprozeß.[70]

Man kann nicht Gott und den Menschen zugleich sich verdingen, führt Tertullian aus, «kann nicht beiden dienen, Gott und dem Kaiser». Freilich, höhnt er von einem Christen im Staatsdienst: gesetzt, er könne irgendein hohes Amt bekleiden, ohne zu opfern und Opfer zu ermöglichen, ohne Tempelverwaltungen zu vergeben, ohne Tempelsteuern zu verbuchen, ohne Schauspiele zu veranstalten oder ihnen zu präsidieren, gesetzt, daß er keine feierliche Verkündung vornehme, kein Edikt erlasse, nicht bei den Göttern schwöre, «daß er als Inhaber richterlicher Gewalt niemand zum Tode oder zum Ehrverlust verurteilt (neque iudicet de capite alicuius vel pudore) – Geldstrafen mögen hingehen –, daß er weder (in letzter Instanz) verurteilt noch vorläufig (neque damnet neque praedamnet), daß er niemand fesseln, niemand einsperren noch foltern läßt – wenn es glaubwürdig ist, so etwas könne geschehen . . .» Tertullian verzichtet auf die Pointe, sie versteht sich von selbst.[71]

Athenagoras berichtet, daß die Christen «es nicht einmal über sich bringen, bei einer gerechten Tötung zuzusehen». Mache es doch nach ihrer Auffassung «keinen großen Unterscheid, ob man bei einer Tötung zuschaut oder sie selbst vollzieht, und deshalb haben wir den Anblick solcher Szenen verboten. Wie sollten also wir, die nicht einmal zusehen, damit uns nicht Blutschuld und Frevel beflecke, jemand töten können?»[72]

Das galt, wie gesagt, in jedem Fall. Galt erst recht, wo stets in Massen getötet wird, wo Hekatomben verbluten. Deshalb verurteilt die frühe Kirche «streng den Krieg» (Cadoux); hält sie «Liebe und töten für unvereinbar». «Von allen hervorragenden Schriftstellern in Ost und West wird die Teilnahme von Christen am Kriegsdienst verworfen» (Bainton). Jene absurde Unterscheidung des nachkonstantinischen Klerus, der, nach Entartung zu einer Staats- und Heeres-Kirche, den Mord im kleinen Maßstab zwar weiterhin verdammt, den tausendfachen auf dem Schlachtfeld aber plötzlich preist, kannte die alte Christenheit nicht. An den Straßen lauern Räuber, schreibt Märtyrer Cyprian, «zweifellos der bedeutendste afrikanische Bischof des 3. Jahrhunderts, vielleicht sogar bis Augustinus» (Marschall), und Piraten gefährden die Meere, überall triefe die Erde von Blut, doch: «Wird es einzeln vergossen, redet man von Untat, wenn öffentlich, von Tapferkeit.

Die Größe des Wütens ist es, die das Verbrechen straflos macht . . .»[73]

Genau dies aber, *die Größe des Wütens, die das Verbrechen straflos macht, wurde die Moral der Kirche und blieb es*. In den ersten drei Jahrhunderten war sie es nicht! So wanderten die Mitglieder der Urgemeinde im Jahr 66/67, kurz vor der Belagerung Jerusalems durch die Römer (S. 112 ff), geschlossen nach dem Ostjordanland in das Städtchen Pella aus (wo heute die Ruinen von Chirbet Fahil stehen), weil sie, betont Theologe Erhard, «nicht zum Schwert greifen wollten». Deshalb auch ließ im Jüdischen Aufstand Barkochba (S. 115 f), überliefert der hl. Justin, «die Christen allein zu schrecklichen Martern hinschleppen, wenn sie Jesus Christus nicht verleugneten und lästerten». Das heißt, wenn sie nicht von ihrem Glauben abfielen und die Römer bekriegten. Die Römer andererseits fackelten ebenfalls nicht, weigerten sich christliche Soldaten zu töten. «Ich kann nicht Soldat sein; ich kann nicht Unrecht tun; ich bin Christ» (non possum militare, non possum malefacere – Christianus sum). So widersteht in Afrika der Soldatensohn Maximilian dem Eintritt in die Armee. «Ich leiste nicht der Welt, sondern meinem Gott Kriegsdienst.» Der Prokonsul läßt ihn hinrichten. Es gab seinerzeit also schon Christen im Heer (etwa seit Ende des 2. Jahrhunderts) – doch sie waren bereits Soldaten, als sie Christen wurden und blieben dann, gemäß der paulinischen Weisung, in ihrem Stand, durften aber nicht kämpfen! Es ist kaum Zufall, daß die letzte Christenverfolgung unter Diokletian, wie Euseb mitteilt, «mit den Brüdern» begann, «die im Heere standen». Und wir wissen auch, daß sie (303–311) «das Gros der Martyrer» stellten (Andresen/Denzler).[74] Und sicher nicht nur, weil strenge Christen dem Kaiser das Opfer verweigerten.

Aber: «Nichts ist so schnell in Vergessenheit geraten», klagt Katholik Kühner, «wie die ersten drei Jahrhunderte.» Noch im frühen 4. Jahrhundert zwar versagt die Synode von Elvira jedem Gläubigen, der auch *nur durch Anzeige* (rechtmäßig oder nicht!) zu einer Hinrichtung oder Ächtung beitrug, zeitlebens, selbst in der Todesstunde, die Kommunion. Dann aber erlassen 313 Kon-

stantin und Licinius ihr Toleranzedikt, wird das Christentum aus
einer unerlaubten Religion eine erlaubte (um nun bald alle andren
erlaubten unerlaubt zu machen). Und über Nacht vollzieht sich
die wunderbare Metamorphose dieser Pazifisten in Feldpfaffen!
Taten sie vordem alles, um den Kriegsdienst der Ihren zu unterbinden, wurde mancher deshalb sogar Märtyrer, erschien ihnen
Töten plötzlich notwendig. Kaum vom Staat anerkannt, beschließt 314 die Synode von Arelate (Arles), «mit dem Heiligen
Geist und seinen Engeln im Verein», die Exkommunikation deser-
tierender Christen. Wer die Waffen wegwarf, wurde ausgeschlossen. Vordem schloß man aus, wer sie nicht wegwarf. War früher
«militia Christi» ein – freilich schon verdächtig oft strapaziertes
– Bild, hatte man sie nun in Wirklichkeit. (Bereits Paulus scheint
verliebt ins Militärvokabular: er spricht von den «Waffen Gottes», dem «Panzer der Gerechtigkeit», «Schild des Glaubens»,
«Helm des Heils», den «Feuerpfeilen des Bösen». Was wäre ein
Mann wie er zur Zeit Augustins geworden!) Die Namen der
Soldatenmärtyrer flogen jetzt schleunigst aus den kirchlichen
Kalendern; Soldatengötter, Christus selber, Maria, diverse Hei-
lige, kamen hinein und übernahmen genau die Funktion der
heidnischen Kriegsidole. Der Soldateneid hieß: sacramentum![75]

Interessant auch, daß unter den spätantiken Heermeistern
und Feldherren der östlichen Reichshälfte, die Raban von
Haehling von der Mitte des 4. bis zur Mitte des 5. Jahrhunderts
anführt, soweit ihre Religionszugehörigkeit sich noch sicher
ausmachen läßt, bereits zwanzig (orthodoxe) Christen sind,
fünf Arianer und nur noch sieben Heiden. Außerdem vermutet
von Haehling unter den führenden Militärs dieser Zeit fünf (orthodoxe) Christen, einen Arianer und zwei Heiden. Bei nicht
wenigen der höchsten Offiziere ist ihre Religion nicht mehr fest-
stellbar.[76] Unter den militärischen Amtsträgern der westlichen
Reichshälfte nennt von Haehling mit Sicherheit dreizehn (orthodoxe) Christen, drei Arianer und acht Heiden. Ferner vermutet er unter den Militärbefehlshabern des Westens noch fünf
(orthodoxe) Christen. Vermutete Arianer oder Heiden fehlen
hier. Doch steht wieder bei einer Reihe von führenden Genera-

len ihr Bekenntnis nicht fest. Immerhin sind damals weitaus die meisten maßgebenden Militärs, deren Glaube noch bekannt ist, schon Christen.[77]

Ein Jahrhundert nach der Synode von Arles – 102 Jahre später – schließt ein christlicher Kaisererlaß alle Nichtchristen vom Heer aus: Massenmord ist jetzt endgültig Sache von Christen.[78]

Und seit eineinhalb Jahrtausenden finden die christlichen Gottesgelehrten sich nicht nur damit ab – sie finden es gut.

Hans von Campenhausen, einer von Tausenden, mokiert sich in seiner Studie «Der Kriegsdienst der Christen in der Kirche des Altertums» über die «naive Selbstverständlichkeit», mit der jene den Pazifismus, «das Ausnahmerecht», proklamierten und praktizierten. Der freiherrliche Theologe erklärt dies durch «kleine, mehr oder weniger kleinbürgerliche Enklaven in den friedlichen Binnengebieten», ja, im Grunde durch fehlendes frühchristliches Verantwortungsgefühl, durch Oberflächlichkeit. «Die Christen stehen noch außerhalb der politischen Verantwortung [!], und die staatsphilosophische Reflexion der Antike hat sie noch nicht in der Tiefe [!] berührt. Aber dabei kann es nicht bleiben.» «Die Entwicklung schreitet fort, und mit dem Wachstum der Kirche muß ihre Verantwortung [!] über den innersten geistlichen Bereich hinauswachsen.»[79]

Mit «Tiefe» und «Verantwortung» umschreibt von Campenhausen, daß die Kirche nun mit den Wölfen heult; daß sie von jetzt an, direkt und indirekt, durch die Jahrtausende mitschuldig wird an millionenfachem Mord. Doch müßte der Mann nicht Theologe sein, um das ungeschminkt zuzugeben. Vielmehr spricht er, wie die meisten seinesgleichen, mit gespaltener Zunge, möchte er nicht sagen, «die Kirche habe seit dem vermeintlichen [!] ‹Abfall› unter Konstantin den ursprünglichen christlichen Ausnahmegedanken [!] einfach preisgegeben». Nein, «die Kirche hat vor der Welt und ihrem weltlichen Kriegsrecht darum nicht einfach kapituliert», sie hat, behauptet er, den «Kriegsdienst doch nicht einfach zum absoluten Gesetz erhoben». Denn: «Ausnahmen sind möglich», wird ja «vor den Toren der Kirche und des Klosters dem Krieg und der Blutjustiz grundsätzlich Halt geboten», das heißt – wie wichtig! – wenigstens die Haut des Klerus («blutig» ist nur der Laie) gerettet – und etwas Schein! «Mönche, Kleriker und ‹Geistliche› aller Art brauchen nicht zu kämpfen». Und überhaupt: «Die Christen ordnen sich den politischen und militärischen Fronten darum niemals so ein, als ob der Krieg eine letzte Wahrheit und Wirklichkeit bestätigte, die keine Durchbrechung duldet . . . Kriegsdienst und Kriegsverzicht der Christen gehören in gewisser Weise also zusammen. Die recht verstandene ‹Ausnahme› ist in diesem Falle die notwendige Auslegung und die Bestätigung einer richtig verstandenen ‹Regel›.»[80]

Von Campenhausen ist auch die Regel unter Theologen.

Typisch für diesen, in seinen Folgen kaum zu überschätzenden Umschwung, für diese radikale (Sophismen à la Campenhausen können wir vergessen) Preisgabe einer jahrhundertealten, streng pazifistischen Religiosität zugunsten einer jahrtausendelangen militaristischen, typisch für das heute als «Sündenfall» verniedlichte aggiornamento ohnegleichen, ist Kirchenvater Laktanz. Denn er genießt «als kaiserlicher Günstling zuerst die Vorteile des beginnenden Bundes von Staat und Kirche» (v. Campenhausen) – und er verliert auch zuerst sein Gesicht.[81]

In seinen »Divinae Institutiones», der größten christlichen Apologie vorkonstantinischer Zeit, kurz vor 313 (!) verfaßt, tritt Laktanz leidenschaftlich für Humanität, Toleranz ein, brüderliche Liebe. Zwar kennt er nichts Wichtigeres auf Erden als die Religion. Doch müsse sie geschützt werden, «indem man stirbt, nicht indem man tötet – durch Geduld, nicht durch Grausamkeit, durch Glauben, nicht durch Verbrechen. Wollt ihr die Religion durch Blutvergießen und Qualen verteidigen, dann verteidigt ihr sie nicht, sondern besudelt und entehrt sie.» Konsequent bekämpft Laktanz in seinem Traktat Nationalismus und Krieg. «Denn wie könnte gerecht sein, wer schadet, wer haßt, wer raubt, wer tötet. Das alles aber tun die, welche ihrem Vaterland zu nützen streben.» Doch nicht Kriegsdienst nur mißbilligt der Kirchenvater, sondern jede Menschentötung, auch wenn sie «das weltliche Recht sehr wohl erlaubt». Verdammt er ja selbst die Denunzierung eines Verbrechens, auf dem die Todesstrafe steht.

In einem «Auszug» (Epitomé) aber dieser Schrift etwa anno 314 (!) streicht der Verfasser alle pazifistischen Partien und feiert den Tod fürs Vaterland – «eine besonders gelungene Leistung» (v. Campenhausen).[82]

Laktanz demonstriert damit die Haltung seiner Kirche überhaupt. Verfemt einst und bitterarm oft, machte ihn Konstantin, bald nach 313, zum Erzieher seines Sohnes Krispus, auch zum Berater mitunter seiner selbst. Die jähe Karriere, der Glanz des Hofes, die Villen des Moseltals, die Paläste Triers (seit Augustus Stadt, seit einigen Jahrzehnten Kaiserresidenz, wo Konstantin weilte, die hl. Helena, wohin später die Kirchenlehrer Athanasius, Ambrosius, Hieronymus kamen), kurz, der Umgang mit der «ersten» Gesellschaft des Reichs, all dies ließ den greisen Laktanz rasch vergessen, was er vordem ein Leben lang geglaubt. So widmet er sein Hauptwerk nachträglich dem Herrscher, brandmarkt er Kriegs- und Justizdienst nicht mehr, sondern preist sie. Das ganze Christentum wird für ihn jetzt «ein blutiger Kampf zwischen Gut und Böse» (Prete), womit er «schon auf der Schwelle zur neuen Zeit» steht (v. Campenhausen).[83]

Derart verriet Laktanz die eigene Glaubensüberzeugung und eine fast dreihundertjährige pazifistische Tradition. Und wie er, so im Grund die ganze Kirche. Gierig folgt sie den Lockungen des Kaisers, der sie anerkennt, einflußreich macht, reich, der jedoch keinen passiven, pazifistischen Klerus brauchen kann, sondern einen, der die Waffen segnet. Und er segnete sie fort und fort . . . Denn, schreibt Heine: «Nicht bloß die römischen, sondern auch die englischen, die preußischen, kurz, alle privilegierten Priester haben sich verbündet mit Cäsar und Konsorten zur Unterdrückung der Völker.»[84]

Moderne Theologen, die diesen Bankrott der Jesuslehre nicht rundweg leugnen, reden da vom «Sündenfall» des Christentums. Ein abwiegelndes Wort, verharmlosend, an das alte Apfelmärlein erinnernd, paradiesische «Seitensprünge» . . . In Wahrheit geht es hier um Mord, ein jahrtausendlanges Schlachten, das nun, da im Namen der «Frohen Botschaft», der «Religion der Liebe», Gottes selbst, getätigt, auch noch als gerecht, gut, erklärt, das verklärt, ja, das «heilig» wird – Gipfelpunkt des Kriminellen: «heiliger Krieg»! Er war, neben Inquisition und Hexenverbrennung, das einzig halbwegs Neue im Christentum. Hatte man doch vorher von dem «schauderhaften Aberwitz der Religionskriege» (Voltaire), diesem «blutigen Wahnsinn, . . . keinen Begriff» (Schopenhauer).[85]

Eine neue Theologie folgte – im Schein des alten Vokabulars. Nicht nur eine politische, eine militaristische, die der Ecclesia triumphans, der Ecclesia militans, die Theologie des Kaisers – die aller Kaiser. Zumindest die altrömische, heidnische, die bis auf Cäsar zurückreicht, doch im Grunde viel weiter. Zwar, der Geruch von Götzenopfer, der «schändliche Irrtum», der so «viele Völker ins Verderben gebracht», war Konstantin, so schien es, sollte es scheinen, fast so fatal wie einst Jahwe. «Ich fliehe alles zu verabscheuende Blut, allen widrigen und unheilbringenden Geruch.»[86] Blut und Gestank der Schlachtfelder aber stieg diesem Herrn so angenehm wie dem HERRN in die Nase . . .

Der Monarch, der einmal äußern konnte, «daß ich als der Mensch Gottes alles schon längst von Grund auf weiß», eine Hybris, zu der kein heidnischer Fürst sich hatte hinreißen lassen, wußte freilich, was er wollte: Festigung des Reiches durch religiöse Einheit. Dasselbe zwar hatte schon sein Vorgänger Diokletian erstrebt, doch mit Hilfe des Heidentums. Konstantin erstrebte es – seine «Revolution» – mit Hilfe der Christen. Einerseits beschwört er so, in Briefen an Bischöfe, Synoden, Gemeinden, unermüdlich die Einigkeit, Concordia, «Frieden und Einklang», «Zusammenklang und Einheit». Immer wieder postuliert er «eine einheitliche Ordnung», nennt er es sein «Ziel vor allem, daß bei den glücklichen Völkern der katholischen Kirche ein einziger Glaube, reine Liebe und einträchtige Frömmigkeit bewahrt bleibe»; «daß die allgemeine Kirche *eine* sei». Andererseits steht dem Despoten nichts näher als die Armee, war er durch und durch Soldatenkaiser und blieb es bis zuletzt. Er reorganisierte entscheidend die Truppe. Er unterteilte sie in Fußvolk und Reiterei. Er verwandte für die Sicherung der Grenzen Milizen, deren Kern Veteranen bildeten, schuf mobile Feldheere, zu denen auch die palatini, die Kaisergarde, gehörte, und begann auch bereits mit der Rekrutierung von Germanen.[87]

Gewiß, dieser Mann wußte, was er wollte: einen schlagkräftigen Glauben und eine schlagkräftige Armee. Wer die Gottheit pflichtschuldigst verehre, erklärte er, nütze auch dem Staat am besten. Hatte er doch selbst den christlichen Gottesdienst im Heer eingeführt. «Erstens war es mein Streben, die Gesinnung aller Völker, das Göttliche betreffend, zu vereinen und zu verbinden zu einer Haltung; zweitens den Leib der ganzen Welt, welcher gleichsam an einer schweren Verwundung litt, zu heilen und zusammenzufügen. Bei meinen Bemühungen um dieses Ziel habe ich das eine in der Verborgenheit meines Herzens ins Auge gefaßt, das andere mit meiner militärischen Macht auszuführen getrachtet.» Machtpolitik also zur Abwechslung nicht mehr mit Hilfe der heidnischen Götter, sondern mit dem Kreuz. «Dein Siegel allenthalben voranstellend», heißt es in einem Edikt des Kaisers, «führte ich ein ruhmvoll siegendes Heer an, und wenn irgendwo eine Not des Staates es verlangen sollte, ziehe ich demselben geoffenbarten Zeichen deiner Macht folgend gegen die Feinde aus.»[88]

Auch die Bischöfe wußten, was sie wollten. Nur hatte es wenig noch mit den Geboten ihres Herrn Jesus zu tun, um so mehr aber mit den Befehlen ihres Herrn Konstantin und nicht zuletzt mit ihren eignen Intentionen. Thron und Altar! Der Klerus, zumindest der hohe, gehörte jetzt zu den Großen des Reichs. Er heimste Geld, Besitz ein, Ehren, und dies durch einen christlichen Fürsten, durch seine Schlachten und Siege. Mußte man ihm nicht gefällig, nicht hörig sein? Wie er den Episkopat aufwertete, so privilegierte dieser seine öffentlichen Beamten in der Kirche. Man konzedierte ihnen – durch Kanon 7 der Synode von Arles (314) – bei Begehen einer sonst mit Ausschluß bedrohten Tat, daß sie nicht, wie die übrigen Gläubigen, ipso facto der Exkommunikation verfallen! Breite Teile der Großkirche neigten schon im 4. Jahrhundert zur Identifizierung von Kirche und Staat. Und hatten vordem mit den Heeren die Götter, Dämonen, der Teufel gefochten, ist es nun «die Hand Gottes», die «über dem Schlachtfeld» waltet, ist es

Gott persönlich, der Konstantin «zum Herrn und Herrscher» werden ließ, zu einem Sieger, «allein von allen Gewalthabern, die je gelebt haben, unbezwinglich und unüberwindbar», ist es Gott, der diesen Potentaten «furchtbar» macht, der selber «auf seiner Seite mitkämpft». Ja, so jubelt sein Hoftheologe, die erste christliche Majestät habe «mit aller Leichtigkeit» mehr Völker bekriegt und unterjocht als alle früheren Kaiser – «so gottgeliebt und dreimal selig ward Konstantin».[89]

Welche Verkehrung! Weil das Christentum durch Kriege gesiegt, erblickte man in ihm die «wahre» Religion. Ein Glaube der Liebe legitimierte sich durch Schlachtenglück, vieltausendfachen Mord! Welche Perversion! Und kein Bischof, Papst, kein Kirchenvater hat diese Perversion gegeißelt!

Freilich war es eine alte Sache wieder (vgl. S. 248 f). Götter als Schlachtenhelfer – davon wimmelt gerade die römische Geschichte. So griffen die Dioskuren, die «Söhne des Zeus», die als Nothelfer galten, in das Gemetzel am See Regillus ein, Neptun half Scipio bei der Einnahme Neu-Karthagos, Apoll half Octavian gegen Antonius, der Sonnengott half Aurelian gegen Zenobia und so weiter. Und nun wird die ganze heidnische Siegestheologie in der Kirche des Pazifismus heimisch; Dike, die schlagende und würgende, die Schlüssel des Krieges führende Rachegöttin, deren Attribut das Schwert, zwei Schwerter, deren Helferinnen die Erinnyen sind, zieht ein.[90]

Die meisten von Konstantins Höflingen waren natürlich Christen. Und alle Beamten trugen Uniform – «Erinnerungsstücke», nach Peter Brown, «an ihre lebhaften militärischen Anfänge . . .; selbst die Kaiser hatten auf die Toga verzichtet und ließen sich in ihren Statuen mit militärischem Gewande darstellen». Die Forschung betont, die weltgeschichtliche Wende habe im Heer begonnen. «Die Christen waren sich nie im Zweifel darüber, daß Konstantin . . . über den politischen und militärischen Erfolg zu ihnen gestoßen war» (Straub). Der Kaiser hatte die neue Religion immer mehr zur Militärreligion gemacht, Rom den Soldatenberuf wahrscheinlich früher erlaubt als andere Kirchengemeinden. Schon nach dem Sieg über Maxentius entschloß sich der Aggres-

sor zu einer Kreuzesfahne (Labarum) und dem Christusmonogramm. Vor jedem Gefecht soll er gebetet haben. Die Niederringung des Licinius, nichts als ein Kampf um die Alleinherrschaft,
führte er als Religionskrieg, mit Feldbischöfen auch und einem
Gebetszelt, aus dem er hervorzustürzen und den Angriff zu befehlen pflegte, worauf seine Schlächter, renommiert Oberhirte Euseb, «Mann für Mann niederschlugen.»[91]

Noch moderne Historiker kommentieren rühmend diese Praxis. «Das ist nicht das Bild eines frömmelnden Heuchlers»
(Straub), sondern eines «rechten Soldaten, der sich im Heiligtum
seiner Kreuzesstandarte Rat von seinem Christus holte»
(Weber).[92]

Der Hofbischof zögerte nicht eimal festzustellen, daß Konstantin «immer siegte und sich allezeit der Denkmale seiner Siege über
die Feinde freuen konnte», weil er «sich offen als Knecht und
Diener des höchsten Herrschers bezeichnete und bekannte». Und
Theodoret – Fortsetzer von Eusebs Kirchengeschichte (von 323
bis 428), Verfasser auch des denkwürdigen Satzes: «Die geschichtlichen Tatsachen lehren, daß uns der Krieg größeren Nutzen
bringt als der Friede» –, auch dieser Bischof fand Konstantin
natürlich «alles Lobes würdig» und scheute sich nicht, ihn mit
paulinischem Zungenschlag anzusingen: «Nicht von Menschen,
auch nicht durch Menschen (Gal. 1,1), sondern vom Himmel
habe er seinen Beruf.» Wie denn Konstantin selber rundheraus
prahlte, «daß Gott der Urheber meiner Heldentaten ist»[93].

«Jesus Christus siegt», dies ist von nun an die christliche Formel für die Siege des Kaisers – «Der Kaiser siegt, wie Christus
siegt und wie das Kreuz siegt» (Hernegger). Aber dahinter stand
nichts als die alte heidnische Vorstellung von der Siegeskraft des
Herrschers. Nur siegte er nicht mehr mit Hilfe der heidnischen
Priester, sondern der christlichen, focht er nicht mehr mit dem
Beistand der Götter, sondern des Kreuzes. Gerade dadurch, «daß
er in allem das Gegenteil [!] von dem tat, was kurz vorher die
grausamen Tyrannen sich erlaubt hatten, behielt er über jeden
Gegner und Feind die Oberhand» (Euseb). Die Religion des
Friedens entstand, *die nie Frieden bringt*.[94]

Überall aber pflanzte der erste christliche Kaiser nun das Kreuz auf; nicht nur in den Kirchen! Nicht nur wurde ihre Grundriß-form selber das Kreuz, von St. Paul in Rom, von St. Peter. Nicht nur sah man es im 4. Jahrhundert schon als Ehren- und Siegeszei-chen auf kaiserlichen Münzen, am Zepter. Nein, das Kreuz er-schien auch auf dem Schlachtfeld. Es wurde Kriegszeichen. Und der Klerus billigte es, pries es. «Mit dem Kreuz Christi und im Namen Jesu geht man in den Kampf, durch dieses Zeichen stark, dank dieses Banners standhaft», predigt kein geringerer als Am-brosius, nach dem auch «die Tapferkeit im Kriege» viel «Ehren-haftes und Schickliches an sich hat, insofern sie den Tod der Knechtschaft und Schande vorzieht». (Modern: Lieber tot als rot!) Und auch der hl. Augustinus lehrt: «Glaube nicht, daß jemand, der mit den Waffen Kriegsdienst verrichten will, Gott nicht gefallen könnte.» Erst als christliches Heer gegen christli-ches stritt, begann man zumindest das Kreuz dabei fatal zu finden – und schließlich wollte Luther, sähe er als Kriegsmann «zu Felde ein Kreuzpanier ... davon laufen, als jagte mich der Teufel. Wenn aber Kaiser Karolus Panier oder eines Fürsten zu Felde ist, da laufe ein jeglicher frisch und fröhlich unter sein Panier, da er unter geschworen ist.»[95]

Soviel gilt im Christentum, in der klassischen Religion der Heuchelei, der Schein – der Heiligenschein! Auch für Protestan-ten.

Während der Völkerwanderung organisieren oft Bischöfe schon den bewaffneten Kampf. Der arianische Klerus tritt gera-dezu als Militärgeistlichkeit auf, ist eingegliedert in die Heeres-formationen. Die Volkspriester sind zugleich Feldgeistliche. Eine Hundertschaft erhielt einen Priester, eine Tausendschaft einen Bischof. Unter Theoderich entsprechen die Bischofskirchen in und um Ravenna offenbar den Tausendschaften der hauptstädti-schen Garnison. Und ähnlich sind die arianischen Kirchen in Rom und Byzanz «Garnisionskirchen in den Soldatenquartieren» (von Schubert).[96]

Mit schwersten Strafen ahndet der christliche Staat die Fah-nenflucht: Enthauptung für den Deserteur, Feuertod für jeden, der ihn verbirgt. Ja, schon Unzuverlässige büßen in Afrika durch Händeabhauen und Lebendigverbrennen! Siebzehn Gesetze gegen Fahnenflucht sind allein aus der Zeit zwischen 365 und 412 überliefert. Und 416 läßt Theodosius II. nur noch Christen Soldaten sein! – Freilich, paßt es den hohen Hirten, verteufeln sie den Krieg und predigen die Fahnenflucht (damals und durch alle Zeiten). So verweigern unter König Šāpūr II. (310–379) die persischen Christen den Wehrdienst und ergreifen offen für die christlichen Römer Partei (S. 300). So droht 362 Kirchenlehrer Athanasius allen mit dem Bann, die in der Armee des wieder heidnischen Julian dienen und verlangt von den Christen die Desertion.[97]

Restposten des biblischen Pazifismus zwar werden noch lange verschlissen.

Der hl. Martin von Tours, kurz vor Konstantins Tod Christ geworden, bleibt als solcher zwei Jahre im Heer, verweigert aber, als es zur Schlacht kommt, den Kriegsdienst. Auch müht sich sein Biograph Sulpicius Severus noch, den Lesern seiner vita Martini Turonensis zu verbergen, daß der Heilige einst Offizier gewesen. Ein Konzil in Rom schließt im Jahr 386 jeden vom Klerusstand aus, der nach Empfang der Taufe Kriegsdienst leistet. Chrysostomos behauptet gar, zu seiner Zeit seien nur Freiwillige Soldaten, zwinge keiner die Gläubigen zum Kampf. Sind Sieger für ihn doch sämtlicher Laster teilhaftig, bloß auf Gewalt aus und Raub, wie Wölfe. Ähnlich denkt etwas später Kirchenvater Salvian, etwas früher der hl. Basilius, seinerseits lizenzierte Totschläger für weit schlimmer als Raubmörder haltend. Darum müssen Soldaten «mit ihrer unreinen Hand drei Jahre wenigstens» der Kommunion fernbleiben. (Homosexualität freilich, Verwandtenehe, Ehebruch bedroht Basilius mit fünfzehn Jahren Buße!) Analog erlegten durch das ganze Jahrtausend kirchliche Pönitentialien tötenden Soldaten (auch in Verteidigungskämpfen) meist vierzigtägige Strafen auf. Noch Bischof Fulbert von Chartres (gest. 1029), ein Schüler des Gerbert von Reims (Papst Silvesters II.), bestimmt: «Tötet jemand in offenem Krieg einen Menschen, dann soll er ein Jahr lang büßen.»[98]

Doch was war das neben dem Rigorismus der Frühzeit! Prak-

tisch ist es ohnehin bedeutungslos, oft auch kaum sehr ernst
gemeint. Feierte die christliche Doppelzüngigkeit ja auch und
gerade hier ihre Triumphe. Ein so straßenkampferprobter Kirchenfürst wie Athanasius verbreitet ganz ungeniert, die Christen
wendeten sich «unverzüglich anstatt des Kampfes häuslichen
Beschäftigungen zu, und anstatt sich ihrer Hände zum Waffentragen zu bedienen, erheben sie dieselben zum Gebet». Bei anderer
Gelegenheit hält dieser Heilige Mord zwar für nicht erlaubt, im
Krieg aber sei es «sowohl gesetzlich als lobenswert, Gegner zu
töten». Kirchenlehrer Johannes Chrysostomos, dem einmal Krieger «wie Wölfe» erscheinen, der einmal erklärt, die christliche
Art, Krieg zu führen, sei es, als Schaf unter die Wölfe zu gehen
und zu siegen, indem man die Wölfe in Schafe verwandle, nennt
es ein andres Mal «bewunderungswürdig», erhebe sich ein
Schwerverletzter wieder, um «mitten im Gewühl der Schlacht-
reihe fest zu stehen». Und Kirchenlehrer Ambrosius rühmt schon
ganz selbstverständlich die soldatische Tapferkeit, die das Vaterland gegen die «Barbaren» schütze (S. 409 ff) – von Augustin hier
zu schweigen (vgl. S. 514 ff).[99]

Man predigte zwar, *wie heute noch*, den Frieden, zumal im
Frieden, trieb jedoch bei Bedarf – das wird hier fort und fort
verifiziert werden – stets ungehemmt zum Krieg. Man predigte
zwar noch das Evangelium, mißbrauchte es aber stets um der
eignen Macht und Herrlichkeit willen, wie schon seit Konstantin,
zu dem wir damit zurückkehren.

EIN CHRISTLICHES FAMILIENLEBEN UND
DIE VERSCHÄRFUNG DES STRAFRECHTS

Der erste christliche Kaiser war nicht nur als Krieger groß, sondern auch, ganz konsequent, im Verhängen der Todesstrafe, die
besonders katholische Theologen, gleichfalls konsequent, noch
heute nachdrücklich fordern. Ja, der Kaiser, der nach seinen
Siegen die «Süßigkeit des Zusammenlebens» propagiert und in

dessen Familie «das Christentum sich zunehmend ausbreitet» (Aland), gibt mit umfassenden Verwandtenmorden bereits den Auftakt zu ungezählten dynastischen Massakern an christlichen Höfen.[100]

Der Sohn der hl. Helena, von dem noch in der zweiten Hälfte des 20. Jahrhunderts katholische Kirchenhistoriker behaupten, daß «nur sehr wenige» seiner Nachfolge «an die herrscherliche und menschliche Größe dieses Vorbildes heranreichten» (Baus); «auch in seinem Privatleben machte er aus seiner christlichen Überzeugung keinen Hehl . . . und führte ein christliches Familienleben» (Franzen), dieser Heilige ließ seinen Schwiegervater, Kaiser Maximian, 310 in Massilia (Marseille) erhängen (und danach alle Statuen und Bilder, die ihn darstellten, vernichten); er ließ seine Schwäger Licinius und Bassianus, Gatten seiner Schwestern Konstantia und Anastasia, erwürgen; den Prinzen Licinianus, Sohn des Licinius, 336 zum fiskalischen Sklaven degradieren, auspeitschen und in Karthago totschlagen; 326 seinen eignen (mit Konkubine Minervina kurz vor seiner Hochzeit mit Fausta gezeugten) Sohn Krispus umbringen, wohl vergiften, dazu «zahlreiche Freunde» (Eutrop) – wenige Monate, nebenbei, nach dem Konzil von Nicaea, auf dem er der Christenheit das Nicaenische Glaubensbekenntnis vermittelt hatte (S. 362 ff). Und schließlich ließ das nur selten erreichte Vorbild auch an menschlicher Größe seine Gattin Fausta, Mutter von drei Söhnen und zwei Töchtern, gerade noch auf Münzen als «spes rei publicae» (Hoffnung des Staates) gefeiert, nun des Ehebruchs mit Krispus verdächtigt, doch kaum überführt (Konstantins eigne Seitensprünge waren notorisch) im Bad ersticken, wonach ihren ganzen Besitz auf dem einstigen Gebiet der Laterani endgültig der «Papst» bekam (S. 224).[101]

Ein «christliches Familienleben» (Franzen)!

«Kurz: von welcher Seite aus man auch mit den Maßstäben des Historikers an die Frage der religiösen Überzeugung Konstantins herangeht, es bestätigt sich immer wieder die Feststellung der überzeugt christlichen Haltung des Kaisers»; eine Feststellung, die Aland zwar direkt im Zusammenhang mit Konstantins Ver-

wandtschaft trifft, aber natürlich nicht mit seinen Verwandtenmorden. Der byzantinische Historiker Zosimus, ein entschiedner
Heide, dessen auf guten Quellen fußende Kaisergeschichte, neben
Ammians ‹Rerum gestarum libri XXXI›, unsere Hauptquelle für
die Geschichte des 4. Jahrhunderts ist, meint, in Rom habe man
Konstantin nach der Liquidierung seines Sohnes und seiner Gattin so allgemein abgelehnt, daß er darum eine andre Residenz
errichten wollte. Und selbst Seeck, der seinem vergötterten
Kriegshelden doch die «Gewissenhaftigkeit des Christen und Regenten» attestiert, attestiert ihm, im selben Satz und Atemzug,
auch «die kühle Grausamkeit des Landknechts»[102].

Das Recht erfuhr bereits unter den christlichen Kaisern des 4.
und 5. Jahrhunderts einen Niedergang. Den klassischen Denkstil
der heidnischen Zeit löste das spätrömische Vulgarrecht ab, die
Gesetzgebung sank «auf ein primitives, unwissenschaftliches Niveau» (Kaser). Und Kirchenlehrer Hieronymus konnte dann
(kaum, wie so oft, ohne Zynismus) schreiben: «aliae sunt leges
Caesarum, aliae Christi . . .»[103]

Die Todesstrafe war in republikanischer Zeit zwar nicht formal beseitigt, aber stark eingeschränkt worden. Unter den Kaisern verfuhr man eher noch großzügiger, allerdings bloß gegenüber den gehobeneren Klassen, Senatoren, Offizieren; gegenüber
den «kleinen Leuten» (humiliores, tenuiores) kamen schwerere
Strafen in Schwang.[104]

Diese Tendenz setzt sich in christlicher Zeit fort, wo die Todes-
strafe immer häufiger angewandt und von der Kirche, wie der
Kriegsdienst, eifrig gerechtfertigt wird. Überhaupt verschärfen
die christlichen Kaiser seit Konstantin «die Strafen gegenüber
Freien und Sklaven erheblich» (Nehlsen). Im Wortlaut freilich
klang da jetzt vieles – wie auch in der Kirche: ihre größte Stärke
– sehr edel, hochtrabend pompös, um den Eindruck großzügiger
Menschlichkeit zu erwecken. Scheinbar wurde so das bis zu
Beginn der christlichen Ära geachtete «ius strictum» durch die
«Philanthropie» des Herrschers abgelöst, wurde dessen «Milde»
und «Güte» entscheidend für das «Gemeinwohl»; wurde beispielsweise von Konstantin, ausgerechnet durch einen so brutalen

Machthaber wie Justinian, der Satz kolportiert: «In allen Dingen sollen Gerechtigkeit und Billigkeit vor dem Gesetzesbuchstaben den Vorrang haben.» Doch gibt selbst der sehr konstantin- und christenfreundliche Doerries zu, daß, wie bezeichnend, gerade «um diese Zeit die Rhetorik ihren Einzug in die Gesetzgebung hält und mit ‹humanen› Wendungen auch harten Bestimmungen einen wohlklingenden Ausdruck zu geben weiß»; daß gerade unter Konstantin «das Eindringen der Volksrechte die altrömische Klarheit zu trüben beginnt . . ., die Sprache verwildert, die Rechtsbegriffe gröber werden. Alles das aber ist nicht nur Ausdruck eines Verfalls der Rechtskultur, sondern es entspricht den unüberhörbaren Bedürfnissen der Zeit . . .»[105]

Diese Zeit aber war die christliche, und Konstantin, «der alles Lobes überaus würdige Herrscher» (Theodoret), ging auch da beispielhaft voran. Als erster Kaiser stellte der unumschränkte Autokrat seinen persönlichen Willen als «unmittelbare Rechtsquelle» auf (Schwartz) und trug mit seinen Gesetzen beträchtlich zu der «immer größer werdenden Barbarei des spätrömischen Strafrechtes» bei (Stein), einer Justiz, von der Ernst Kornemann sagt, «es gibt nichts Grausameres»[106].

Gewiß war auch die heidnische Rechtsprechung hart, obwohl ihr humanitäre Züge keineswegs fehlten. Und gewiß hat auch Konstantin manche Strafbestimmung gemildert, vielleicht sogar, im einzelnen oft schwer zu ermitteln, unter christlichem Einfluß. So wurde die einseitige Ehescheidung erschwert (nicht abgeschafft!), der Schuldner besser vor seinen Gläubigern geschützt, die Todesstrafe durch Kreuzigung und Beinbrechen (320 gesetzlich noch bezeugt) durch Erdrosseln am Galgen ersetzt. Auch verbot Konstantin 316 das Brandmarken im Gesicht (der zu Gladiatorenkampf und Bergwerksarbeit Verurteilten), «weil der Mensch nach dem Ebenbilde Gottes geschaffen ist» und man ja auch Hände und Waden brandmarken könne! Doch abgesehen davon, daß die Rechtsentwicklung oft humanisierenden Tendenzen des älteren (heidnischen) Rechts oder der (heidnischen) Philosophie folgte, sie manchmal, zugegeben, unter christlichem Einfluß verstärkte – häufig verhängte Konstantin viel schlimmere Strafen.[107]

So verschärfte der Kaiser, dem es nicht bloß gleich war, «ob der Henker oder der Meuchelmörder das Urteil vollzog», sondern für den auch Menschenleben «keinen Wert» hatten (Seeck), eine ganze Reihe von Kriminalstrafen, zum Beispiel für Münzfälscher. Auch setzte die erste christliche Majestät – Wahlspruch: «Gerechtigkeit und Frieden haben sich geküßt» (iustitia et pax osculatae sunt) – auf Publikation anonymer Schmähschriften, statt der üblichen Verbannung, die Todesstrafe. Denunzianten mußte – für dies «größte Übel des menschlichen Lebens» – vor ihrer Hinrichtung die Zunge ausgerissen werden. Verwandtenmörder, also seinesgleichen, ließ der Tyrann, dessen Gesetzgebung noch heute das ‹Handbuch der Kirchengeschichte› «eine steigende Achtung vor der Würde der menschlichen Person» bescheinigt, die «christliche Achtung vor dem Menschenleben» (Baus), durch das längst abgeschaffte schreckliche Säcken (poena cullei) töten. «Ein Sack, angefüllt mit Schlangen, sei die letzte Wohnung des ausgestoßenen Verbrechers, das Gewürm seine letzte Begleitung und der Abgrund sein letzter Weg.»

Horrend verfolgte dieser Herrscher, der «die Christianisierung des öffentlichen Lebens einleitete» (Franzen) und die Humanisierung des Rechts «unter dem Einfluß christlicher Vorstellungen» (Baus), Sittlichkeitsvergehen, wobei etwa Entführung, bis dahin ein Privatdelikt, ein Kriminalverbrechen wurde. So mußten bei Brautraub nicht nur der Entführer auf furchtbare Weise sterben und die (zustimmend) Entführte, sondern noch das kupplerische Hauspersonal durch flüssiges Blei in den Mund (Ammen) oder Verbrennung (Sklaven). Nach Geschlechtsverkehr zwischen einem Sklaven und seiner Herrin wurde diese geköpft, jener verbrannt. Eine entsprechende Bestimmung für Herren und Sklavinnen freilich fehlt! Ehebruch stellte Konstantin, offenbar unter christlichem Einfluß, den schwersten Verbrechen gleich und erweiterte auch den Kreis der Frauen, auf die das Ehebruchsgesetz Anwendung fand. Zwar stand auf Ehebruch anscheinend schon seit dem 2. Jahrhundert die Todesstrafe, aber durch Konstantin wurde sie «in grausamerer Weise vollstreckt». «Seine Strafbestimmungen sind oft sehr hoch» (Vogt). Schrieb doch Shelley (der sich

selbst «Philantrop, Demokrat und Atheist» nennt, den Byron
rühmt: «Er denkt gigantisch . . .»): «Die Strafen, die dieses Ungeheuer Konstantin, der erste christliche Kaiser, über die Freuden
unerlaubter Liebe verhängte, sind so unvergleichlich schwer, daß
kein moderner Gesetzgeber sie für die grausamsten Verbrechen
hätte festsetzen können.» Und während Konstantin, der ja «keine
Dämonen anrief, sondern den wahren Gott» (Augustinus), einerseits den Haruspices die private Praktizierung ihrer Kunst verbot,
die öffentliche aber erlaubte, während er bei Blitzschlag in kaiserliche Paläste anno 320 die Eingeweidenschauer zu befragen befahl, auch der Astrologie ergeben war, gesetzlich Heil- und Wet-
terzauber, Sympathiekuren, Magie zugunsten der Gesundheit
erlaubte oder zum Schutz des Weinbaus gegen Regen und Hagel,
zog andererseits schon das Verabreichen von «Liebesbechern»
Exil und Güterkonfiskation nach sich; bei tödlichem Ausgang
Zerreißen durch wilde Tiere oder Kreuzigung. (Auch Calocaerus,
Kommandant der kaiserlichen Kamelherden, wurde nach einem
mißglückten Staatsstreich auf der Insel Cypern gefoltert und
gekreuzigt.[108])

Die Folter, die noch großen (christlichen) Zeiten entgegenging,
spielte schon eine beträchtliche Rolle, vor allem gegenüber Sklaven, die Staat und Kirche zur Bewirtschaftung ihrer riesigen
Güter (ge)brauchten, weshalb man auch die Sklaverei beibehielt
und durch besonders strenge Bestimmungen flüchtige Sklaven
bedrohte. Auch ließ Konstantin die Folter vor Gericht zu – «und
die dafür vorgesehenen Methoden waren grausam» (Grant).[109]

Wir sahen eben, daß das konstantinische Recht Sexualverkehr
zwischen Herrin und Sklaven durch Enthauptung und Verbrennen rächte. Sexualverkehr zwischen Herrn und Sklavin nicht!
Wie schon in heidnischer Ära, konnte auch jetzt jeder Ehemann
seine Sklavinnen nach Lust und Liebe benutzen, jedenfalls mit
Billigung des Gesetzgebers – «aliae sunt leges Caesarum, aliae
Christi» (Hieronymus, S. 265). Hat Konstantin doch oft, zumal in
grundsätzlichen Fragen, das heidnische Recht, wo es ihm brauchbar schien, bewahrt, selbst wenn es christlichem Glauben widersprach! Kinderaussetzung beispielsweise, vom Christentum ja

radikal verdammt, erschien ihm offenkundig «lebensfähig». Sogar die Kirche verhielt sich mitunter seltsam kleinlaut. Noch Harnack behauptet: «Die Tatsache, daß m. W. niemals die christlichen Herren ermahnt werden, ihre Sklavinnen nicht zu berühren, gibt doch zu denken.»

Zwar entdeckte man inzwischen ein paar Ausnahmen, Laktanz etwa, Augustin. Aber noch 1978 fällt es Alfred Stuiber auf, «daß christliche Prediger und Schriftsteller trotz ihrer vielen Warnungen vor Unzucht und Ehebruch grade diese nächstliegenden Gefahren im häuslichen Bereich recht selten ausdrücklich nennen»[110].

Das konstantinische Recht erschwerte, hier ziemlich sicher christlichen Vorstellungen folgend, die Ehescheidung enorm, duldete auch seit 326 nicht mehr, wie das klassische römische Recht, das Konkubinat – ein bis dahin juristisch gar nicht erfaßtes Verhältnis! – neben einer bestehenden Ehe. Und später trafen das Konkubinat noch erschwerende Erlasse. So konnten Konkubinen und ihre Kinder vom Mann oder Vater weder durch Schenkung, Kauf noch letzte Verfügung etwas erwerben. Ferner verfielen Männer der oberen Klasse, die mit nicht Standesgemäßen im Konkubinat lebten, der Infamie und verloren das Bürgerrecht. Auch verbot es Konstantin, das Kind einer Sklavin zu legitimieren; was als «unziemliche Freigebigkeit» galt. Und hatte Heidenkaiser Diokletian einem Vater untersagt, seine Kinder als Sklaven zu verkaufen, erlaubte dies Konstantin in schwerer Notzeit unter Vorbehalt des Rückkaufs. Wollte ein Sklave frei sein und floh zu den «barbari» (!), sollte er einen Fuß verlieren oder (und) Bergwerksarbeiter werden, oft, wenn nicht meistens, ein Todesurteil. Jeden Sklaven aber und Dienstboten, der seinen Herrn anklagte (ausgenommen nur, vielsagend genug: Fälle von Ehebruch, Hochverrat und Steuerbetrug), befahl Konstantin – und nach ihm manch ebenso streng gläubige Majestät wie Arkadius oder Justinian –, ohne Untersuchung oder Zulassung von Zeugen sofort zu exekutieren.[111]

Immer wieder rühmt man den ersten christlichen Kaiser als Verbesserer des Sklavenloses; erklärt man zum Beispiel, er habe «in Fortführung alter Tendenzen [!] des römischen Rechts in mehreren Gesetzen auf die Begünstigung der Freilassung und auf humane Behandlung der Sklaven hingewirkt» (Vogt). Oder – so Meinhold noch 1982: «Die Sklavengesetze werden gemildert . . .»[112] Wie steht es damit?

Zwei Edikte Konstantins betreffen die «Besserung der Sklaven».

Der erste Erlaß – Rom, 11. Mai 319 datiert (der Ort stimmt allerdings nicht, der Kaiser war damals in Sirmium, weshalb auch das Jahr unsicher ist) – wurde offenbar an den römischen Stadtpräfekten Bassus gerichtet und lautet: «Imperator Augustus an Bassus: Wenn ein Herr seinen Sklaven mit Ruten oder Riemen (virgis aut loris) gestraft oder zur Bewachung in Fesseln gelegt hat, soll er beim Tod des Sklaven keine Furcht haben, ein Verbrechen begangen zu haben; dabei soll eine Unterscheidung von Tagen oder eine Interpretation abgelehnt werden.» Konstantin verlangt vom Herrn nur «sein Recht nicht maßlos (inmoderate)» zu gebrauchen. Bloß wenn der Tod des Sklaven nicht infolge der üblichen (straffreien) Züchtigung durch Schläge oder Gefängnis und Fesselung, sondern auf besonders brutale Weise eintrete, sei der Herr «des Mordes schuldig». Ebenso langatmig wie schwülstig zählt Konstantin dann eine Reihe solch entsetzlicher, von ihm verdammter Todesarten auf, um den Fortschritt gegenüber den barbarischen Heiden zu demonstrieren. Doch seine Einschränkungen und der Hinweis auf Mäßigung waren nichts Neues, sondern nur eine Bekräftigung des alten Rechts.[113]

Besonders Hadrian (117–138) hatte die Lage der Sklaven schon zu mildern gesucht. Er ließ die furchtbaren Zuchthäuser (ergastula) für Sklaven aufheben, unterband verhältnismäßig weitgehend ihre Tortur vor Gericht, untersagte ihren Verkauf zu Gladiatorenkämpfen ohne gerichtliche Erlaubnis und verbot den Herren, sie zu töten oder töten zu lassen. Eine Römerin, die ihre Sklavin aus geringem Anlaß geschunden hatte, schickte Hadrian fünf Jahre in Verbannung. Überhaupt begründete dieser Herrscher, der als erster römischer Kaiser den Philosophenbart trug und die kulturell führende Schicht (Philosophen, Lehrer, Ärzte) von staatlichen Dienstleistungen befreite, ganz allgemein eine (relativ) humane Gesetzgebung.[114]

Konstantin aber begnügte sich nicht mit dem genannten ersten Sklavenerlaß. Er traf später eine ähnliche, doch noch verschärfte Verfügung: «Derselbe Augustus an Maximilianus Marcrobius. Wann immer ein solcher Zufall bei den Sklaven die Schläge der Herren begleitet, daß sie sterben, so sind sie von Schuld frei (culpa nudi sunt), da sie Schlimmstes verbessern, ihren Sklaven Besseres beibringen wollten. Wir wollen nicht, daß bei einer derartigen Sache, bei der es das Anliegen des Herrn ist, die unversehrte Herrschaft eigenen Rechts zu haben, untersucht werde, ob die Züchtigung mit dem Willen, einen Menschen zu töten, oder nur einfach geschehen ist. Denn immer dann soll der Herr beim Tod des Sklaven des Mordes nicht schuldig erklärt werden, wenn er mit einfachen Maßnahmen eine häusliche Gewalt ausübt. Wenn also Sklaven durch die Züchtigung mit Schlägen durch eine drohende schicksalhafte Notwendigkeit (inminente fatali necessitate) aus dem menschlichen Leben scheiden, mögen die Herren keine Untersuchung befürchten (nullam metuant domini quaestionem). Sirmium, 18. April 326.»[115]

Weiter als in diesem zweiten Dekret (dessen Datierung wieder fragwürdig ist) konnte der christliche Kaiser, den doch «alle als einen gütigen Vater kennengelernt» (Bischof Theodoret), den Sklavenhaltern kaum entgegenkommen. Er verbietet jetzt sogar ausdrücklich nachzuforschen, ob absichtlich oder nicht getötet worden ist. Die Sklavenbesitzer können zufrieden sein. Eigentlich geschieht alles, was sie tun, zum Wohl ihrer Sklaven, gleichsam aus pädagogischen Gründen. Und schließlich handelt es sich, sterben die Opfer, immer um «eine drohende schicksalhafte Notwendigkeit». Es gab somit keine Änderung im altüberkommenen Recht, kommentiert Stuiber. «Trotz rhetorischen Wortschwalls mit humanitärmoralischem Anstrich ist mit Bedacht die grausame Härte der alten Sklavenbehandlung aufrechterhalten worden ... In beiden Erlassen spricht ein ungeduldiger, grausamharter Kaiser, der von feineren juristischen Unterscheidungen nicht viel wissen will. Mit voller kaiserlicher Autorität werden unsicher gewordene Herren beruhigt.»[116]

Zugegeben: die Synode von Elvira urteilte humaner. Prügelte eine Herrin ihre Sklavin tot, erlegte sie jener, laut Kanon 5, eine Kirchenbuße auf – allerdings nur, wenn die Sklavin innerhalb von drei Tagen starb, oder, wie die Synode formuliert, «innerhalb des dritten Tages ihre Seele unter schrecklichen Schmerzen ausgießt» (intra tertium diem animam cum cruciatu effundat). Krepierte die Sklavin erst am vierten Tag, später oder erholte sie sich wann immer, so sahen die seinerzeit in Südspanien versammelten Bischöfe von einer Buße ganz ab. Man kann also kaum sagen, Synoden waren kleinlich – ging es um die «Rechte» der Oberschicht. Kanon 5 von Elvira gelangte über das Decretum Gratiani im 12. Jahrhundert sogar noch in das Corpus iuris canonici.[117]

KONSTANTINS KAMPF GEGEN JUDEN, «KETZER», HEIDEN

Nicht eben philosemitisch verfuhr der Kaiser mit den Juden; offenbar gleichfalls unter klerikalem Einfluß. Ist es doch schwer vorstellbar, daß die dauernden Attacken der Kirchenväter (2. Kap.) ihn nicht berührt haben. Und erst wenige Jahre zuvor hatte das Konzil von Elvira auch schwerste Kirchenstrafen über Kontakte mit Juden verhängt und Gläubige schon für das Segnen ihrer Ernte durch Juden oder wegen gemeinsamer Mahlzeiten mit ihnen exkommuniziert.[118]

Von den römischen Kaisern (vgl. S. 119 ff) war das Judentum weiterhin geduldet und nicht einmal durch Diokletian zum heidnischen Opfer gezwungen worden. Auch Konstantin erkannte es zwar als «religio licita» an, hat aber dennoch die Mission der Juden behindert und ihre Glaubensposition «massiv negativ akzentuiert» (Anton). Schon sein erstes judenfeindliches Gesetz aus dem Herbst 315 droht mit Verbrennung. Noch anno 313 hatte er umfassende Toleranz verkündet und in seinem Erlaß, zusammen mit Licinius, erklärt, «den Christen und allen Menschen freie Wahl zu geben, der Religion zu folgen, welcher immer sie wollten»; hatte er, gemeinsam mit Licinius, «in gesunder und durchaus richtiger Erwägung» beschlossen, «daß jedem die Freiheit gegeben werde, sein Herz jener Religion zuzuwenden, die er selbst für die ihm entsprechende erachtet». Nach dem Konzil von Nicaea freilich sah Konstantin in einem Brief an alle Kirchen die Juden «durch gottloses Verbrechen befleckt», «mit Blindheit des Geistes geschlagen», «von Sinnen gekommen», schimpfte er sie ein «verhaßtes Volk» und bescheinigte ihnen «angeborenen Wahnsinn». Das Betreten Jerusalems, das er und seine Mutter mit Kirchen füllten, gestattete er Juden bloß an *einem* Tag im Jahr. Christliche Sklavenhaltung verbot er ihnen ganz, womit ihre folgenschwere Verdrängung aus der Landwirtschaft beginnt. Die Judaisierung eines Christen kostete das Leben. Auch erneuerte Konstantin ein Gesetz Trajans, vor 200 Jahren erlassen, das die Konversion eines Heiden zum Judentum mit dem Feuertod bedroht. Dabei dehnte der christliche Kaiser diese Strafe auf jede jüdische Gemeinde aus, die einen bekehrten Heiden aufnahm sowie auf alle, die den Übertritt eines Juden zum Christentum verhinderten. Konstantins ältester Sohn, Konstantin II., setzte die antijüdische Gesetzgebung seines Vaters noch rigoroser fort; wie überhaupt dessen Judenfeindschaft auch die Politik seiner Nachfolger prägt.[119]

Es wäre verständlich, hätte es schon unter Konstantin eine Judenrevolte gegeben. Eine solche Nachricht wurde überliefert, aber auch bezweifelt. Die Rebellion kleineren Ausmaßes soll noch in den Anfängen erstickt und angeblich durch Ohrenabschneiden bestraft worden sein.[120]

Schärfer als die Juden griff der Regent bereits die «Ketzer» an. Zuerst in Afrika, wo 311 – besonders wegen der Abgefallenen in der Verfolgung und ihrer Wiedertaufe – eine Spaltung der Kirche entstand, mit jahrhundertelangen Kämpfen im Gefolge. Und im selben Jahr taucht erstmals der Begriff «katholisch» (vgl. S. 156 f) im Gegensatz zu «häretisch» in einem kaiserlichen Schriftstück auf.[121]

In einem Brief, der für August 314 Chrestus, den Bischof von Syrakus, zu einer Synode nach Arles einlud, beklagt der Kaiser, daß in Afrika «einige in schlimmer und verkehrter Weise» Spaltungen hervorriefen innerhalb «der katholischen Religion». Er rügt einen «recht häßlichen Bruderstreit», «sich gegenseitig scharf und ständig bekämpfende Parteien» und schreibt dem sizilianischen Bischof, «daß sich eben jene, die brüderliche und einträchtige Gesinnung haben sollten, in schmählicher, ja abscheulicher Weise voneinander trennen . . . »[122]

Worum ging es?

In Karthago war 311, nach dem Tod des Bischofs Mensurius, der Archidiakon Cäcilian, anscheinend inkorrekt, sein Nachfolger geworden. Seit langem mißachteten ihn alle fanatischen Anhänger des Märtyrerkults, da einer der Konsekratoren bei seiner Weihe, Bischof Felix von Abthungi, traditor gewesen sein soll, Auslieferer heiliger Schriften in der Verfolgung. Die Weihe galt darum als ungültig, nicht nur in Karthago, sondern weithin in Afrika. Auch behauptete man, Caecilian habe die Lebensmittellieferung an die eingekerkerten Märtyrer von Abitina sabotiert. 70 tunesische Oberhirten protestierten, erklärten Caecilian für abgesetzt und stellten ihm den Lektor Majorinus entgegen; nicht ohne Bestechung, nebenbei. (Die reiche Karthagerin Lucilla, zu deren Haushalt Majorinus gehörte, ließ sich die Sache 400 Folles kosten, rund 40 000 Mark; hatte sie doch Caecilian einst kritisiert, weil sie jedesmal vor der Kommunion auffällig einen Knochen küßte, den sie für hl. Märtyrergebein hielt, ohne daß er als solches anerkannt war.)

Seit dem Tod des Majorinus (315) verschärfte sich das Schisma noch unter Donatus dem Großen, einem energischen und führungsfähigen, von der überwiegenden Mehrheit der afrikanischen Christen unterstützten Mann, dessen Hauptanhänger aber (auch) traditores gewesen sein sollen. Nach ihm benannten sich die Donatisten, die pars Donati, und kaum zwei Jahrzehnte später tagen in Karthago auf dem ersten donatistischen Konzil, das wir kennen, 270 donatistische Bischöfe. Lehrdifferenzen zwar gab es nicht. «Sie haben dasselbe kirchliche Leben, dieselben

Lesungen, denselben Glauben, dieselben Sakramente, dieselben Mysterien», schreibt Optatus von Milewe, der sie als erster bekämpfte, da er sie «durch die Sichel des Neides von der Wurzel der Mutter Kirche abgeschnitten» sah. Doch verwarfen die Donatisten jede Verbindung mit dem Staat, das konstantinische Bündnis von Thron und Altar. Sie hielten sich für die wahre «Ecclesia sanctorum», die römische Kirche für die «civitas diaboli» und stellten, in der Nachfolge frühchristlichen Glaubens, strenge Forderungen an den Klerus. Moralisch qualifiziert sollte er sein, also frei von schweren Sünden, und die Gültigkeit der Sakramente – eine Tradition der afrikanischen Kirche, die besonders der hl. Cyprian vertrat – abhängen von der Reinheit ihrer Spender. Nicht zuletzt weigerten sich die Donatisten, Leute als Christen anzuerkennen, die während der Verfolgung versagt, die Bibeln, sonstige «heilige» Schriften ausgeliefert oder Schlimmeres verbrochen hatten, wie unter Ungezählten anscheinend auch Diakon Caecilian und sicher der römische Bischof Marcellinus (296 bis 304), der sogar den Göttern opferte. Die Opportunisten galten als lapsi und traditores, als Abgefallene und Verräter. Und Katholiken, die zum Donatismus übertraten, wurden (wieder) getauft, nach donatischem Glauben erstmals getauft. Die Donatisten, so erzählte man, wischten die Stelle ab, wo ein Katholik gestanden hatte.[123]

All dies war nicht im Sinne Roms. Ist doch nach seiner Lehre, aus nur allzu begreiflichen Gründen, die Kirche eine objektiv wirkende Gnaden- und Heilsanstalt, also immer heilig, wie korrupt auch ihre Glieder (subjektiv) sind: die köstliche Frucht des sogenannten Ordinationssakramentes samt seinem «character indelebilis», einer an der Person des Priesters dauernd haftenden Fähigkeit, die die älteste Catholica noch gar nicht kannte, die ihrer Lehre widerspricht.[124]

Gegen die Donatisten freilich war die neue Ansicht nützlich. «Ist der Diener am evangelischen Wort gut», opponiert Augustin, «so wird er ein Genosse des Evangeliums; ist er aber böse, so hört er darum nicht auf, ein Haushalter des Evangeliums zu sein.» Die Donatisten klagten beim Kaiser, unterlagen jedoch – «in Anwe-

senheit des Heiligen Geistes und seiner Engel» – in Rom 313, in
Arles, von Konstantin zur Hauptstadt Galliens erhoben, 314; hier
war es auch, wo die Synode den christlichen Antimilitarismus
verwarf (S. 253). Und kaum hatte Konstantin erstmals Licinius
leidlich erfolgreich bekriegt, attackierte er, auf Wunsch Bischof
Caecilians, jahrelang die Donatisten, nicht bereit, «auch nur eine
Spur von Spaltung oder Uneinigkeit an irgendwelchem Ort» zu
dulden, ja, Anfang 316 in einem Schreiben an Celsus, den Vikar
von Afrika, drohend, «daß ich die Irrtümer beseitige und alle
Torheiten unterbinde und es dahin bringe, daß alle Menschen
die wahre Religion und die einträchtige Unschuld und die würdige Verehrung dem allmächtigen Gott darbieten». Er nahm den
Donatisten die Gotteshäuser, das Vermögen, exilierte ihre Führer
und setzte, unter den Duces Leontius und Ursacius, Soldaten ein,
die Männer und Frauen umbrachten. Noch ehe man die Heiden
massakrierte, kam es zur ersten, im Namen der Kirche geführten
Christenverfolgung, zu Martyrien von Christen durch Christen;
zu einem blutigen Bauernkrieg auch, verbanden sich doch mit den
Donatisten die schwer ausgebeuteten Landsklaven Nordafrikas
(S. 474 ff). Verschiedene Basiliken wurden gestürmt und alle, die
der Truppe entgegentraten, getötet, darunter zwei donatistische
Bischöfe. Die Donatisten führten von jetzt an einen eigenen Mär-
tyrerkalender, und die Martyrien heizten das Schisma erst recht
an. Da aber der nächste Krieg mit Licinius bevorstand, entließ der
Kaiser 321 die verbannten Priester, gab ihre Kirchen zurück,
gestand sein Scheitern ein und ermahnte die Katholiken, die
Rache Gott anheimzustellen.[125]

Konstantin und – mehr noch – seine Nachfolger erfüllten zwar
Gewaltforderungen der Großkirche gegenüber Abweichlern nur
allzu oft; denn ein einiges Reich war ihnen nützlicher als ein
zerrissenes. Doch vermittelten sie, eben darum, kaum zur Freude
der Kirchenführer, auch zwischen rivalisierenden Gruppen, zumal zwischen den streitsüchtigen Christen selbst. Viele Herrscher
mühten sich, Fanatiker im Zaum zu halten, Glaubensunter-
schiede einzuebnen, Kompromisse zu erzielen, besonders unter
den einflußreichsten und darum für sie wichtigsten Sekten. Aber,

schreibt Johannes Haller: «Wohin man blickte, Uneinigkeit, Streit und Zwist.»[126]

Denn hatte ihr Einigungsstreben keinen Erfolg, griffen sie doch wieder zu Zwang und Gewalt. So erließ Konstantin 326 und 330 Edikte zugunsten des katholischen Klerus, während er «Häretiker» und «Schismatiker» ausdrücklich benachteiligte. Und noch in seiner letzten Lebenszeit 336/337 kam es zu einer schweren Verfolgung der Donatisten durch den Präfekten Gregorius, den Donatistenbischof Donatus als «Schandfleck des Senates und Schmach der Präfekten» in einem Brief angriff, der als «Heldentat» gefeiert und in Abschriften herumgereicht wurde.[127]

Bekämpft hat Konstantin auch die markionitische Kirche, die älter und zunächst wahrscheinlich auch größer als die katholische war. Er verbot ihre Gottesdienste selbst in Privathäusern, ließ ihre Bilder, ihre Grundstücke beschlagnahmen, ihre Kirchen zerstören. Und künftige Herrscher verfolgten, aufgestachelt von den Bischöfen, noch viel brutaler ein Christentum, das der Katholizismus schon im 2. und 3. Jahrhundert mit allen Mitteln diffamiert hatte, auch durch eine Reihe von Fälschungen.[128]

326, kurz nach dem Konzil von Nicaea (S. 362 ff), wandte sich Konstantin mit einem scharfen «Ketzer»-Edikt (falls es echt und keine Fälschung Eusebs, des Überlieferers, ist), Grundlage analoger christlicher Kaisererlasse, gegen «alle Häretiker überhaupt». Sie sind voller «Lügen», «Torheit», eine «Seuche», «Feinde der Wahrheit, die Gegner des Lebens», «Verführer zum Untergang». Der Diktator verbietet ihre Gottesdienste, spricht ihre «sogenannten Bethäuser» den Katholiken zu und konfisziert den übrigen «Ketzer»-Besitz. «Wer sich religiös betätigen will, kann dies mindestens ebensogut in katholischen Kirchen.» Begeistert meldet Bischof Euseb die Säuberung der «Schlupfwinkel der Andersgläubigen» und die Vertreibung der «wilden Tiere». – «So leuchtet allein die katholische Kirche . . .»[129]

Konstantins Vorgehen gegen die «Ketzer» machte bald Schule. Doch schonte er meist noch ihr Leben. Ging es ihm ja weniger um Religion, als um die Einheit der Kirche auf der Grundlage des Nicaenums und damit um die Einheit des Reiches. Religion kannte er wohl nur in Form von politischer Religiosität. Religiöse Probleme waren von Anfang an stets mit politischen und sozialen Problemen verknüpft, und zur Stärkung des Staates erstrebte der Herrscher die Einheit der Kirche, haßte er den «Brand der Zwietracht». «Ich wußte, daß, wenn ich meinem Wunsche entsprechend unter allen Dienern Gottes Einigkeit stiften könnte, auch das Interesse des Staates von deren Früchten genießen könnte», schreibt der Imperator an Arius und Bischof Alexander.[130]

Gegen die Heiden wahrte der Regent, der staatliche Einheit suchte wie nichts sonst, zunächst deutlich Reserve. Schließlich bildeten sie noch die große Majorität, besonders im Westen. Auch die Armee war weitgehend heidnisch. So bekleidete der künftige Heilige der Ostkirche lebenslang die Stellung des Pontifex maximus; ja, der Oberpontifikat, der die alte Verbundenheit des Staates mit der paganen Religion manifestierte, stand in den offiziellen Schreiben des Kaisers stets an der Spitze seiner Ämter. Der hl. Konstantin präsidierte aber nicht nur lebenslang dem heidnischen Priesterkollegium, was ihm unter anderem das Recht der Priestereinsetzung gab, sondern er behielt auch den Brauch bei, zu seinen Ehren, wie etwa im umbrischen Städtchen Hispellum, Tempel zu errichten, vermied man dabei «abergläubische Riten»[131].

Im Jahr 330 erfolgte allerdings die Verurteilung des Neuplatonismus. Den Philosophen Sopatros, seit Jamblichs Tod Haupt der neuplatonischen Schule, ließ der Monarch sogar töten. Er fiel einer Hofintrige zum Opfer, die der ausdrücklich als Christ bezeugte praefectus praetorio des Ostens, Ablabius, inszeniert hatte, um Sopatros aus dem Weg zu schaffen. Christ Ablabius war zeitweilig Konstantins einflußreichster Berater und auch für die Leitung seines Sohnes Konstantius zuständig – der dann als Kaiser, bereits 338, seinen Mentor liquidieren ließ. Schon unter Konstantin aber konnten Christen am Hof und in andren Zentren des Staates wahrscheinlich leichter aufsteigen als Heiden. Und als das Christentum weiter ausuferte, der heidnische Einfluß allmählich schwand, ging der Herrscher in seinen letzten Regierungsjahren, zum Entzücken natürlich der Christen, auch gegen die Heiden vor.[132]

Im Mailänder Edikt von 313 zwar fand er es noch «der Ruhe unserer Zeit» angemessen, «daß jeder Freiheit habe, gemäß seinem Willen eine Gottheit zu erwählen und sie zu verehren. Dies haben wir verfügt, damit es nicht den Anschein erwecke, als würde irgendein Kult oder irgendeine Religion durch uns Hintansetzung erfahren.» Doch dann infizierten Konstantin zwei Jahrzehnte lang christliche Hierarchen, und so sind auch die Heiden − man erinnere sich seiner Beschimpfung der Juden (S. 273), der «Ketzer» (S. 277) − nun «Irrende» für ihn, «ruchlose Menschen», ihre Religion ist «Aufruhr», «schlimmer Frevel», «verderblicher Irrtum», «die Gewalt der Finsternis», ein «schändlicher Wahn», durch den «Völker, ja ganze Nationen zu Grunde gegangen». Ergo hält er es für seine von Gott ihm auferlegte Bestimmung, den «verabscheuungswürdigen Götzendienst» zu zerstören.[133]

Die Geschichtsschreibung betont zwar oft: «Die Politik dieses Kaisers überschreitet nur ganz selten die Linie einer partitätischen Behandlung von Heidentum und Christentum» (von Walter) oder sieht diese Politik gar, wie 1982 Theologe Meinhold, «im Zeichen der Toleranz, die eine Entrechtung der bestehenden Religionen nicht vornimmt»[134].

In Wirklichkeit aber wich die 311 und 313 proklamierte Koexistenz und grundsätzliche Glaubensfreiheit allmählich einem Unterdrückungtrend. Je erfolgreicher Konstantin wurde, je mehr seine Macht und Bewegungsfreiheit wuchsen, desto rücksichtsloser attackierte er auch die Heiden, am deutlichsten in seinen letzten Regierungsjahren. Gewiß hatte er schon 319 die heidnische Zukunftsdeutung, nicht zuletzt die Haruspices, bekämpft − bereits Cato wunderte sich, daß sie einander ohne zu lachen begegnen konnten −, sie freilich selber ein Jahr darauf wieder befragen lassen (S. 268). (Analoge Verfügungen gegen Magie übrigens schon bei Augustus, Tiberius und anderen Kaisern.) Noch unmittelbar nach seinem Sieg über Licinius garantierte Konstantin in einem Schreiben an die östlichen Provinzen auch den Altgläubigen Gewissensfreiheit: «Wie sein Herz es will, so soll es jeder halten» − eine antike Antizipation von Friedrichs II.

Wort, jeder müsse «nach Seiner Fasson Selich werden», wozu es freilich eine genauere Entsprechung schon bei Josephus gibt. So ernst aber hatte der Regent das kaum gemeint, vielmehr auch gewünscht, alle Menschen möchten zum «wahren Gott» sich bekehren und die «Tempel der Lüge» verlassen.[135]

Während man die Heiden des Westens noch schonte, setzte die Verfolgung im Osten bereits nach der Besiegung des Licinius (324) ein. Konstantin verbot die Errichtung neuer Götterstatuen, die Verehrung bestehender, Befragung der Orakel und jeden paganen Gottesdienst. 326 befahl er die Vernichtung sämtlicher Götterbilder, da sie der Zeit nicht mehr angemessen seien. Auch beschlagnahmte er im Osten schon Tempelgüter und wertvolle Statuen. Im neugegründeten, nach sechsjährigem Bauen am 11. Mai 330 eingeweihten Konstantinopel, dessen Kosten der Monarch zum Teil aus eingezogenen Tempelschätzen bestritt, wurden heidnische Opfer und Feste untersagt sowie drei Tempeln, den Burgtempeln des Helios, der Artemis Selene, der Aphrodite, die Einkünfte entzogen. Konstantin, für Kaiser Julian, den «Abtrünnigen», ein «Neuerer und Verstörer altehrwürdiger Satzungen», von vielen modernen Historikern aber wegen seiner klugen Zurückhaltung gerühmt, verbot bereits die Wiederherstellung baufälliger Tempel und befahl auch schon Schließung und Vernichtung; «er zerstörte von Grund aus gerade diejenigen, die bei den Götzendienern in höchster Ehre standen» (Euseb). Und gerade dort, wo ihn sogenannte sittliche Motive bestimmten, war er christlich beeinflußt. So ordnete er die Schließung des Serapeions in Alexandrien an, des Sonnengott-Tempels in Heliopolis, die Verwüstung des Opferaltars im Mambre (erschien doch Gott hier, in Begleitung zweier Engel, einst Abraham!). Der Kaiser befahl den Abbruch des Äskulap-Heiligtums in Aegae, was so gründlich geschah, daß «nicht einmal eine Spur vom früheren Wahn zurückgeblieben» (Euseb). Auch die Niederreißung der Aphrodite-Tempel von Golgatha, ein schlimmes Ärgernis für die Frommen, wurde verfügt; von Aphaka am Libanon, dessen Heiligtum, ein «gefährliches Fangnetz der Seelen», dem Kaiser nicht wert «von der Sonne beschienen zu werden», man dem Erdboden gleichmachte; von

Heliopolis, wo ein Militärkommando das berühmte Bauwerk in Schutt und Asche legte. Nach Katholik Ehrhard aber enthielt sich Konstantin «jeder herausfordernden Maßnahme gegen die Anhänger der heidnischen Kulte». Tatsächlich legitimierte das Beispiel des Elias, der die Baalspfaffen schlachtete (S. 95), bereits «jede Gewalt» (Schultze). Konstantin ließ die Kampfschrift des Porphyrios verbrennen (S. 211). Und seit 330, dem Jahr der Verurteilung des Neuplatonismus, kam es zu Tempelplünderungen auch durch Christen und zur Vernichtung von Götterbildern, was die Synode von Elvira noch indirekt verboten hatte, die christlichen Chronisten jedoch bald bejauchzten. Der hl. Theophanes meldet später in seiner im Mittelalter sehr bekannten Chronographie, «Konstantin der Fromme» habe es unternommen, «die Götzenbilder und die Tempel zu zerstören, und an verschiedenen Orten verschwanden sie ganz; ihre Einnahmen wurden den Kirchen Gottes gegeben»[136].

Auch Kleriker halfen schon mit. Der Diakon Kyrill, der durch fanatische Vertilgungswut –«von heiligem Eifer entflammt» (Theodoret) – besonders brillierte, wurde allerdings unter Julian, «dem Abtrünnigen», ermordet und seine Leiche geschändet, worauf die Mörder, die angeblich sogar seine Leber verzehrten, die Hand Gottes traf. Entgingen sie doch nicht «dem Auge, das alles sieht . . . Alle nämlich, die sich an jener Greueltat beteiligt hatten, verloren ihre Zähne, die ihnen alle gleichzeitig ausfielen; sie verloren ferner ihre Zungen, die von fauligen Geschwüren bedeckt und zerfressen wurden; sie verloren endlich auch die Sehkraft und verkündigten so durch die erlittenen Strafen die Macht der christlichen Wahrheit» (Theodoret).[137]

Christliche Geschichtsschreibung!

Es lag freilich nicht im kaiserlichen Interesse, das noch starke Heidentum, die große Mehrheit des Reiches, frontal anzugehn, wie christliche Autoren glauben machen möchten; aber «kleinere Materialbeschaffungen» (Voelkl), nicht zuletzt für Kirchen, doch auch für den Kaiser und seine Günstlinge, waren natürlich erwünscht: kostbare Ziegel, Tore, Erzfiguren, Gold- und Silbergefäße, Reliefs – «prachtvolle und kunstreiche eherne Weihege-

schenke aus allen Provinzen», registriert Euseb, «Götterbilder aus
Gold und Silber . . . Statuen aus Erz», ringsum wurde schon
gestohlen, konfisziert, zusammengeschleppt, «rücksichtslos aus-
geplündert» (Tinnefeld). Nicht einmal vor den berühmten Drei-
füßen der Pythia im Apolloheiligtum Delphis machte Konstantin
halt. Kornemann konstatiert «einen Kunstraub noch nie dagewe-
sener Art aus ganz Hellas». Klagte doch selbst der hl. Hieronymus, Konstantinopel werde gebaut mit dem Raub fast aller anderen Städte! «Auf einen Wink», triumphiert Bischof Euseb,
lagen ganze Tempel «am Boden». Der gesamte Olymp versammelte sich rasch im «neuen Rom», wo der Kaiser zwar die Tempel
meist unangetastet ließ, die Statuen aber daraus entfernte. In
Bädern, Basiliken, auf öffentlichen Plätzen standen nun berühmte
Götterbilder, die samische Hera, die Athena Lindia, die Aphrodite von Knidos. Freilich erhielt die neue Stadt am Bosporus (die
auch sieben Hügel hatte, die ihr Herr überhaupt der Tiberstadt
anglich, die 14 Regionen bekam, einen Senat et cetera) keine
heidnischen Kulte, keinen Vestakult, keinen kapitolinischen Tempel. Vielmehr gab ihr Konstantin «ein eindeutig christliches Gesicht», «den Charakter eines christlichen Gegen-Rom» (Vogt),
demonstrierte doch all dies nur den Triumph über das Heidentum. An einem Götterbild der Rhea, die zwei Löwen trug, änderte
man die Armhaltung derart, daß sie einer Betenden glich. Eine
Tyche erhielt ein Kreuz auf die Stirn. Der delphische Apoll, das
ehrwürdigste Denkmal der griechischen Welt – «Konstantin ist
der eigentliche Zerstörer des Orakels», schreibt Nietzsche –,
wurde zu Konstantin «dem Großen»: die Statue bekam einen
goldnen kreuzgeschmückten Reichsapfel in die Hand und eine die
neue Identität bekräftigende Inschrift. Einen kleinen Dieb – und
nur diese Klasse zählt zu den Kriminellen –, den Centurio Balmasa,
der sich an einem Bild der Pallas vergriff, ließ Konstantin köpfen.
Die von ihm selbst entwendeten Edelmetalle aber kamen schon
333 den Reichs- und Kirchenfinanzen zugute, wurden nach länge-
rem doch gerade jetzt wieder die Münzstätten geöffnet. «Summen
von schwindelnden Höhen wanderten in die Bauhütten des Staates
und versickerten in den leeren Kassen der Kirche» (Voelkl).[138]

Auch mit der bewußten Profanation der Götter begann Konstantin, zumindest wenn man Bischof Euseb glauben darf. Ließ doch demnach der Kaiser die Bilder, «deren sich der Trug der Alten so lange Zeit gerühmt hatte, auf allen Plätzen der Hauptstadt offen ausstellen, damit sie allen, die sie sahen, einen häßlichen Anblick böten ... damit sie lernten, zur Einsicht zu kommen, da der Kaiser aus den Götterbildern, für alle, die sie sehen wollten, ein Spielzeug machte, das dem Gelächter und Spott diente». Auch in Rom ließ der Herrscher die Statuen aus den Tempeln auf öffentliche Plätze schaffen – manche Gelehrte sehen darin eine Schutz- und Verschönerungsmaßnahme. In den Provinzen befahlen Konstantins Suchkommandos den heidnischen Priestern, «selbst ihre Götter aus den dunklen Winkeln ans Licht zu bringen; darauf entblößten sie die Götter ihres Schmuckes und ließen vor aller Augen sehen, welche Häßlichkeiten das Innere der bemalten Gestalten barg ... die Götter der altersgrauen Mythen wurden, mit härenen Stricken gebunden, herbeigeschleppt»[139].

Für die Christen war das Beispiel des Kaisers fast schon Befehl; aber auch für anpassungswillige Heiden. So berichtet Euseb, daß Einwohner der phönikischen Provinz «unzählige Götzenbilder dem Feuer übergeben und das Gesetz des Heiles dafür eingetauscht hatten. Auch in anderen Provinzen kamen die Einwohner scharenweise von selber zur Erkenntnis des Heiles, und sie vernichteten in Stadt und Land das leere Nichts ...; ihre Tempel und Heiligtümer, die sich stolz erhoben, zerstörten sie, ohne daß es ihnen jemand befohlen hätte, erbauten dafür von Grund auf Kirchen und tauschten diese gegen ihren früheren Wahn ein.»[140]

Einen Wahn gegen den andern.

Alles in allem setzen schon die ersten Jahrzehnte der Ecclesia triumphans unter dem ersten christlichen Kaiser den französischen Philosophen Helvétius (1715–1771) kaum ins Unrecht: «Der Katholizismus verteidigte stets den Diebstahl, den Raub, die Gewalttat und den Mord ...» Und eher noch mehr gemahnt diese mit panegyrischen Girlanden unwundene Ära an das weitere Wort des großen Aufklärers: «Was kümmert die Kirche die Tyrannei mißratener Könige, sofern sie an deren Macht teilhat!»

Betont doch schon der hl. Polykarp (S. 151) – der «greise Fürst
von Asien» (Euseb), der Patron gegen Ohrenweh –, den Christen
sei gelehrt worden, «Fürsten und Obrigkeiten, die von Gott
eingesetzt sind, *wenn es uns nicht schadet*», zu ehren.[141]

337 wollte Konstantin einen Kreuzzug gegen den Perserkönig
Šāpūr II., den «Barbaren des Ostens», beginnen – nach Otto Seeck
nicht freiwillig wieder, doch mußte Konstantin «hierin eine Fügung Gottes sehn, der ihn zum Werkzeug auserwählt habe, um
das Reich Alexanders wieder aufzurichten und das Christentum,
wie es verkündet war, bis an die letzten Enden der Erde zu
verbreiten». Einer Gesandtschaft des Perserkönigs freilich, noch
Anfang 337 geschickt, verweigerte Konstantin (Seeck notiert es
eine Seite später selbst) den Frieden. Der «nie bezwungene Kriegsheld» wollte also den Krieg, den Kreuzzug – und natürlich gehörte dazu «der nötige Gottesdienst», wie Euseb sagt, der auch
meldet, daß die Bischöfe dem Kaiser «versicherten, ihn voll
Freude auf seinen Wunsch hin begleiten und nicht von ihm weichen zu wollen; im Gegenteil, sie würden mit ihm den Krieg
mitmachen und durch inständige Gebete zu Gott am Kampfe
teilnehmen».[142]

Doch da erkrankte der Kaiser an Ostern. Zuerst suchte er Hilfe
in den warmen Bädern Konstantinopels; dann bei den Reliquien
Lucians, des arianischen Schutzpatrons, eines Lehrers von Arius.
Zuletzt empfing er in seiner Villa Achyrona bei Nikomedien die
Taufe, die er doch, wie der Erlöser selbst, in den Fluten des
Jordans hatte nehmen wollen. Es war damals nicht ungewöhn-
lich, vielmehr ein besonders von den (über Todesstrafen und
Schlachtentod gebietenden) Großen des Reiches (bis um 400)
gepflegter Brauch, dies hl. Wunderbad bis zum Schluß aufzu-
schieben. «Man glaubte», meint Voltaire, «das Geheimnis gefun-
den zu haben, verrucht zu leben und tugendhaft zu sterben.»
Nach der Taufe, durch einen weiteren Schüler des Lucian, den
Arianer Euseb, starb Konstantin am 22. Mai 337. Zwar schied so
der erste princeps christianus fatalerweise als «Ketzer» aus dem
Leben, was für «rechtgläubige» Historiker mancherlei Probleme
schuf. Doch erlangte er selbst nach dem wildesten Arianerbe-

kämpfer im Westen, dem hl. Ambrosius (S. 425 ff), «durch den Umstand, daß er der erste Kaiser war, welcher den Glauben annahm, und daß er den Herrschern nach ihm das Glaubenserbe hinterließ, eine hohe Verdienstesstufe» (magni meriti).[143]

Während aber die Christen vor Begeisterung über Konstantin fast die Fassung verloren, blieb von der Kritik seiner Gegner, der Kaiser Julians oder der des Historikers Zosimus, eines nicht minder entschiedenen Heiden, kaum zufällig nur wenig übrig.[144]

Konstantins geplanter Kreuzzug gegen die Perser galt einem Reich, das christliche Herrscher bald fortgesetzt bekriegten, lenkt unser Augenmerk indes auch auf Armenien, jenes Land, das als erstes der Welt das Christentum zur Staatsreligion machte.

6. KAPITEL

PERSIEN, ARMENIEN UND DAS CHRISTENTUM

«Aufbau und Gründung dieser Kirche sind typisch armenisch.
Gewaltsam, mit Truppen, zieht Gregor [der Apostel Armeniens]
durch das Land, zerstört die Tempel und christianisiert das Volk.
Das war in jener Zeit gegenüber der griechischen Welt neu.»
G. Klinge[1]

«Die Armenier ließen alle persischen Truppen insgesamt über
die Klinge ihres Schwertes springen», ließen «auch nicht einen
von ihnen entgehen», ließen «nichts Weibliches und nichts
Männliches am Leben». «Sie sahen das Blutbad der geschlagenen
Truppen. Das Land stank von dem Geruche der Leichen . . . So
war Rache für den hl. Gregor . . . genommen worden.»
Faustus von Byzanz[2]

«Tröstet euch in Christo; denn die, welche gestorben, sind
zunächst für das Vaterland, die Kirchen und das Geschenk
der göttlichen Religion gestorben . . .»
Patriarch Wrthanes von Armenien[3]

SEIT JAHRHUNDERTEN RIVALISIERTEN im Vorderen Orient zwei Großmächte, im Westen das Römische Reich, im Osten das Reich der Parther, die freilich beide lange – unter Augustus, seinen Nachfolgern, unter Hadrian, den antoninischen Kaisern – auch friedliche, teilweise ausgesprochen freundschaftliche Beziehungen pflegten. Unter den Severern (im frühen 3. Jahrhundert) erkannten sich diese Staaten uneingeschränkt an, stand der parthische Großkönig ebenbürtig neben dem römischen Kaiser.[4]

Diese Entwicklung unterbrach jedoch 227 der Untergang der parthischen und der Aufstieg der persischen Dynastie (der Sassaniden) – ein viel gefährlicherer Gegner Roms. Beide Machtblöcke, der neupersische und der römische, hatten starke imperiale Ambitionen. Beide führten Angriffs- und Verteidigungskriege, weit größere Kriege, als man gewöhnlich meint, und das Christentum spielte dabei eine immer gewichtigere Rolle.

Durch angesiedelte römische Kriegsgefangene, verschleppte Westsyrer und andere hatte sich die neue Religion im 3. und 4. Jahrhundert über ganz Persien verbreitet. Bereits 224 residierten dort achtzehn Bischöfe. Doch während die Römer das Christentum verfolgten, gab es offenbar weder unter den Arsakiden noch zunächst unter den Sassaniden Christenpogrome. Allenfalls kam es zu lokal begrenzten Nachstellungen durch irgendwelche Magier, nicht aber durch die Fürsten. Vielmehr flohen im 3. Jahrhundert Christen nach Persien.[5]

Die liberale Haltung blieb auch bestehen, als die Sassaniden mit der politischen Neuordnung die Restauration der altiranischen Religion betrieben, die kultische Erneuerung des Mazdaismus, der Glaubensstiftung Zarathustras, die allerdings dann, fast wider-

standslos, dem Islam erlag. Oder als sie, gewiß nur kurz, unter
Šāpūr I. und seinem Sohn, auch Mani (S. 166 f) förderten. Zwar
ließ der Großkönig eine seiner Frauen, Estassa, die Christin geworden war, hinrichten sowie seine Schwester, Königin Šīrarān,
nach ihrer Konversion verbannen. Doch befahl er auch, «daß jeder
seinen eigenen Glauben in Sicherheit und Eifer halten könne: die
Magier, Zandiken, Juden, Christen und all die anderen Sekten . . .
in den verschiedenen Provinzen des persischen Landes»[6].

Großkönig Bahrām I. (274–277) freilich, aufgestachelt besonders durch den Magus-Meister Kartīr, bekämpfte scharf alle
nichtmazdaistischen Bekenntnisse und warf Mani wegen Verbrechens gegen die zoroastrische Religion ins Gefängnis der Königs-
stadt Bēt-Lāpāt (Gundi-Šāpūr), wo er 276 starb. (Sein Nachfolger
Sisinnios wurde ein Jahrhundert später auf königlichen Befehl
gekreuzigt.) Auch Bahrām II. (277–293) ließ seine Frau Quandīrā,
eine Christin, töten und durch die Magier Christen wie Manichäer verfolgen; bald jedoch nur noch diese, während die Christen seit etwa 290, als Pāpā der erste Bischof der Hauptstadt
Ktesiphon wird, für lange Zeit Ruhe haben. Das änderte sich
auch nicht, nachdem Bahrāms II. Nachfolger Nersēs (293–303)
durch einen vernichtenden Vorstoß von Diokletians Schwiegersohn Galerius (297) – das wichtigste außenpolitische Ereignis
jener Jahre – im Friedensvertrag 298 fünf mesopotamische Provinzen samt Nisibis verlor und zudem das römische Protektorat
über Armenien anerkennen mußte, das als Pufferstaat zwischen
den beiden Großmächten strategische Bedeutung hatte.[7]

Armenierkönig Trdat (Tiridates) III., zweimal von den Persern
vertrieben, zweimal mit römischer Hilfe zurückgeführt, stellte
während der diokletianischen Verfolgung auch in Armenien den
Christen nach, die es dort anscheinend schon sehr früh gab. In
einem langen Brief hatte Diokletian den Armenier gedrängt und
dieser mit unterwürfiger Willfährigkeit versichert, der Forderung
nachzukommen, wisse er doch, daß er dem Kaiser den Thron
verdanke. Dann aber konvertierte der König und wurde, ein
Jahrzehnt vor Konstantin, zum «Konstantin Armeniens», das als
erstes Land der Welt geschlossen das Christentum annahm.[8]

Der hl. Gregor vernichtet das
armenische Heidentum und begründet ein
vererbbares Patriarchat

Diese Bekehrung war das Werk von Gregor dem Erleuchter, dem Apostel Armeniens. In Caesarea Christ geworden, begann Gregor nach Trdats Wiedereroberung Armeniens um 280 die neue Religion zu predigen. Dabei gewann er Einfluß auf König Trdats Schwester Chosroviducht und zuletzt auch auf den König[9] – ein typischer Vorgang, steckten sich Kirchenmänner doch immer wieder hinter Frauen, hinter die Schwestern, Gattinnen, Mätressen von Fürsten, um diese selber in die Hand zu bekommen; ganze Völker wurden so «bekehrt».

Veranlaßt von seiner Schwester, schickte König Trdat schließlich Gregor an der Spitze einer Gesandtschaft nach Caesarea, wo ihn Ortsbischof Leontius zum Bischof und geistlichen Oberhaupt Armeniens machte. Nun wurde auch Trdat samt Gattin Arschken Christ und befahl allen Untertanen «durch eine einzige Anordnung» (Kirchengeschichtsschreiber Sozomenos), die gleiche Religion anzunehmen wie er selbst: – die erste offizielle Einführung des Christentums in einem Staat; wobei der Zeitpunkt zu Beginn des 4. Jahrhunderts bis heute umstritten ist, nicht zuletzt deshalb, weil das herausragende Ereignis von fast allen Kirchenhistorikern des Römischen Reiches gänzlich übergangen wird.[10]

So befremdlich dies sein mag, so kontrovers das Datum vorerst bleibt, fest steht, daß die Erhebung des Christentums zur Staatsreligion im Königreich Armenien gleich mit gewaltigen Verfolgungen der Heiden begann.

Zerstörte Gregor, geschützt und gestützt durch den König, mit seinen Mönchshorden doch systematisch die Tempel und ersetzte sie durch christliche, mit großen Besitztümern ausgestattete Kirchen. In Aschtischat (früher Artaxata), einem hervorragenden Zentrum des Götterkultes, vernichtete der «wunderbare Gregor» (Faustus von Byzanz) die Tempel des Wahagn (Herkules), der Astlik (Venus), der Anahit und erbaute eine prachtvolle Christuskirche, Armeniens neues «Nationalheiligtum». Und daneben errichtete Gregor sich selber einen Palast. Er wurde Oberbischof, der Erste nach dem König, wurde «Katholikos», ein Titel, den auch die Oberbischöfe von Persien, Äthiopien, Iberien, Albanien annahmen – und ein sinnvolles Wort, da es (ursprünglich) den Inhaber eines höheren Finanzamts bezeichnet. Gregor der Erleuchter, in der armenischen Kirche als Märtyrer verehrt, doch auch durch Papst Gregor XVI. ins römische Martyrologium aufgenommen (Fest 30. September), sorgte aber darüber hinaus für sich und die Seinen: der Besitz, der dem Katholikat zufiel, galt als Privat-, ja, als Familienbesitz. Sein (jüngerer) Sohn Aristakes (325–333), später Teilnehmer am Konzil von Nicaea, wurde von ihm, dem Vater, zum Bischof geweiht und sein unmittelbarer Nachfolger als Katholikos. Und diese hohe Würde, die den armenischen Katholikos zum Leiter von zwölf Bistümern und geistigen Oberhaupt des Landes machte, blieb so lange in Gregors Familie erblich, bis sie mit dem Katholikos Sahak (390–438) ausstarb und in die Hände der nächsten Verwandten, des Mamikonierhauses, überging.[11]

Anfangs faßte das Christentum bezeichnenderweise nur beim Adel Fuß, offenbar in völlig veräußerlichter Form; am Hof spielte die Ethik der neuen Religion gar keine Rolle. Das Motiv für den Übertritt des Königs und damit für die Christianisierung des Volkes war nichts andres als der Argwohn, die Feindschaft gegen Persien. Hier trafen sich armenische und römische Interessen. Denn die Römer mußten die strategisch bedeutsame Lage des Landes berücksichtigen und sein ständiges Lavieren zwischen den Großreichen. So verbündete man sich, und wie das christliche Rom, führte auch das christliche Armenien einen Krieg nach dem andern.[12]

Der erste christliche Staat der Welt –
Krieg über Krieg «für Christus»

Der byzantinische Schriftsteller Faustus, der um 400 eine weit-
schweifige Geschichte Armeniens verfaßte, berichtet in Dutzen-
den von Kapiteln über diese Gemetzel, wobei er in 34 Jahren 29
Siege meldet. Könnte man dem christlichen Autor glauben – man
kann es nicht –, so kamen die Perser wiederholt mit 180 000, mit
400 000 Soldaten, nicht selten mit 800 000 und 900 000, sogar mit
vier und fünf Millionen. Und obwohl die Christen manchmal im
Verhältnis 1 zu 10, ja, 1 zu 100 kämpfen, schlagen sie die persische
Übermacht von Mal zu Mal vernichtend, wobei sie auch Frauen
und Kinder rauben oder töten . . . «Auf jeden Fall», rühmt 1978
Mesrob Krikorian, ein führender Geistlicher der Armenisch-
Apostolischen Kirche, «kam der christlichen Religion in Armenien und für alle Armenier in der Welt eine hohe Bedeutung zu,
denn sie verlieh nicht nur damals der armenischen Kultur ein
neues und schönes Antlitz . . .» Faustus freilich betont immer von
neuem: «Die Armenier ließen alle persischen Truppen insgesamt
über die Klinge ihres Schwertes springen», ließen «auch nicht
einen von ihnen entgehen», ließen «nichts Weibliches und nichts
Männliches am Leben», «töteten die ganze persische Truppen-
masse», «richteten ein allgemeines Blutbad an»[13].

   Ein neues und schönes Antlitz . . .!

   Man fühlt sich lebhaft ans Alte Testament erinnert, an die
Massaker und Raubzüge der Israeliten (S. 73 ff). «Die Armenier
machten einen Einfall ins Gebiet von Persien.» – «Sie beluden sich
mit vielen Schätzen, Waffen, Schmucksachen und großer Beute,
bedeckten sich mit unermeßlichem Ruhme und wurden über die
Maßen reich.» Sie verwandelten das Land «in Feuer und Wüste».
Gelegentlich aber operierten sie auch (allein oder gemeinsam mit
den heidnischen Persern) gegen das christliche Rom – nicht minder erfolgreich, versteht sich –, verheerten sie, meldet Faustus,
«sechs Jahre nacheinander das Land des griechisches Gebietes»,
«ließen alle Griechen über die Klinge springen und mordeten
derart, daß sie auch nicht einen von ihnen entgehen ließen», daß

«es Maß und Zahl dafür nicht gab, wie sie sich mit Schätzen bereicherten . . .»[14]

Dabei kämpft man selbstverständlich stets mit Gott, vertraut auf Gott, siegt mit Gott, kommt «das große Siegesglück» von Gott, berennt man das persische Lager «auf Gott vertrauend». Mit dem König begibt sich der Katholikos, «der große Oberbischof von Armenien», aufs Schlachtfeld. «Sie sahen das Blutbad der geschlagenen Truppen. Das Land stank vom dem Geruche der Leichen . . . So war Rache für den hl. Gregor an dem König Sanesan und seiner Armee genommen worden; denn es war von ihnen auch nicht einer übriggeblieben.»[15]

Freilich verlor man im Dienst Gottes auch die eignen Helden. Und die katholische Kirche war es dann, die beruhigte, abwiegelte, aufputschte, etwa «der große Oberpriester Wrthanes», ein Sohn wieder «des großen Oberpriesters Gregor». Nach einem besonders schmerzlichen Verlust, vor allem «aus dem hohen Adel», tröstete Patriarch Wrthanes alle, den König und seine Truppen, wie es anschaulich umständlich heißt, «welche mit großer niederschlagender Traurigkeit, tränenreichem Weinen, niedergebeugtem Geiste, großer Wehmut, übermäßigen Klagen den Verlust der Weggegangenen mit den Übriggebliebenen vergleichend sich abhärmten»[16].

Da schlug die Stunde des Kirchenfürsten, erschollen dieselben Phrasen schon, die dann durch alle Jahrhunderte rauschen: «Tröstet euch in Christo; denn die, welche gestorben, sind zunächst für das Vaterland, die Kirchen und das Geschenk der göttlichen Religion gestorben, dafür, daß das Vaterland nicht erobert und verheert, die Kirchen nicht entweiht, die Märtyrer nicht verachtet würden, daß die heiligen Diener nicht in die Hände der Verfluchten und Gottlosen gerieten, der heilige Glaube nicht geändert würde, die Söhne der Taufe durch die Gefangenschaft nicht in allerlei Flucht des Götzendienstes fielen . . . Beweinen wir sie nicht, sondern ehren wir sie nach Verdienst, erlassen wir bezüglich der Helden ewige Gesetze durch das Land, daß jeder das Andenken an die Tugend derselben als der Helden Christi unaufhörlich bewahre, veranstalten wir Feste und seien wir fröhlich . . .»[17]

Katholikos Wrthanes verordnete nun, das Andenken der Gefallenen, der «Zeugen Christi», der «Helden Christi», jedes Jahr zu begehen, was ja nur zur Nacheiferung der toten Krieger dienen konnte; verfügte, künftig auch all derer, die für das Vaterland «wie jene stürben, am heiligen Altare Gottes zur Zeit des Opfers zu gedenken und dann, wenn man die Namen der Heiligen verlese, nach diesen die ihren zu verlesen . . .» Heilige und Helden auf einer Ebene fast; auf der sogenannten Ehre der Altäre. Denn, sagte er, «sie sind wie Judas und der Makkabäer Mathathias und deren Brüder im Kriege gefallen»[18].

Und da auch der Heerführer selber fiel, befahlen Patriarch und König, den Sohn des Toten (ein Kind noch), «den jungen Artavasd zu erziehen, damit er in den Rechten seiner Ahnen und seines Vaters bleibe, *für Christum den Herrn vor allem . . . Werke der Tapferkeit verrichte*, für die Witwen und Waisen sorge und sein Amt als das eines tapferen Generals und berühmten Heerführers alle Tage seines Lebens fortführe»[19].

Klerus und Krieg – schon im ersten christlichen Staat der Welt. Werke der Tapferkeit «für Christum den Herrn». Gewiß hätten die Armenier auch ohne kirchlichen Segen gekämpft und gemordet. Doch nun geschah es eben mit ihm, wurde das Schlachten metaphysisch begründet, biblisch gerechtfertigt, evangelisch . . . Und so stritt man weiter, siegte, verlor, blutete. Sie stürmten, rühmt Faustus, «wie wilde Tiere, wie Löwen». Jahr für Jahr Feldzüge, Jahrzehnt um Jahrzehnt. Dann wurden sie müde, ersehnten Frieden, erhofften den Beistand ihres geistlichen Oberhirten. 30 Jahre hätten sie nun gefochten, wie er selber wisse, klagten sie, 30 Jahre keine Waffenruhe, 30 Jahre Krieg, mit Schwert und Dolch, unter Lanzen und Speeren, in Schweiß. «Nun können wir das nicht mehr aushalten und nicht mehr weiter kämpfen; es ist besser für uns, dem Perserkönig uns zu unterwerfen . . .»[20]

Doch jetzt war es Katholikos Nerses I. (364–372/73), auch er ein Jünger dessen, der lehrte: «Selig sind die Friedfertigen . . .», der heftig widersprach. Wiewohl dem König keinesfalls gewogen, predigte er weiter für ihn den Kampf. Stolz bescheinigt Faustus

dem aus Militär- und Hofdienst aufgestiegenen Oberbischof «das
Aussehen eines Kriegers» und «beneidenswerte Manneskraft bei
den Waffenübungen», freilich auch und immer wieder seine Förderung des Christentums. «Das Licht der Ordnung der Kirche
trat glänzend in ganzer Fülle zutage, die Verhältnisse der katholischen Kirchen wurden in aller Schönheit geordnet, und es ver-
mehrten sich die Reihen der heiligen Zeremonien und die Zahl
der Kirchendiener. Er vermehrte die Reihen der Kirchen an be-
bauten und unbebauten Orten. Ebenso auch entstanden Mengen
von Mönchen . . . – kein anderer im armenischen Lande war je
ihm gleich.»[21]

Ein echter Sohn seiner Kirche somit. Und als die Armenier nun
endlich Frieden wünschten, dachte er nicht daran, sie zu unterstützen. König Arsakes wollte «noch Krieg» (Faustus). Und
mochte der Fürst auch kein geringer Sünder sein, erklärte der
Patriarch doch (noch vom ‹Lexikon für Theologie und Kirche› als
«Erneuerer des religiösen Lebens in Armenien» gerühmt): «Ihr
nun wollt in die Sklaverei der Heiden euch stürzen, euer Leben in
Gott vernichten, eure angestammten Herren preisgeben, die euch
von Gott gegeben sind, fremden Herren dienen und deren gottloser Religion euch zuwenden . . . Wenn auch Arschak tausendmal
so schlecht ist, so ist er doch ein Anbeter Gottes, wenn er auch ein
Sünder ist, so ist er doch euer König, wie ihr ja in meiner Gegenwart gesagt habt, daß es so viele Jahre seien, daß ihr für euch und
euer Leben, für das Land, für eure Weiber und Kinder und, *was
mehr als alles ist, für eure Kirchen und für das Gelübde eures
Glaubens an unsern Herrn Jesum Christum gekämpft habet.* Und
immer hat Gott euch den Sieg seines Namens gegeben! Und nun
wollt ihr anstatt Christo eurem Schöpfer der gottlosen Religion
der Magier und den Dienern derselben euch unterwerfen . . .
Vielleicht wird der Herr euer Gott im Zorne euch aus der Wurzel
ausreißen, euch in die drückende Sklaverei der Heiden bis in
Ewigkeit führen und das Joch der Sklaverei nicht mehr von euch
wegnehmen . . .»[22]

Doch die Armenier mochten nicht mehr kämpfen. Faustus
meldet großes Geschrei nach der Kriegshetze des Patriarchen,

Spektakel, Tumult. Man strebte weg, «jeder nach Hause, denn diese Worte wollen wir nicht mehr hören»[23].

Katholikos Nerses I., wegen seiner Sympathien für das oströmische Caesarea durch den Gegenkatholikos Čunak abgelöst, wurde unter dem Armenierkönig Pap wieder eingesetzt, 373 aber von diesem bei der Versöhnungsfeier vergiftet. Schon im folgenden Jahr freilich ermordeten Soldaten des oströmischen Feldherrn Trajanus König Pap beim Mahl, da er die Loslösung der armenischen Kirche von Caesarea und die Anlehnung an Persien betrieb.[24]

Konstantinische Offensivpläne und Kirchenvater Afrahats «Unterweisungen von den Kriegen»

Natürlich hätte man längst auch die persische Christenheit am liebsten dem Imperium Romanum einverleibt. Schon auf dem Konzil von Nicaea sieht Kirchenhistoriker Euseb – für den «Reich» und «Oikumene», imperium und orbis terrarum, identische Begriffe sind – mit besonderer Genugtuung einen gotischen und einen persischen Bischof, «wie wenn beide Völker der Reichskirche eingegliedert seien» (von Stauffenberg).[25]

Noch ein Jahrzehnt früher aber, wahrscheinlich bereits 314, hatte der armenische König ein feierliches, eidlich bekräftigtes Bündnis mit Konstantin und Licinius geschlossen – wohl kaum etwas anderes als ein Militärpakt gegen Persien, den die gemeinsame Religion nur festigen konnte. Auch die Mission der armenischen Bischöfe unter Chosrau II., dem gleichfalls romfreundlichen Sohn und Nachfolger Trdats, in den kaukasischen Königreichen bedeutete eine Ausdehnung des römischen Machtbereichs. Und als 334 die Perser Armenien bedrängten und sassanidische Reiterverbände Trdats Nachfolger verschleppten, schickte Konstantin Truppen unter seinem Sohn Konstantius, der nach anfänglichen Niederlagen das Invasionsheer schlug, wobei dessen Führer, der persische Prinz Narseh, ein Bruder Šāpūrs II., das Leben verlor.[26]

Wie weit Konstantins Pläne gingen, zeigt die Tatsache, daß er seinen Neffen Hannibalianus, den Sohn seines Bruders Dalmatius, 335 zum «König von Armenien und der umwohnenden Völkerschaften» ernannte mit der Aufgabe, nicht nur Armenien, dessen Thron gerade vakant war, sondern auch die östlichen Randgebiete des Reiches zu sichern und wenn möglich zu erweitern.[27]

Das verrät Offensivambitionen im Orient. Und als Konstantin sich «aus freien Stücken», wie Bischof Theodoret mitteilt, «der Jünger der christlichen Wahrheit in Persien annahm», als er erfuhr, «daß sie von den Heiden vertrieben würden und daß ihnen ihr König, ein Sklave des Irrtums, vielerlei Nachstellungen bereite»[28], da richtete er ein Schreiben an den Perser, das recht bedrohlich klang. Weniger ein Brief war es als eine Predigt, ein pathetisches Gottesbekenntnis, was bei christlichen Potentaten selten Gutes verheißt.

Freimütig gestand Konstantin in seiner Epistel, «daß ich diesem Dienste Gottes ergeben bin. Im Kampfe gestützt auf die Macht dieses Gottes, habe ich, von den äußersten Grenzen des Ozeans angefangen, der Reihe nach den ganzen Erdkreis durch sichere Hoffnung auf Rettung aufgerichtet, so daß alle Länder, welche unter der Knechtung so furchtbarer Tyrannen schmachteten und, täglichem Unheil preisgegeben, dahinsiechten, durch ihre Teilnahme an der allgemeinen Besserung der staatlichen Verhältnisse gleichsam wie durch eine ärztliche Behandlung zu neuem Leben erweckt wurden. Diesen Gott verehre ich, sein Zeichen trägt mein gottgeweihtes Heer auf den Schultern, und wohin immer die Sache des Rechtes ruft, dahin zieht es, und sofort erhalte ich auch in den herrlichsten Siegen desselben den Dank dafür.»

Nachdem Konstantin dem Großkönig erklärt hatte, daß Gott die Werke der Güte und Milde, daß er die Sanftmütigen liebe, die Menschen reinen Herzens und makelloser Seele (an deren Spitze er sich offensichtlich selber sieht), verschwieg er nicht, daß Gott es mit den Bösen anders halte, daß er den Unglauben strafe, die Übermütigen, Dünkelhaften, daß er viele Völker, ganze Geschlechter hinwegraffe und der Unterwelt überliefere. «Ich glaube mich nicht zu irren, mein Bruder . . .», schreibt Konstantin. Und erst zuletzt bekundet er – doch wieder nicht ohne drohenden Unterton – noch seine Freude darüber, daß «auch in Persien die herrlichsten Landschaften weithin» mit Christen «geziert» seien. «Möge es denn Dir aufs allerbeste ergehen und ebenso aufs beste auch diesen! Wie Dir, so auch ihnen! Denn so wirst Du den Herrn der Welt Dir milde, gnädig und geneigt machen.»[29]

Für Kirchengeschichtler Euseb beweist dieser Appell an den Perserkönig, daß alle Völker der Oikumene von Konstantin, dem einen Steuermann, geleitet werden, dem von Gott bestellten Lehrer aller Völker. Bildet doch eine «universale ‹katholisch› bestimmte Reichsidee» geradezu das Hauptthema von Bischof Eusebs panegyrischer Konstantin-Biographie, «und alles bereitet darauf vor, in dem geplanten Perserkrieg . . . den krönenden Abschluß zu sehen» (von Stauffenberg)[30].

In seinen religionspolitischen Manifesten sieht sich der Kaiser immer wieder dazu berufen, die Menschheit von der Pest antichristlicher Tyrannei zu befreien, um sie zu einigen in der Verehrung des «wahren Gottes», in einem neuen universalen christlichen Reich. Und ausgerechnet 337, als Konstantin – nach großen Rüstungen – nur der Tod vom Krieg gegen Persien abhielt, schrieb Afrahat, der älteste syrische Kirchenvater, ein Mönch, wahrscheinlich Bischof, und, wie sein Landsmann Ephräm (S. 131 f), sicher ein eifriger Judenfeind, seine «Unterweisungen von den Kriegen», ein Opus, das «ganz unter dem Eindruck der im Westen beginnenden Kampfhandlungen steht» (Blum). Kirchenvater Afrahat, eine «ehrwürdige Persönlichkeit von großem sittlichen Ernste» (Schühlein), stimuliert in seiner Kriegsschrift die Christen zum Krieg. Er feiert die «Bewegung, die geschehen soll in dieser Zeit», das «Heer, das sich versammelt zur Schlacht». Er sieht «Heere heraufkommen und siegen», «Heere, die sich aufgemacht haben zum Gericht». Er weiß das Römische Reich in der Rolle des Bocks, der dem Widder aus dem Osten die Hörner zerbricht; es wird Statthalter der kommenden Herrschaft Christi, wird unüberwindbar sein, «weil der starke Mann, dessen Name Jesus ist, kommt im Heere, und seine Waffe trägt das ganze Heer des Reiches»[31].

Jesus im Heer, Jesus als Feldherr, als Schlächter – im 4. Jahrhundert wie noch im 20., im Ersten Weltkrieg, im Zweiten, in Vietnam . . .

Šāpūr II. (310–379), zunächst dem Christentum gegenüber duldsam wie seine Vorgänger Nerses (293–303) und Hormizd II. (303–309), sah in den Christen jetzt römische Spione und suchte offenbar die Auseinandersetzung. Doch wollte er zuerst sein Reich im Innern festigen, womit er das gleiche tat wie Konstantin. Und wie dieser innenpolitische Stärke durch das Christentum erstrebte, so Šāpūr durch den weiteren Ausbau des Mazdaismus als Staatsreligion. Ja, wie Konstantin zum Zweck der Stabilisierung das Konzil von Nicaea berief (S. 362), so berief Šāpūr seine Religionskonferenz, auf der sein Obermōbed Aturpāt den offiziellen Staatskult gegen Dissidenten abgrenzte und bestimmte: «Nun, da wir die (wahre) Religion auf der Erde gesehen haben, werden wir niemand seiner falschen Religion überlassen, und wir werden sehr eifrig sein.»[32]

Gegen wen immer dies persische Konzil primär gerichtet war, der Großkönig stand einer stets stärker werdenden christlichen Front gegenüber. Denn nicht nur außen drohten unübersehbare Gefahren; auch die persischen Christen selbst ermutigte der Triumph ihrer Religion im Römerreich.

Gerade in der Hauptstadt Seleukeia-Ktesiphon hatte schon im späten 3. Jahrhundert Bischof Šabtā derart leidenschaftlich über den «Sieg unseres Herrn», die Prahlerei der Könige und die Vergänglichkeit irdischer Macht gepredigt, daß er danach fliehen mußte. Doch auch der ehrgeizige Bischof Pāpā Bar ʿAggai trieb zur Sammlung, indem er den Vorrang über seine Mitbischöfe, die zentrale Leitung der persischen Christen begehrte, also eine Art persisches Patriarchat. Dies hätte eine Konsolidierung, eine (noch) stärker westlich orientierte Kirche bedeutet, und eben deshalb fand Pāpā auch den Beistand westlicher Prälaten, besonders des Bischofs von Edessa, dem heutigen türkischen Urfa, einst ein wichtiger Stützpunkt christlicher Mission. Allerdings hatte Pāpā, der erste in der Reihe der Katholikoi (später Patriarchen) von Seleukeia-Ktesiphon, auch Feinde im eigenen Klerus, darunter sogar sein Archidiakon Simeon. Der persische Hof förderte diese Opposition und siegte insofern, als die persische Kirche, freilich erst 423/24, unter Dādīšōʿ sich endgültig autokephal erklärte, jedes Appellationsrecht an westliche Patriarchen annullierte und der «Katholikos des Orients» nur noch «Christus» verantwortlich war – eine Selbständigkeit, die das jeweilige Oberhaupt der Perserkirche bewahrte, bis hin zu dem heute in San Francisco, USA, residierenden Stuhlinhaber.[33]

Obwohl aber Šāpūr II. sich vorerst bedrängt sah, obwohl an den Grenzen ein immer mächtigerer Konstantin stand, obwohl die persische Kirche, kaum zu Unrecht, in Verdacht geriet, mit dem römischen Erbfeind zu konspirieren und im Innern «Juden und Manichäer, die Feinde des christlichen Namens», so die Chronik von Arbela, den Magiern einbliesen, «daß die Christen alle Spione der Römer seien», kam es zu keiner staatlichen Christenverfolgung. Allenfalls gab es zwei lokal begrenzte Pogrome (318 und 327), die aber nicht einmal feststehen und nur legendär sein können. Doch als Konstantin 337 statt zu marschieren starb, hielt der Perserkönig die Zeit zur Rückgewinnung der einst verlorenen fünf mesopotamischen Provinzen samt Nisibis (S. 336) für gekommen, scheiterte aber gerade an dieser stark befestigten Stadt, die sich unter Führung ihres Bischofs erfolgreich verteidigte.[34]

Nach der Chronik von Arbela brachte gerade die vergebliche Belagerung Šāpūr zum rücksichtslosen Vorgehen gegen die Kirche. «Drohend zog der König ab und schwor, daß er das Bekenntnis der Römer aus seinen Ländern ausrotten werde.»

Die Verfolgung begann 340. Ein Erlaß zwang Simon Bar Sabbāʿē, den Bischof der Hauptstadt, und «das ganze Volk der Nazarener» zu doppeltem Kopfgeld und zweifacher Steuer als Entschädigung für den verweigerten Kriegsdienst (S. 262)! «Sie wohnen in unserem Lande, sind aber Gesinnungsgenossen des Kaisers, unseres Feindes.» Auch Verachtung der zoroastrischen Staatsreligion und des persischen Königskultes warf man den Christen vor. Ferner wirkte sich – mit Hilfe der Westkirche – der feste Zusammenschluß ihrer vordem selbständigen Gemeinden aus sowie die alte Feindschaft zwischen Christen und Juden, zu deren Glauben die Mutter Šāpūrs II., Königin I'phrā Hōrmīz, übergetreten war, während andrerseits Kaiser Konstantin eine eher antijüdische Politik trieb (S. 272 f). Schon Šāpūrs erster Verfolgung fielen der Katholikos Simon Bar Sabbāʿē (344), fünf Bischöfe sowie 97 Presbyter und Diakone zum Opfer. Doch hatte die Jahrzehnte sich hinziehende Ausrottungskampagne «hauptsächlich politische Gründe, obgleich natürlich auch religiöse Motive eine wichtige Rolle im Hintergrund spielten» (Blum) und «der christliche Klerus ein gerütteltes Maß an Schuld» trug (Rubin).[35]

Die Kriege mit den Persern gingen weiter.

Nach ihrem Mißerfolg vor Nisibis setzte zunächst Konstantins Sohn Konstantius 338 Arsakes, den Sohn des geblendeten Königs Tiran, auf den armenischen Thron und stieß in den folgenden Jahren wiederholt über den Tigris nach Persien vor. 344 aber brachte eine große Schlacht bei Singara vor allem den Römern schwere Verluste. Doch auch das persische Heer, bis ins 6. Jahrhundert hauptsächlich aus Rittern und Haufen leibeigener Bauern bestehend, wurde erheblich geschwächt und der gefangene Thronfolger von römischer Soldateska erschlagen. 346 und 350 suchten die Perser Nisibis erneut zu erobern, wobei Šāpūr bei dieser letzten und längsten, über drei Monate dauernden Belagerung sogar den an der Stadt vorbeifließenden Mygdonius ableiten und gegen die teilweise einstürzenden Mauern brausen ließ.[36]

Der hl. Ephräm, selbst aus Nisibis stammend, hat den Widerstand des Bischofs Jakob, seines Lehrers, sowie den anderer Bischöfe während der wiederholten Einschließungen durch die Perser in einer ganzen Liedersammlung verherrlicht. Und auch Theodoret, seit 423 gegen seinen Willen Oberhirte von Cyrus, pries Jakob, den «Schützer und Feldherrn», den «göttlichen Mann». Hatte der doch, nachdem die Fluten des Flusses «wie eine

Maschine» gegen die Stadtmauer geprallt, diese über Nacht aus-
gebessert «und die Kriegsmaschinen auf derselben aufgestellt, mit
denen er die Angreifer zurücktrieb; und solches bewirkte er, ohne
der Mauer nahe zu kommen, dadurch, daß er drinnen, im Tempel
Gottes, den Herrn des Weltalls um seine Hilfe anflehte». Schon im
4. Jahrhundert also konnten Bischöfe mit Kriegsmaschinen
kämpfen, «Feldherrn» sein, ohne sich die Hände blutig zu machen! «Er strahlte im Glanze apostolischer Gnadenfülle.»[37]

Später lieferte kein andrer als Kaiser Jovian, der vom Klerus so
Geschätzte (S. 340 f), das starke Nisibis, eine Schlüsselstellung, an
die Perser aus – und Kirchenlehrer Ephräm, ungeheuer ent-
täuscht, zog nun nach Edessa und behauptete, der heidnische
Kaiser Julian habe Nisibis preisgegeben (S. 336)! Ja, Jovian, der
christliche Regent, verpflichtete sich vertraglich, Arsakes II. von
Armenien, den treuen christlichen Klienten und Verbündeten,
gegen Persien nicht mehr zu unterstützen.[38]

Als 371 ein römisches Heer unter Kaiser Valens und ein persisches unter Šāpūr II. in Armenien wieder gegeneinander marschierten, einigte man sich friedlich, und beide rückten ab. Auch
als Theodosius I. in den achtziger Jahren erneut römische Truppen nach Armenien schickte, verzichtete man auf eine Auseinandersetzung mit den Waffen und leitete die Teilung des Landes ein.
Denn sowohl Šāpūr III. (383–388) als auch Bahrām IV. (388–399)
waren auf Ausgleich mit dem westlichen Nachbarn bedacht.[39]

Geradezu Morgenluft aber witterten die persischen Christen,
über die seinerzeit 40 Bischöfe geboten, unter Jezdegerd I. (399 bis
420). Offen trat er in Gegensatz zum Mazdaismus und zur zoroastrischen Priesterschaft und gilt darum in ihrer Tradition
schlechthin als der «Sünder», in der christlichen Literatur Syriens
dagegen als «der Christliche, der Gesegnete der Könige». Jezdegerd ließ sich öfter durch den Bischof Maruta von Maiphkerat
(Martyropolis), den Reorganisator der persischen Kirche, beraten und erlaubte auch zwei Synoden. Noch 420 setzte eine von
Bischof Akakios von 'Amīd (am oberen Tigris) geführte Delegation, die im Auftrag von Kaiser Theodosius II. am persischen Hof
erschien, alle für die Westkirche gültigen Canones auch für den

Osten durch und festigte so noch einmal die Einheit des Christentums über die Grenzen hinweg. Doch als die persischen Christen, übermütig durch den Beistand des Staates, den Feuerkult attackierten und ein fanatischer Bischof, der hl. Abdas, einen Feuertempel in Susiana sogar zerstörte, entzog ihnen Jezdegerd in seinem letzten Regierungsjahr die Gunst. Bischof Abdas, «geschmückt mit vielen und mannigfaltigen Tugenden», wurde «in ruhiger Weise» vom König zur Rede gestellt und nach seiner Weigerung, das Pyreum wieder aufzubauen, hingerichtet (Fest am 5. September). Angeblich folgte der Befehl zur «Zerstörung aller Kirchen» (Theodoret). Und als Ostrom etliche geflüchtete Christen nicht auslieferte, kam es zwischen beiden Reichen 421 zum Krieg und im nächsten Jahr zu einem Friedensvertrag, der 100 Jahre halten sollte, aber keine zwanzig hielt.[40]

Die armenische Kirche löste sich schließlich völlig von Ostrom und ihrer «Mutterkirche» in Caesarea. Bereits Gregor der Erleuchter, dort christlich erzogen und geweiht, weihte seine beiden Söhne selber. Wohl empfingen ihre Nachfolger im Katholikat bis zu Nerses ihre Weihe wieder in Caesarea. Doch seit dessen Sohn, dem Patriarchen Sahak (390–438), wurde kein Katholikos mehr in Caesarea geweiht. Die armenische Kirche entwickelte sich, organisatorisch und dogmatisch, zu einer selbständigen Nationalkirche, unabhängig sowohl von den syrischen Monophysiten wie von Rom. Noch heute betont sie ihre Gleichgeordnetheit gegenüber dem Papsttum. Wie die römische Kirche behauptet sie apostolischen Ursprung (durch die Apostel Thaddäus und Bartholomäus), ja, wie die römische Kirche führt sie ihre Gründung auf Jesus Christus selbst zurück – hier wie dort «fromme» Lüge.[41]

7. KAPITEL

KONSTANTINS CHRISTLICHE SÖHNE UND IHRE NACHFOLGER

«Die Kaiser sind seit Constantin viel eifrigere Christen
geworden, als sie vordem Heiden waren.» Frank Thieß[1]

«Der allerchristlichste Kaiser ist also der Schutzherr aller
Christen, er nimmt ihre Interessen wahr, wo immer sie wohnen.
Diese Überzeugung und Verpflichtung übernehmen Constantins
Nachfolger als konstituierenden Teil der Staatsräson. Und sie
hielten sich daran.» K. K. Klein[2]

«Das Bündnis zwischen Christentum und Imperium
Romanum . . . vermittelte den Bürgern des Römischen Reiches
im 4. und 5. Jahrhundert eine Vorstellung von den letzten Dingen,
vom Sinn und Zweck ihres eigenen Daseins – ein ganz neues
Weltbild also, dem eine lange Lebensdauer prophezeit werden
konnte. Das Imperium konnte als christliche Institution
betrachtet werden, und wenn das Christentum das Ziel verfolgte,
allen Menschen den Frieden Gottes zu bringen, so verfolgte das
Reich seinerseits Ziele, die ebenfalls den Frieden bezweckten.»
Denys Hay[3]

DAS KLINGT VIELVERSPRECHEND: ein ganz neues Weltbild, das Imperium eine christliche Institution mit dem Ziel des Friedens und die Kaiser noch viel eifrigere Christen . . . Tatsächlich waren Konstantins Söhne – Konstantin II., Konstantius II. und Konstans, in ihrer Dreiheit, samt dem Vater, von Bischof Euseb sogar als irdisches Abbild der heiligen Dreifaltigkeit bezeichnet – alle durch das «Glaubenserbe», die «Gotteskindschaft», die «qualitas christiana», veredelt. Einerseits hatte Konstantin I. ihre religiöse Erziehung besonders gefördert, traten sie «geradezu als fanatische Anhänger des neuen Glaubens auf» (Browning); andrerseits standen sie, fast von Kindesbeinen an, geleitet von erfahrenen Präfekten, den Truppen ständig im Purpur vor Augen und kämpften auch, fünfzehn-, zwölf-, elfjährig erst, an weit entfernten Fronten. Gute Christen – stramme Soldaten! Ein Ideal, das die Religion des Friedens, die nie Frieden bringt, durch Jahrtausende trägt.[4]

ETABLIERUNG DER ERSTEN CHRISTLICHEN DYNASTIE DURCH VERWANDTENMASSAKER

Überhaupt machte das Beispiel des kaiserlichen Vaters große Schule. Denn kaum war dieser tot, ließ Kontantius II. – der sich als besonders gottgesandter Herrscher, als «Bischof der Bischöfe» fühlte, auch oft geschlechtliche Askese übte – im August 337 die meisten männlichen Verwandten des Kaiserhauses in Konstantinopel über die Klinge springen: seine beiden, vordem lange von

Spionen umgebenen Onkel, Kaiser Konstantins Halbbrüder Dalmatius und den vom Haß der hl. Helena verfolgten Julius Konstantius, Kaiser Julians Vater. Ferner nicht weniger als sechs Vettern sowie zahlreiche mißliebige Persönlichkeiten des Hofes; darunter der fast allmächtige Prätorianerpräfekt Ablabius, dessen Tochter Olympias als Kind mit Konstans verlobt war. (Später verheiratete sie Konstantius mit dem Armenierkönig Arsakes III., worauf sie durch Gift starb, das ihr die frühere Frau des Fürsten von einem bestochenen Priester in den Abendmahlswein mischen ließ.) Geschont wurden nur, in christlicher Barmherzigkeit, der fünfjährige Julian (er wird auf einem Perserfeldzug ermordet: S. 333 f) und sein zwölfjähriger Stiefbruder Gallus, damals so sterbenskrank, daß er ohnedies verloren schien (sein Kopf fällt 354 in Istrien: S. 325). Wie aber Konstantius Christ war, so auch die Mehrzahl seiner gehorsamen Schlächter, Soldaten der Garde, woraus Julian schloß, «daß es für die Menschen keine gefährlicheren wilden Tiere gibt, als es die Christen für ihre Religionsgenossen sind». Und wie kein Kirchenmann Konstantins Verwandtenmorde tadelt, so auch keiner die des frommen Konstantius, eines der «notorisch christlichen Herrscher» des Jahrhunderts (Aland). Vielmehr erschien Euseb das Massaker durch «höhere Eingebung» gerechtfertigt. In Konstantius, schreibt der Bischof treffend, lebe Konstantin weiter. Preist er den vielfachen Verwandtenmörder und Dauerkrieger Konstantius doch ebenso wie den Schlachtheroen und Familienschlächter Konstantin.[5]

Kaiser Konstantius, nach Ammian ein Ausbund an Grausamkeit, befahl alsbald Bischof Euseb von Nikomedien, Julians erstem Erzieher, nie mit ihm über das Ende seiner Familie zu sprechen. Und als später Julian und Gallus sechs Jahre in Macellum, einer einsam finstren Bergfeste steckten – «ohne daß irgend jemand die Erlaubnis erhielt, sich uns zu nähern», erinnert sich Julian, «ohne ernsthafte Studien, ohne freies Gespräch, mitten zwischen einer glänzenden Dienerschaft . . .» –, da suggerierte ein kaiserlicher Geheimagent dem älteren Gallus, Konstantius sei schuldlos am Tod seines Vaters, die Ausrottung seiner Familie Tat einer betrunkenen Soldateska, über die er keine Macht mehr hatte.[6]

Erste Kriege zwischen frommen Christen

Nach dem Gemetzel teilten die Konstantinsöhne die Beute unter sich. Der Älteste, Konstantin II. (337–340), erhielt den Westen, Gallien, Spanien, Britannien (mit der Residenz in Trier), der Jüngste, Konstans (337–350), die Mitte: Italien, Afrika, Griechenland (mit der Residenz in Sirmium, heute Mitrovicz/Serbien) und Konstantius II. (337–361), der alle überleben und beerben sollte, bekam den Orient, wobei er bis 350 in Antiochien residierte, soweit er nicht gerade auf einem Feldzug war.

Schon bald kam es zwischen dem Ältesten und Jüngsten infolge eines Grenzstreits zum Krieg. Konstantin II. stieß Anfang 340 aus Gallien überraschend nach Italien vor, geriet jedoch bei Aquileja, beim Sturm auf einen Alpenpaß, in einen Hinterhalt. Generale des Konstans töteten ihn und warfen seine Leiche in die Alsa. Da Konstantius II., was das folgende Kapitel zeigen wird, die streitenden Christen am Halse hatte, vor allem aber im Osten die Perser, nahm Konstans unbehelligt den gesamten Westen in Besitz.[7]

Der sechzehnjährige Jüngling, Herr über zwei Drittel des riesigen Reiches, war als einziger Konstantinsohn getauft und von klein auf zur Keuschheit, Gipfel bekanntlich christlicher Tugend, besonders erzogen worden. Wirklich mied er Frauen, genoß aber gern blondlockige Germanenknaben, Geiseln oder Sklaven, mit denen er zur Jagd und Liebe oft in menschenferne Wälder zog – und bekämpfte zugleich gesetzlich die Päderastie. Auch bekriegte er Franken und Alemannen, führte Feldzüge in Pannonien, in Britannien, füllte katholische Kirchen mit Weihegeschenken und knauserte nicht gegenüber den ringsum gunsterbettelnden Prälaten. Das Imperium plünderte er noch mehr als der Vater aus. Seine ständige Geldnot suchte er durch Ämterschacher, erhöhte

Steuern zu beheben, durch eine Inflation, die nur die Armen traf. Und während ihn diese Finanzpolitik, rigorose Disziplinarmaßnahmen im Heer und sein Hochmut stets verhaßter machten, mühte er sich, den arianisch gesinnten Bruder Konstantius den Katholiken willfährig zu machen, wiederholt sogar durch Kriegsdrohungen.[8]

Im Reich des Konstans kam es erstmals, noch glimpflich, zu Tempelzerstörungen bei Rom sowie zu einer verschärften Heimsuchung der Donatisten. Da das Geld des Kaisers sie nicht bestochen, der greise Donatus es vielmehr brüsk zurückgewiesen, kassierte Konstans das Vermögen halsstarriger Kleriker und übergab, mit Waffengewalt, donatistische Kirchen den Katholiken. 347 wurde ein Aufstand in Bagai blutig zerschlagen, Ortsbischof Donatus hingerichtet, ebenfalls Bischof Marculus, Hauptheiliger der Donatisten. Andere Oberhirten ließ Makarius, der kaiserliche Kommissar, von den Katholiken als «Anwalt einer heiligen Sache» gerühmt, an Säulen fesseln und auspeitschen. Man sprach bereits von einer «makarianischen Verfolgung». Mehrere Donatisten erlagen im August den Folterungen im Kerker. Viele flohen, andere wurden exiliert. Donatus selber starb anscheinend bei seiner Verschleppung zur See. Das Vermögen der Verbannten sequestrierte der Staat. Erst nach schweren, bis 362 dauernden Pogromen brach der Widerstand in Numidien zusammen, und die Katholiken, die das kaiserliche Heer gerufen, priesen Gott für die neuerstandene Einheit.[9]

Inzwischen hatte sich am 18. Januar 350 der aus Amiens gebürtige General Magnentius, Sohn einer Fränkin und eines Briten, in Autun (Lyon) über das Westreich erhoben. Angeblich war er Heide, wie spätere literarische Quellen suggerieren, wahrscheinlich aber Christ, wie sich auf Grund der von Magnentius geprägten Münzen ergibt. Franken und Sachsen unterstützten ihn, alle rheinischen Städte und Kastelle fielen in seine Hand. Britannien, Gallien, Italien und Afrika erkannten ihn rasch als Kaiser an. Noch bis nach Libyen stieß er vor, und Bischof Athanasius, der sich «mehr anmaßte, als sein Stand erlaubte, und sich auch in auswärtige Angelegenheiten mischte» (Ammian), schrieb damals

dem Usurpator, dessen Truppen schon in seinem Sprengel standen, eigenhändig einen Brief, den er, als ihn Konstantius bekam,
bei Gott und seinem eingebornen Sohn wortreich abgeleugnet
und als Fälschung der «Arianer» bezeichnet hat. Der Heilige tat
alles, um sich reinzuwaschen. Er bezichtigte Magnentius der
Untreue, Eidbrüchigkeit, Zauberei, des Mordes – aber später
nannte er den Empörer, den «Satan», doch wieder, verdächtig
genug, einen König, den Konstantius umgebracht. Weithin verhaßt, suchte Konstans nach Spanien zu entkommen, wo er nie
gewesen, wurde aber in Magnentius' Auftrag von Gaiso verfolgt,
unter Verletzung des Asylrechts aus der Kirche eines gallischen
Pyrenäennestes gezerrt und getötet.[10]

Magnentius freilich, der erste germanische Gegenkaiser und
der gefährlichste unter allen Konstantius bedrohenden Usurpatoren – insgesamt sechs –, konnte sich seines Sieges nicht lang
erfreuen. Mit mehr als doppelt so starker Streitmacht zog der
Kaiser vom Balkan zur Donau zum «Heiligen Krieg». Nach
Theodoret befahl Konstantius sogar den Heiden in seinem Heer,
sich taufen zu lassen. Und Philostorgios, Fortsetzer von Eusebs
Kirchengeschichte, faßt die Schlacht am 28. September 351 bei
Mursa (Esseg, heute Sisak in Jugoslawien), die wohl verlustreich-
ste des Jahrhunderts, eines der großen Völkergemetzel der Geschichte, geradezu als Religionskampf auf. Vielleicht verlor sie
Magnentius, weil sein Reiterführer, der Franke und Christ Silvanus, mit der Elite der Reiterei zu Konstantius überging, allerdings
noch vor dem Treffen. Von 116 000 Soldaten sollen 54 000 gefallen oder in der Drau ertrunken sein, 24 000 des Magnentius,
30 000 des Konstantius, der jedoch selbst den Kampfplatz vorsichtig mied. Nachdem er geschickt die «religiöse» Begeisterung
seiner Krieger geweckt, betete er weit vom Schuß in einer Märty-
rerkapelle gemeinsam mit Bischof Valens von Mursa, dem nachts
ein Engel den Sieg verhieß. (Die Sache brachte dem Prälaten,
einem cleveren Opportunisten, der theologisch mehrmals die
Fronten wechselte, arianisch, katholisch, wieder arianisch
wurde, großen Einfluß auf den frommen, geistergläubigen Monarchen.) Erst anderntags betrat die Majestät das Schlachtfeld

und zerdrückte angesichts der Leichenhaufen ein paar Tränen – vermutlich der Freude über den Triumph. Magnentius aber wurde 352 auch aus Italien vertrieben, erlitt noch eine Schlappe in Gallien und stürzte sich am 10. August 353 in Lyon, als sein Schloß bereits umzingelt war, ins eigne Schwert, zuvor selbst nächste Freunde, den Bruder Desiderius sogar und seine Mutter, tötend. Konstantius ließ das Haupt des Feindes durch die Lande tragen und ungezählte Menschen köpfen. In allen Provinzen des Westens fahndeten seine Büttel und schickten Schuldige wie Unschuldige in Eisen zur Aburteilung an den Hof.[11]

CHRISTLICHER REGIERUNGSSTIL DES KONSTANTIUS

Kaiser Konstantius II., zäh zwar, energisch, doch hinterhältig auch und voller Argwohn, beging nicht nur mehrere hundert Justizmorde an angeblichen Anhängern vernichteter Rivalen, an suspekt erscheinenden Feldherren, Unterführern, deren Freunden und Helfern. Nein, der «religiosissimus imperator», der perfide Todesarten vorzog, führte auch unentwegt Krieg: gegen die Perser, die Alemannen, Sarmaten, Quaden; höchst umständlich stets, langsam, doch auch gewissenhaft, gründlich, von Mesopotamien bis an den Rhein, oft nichts als verbrannte Erde hinterlassend.[12]

Neuerdings freilich betonen Stallknechts «Untersuchungen zur römischen Außenpolitik in der Spätantike» die Befriedungsabsicht des Kaisers, die bloße Demonstration militärischer Stärke zur Sicherung der Grenzen, seine Bevorzugung der Strategie, die am wenigsten Soldaten koste. «Sobald die Barbaren um Frieden baten, ließ er sich auf Verhandlungen ein und schloß den Vertrag ab, wenn sie auf seine Bedingungen eingingen.» Doch wer schließt nicht Frieden, wenn der Gegner seine Forderungen akzeptiert! Auch muß Stallknecht zugeben, Konstantius habe «schon mangelnde Bereitschaft, auf seine Bedingungen einzugehen, als offene Widersetzlichkeit» betrachtet, «die er blutig ahnden ließ»; habe zwar gezögert, wenn die Sache fraglich, zugeschlagen aber, wenn sie sicher war. Schließlich sind diese Untersuchungen zur römischen «Außenpolitik» zwischen 306 und 395, also im ersten christlichen Jahrhundert, durchwegs *nichts anderes* als Studien zu einer einzigen Kette von Kriegen! Dabei liebte Konstantius die Begleitung von Feldgeistlichen, die im Geruch der Heiligkeit standen – machte er doch «in seiner Weise Ernst mit den Geboten der christlichen Kirche» (Lietzmann)[13].

Überhaupt hatte der leisetreterische Kabinettspolitiker, um dessen Hof sich ein Schwarm von Bischöfen scharte, das innigste Verhältnis zur Religion. Ja, der «erste Vertreter des Gottesgnadentums» (Seeck) auf dem römischen Thron, der offiziell sich gern den Herrn der ganzen Erde nannte und «Meine Ewigkeit» (aeternitatem meam), glaubte auch, des Allerhöchsten erwähltes Werkzeug zu sein und unter dem Schutz eines Engels zu stehn, dessen luftig verschwimmende Konturen er mitunter selbst zu sehn vermeinte. Mehr noch als sein Knaben begehrender Bruder insistierte er auf Keuschheit. Gleich nach dem blutigen Regierungsdebüt trennte er in den Kerkern Frauen und Männer. Und die vom Klerus verdammten Verwandtenehen bedrohte er in näheren Graden mit dem Tod. Einer seiner Erlasse bekannte: «Immer wollen wir im Glauben uns rühmen und fröhlich sein, da wir wissen, daß unser Reich mehr durch die Religion, als durch Leistungen und Arbeit oder Schweiß des Leibes zusammengehalten wird.»[14]

Verständlich, daß dieser Kaiser die christlichen Priester noch mehr begünstigt als sein Vater, daß er immer wieder ihre Privilegien bestätigt, erweitert, vermehrt.

Konstantin befreite den Klerus von der Gewerbesteuer, Konstantius auch von der Grundsteuer und den Leistungen für die staatliche Post. 355 verbietet er, Bischöfe vor öffentliche Gerichte zu stellen, «da sich sonst fanatischen Geistern uneingeschränkt die Möglichkeit böte, sie anzuklagen». Auch dispensiert er nicht nur Kleriker von den niederen öffentlichen Diensten, sondern befiehlt: «Die Frauen von Geistlichen und auch ihre Kinder und ihre Dienerschaft, Männer ebenso wie Frauen, und deren Kinder sollen weiterhin und für immer von Steuerzahlungen befreit sein und freigestellt von solchen öffentlichen Leistungen.» Dies Entgegenkommen aber trieb den Klerus – typisch für die ganze christliche Geschichte – nur zu weitren Wünschen. So verlangte das Konzil von Rimini, «daß steuerpflichtiger Grundbesitz, der der Kirche zu gehören scheint, von jeglicher Art öffentlicher Leistungen entlastet werden soll und daß alle Forderungen aufhören sollten»; was anscheinend für kurze Zeit auch durchgesetzt wurde.[15]

Konstantius, der sich, wie sein Vater, erst am Ende seines Lebens taufen ließ (und ebenfalls durch einen Arianer, Euzoius von Antiochien), war arianischer Christ. Folglich verunglimpften ihn die Kirchenväter, hinter deren Ausfällen freilich oft nur Politik stand, sogar Hochverrat. Lucifer von Calaris zetert: «Wir, die wir vom Heiligen Geist zu Bischöfen eingesetzt sind, sollen dich schonen, der du ein Wolf bist? . . . Wer ist törichter als du . . .» Kirchenlehrer Hilarius vergleicht den Kaiser mit Nero, Decius und Maximian; veröffentlicht freilich sein Buch ‹Gegen Konstantius› erst nach dem Tod des Beschimpften. Kirchenlehrer Athanasius, sein Hauptgegenspieler, stellt ihn zahlreichen biblischen Schandtätern an die Seite, schmäht ihn einen Mann, der sein Wort bricht, das Recht beugt, nicht mehr zurechnungsfähig, ärger als die heidnischen Kaiser. Er kanzelt ihn als Führer der Gottlosigkeit ab, Spießgeselle von Verbrechern, Antichrist. «Schlimmere Titel, als sie ihm Athanasius gibt, sind kaum auszudenken» (Hagel)[16].

Nun suchte kürzlich Richard Klein dies von dem Kirchenlehrer «mit persönlicher Gehässigkeit und politischem Raffinement gezeichnete und von vielen anderen übernommene Bild des princeps Arianorum Constantius als plumpe Verfälschung der Wahrheit» zu erweisen. Das Bild des *Arianers* Konstantius sei zwar noch weithin verbreitet, aber bloß Klischee. Und daran mag manches, zumal soviel richtig sein, daß auch diesen Kaiser primär nie Religion, sondern Politik bewegt, Macht, wie seinen Vater – und die Priester.[17]

Das verdeutlicht auch die «Missionsreise» des Inders Theophilus zu den Arabern um 340.

Denn Theophilus, als Geisel ins Römerreich gelangt, von Euseb von Nikomedien erzogen und, wahrscheinlich auch durch ihn, kurz vor seiner Reise zum Bischof gemacht, trieb als Leiter der kaiserlichen Gesandtschaft weniger Mission als Politik (freilich, im Grunde, dasselbe). Das Imperium hatte in der umworbenen «Arabia Felix» (Südarabien), wo man die östlichen Schiffsladungen mit ihren teuren Importen für den Landweg umschlug, große handelspolitische Interessen, die Bischof Theophilus, der mit einer ganzen Transportflotte reiste, durch Bestechung der Scheiche förderte. Von Bekehrung, Bistumsgründungen, Priesterweihen ist nirgends die Rede. Und wo er «Gotteshäuser» errichten ließ, standen handfeste politische oder wirtschaftliche Ambitionen dahinter. So erbaute er eine Kirche in Tapharon am Roten Meer, weil es die Hauptstadt des Landes, eine zweite Kirche in Adane am Indischen Ozean, weil dies ein bedeutender Umschlagplatz war, wichtig für den römischen Indienhandel, eine dritte Kirche an der Mündung des persischen Golfes, wo man besonders die Bevölkerung gewinnen wollte. Ging es Konstantius doch um eine Beeinflussung der Araber und ihrer Fürsten, die sich bloß gezwungen persischer Waffengewalt beugten. Sie sollten künftig nicht mehr die römischen Grenzgebiete, sondern das benachbarte Territorium überfallen; sollten im bevorstehenden Krieg gegen die Perser, Roms Hauptgegner im Orient, vielleicht Verbündete der Römer, zumindest nicht ihre Feinde sein. So führt der Missionsbischof auch nicht etwa 200 Bibeln als Gastgeschenke mit, sondern, auf dafür eigens hergerichteten Schiffen, 200 ausgewählte kappadokische Rassepferde.[18]

Wie selbstverständlich die Staatsräson bei Konstantius den Ausschlag gab, zeigte sich auch in Armenien, wo er ja schon als Caesar Erfahrungen gesammelt (S. 301).

Als der Katholikos Nerses die Angleichung der armenischen Kirche an die griechische erstrebte und sich prorömisch verhielt, bedeutete dies natürlich eine stärkere Bindung Armeniens an den Westen. Somit war es ganz im Sinn des Kaisers. Als aber der Patriarch seine Machtstellung immer mehr ausbaute, sich auch mit starkem militärischen Gefolge umgab und offenbar auf die

Seite der Feudalherren schlug, ja, als er Arsakes, den Armenierkönig, wegen der Ermordung seines Neffen Knel und der Heirat
von dessen Frau Pharantzem scharf rügte, worauf ihn der König
durch den (Gegen-)Patriarchen Tsunak abgelöst hat, da, in diesem heftigen Zwist, hielt Konstantius keineswegs zum gemaß-
regelten rechtmäßigen Bischof. Vielmehr ließ er Nerses, den er
vordem gestützt, fallen und stand zu Arsakes, seinem wichtigsten
östlichen Partner. Galt ihm der König als Bundesgenosse gegen
die Perser doch mehr als der Katholikos, den Arsakes nun in die
Verbannung schickte, aus der er erst neun Jahre später wiederkam.[19]

Wie schon dem Vater, diente auch Konstantius das Christentum als Instrument der Politik, nicht umgekehrt. Seit Beginn
seiner Alleinherrschaft erstrebte er deshalb die kirchliche Einheit;
allerdings, anders als Konstantin, mit Hilfe der Arianer. So
schickte er allmählich nicht wenige katholische Prälaten ins Exil,
darunter Athanasius, Paulus von Konstantinopel, Hilarius von
Poitiers. Andre hielt er lange fest, wie Papst Liberius und Hosius
von Cordoba. «Was ich will, das hat als kirchliches Gesetz zu
gelten», erklärte er 355 in Mailand. «Entweder ihr gehorcht, oder
ihr geht in die Verbannung.» Und 359 unterwarf er sich in Rimini
fast alle Bischöfe des Westens (S. 393 f). Auch setzte er die schon
von Konstantin (S. 273 ff) eröffnete Verfolgung der Donatisten in
Afrika fort und ging zeitweise sogar gegen eine arianische
Gruppe, die Eunomianer, vor, wobei er 70 Bischöfe exiliert haben
soll.[20]

Die Juden straft Konstantius bereits brutaler als sein Vater. Ein
Gesetz aus dem Jahr 339, das sie eine «verderbliche Sekte», ihre
Versammlungsorte «Marktplätze» (conciliabula) nennt, verbietet
jede Behinderung eines Juden, der Christ werden wolle und
verhängt für Zuwiderhandlung den Feuertod. Konnte und sollte
aber ein Jude zum Christentum konvertieren, untersagte der
Kaiser den Übertritt eines Christen zum Judentum und belegte
ihn mit der «verdienten» Strafe, der Konfiskation des Vermögens.
Die Heirat zwischen Juden und Christen wurde streng verpönt,
überhaupt jede Überführung von Frauen in die jüdische «Schand-

gemeinschaft». Juden dürfen «nicht christliche Frauen ihren Lastern vereinen. Wenn sie es aber tun, sollen sie die Todesstrafe
erleiden.» Der Kauf heidnischer Sklaven wird ihnen verweigert;
Erwerben oder Halten christlicher Sklaven durch Entzug des
gesamten Vermögens, ihre Beschneidung mit dem Tod gerächt. So
nahm man jedem jüdischen Betrieb, der Sklaven brauchte, die
Existenzgrundlage – der wohl früheste Ansatz, der die Juden
allmählich ins Geldgeschäft treibt, was sie noch verhaßter macht.
Besonders unterdrückt hat man die Juden Palästinas, einen Aufstand dort blutig niedergeschlagen.[21]

Hart bekämpfte Konstantius auch die Heiden – offenkundig
aufgestachelt von christlicher Seite.

Ein Kirchenvater predigt Raub und Mord

Es war ja die Zeit, in der Firmicus Maternus jauchzte, daß,
«obwohl noch in *einigen* Gegenden die sterbenden Glieder des
Götzendienstes zucken, dennoch die völlige Ausrottung des verderblichen Übels aus allen christlichen Ländern in naher Aussicht
steht». Es war die Zeit, in der Firmicus rief: «Weg, ihr allerheiligsten Kaiser, weg getrost mit dem Tempelschmuck. In die Münze
und die Schmelze mit jenen Göttern, daß sie das Feuer zerhacke!»
Es war die Zeit, in der dieser Mann den Herrschern den «Zwang
zu züchtigen und zu strafen» einschärfte, die Verfolgung der
«Untat des Götzendienstes in jeder Weise», wofür er immer wieder Gottes «Lohn» versprach, «Zuwachs von gar großem Umfang. Tut daher, was er befiehlt, erfüllt, was er vorschreibt . . .»
Mit Recht sagt Schultze, der staatliche Kampf gegen das Heidentum «war von seinen ersten Anfängen an unter Konstantin bis zu
seiner vollen Entfaltung unter Konstantius begleitet von dem
Beifall und der Mithilfe der Kirche». Und sie hat auch «die
Gesetzgebung tatkräftig beeinflußt» (Gottlieb).[22]

Kirchenvater Julius Firmicus Maternus, ein Sizilianer aus dem
Senatorenstand, dessen Familie in Syrakus saß, trat vermutlich

erst offen zum Christentum über, seit Konstantins Söhne sich
entschiedener dazu bekannten als der Vater. In der Hetzschrift
‹Vom Irrtum der heidnischen Religionen›, um 347 verfaßt, treibt
Firmicus die Kaiser Konstantius und Konstans, die «sacratissimi
imperatores», die «sacrosancti», zur Ausrottung vor allem der
Mysterienkulte, der gefährlichsten Konkurrenten des Christentums: des Kultes von Isis, Osiris, Serapis, von Kybele und Attis,
Dionysos-Bakchos und Aphrodite, des Sonnen- und Mithraskul-
tes, des wichtigsten Kultes in frühchristlicher Zeit, mit besonders
vielen und frappanten Parallelen zum Christentum. Da der Rene-
gat gut erzogen und gebildet war, vor allem aber als Heide noch
ein kultiviertes Buch von mildem «weihevollen Ernst» (Weyman)
über Astrologie, ‹Matheseos libri VIII›, das umfangreichste derartige Handbuch der Antike, geschrieben hatte, als Christ aber
die Verehrung der Elemente, die Vergottung von Wasser, Erde,
Luft und Feuer, in den orientalischen Religionen beschimpfte,
wollte man wieder, zumal auf katholischer Seite, lange seine (seit
1897 endgültig erwiesene) Identität mit dem Autor jener blutrünstigen Tiraden leugnen, die schon ihr überhitzter, von Pleonas-
men wimmelnder Stil diskreditiert – katholische Kraftmeierrhe-
torik.[23]

Christus, jubelt der Kirchenvater, «zerschmettert die Bildsäule
des Teufels». Er sei schon fast «überwunden», «in Asche und
Flamme verwandelt». «Nur wenig fehlt noch, daß der Teufel
durch eure Gesetze vollständig zu Boden gestreckt daliege, daß
die verhängnisvolle Ansteckung nach Ausrottung des Götzendienstes aufhöre. Dieser Giftsaft ist geschwunden ... In Frohlocken über die Vernichtung des Heidentums, jauchzet stärker,
jauchzet getrost ... ihr habt unter dem Kampfführer Christus
gesiegt.»[24]

Doch ganz soweit war es noch nicht. Die «religiones profanae»
existierten, die weitaus meisten Tempel standen, die Priester
lebten noch, die Heiden kamen eifrig in die Heiligtümer. Weshalb
der Agitator auch zur Konfiskation der Tempelgüter, Ausrottung
der Adoratorien, der Irrenden, ruft wie kein Christ zuvor. «Tollite, tollite, securi ... Nehmet weg, nehmet weg ohne Zagen,

allerheiligste Kaiser, den Schmuck der Tempel. Diese Götter mögen das Feuer der Münzstätte oder die Flamme des Metallbergwerks schmelzen, alle Weihegeschenke verwendet zu eurem Nutzen und macht sie zu eurem Eigentum. Nach Vernichtung der Tempel seid ihr vermöge der Kraft Gottes zu Höherem fortgeschritten.»[25]

Das Höhere war das Christentum, das Falsche, Verwerfliche jede heidnische Lehre. Die Heiden freilich sahen es umgekehrt. «Je länger desto mehr gewann die Ansicht Boden, daß mit dem Eintritt des Christentums in die Welt ein allgemeiner Verfall des Menschengeschlechts begonnen habe» (Friedländer). Doch abgesehen vom viel freizügigeren Leben und Denken im Heidentum – es gab da auch, so Karl Hoheisel in einer umfangreichen Studie über den Traktat des Firmicus, «neben dem Schwülen, Orgiastisch-Erregten stets strengste Askese, eine Pflege der Keuschheit, die Christen nur bewundern konnten. Ebenso waren obszöne Züge der Mythologien längst dem Purismus zum Opfer gefallen oder wirken lediglich in säkularem Gewande weiter . . . Die antiken Religionen boten ihren Anhängern Heimat und Geborgenheit. Sie halfen das Dasein zu bewältigen, ordneten das menschliche Miteinander und stellten die existentiellen Fragen in ein sinnerfülltes Ganzes . . . Die meisten religiösen Heilslehren, die Firmicus behandelt, erscheinen als lebendige geistige Mächte.»[26]

Doch gerade darum sein Fanatismus, seine frenetische Wut, der Schrei nach dem Pogrom. Gerade darum ist jegliches Heidentum «irrig», «ruchlos», «verpestet», müssen «von Grund aus solche Dinge, allerheiligster Kaiser, ausgemerzt und vernichtet werden». Gerade darum empfiehlt der Kirchenvater «schärfste Gesetze», Plünderung der Tempel, Anwendung von «Feuer und Eisen», Verfolgung «in jeder Weise»! Selbstverständlich mit Berufung auf Jahwe wieder und das durch alle Jahrhunderte verheerend wirkende Alte Testament. Doch hatte kein Christ bisher derart massiv die biblischen Vernichtungsorgien beschworen, keiner sich ihrer so systematisch zur Rechtfertigung von Brutalität und Terror bedient. Selbst der Familie drohe Gott und den Nachkommen, «damit kein Teil des verruchten Samens . . . keine Spur des

heidnischen Geschlechtes verbleibe». «Weder den Sohn befiehlt er
zu schonen noch den Bruder, und sogar durch die Glieder der
geliebten Gattin stößt er das Racheschwert. Auch den Freund
verfolgt er mit erhabner Strenge, und das ganze Volk wird bewaff-
net, um die Leiber der Ruchlosen zu zerfleischen.»[27]

Kaum bekam die Kirche Macht, lehnte sie Zwang nicht mehr
ab, sondern übte ihn aus; und dies, so der Theologe Carl Schneider, «mit Anwendung aller Gewalt». An Stelle der einstigen
Apologetik, dem unentwegten Ruf nach Religionsfreiheit, trat
jetzt die Droh- und Spottrede, an Stelle von Märtyrerideologie
und Märtyrerromanen der Verfolgerfanatismus – hier «das gewaltige Kreuzzugsgetöse» des Firmicus, «die bis zum äußersten
getriebene Verteufelung der nichtchristlichen Religionen»
(Hoheisel). Zwar kamen Gesetze und Zwangsmittel von den
Kaisern. Doch auch sie waren Christen. Und selbst ohne aus-
drückliche Bezeugung darf man annehmen, daß das von Firmicus
Maternus den Kaisern Konstantius und Konstans gewidmete
Buch deren antipagane Religionspolitik, ihre Opferverbote und
Strafandrohungen, beeinfluß hat – wie umgekehrt diese wieder
den Verfasser des christlichen Pamphlets.[28]

ERSTE TEMPELSTÜRME, FOLTER UND
JUSTIZTERROR UNTER KONSTANTIUS

So ist der Feuereifer gegen das Heidentum verständlich, das sich
am längsten bei den Bauern hielt, bei vielen Rhetoren, Philosophen, in der gebildeten Oberschicht, besonders in den alten römischen Senatsfamilien, aber teilweise selbst im oströmischen
Senat.[29]

Begann schon 341 ein Erlaß, der auf Konstans zurückgeht,
nicht im üblichen Kanzleiton, sondern mit dem Aufschrei: «Der
Aberglaube hat zu verschwinden! Der Unsinn der Opfer soll zum
Teufel gehen!» (Cesset superstitio sacrificiorum aboleatur insa-
nia), so befahl der Herrscher 346 das sofortige Schließen der

Tempel in den Städten, 356 das Schließen sämtlicher Tempel. Könnten doch alle schlechten Menschen (perditi) dann nicht mehr Böses tun; worauf anscheinend ein christlicher Tempelsturm begann. Auch verhängte Konstantius schon über das Betreten der Tempel und den «Wahnsinn» der Opfer, ja, bereits über die Verehrung eines Kultbilds Vermögensentzug und Tod. «Wenn einer etwas derartiges tut, soll er mit dem rächenden Schwert niedergestreckt werden.» Als erster christlicher Kaiser belegt damit Konstantius die Ausübung des heidnischen Kultes mit der Todesstrafe. Der Besitz der Hingerichteten fiel dem Fiskus zu. Nachsichtigen Provinzgouverneuren drohte die Konfiskation. Und ein Jahr später, 357, setzte der Regent die Todesstrafe auch auf Wahrsagerei und Astrologie. Sie sollten «bei allen für immer zum Schweigen kommen». Gewiß gab es auch jetzt noch sehr viele Heiden, unter der Beamtenschaft in höchsten Positionen, im Heer noch mehr, das vornehme und gebildete Rom hielt fast ganz am alten Glauben fest. Somit stand vieles einstweilen nur auf dem Papier. Doch signalisieren die Gesetze die wachsende Intoleranz. Und den christlichen Hirten trieben sie massenweise neue Schafe zu.[30]

Aber freilich steht auch nicht alles bloß auf dem Papier. Zumindest berichtet Libanios, der heidnische Rhetor aus Antiochien, Konstantius habe von seinem Vater «den Funken der bösen Taten überkommen und daraus eine große Flamme werden lassen. Denn er hat den Reichtum der Götter geplündert, die Tempel zerstört, jede heilige Vorschrift ausgelöscht.» Libanios fügt hinzu, Konstantius habe «die Mißachtung vom heidnischen Kult auf die Rhetorik (lógoi) ausgedehnt. Kein Wunder: beides, Kult und Rhetorik, sind zusammengehörig und verwandt» – was wohl heißt, der Kaiser gefährde Kult und Kultur des Heidentums zugleich.[31]

Christliche Fanatiker vergriffen sich schon an Altären und Tempeln. In Heliopolis erwarb sich dabei der Diakon Kyrill einen Namen. Im syrischen Arethusa riß der Priester Markus ein altes Heiligtum ein (und wurde dafür als Bischof, unter der heidnischen Reaktion Julians, schwer mißhandelt). Im kappadokischen

Caesarea machte die christliche Gemeinde einen Tempel des Stadtgottes Zeus und des Apollo dem Erdboden gleich. In Alexandrien fiel unter dem Arianer Georgios (S. 395 f) eine ganze Reihe heidnischer Heiligtümer. Kurz, es begannen bereits «in jener Zeit der Glaubenswut, die auch die Christen mit Mordwaffen gegeneinander trieb», wie Johannes Geffcken schreibt, wilde Tempelattacken. Es wurde «schlimm genug gefrevelt, namentlich durch die heftige Aufstachelung der Habgier . . .»[32]

Nachdem Konstantius allerdings im Mai 357 erstmals Rom besucht hatte, das Pantheon, den Jupitertempel auf dem Kapitol, das Haus der Tyche Romana, tolerierte, ja, schützte er, überwältigt von den Traditionen der Stadt, zumindest deren Heidentum. Er bestätigte den Vestalinnen ihre Privilegien und gewährte für pagane Feste Geldbeträge. Wohl mag hier die Rücksicht auf Roms mächtige altgläubige Aristokratie mitgewirkt haben. Doch lebte nach solchen Gunstbeweisen das Heidentum in ganz Italien auf, ausgenommen wahrscheinlich nur Sizilien. Und Rom blieb weiter eine Hochburg der alten Religion.[33]

Eine Generation später aber hatte sich das längst wieder geändert. Beim Besuch von Kaiser Theodosius' oberstem Befehlshaber für den Westen in Rom sah seine Frau im palatinischen Tempel eine Halskette an der Statue der Großen Mutter. Sie ließ den Schmuck abnehmen und trug ihn selbst. Ein altes Weib, die letzte Vestalin, kritisierte dies und sprach, aus dem Tempel gewiesen, einen Fluch über die vornehme Räuberin aus, der sich nach Zosimus sogar erfüllte.[34]

Schärfer noch als Juden und Heiden verfolgte Konstantius, ein antiker Hexenjäger, der jede Art von Teufelsdienst abgründig fürchtete, die Zauberei; wobei freilich religiöse Motive, also antiheidnische Affekte, gleichfalls eine große Rolle spielten.

357 setzte der Kaiser auf das Befragen von Wahrsagern, Zauberern, Hellsehern, Haruspices die Todesstrafe. Astrologen und Traumdeuter durfte man vor Gericht zur Erpressung eines Geständnisses auch foltern. Schon das Gehen zwischen nächtlichen Gräbern war Beweis für Schwarzkunst (magicae artes). Man verlor bereits den Kopf, trug man ein Amulett. Selbst bedenkliche

Träume zogen angeblich Hochverratsprozesse nach sich. «Wer einen Wahrsager (hariolus) über das Quieken einer Feldmaus befragte oder über das Erscheinen eines Wiesels auf seinem Weg oder ein ähnliches Vorzeichen», behauptet der Zeitgenosse Ammianus Marcellinus, «wurde vor Gericht gebracht und erlitt dafür die Todesstrafe.» Doch ist Ammian kein unverdächtiger Berichterstatter; er bauscht auf und geißelt gern das Vorgehen des ihm verhaßten Despoten als Terrorjustiz.[35]

358 drohte der Kaiser auch den bisher Privilegierten seiner Umgebung und dem Gefolge des Caesars für Zauberei und Wahrsagen die Tortur an. Er verschärfte sie sogar bei Leugnen eines «Schuldigen», der dann dem hölzernen Folterpferd übergeben werden mußte, das mit eisernen Krallen seine Seiten zerfleischte. Mit dem Glauben des Herrschers harmonierte das Peinigen und Schinden – wie mit dem Glauben so vieler christlicher Generationen – aufs schönste. «Die Aufrichtigkeit seiner christlichen Überzeugung steht über jeden Zweifel . . . Das christliche Bekenntnis war ihm nicht eine Formel, sondern das Regulativ seines sittlich-religiösen Handelns, seiner ganzen Persönlichkeit» (Schultze).[36]

Voller Angst und Verfolgungswahn, von der «Zaghaftigkeit eines alten Weibes» erfüllt (Funke), unterhielt Konstantius II. eine riesige Geheimpolizei. Als es im Herbst 359 in Skythopolis (heute Beth Shean) im Westjordanland wegen Orakelbefragung, Opfer, Amuletttragen, dem abendlichen Spaziergang über einem Grabmal, zu einem Prozeß kam, betraute der Kaiser mit den Voruntersuchungen einen gewissen Paulus – Spitzname «Tartareus» (Höllenfeuer-Paul) –, «der wie ein Vermieter von Gladiatoren aus Folterbank und Schlächterei noch ein Geschäft zu machen wußte» und, nach Ammian, in Palästina ein wahres Schreckensregiment begann.[37]

Paulus, auch «Catena» (Kette, Zwang) genannt, war in Spanien geboren und vermutlich Arianer. Am Kaiserhof wirkte er als notarius in einem Amt, das ihn mit Spezialaufträgen durch das ganze Reich führte, vor allem zum Aufspüren von Hochverratsdelikten. Es ist möglich, daß Paulus bereits um 345 unter Kaiser Konstans die Donatisten in Afrika jagte. 353 fahndete er nach

Parteigängern des Usurpators Magnentius in Britannien; zwei
Jahre später nach Gefolgsleuten des Usurpators Silvanus. Silvanus, Franke und Christ, Konstantius' Kombattant in der Schlacht
bei Mursa (S. 310), wurde zur Bekämpfung germanischer Invasoren nach Gallien entsandt. Durch Feinde am Hof in die Enge
getrieben, durch gefälschte Briefe des Hochverrats verdächtigt,
ließ er sich wirklich von seinen gallisch-germanischen Truppen
am 11. August 355 in Köln zum Kaiser ausrufen. Doch töteten ihn
schon wenige Wochen darauf, bei der Flucht in eine Kapelle, die
(zum Teil germanischen) in Konstantius' Auftrag bestochenen
bracchati und cornuti. Alle Freunde und Mitarbeiter des Silvanus
befahl der Herrscher zu foltern. Im Sommer 359 ermittelte Paulus
in Alexandrien gegen Anhänger des Athanasius, wurde aber Ende
361, nach dem von Kaiser Julian in Chalcedon gegen die Kreaturen seines Vorgängers angestrengten Prozeß, bei lebendigem Leib
verbrannt.[38]

Wie schon beim Einschreiten gegen den Anhang des Magnentius und Silvanus Notar Paulus vom Gerichtsverfahren selber
ausgeschlossen war, so auch beim Skythopolis-Prozeß, wobei nur
Heiden, meist dezidierte Heiden, mit der Staatsmacht in Konflikt
gerieten. Man überging deshalb auch den zuständigen Hermogenes, 358/59 orientalischer Präfekt, als Richter, weil er altgläubig
war, einst am Hof des Licinius in dessen Auftrag die Orakel
befragt und noch zwischen 353 und 358 als proconsul Archaiae in
Korinth häufig ganze Tage im Tempel der Dike zugebracht hatte.
Statt seiner wurde der Christ Modestus mit der Prozeßführung
betraut, der die angesehenen Hauptangeklagten mit dem Leben
davonkommen, mehrere unbekannte Personen aber schon für
harmlose Praktiken, wie das Tragen eines Amulettes gegen Wech-
selfieber, hinrichten ließ.[39]

Domitius Modestus, der comes Orientis, eine kaum mehr er-
freuliche Figur aus dem Umkreis des Kaisers als Paulus, war, wie
dieser, unter Konstantius II. Christ. Unter Heidenkaiser Julian
wird er Heide und dafür Stadtpräfekt Konstantinopels. Nach
Julians Tod läßt er sich durch einen Arianer taufen und steigt 370
zum Reichspräfekten auf, zum einflußreichsten Mann des Aria-

nerkaisers Valens, unter dem er unbarmherzig die Katholiken
verfolgt, selbst Kirchenlehrer Basilius mächtig unter Druck setzt,
dann aber mit ihm korrespondiert. Der wiederholte Glaubenswechsel des Modestus förderte nicht nur seine Karriere. Als
comes Orientis noch «arm», konnte er sich vor allem in der Ära
Valentinians und Valens' durch große Ländereien gewaltig bereichern.[40]

ABSCHLACHTUNGEN UNTER DEM
RECHTGLÄUBIGEN GALLUS

In Palästina, dem Schauplatz des Skythopolis-Prozesses, hatte
kurz zuvor schon Gallus gewütet, der dem dynastischen Mord
337 entgangene Vetter des Konstantius. Auch er ein guter Christ,
von Kindheit an Kirchgänger, Vorleser aus der Bibel und angeblich ein treuer Gatte der beträchtlich älteren Konstantia, der
verwitweten Schwester des Kaisers, einer Megäre in Weibsgestalt:
eine «wilde Furie», schreibt Ammian, «nach Menschenblut
ebenso gierig wie ihr Mann». Wiederholt mahnte Gallus den
Halbbruder Julian zur Rechtgläubigkeit und schockierte 351, im
Jahr seiner Ernennung zum Caesar, die Heiden durch Überführung der Knochen des hl. Babylas – die erste gut bezeugte Trans-
lation, die wir kennen – in das berühmte Apolloheiligtum in
Daphne, um es so außer Kraft zu setzen.

Christ Gallus, der von früh an Faustkämpfer liebte, die einander die Knochen zerbrachen, leistete sich in Antiochien, seiner
Residenzstadt, krasse Tyrannenallüren: Willkürakte, Hochver-
rats- und Zaubereiprozesse, die oft aller Rechtsnorm Hohn sprachen, zu Konfiskationen, Verbannungen, zu grausigen Torturen
und Abschlachtungen führten. Hinzu kam ein fanatischer Kampf
gegen die Heiden. Ein ganzes Spionagesystem umstrickte die
Stadt. Caesar Gallus, von dem Theodoret betont, «er war rechtgläubig und blieb es bis an sein Ende», hetzte gelegentlich sogar
das Volk zur Lynchjustiz mißliebiger Untertanen auf. Und als die

Juden 352, anscheinend wieder einmal messianisch erregt, gegen das Verbot, nichtjüdische Sklaven zu halten, rebellierten, eine römische Garnison zwecks Waffenbeschaffung überfielen und einen gewissen Patricius zum König machten – der erste große Aufstand unter einem christlichen Kaiser –, ließ der rechtgläubige Gallus in Palästina ganze Städte niederbrennen und ausmorden bis auf die Kinder. Doch auch hohe Beamte fielen seinem Terrorregiment zum Opfer. So der beim Kaiser intervenierende Präfekt des Ostens, Thalassius. Dessen Nachfolger Domitianus schleifte die Soldateska bald nach seiner Ankunft in Antiochien mit gefesselten Beinen durch die Stadt und warf ihn in den Orontes. Sein Quästor Montius endete ebenso. Weitere Morde folgten. Im Frühsommer 354 erhob sich die Bevölkerung «aus vielerlei komplizierten Gründen» (Ammian), vor allem wegen einer Hungersnot und allgemeinem Elend. Gouverneur Theophilos wurde erschlagen und zerrissen. Schließlich lockte Konstantius den Vetter, dem er bei seiner Erhebung jede Schonung zugeschworen, in den Westen, bat ihn, auch seine Frau, «die reizende Konstantia», mitzubringen, die er so gern wiedersähe. Gallus witterte Verrat, baute jedoch auf Fürsprache der Konstantia, der Kaiser-Schwester, die indes unterwegs einem Fieber erlag. Ihn selbst aber ließ der Monarch an einem Spätherbstmorgen 354 in Flanona (bei Pola in Istrien) enthaupten. Und mit Folter, Henkerbeil oder Verbannung tobte er auch gegen Gallus' Freunde, dessen Offiziere, Hofbeamte, sogar gegen einige Priester.[41]

Nur der Tod des (erst 44 Jahre alten) Herrschers am 3. November 361 in Mopsukrene verhinderte einen Zusammenstoß auch mit seinem Vetter Julian.

HEIDNISCHE REAKTION UNTER JULIAN

Wie sein Bruder Gallus, war auch Julian einst bei dem Verwandttengemetzel geschont, dann als Mitglied der kaiserlichen Dynastie argwöhnisch überwacht worden; zunächst in einem ver-

schwenderisch ausgestatteten Landhaus der (wenige Monate
nach seiner Geburt verstorbenen) Mutter bei Nikomedien, dann
in der einsamen Bergfeste Macellum im Herzen Anatoliens, wo
bereits der ältere Gallus weilte. Der mißtrauische Kaiser zog hier
ein ganzes Netz von Spionen um die beiden Prinzen und ließ sich
täglich ihre Äußerungen melden. Sie lebten «wie Gefangene in
einer persischen Festung» (Julian), standen praktisch unter Ar-
rest, vermutlich auch oft unter Todesfurcht. In Nikomedien in-
doktrinierte Julian der Ortsbischof Euseb, ein Verwandter von
Julians Mutter Basilina, ein weltgewandter, uns bereits bekannter Kirchenmann (S. 307), der sich, wie viele orientalische Prälaten, die Fingernägel mit Zinnober, das Haar mit Henna färbte
und Weisung hatte, das Kind streng in der christlichen Religion zu
erziehen, jeden Kontakt mit der Bevölkerung zu unterbinden und
«niemals vom tragischen Ende seiner Familie zu sprechen». In
Erinnerung daran schreckte der Siebenjährige, der oft in Wein-
krämpfe fiel, noch nachts mit schrillen Schreien aus dem Schlaf.
In Macellum, wo Julian, fast nur von Sklaven umgeben, von 344
bis 350 steckte, sollte ihn der Arianer Georg von Kappadokien
(S. 395 f) zum Geistlichen machen. Doch dann wurde er nach
Konstantinopel entlassen, in den Streit der Arianer und der
Orthodoxen, in die Welt wilder Tumulte und rauschender Bann-
flüche. Ende 351, zwanzigjährig, rief ihn Konstantius zum Stu-
dium wieder nach Nikomedien. Julian kam nach Pergamon, nach
Ephesus, Athen, und hervorragende Lehrer gewannen ihn dem
Heidentum. Von Konstantius 355 zum Caesar ernannt, 360 in
Paris von der Armee zum Augustus ausgerufen, wurde er durch
den kinderlosen Herrscher – während beide Armeen schon gegeneinander marschierten – sterbend zum Nachfolger designiert,
worauf es zu einer flüchtigen Wiederherstellung polytheistischer
Überlieferungen kam, einer hellenistischen «Staatskirche» nach
teils christlichem Muster.[42]

  Julian suchte an Stelle des Kreuzes und eines heillosen Dualismus wieder gewisse Strömungen hellenistischer Philosophie und
den «Sonnenpantheismus» zu setzen. Er schuf dem – wohl mit
Mithras identifizierten – Sonnengott, ohne Vernachlässigung der

übrigen Götter, im Kaiserpalast ein Heiligtum und bekannte auch
sonst seine Verehrung für den basileus Helios, den Sonnenkaiser,
damals bereits eine über zweitausendjährige Tradition. «Seit meiner Jugend drang ein heftiges Sehnen nach den Strahlen des
Gottes in meine Seele, und seit meinen frühesten Jahren war mein
Inneres so verzückt von ihm, daß ich nicht nur ihn ständig
anzuschauen wünschte, sondern auch, wenn ich in sternklarer
Nacht im Freien weilte, alles um mich her vergaß und die Schön-
heiten des Himmels bewunderte . . .»[43]

Die Welt hat sich daran gewöhnt, in Julians Reaktion eine
nostalgische Sehnsucht zu sehen, einen romantischen Anachro-
nismus, den unsinnigen Versuch, die Uhren zurückzustellen. Aber
warum eigentlich? Weil er widerlegt worden ist? Widerlegt? Ab-
gewürgt. Und was kam, hätte es schlimmer sein können? Vielleicht, wer weiß, wäre eine nichtchristliche Welt in genauso viele
Kriege gestürzt – obwohl die nichtchristliche seit siebzehn Jahrhunderten weniger Kriege führt als die christliche! Und meist
weniger grauenhafte auch. Vielleicht, wer weiß, wäre selbst ohne
das fürchterliche «Machet sie euch untertan!» jener verheerende
Naturverschleiß gekommen, dessen Folgen wir erfahren. Schwer
vorstellbar aber in einer heidnischen Welt: die ganze Heuchelei
der christlichen. Und noch schwerer denkbar deren religiöse
Intoleranz.

Nicht ernsthaft bestreiten läßt sich, daß Kaiser Julian (361 bis
363), von den Christen «Apostata» geschimpft – seine christlichen Vorgänger samt und sonders überragt: charakterlich,
ethisch, geistig.

Philosophisch gebildet, literarisch vielseitig tätig, persönlich
sensibel und ernst, fand Julian, der das Christentum zuweilen mit
Hohn übergoß, daß die «hohe Theologie», in der man ihn selbst
so sorgfältig erzog, eigentlich bloß aus zwei Bräuchen bestehe: die
bösen Geister durch Pfeifen zu erschrecken und das Kreuz zu
schlagen. Er war nicht nur «der erste Kaiser mit echter Bildung
seit mehr als einem Jahrhundert» (Brown), sondern er erwarb
auch «einen Platz unter den ersten griechischen Schriftstellern der
Epoche» (Stein). Ausgezeichnete Sachverständige unterstützten

ihn. Tief pflichtbewußt begann der Kaiser, der jeden Luxus mied, bescheiden war, weder Mätressen noch Lustknaben hatte, sich nie betrank, schon bald nach Mitternacht zu arbeiten. Er versuchte, die Bürokratie zu rationalisieren und hohe Regierungs- und Verwaltungsstellen mit Intellektuellen zu besetzen. Er schaffte sofort das Hofschranzentum ab, die ganze Eunuchenge- sellschaft, das Schmeichler-, Schmarotzer-, Denunzianten-, Spit- zelwesen. Tausende wurden entlassen. Er verringerte beträchtlich die Dienerschaft, verminderte die Steuern im Reich um ein Fünf- tel, ging scharf gegen betrügerische Eintreiber vor, sanierte die Staatspost. Er beseitigte im Heer das Labarum, die Kaiserstan- darte mit dem Christusmonogramm, belebte offensiv alte Kulte, Feste, paideia, die klassische Bildung. Er verfügte Rückgabe und Wiederaufbau geschleifter heidnischer Heiligtümer, auch Rück- gabe zahlreicher Götterbilder, die als Schmuck in den Gärten von Privatleuten prangten. Doch verbot er nicht das Christentum, erlaubte vielmehr den verbannten Klerikern die Heimkehr, was aber nur zu neuem Aufruhr führte. Die Donatisten, die den Kaiser als Hort der Gerechtigkeit rühmten, schrubbten in Afrika ihre wiedererlangten «Gotteshäuser» von oben bis unten mit Salzwas- ser, schabten das Holz der Altäre und den Kalk von den Mauern, gewannen rasch ihre seit Konstans und Konstantius II. verlorene starke Position zurück und genossen die Rache. Sie eröffneten die Zwangsbekehrung der Katholiken, raubten nun ihrerseits deren Kirchen, verbrannten ihre Bücher, Altäre, warfen Kelche und Ölampullen aus den Fenstern und die Hostien den Hunden vor, mißhandelten sogar gegnerische Kleriker derart, daß einige star- ben. Bis 391 behielten sie, zumal in Numidien und Mauretanien, die Oberhand.[44]

Den Juden steht Julian freundlich gegenüber, was freilich den Haß der christlichen Prediger auf sie noch schürt. «Die Juden erfaßte rasendes Entzücken», höhnt Ephräm, der die «Beschnitte- nen» auf Julians Münzen «mit Pauken und Trompeten» einen Stier umtanzen sieht; «denn sie erkannten in ihm ihr ehemaliges Kalb». Zwar kritisiert Julian, der Anhänger des Polytheismus, das Alte Testament, seine streng monotheistische Lehre, seinen

arroganten Auserwähltheitsdünkel, stellt aber Jahwe mit den
Göttern auf eine Stufe, ja, konzedierte den Juden gelegentlich,
daß sie den «mächtigsten und besten» Gott verehrten. Einer
jüdischen Delegation, die im Juli 362 Antiochien aufsuchte, gestattete er nicht nur den Wiederaufbau des Jerusalemer Tempels,
sondern sicherte auch seine Unterstützung zu, anscheinend sogar
– eine Art Antizipation des «Zionismus» – ein eignes Territorium.
Die jüdische Diaspora reagierte begeistert. Im nächsten Frühjahr,
als Julian nach Persien zog, begann man energisch den Wiederaufbau des Tempels, den allerdings ein Brand Ende Mai, von den
Christen als «Wunder» gepriesen, und Julians Tod im Juli für
immer beendeten.[45]

Julian bekannte sich stets von neuem zur Toleranz, auch gegenüber den Christen. Seine Anordnungen hinsichtlich der
«Galiläer», sagte er einmal, seien ausnahmslos so mild und menschenfreundlich, daß niemand irgendwie drangsaliert oder zum
Tempel geschleppt werde oder irgendeine andere Kränkung erfahre wider seinen Willen. Und an die Einwohner von Bostra
schrieb er: «Um die Menschen zu überzeugen und zu belehren,
muß man die Vernunft gebrauchen und nicht etwa Schläge, Belei-
digungen und körperliche Züchtigungen anwenden. Ich kann es
nicht oft genug wiederholen: Wer wirklich vom Eifer für die
wahre Religion durchdrungen ist, wird die Menge der Galiläer
nicht belästigen, angreifen oder beleidigen. Man muß eher Mitleid als Haß für sie empfinden, weil sie das Unglück haben, sich
in so ernsten Angelegenheiten zu irren.»[46]

Wiederholt sahen wir, welch große Vorrechte der Klerus unter
den christlichen Kaisern gewann. Die von Konstantin gewährten
Gunsterweise hatte Konstantius noch ausgedehnt, bei gleichzei-
tigem Druck allerdings auf widersetzliche Priester. Julian zögerte
nicht, die Verbannten zurückzurufen, ihr beschlagnahmtes Eigentum zu restituieren. Doch verbot er den Geistlichen, Richter zu
spielen oder als Notare Testamente aufzusetzen «und sich das
Erbe anderer anzueignen und sich selbst alles zu überschrei-
ben».[47] Nicht nur ein Mann wie Patriarch Georg hate es darin
weit gebracht (S. 395 f).

Wie sehr aber Julian auch für Toleranz eintrat, wie er bei Urteilsfindungen sich nicht durch die Konfession der Streitenden beeinflussen ließ, wie er ein hohes Ethos von seinen Priestern forderte, philanthrōpía, Unparteilichkeit, Gerechtigkeit, Güte, sogar Feindesliebe – von Fanatikern angefeuert, forderte er, «trotz seiner Irrtümer einer der edelsten und begabtesten Menschen der Weltgeschichte und vielleicht der liebenswerteste» (Stein), zuweilen selber Gewalt gegen das gewalttätige Christentum, dessen Verfechter in Syrien und Kleinasien neu errichtete Tempel und Götterbilder schändeten, ja, zerstörten. Sein Haß erregendes Unterrichtsgesetz verbot Christen das Lehren griechischer Literatur (statt dessen sollten sie in die Kirchen gehen, «um den Matthäus und Lukas auszulegen»). Er verlangte auch die Rückgabe geraubter Tempelsäulen und Kapitelle, die viele christliche «Gotteshäuser» schmückten. «Wenn sich die Galiläer Plätze zum Beten schaffen wollen, mögen sie es tun, aber nicht mit dem Material, das anderen Kultstätten gehört.» Nach Libanios konnte man sehen, «wie mit Schiff und Wagen Pfeiler zu den ausgeplünderten Göttern zurückgebracht wurden». Und als in Edessa eine arianische Attacke gegen letzte Reste valentinianischer Gnostiker einen Aufruhr bewirkte, schritt Julian gegen die Arianer ein mit der höhnischen Begründung, ihnen den Weg ins Himmelreich zu erleichtern. «Da ihnen von einem höchst bewundernswerten Gesetz vorgeschrieben wird, ihren Besitz zu verkaufen und den Armen zu geben, auf daß sie leichter Eintritt erhalten in das Reich über den Wolken, haben wir, um diesen Leuten behilflich zu sein, befohlen, daß alles Geld der Kirche von Edessa den Soldaten gegeben werden soll.» Ihr übriges Eigentum konfiszierte er zugunsten der kaiserlichen Privatschatulle – anscheinend der einzige derartige Erlaß.[48]

Als Christen am 22. Oktober 362 den vom Kaiser restaurierten Tempel Apollons zu Daphne in Brand setzten und die berühmte Apollostatue zertrümmerten, ließ Julian in Antiochien die große Kirche schleifen und einige Märtyrerkirchen dazu. (Die Christen erzählten allerdings, ein Blitz habe den Tempel getroffen, obwohl in der Brandnacht, berichtet Libanios, kein Wölkchen am Himmel stand.) In Damaskus, Gaza, Askalon, Alexandrien und andren Orten wurden, zum Teil mit jüdischem Beistand, christliche Basiliken niedergebrannt, da und dort auch Christen gefoltert, getötet, darunter Bischof Markus von Arethusa (S. 320), und als unschuldige Märtyrer erklärt, wobei jedoch «in vielen Fällen das verletzte Recht auf der Seite des Heidentums war» (Schultze) – und in jedem Fall ein Pogrom die Reaktion auf die Tempelstürme der Christen, ihre grenzenlose Verhöhnung des Heidentums. Die wirklichen christlichen Märtyrer – neben etlichen, die offensichtlich unhistorisch sind – lassen sich an einer Hand herzählen: kaum Juventinos und Maximos, zwei Rebellen, die hingerichtet wurden, aber eher die beiden Presbyter Eugenios und Makarios, die, nach Ägypten verbannt, dort 40 Tage später starben. Christliche Widersetzlichkeiten erledigte der Herrscher bisweilen mit dem Wort: «Meine Vernunft hat die Unvernunft vernommen.» Bischof Meletius konnte unter Julian sogar in Antiochien bleiben. Und den Bischof Maris von Chalcedon, der den Kaiser öffentlich angriff, in einer Audienz ihn Verräter und Atheist schalt, bespöttelte er bloß, wollte er doch erst nach seinem Perserkrieg die «Galiläer» umfassend bekämpfen.[49]

Im ganzen Reich, von Arabien und Syrien bis nach Numidien, Norditalien, in die Alpen hinein, feierte man Julian als «zum Wohle des Staates geboren», «Beseitiger der Verbrechen der Vergangenheit», «Wiederhersteller der Tempel und der Herrschaft der Freiheit», «den großherzigen Stifter der Toleranzedikte». Eine lateinische Inschrift aus Pergamon nennt ihn: «Herr der Welt, Lehrer der Philosophie, verehrungswürdiger Herrscher, gottesfürchtiger Kaiser, stets siegreicher Augustus, Verbreiter republikanischer Freiheit». Eine arabische Inschrift besagt, es gebe nur einen Gott und nur einen Kaiser Julian. Der sehr sozial denkende Regent hob unbegründete Vorrechte auf, schuf Steuererleichterungen und verbesserte mehrere Wirtschaftszweige. «Ihr unglücklichen Bauern», rief nach dem Ableben des Kaisers der edle Libanios, «wie werdet ihr wieder die Beute des Fiskus werden! Ihr Armseligen und ewig Unterdrückten, was wird es euch jetzt nützen, den Himmel um Hilfe anzuflehen?» Gestand ja selbst

einer der größten geistlichen Schmäher Julians, Gregor von Nazianz (S. 335), daß ihm vom Lob über diese liberale Regierung die
Ohren surrten – «eine der heilsamsten», urteilt Ernst Stein, «die
das römische Reich jemals erlebt hat».[50]

Doch nicht alles war glücklich, am wenigsten die Christenheit,
sonderlich die Antiochiens. An Pracht und Luxus, an Feste,
Spiele, Ausschweifungen gewöhnt (vgl. S. 379 ff), irritierte und
enttäuschte sie Julians Ernst, sein Verzicht auf Prunk, seine nach-
lässige Kleidung, kargen Mahlzeiten, langen Nachtwachen, sein
langer Bart sogar, es tauchten Spottlieder über ihn auf, Flug-
schriften, und Julian, der Kaiser, der seine Verleumder durch
einen Wink hätte vernichten können, reagierte endlich – mit einer
Replik, dem «Misopogon», dem «Feind des Bartes»: ein «Grollen
des Löwen gegen die Mücken der Fabel», ein «in der Geschichte
der Völker und Könige einzigartiges Beispiel». (Chateaubriand)[51]

«Es stimmt ja», entgegnete Julian in dieser erstaunlichen, zumal von Literaten vielbewunderten Schöpfung, reich an Ironie,
Trauer, Bitterkeit, auch, am überraschendsten, an Selbstverspot-
tung. «Es stimmt ja, ich habe einen Bart, der meinen Feinden
mißfällt. Sie behaupten, ich könnte nichts in den Mund bringen,
ohne ein paar Haare zu verschlucken. Aber ich will ihnen verraten, was sie noch gar nicht wissen: Ich kämme ihn niemals, ich
lasse ihn absichtlich so struppig, und die Flöhe spazieren frei
herum wie das Wild im Dickicht. Was meine Brust anbetrifft – die
ist bepelzt wie die eines Affen. Es ist auch wahr, daß ich niemals
in Rosenwasser oder parfümierter Milch bade und daß ich einen
brechreizerregenden Geruch um mich verbreite. Es ist richtig, daß
ich absichtlich noch schmutziger als ein Kyniker oder Galiläer
aussehe. Es stimmt, daß ich mich nachlässig kleide und daß meine
Mahlzeiten ärmlich sind . . .

Es ist wahr, daß ich meistens mit der Suppe für meine Soldaten
zufrieden bin, daß ich auf einer einfachen Matte schlafe, die dazu
noch auf den Boden gelegt wird, und daß ich Tage und Nächte mit
Meditation und Arbeit verbringe . . .

Als ich hierherkam, habt ihr mich wie einen Gott empfangen.
So viel verlangte ich nicht. Euer Senat hat mir seine Sorgen

vorgetragen, und ich war einverstanden mit einer beträchtlichen Steuersenkung. Ich habe große Summen in Gold und Silber vorgestreckt. Ich habe jedem von euch ein Fünftel seiner künftigen Abgaben erlassen. Mehr hätte ich nicht tun können, wenn ich nicht anderen das wegnehmen wollte, was mir nicht gehörte.

Da es so schlecht um eure Versorgung bestellt war, habe ich auf meine Kosten Weizen aus Tyros und Ägypten kommen lassen. Doch der Weizen ist nicht an die Armen verteilt worden, denn die Mächtigen unter euch haben ihn für sich behalten und zum dreifachen Preis verkauft, damit sie weiterhin ihre Feste lustig feiern können. Das alles vergeßt ihr.

Ob es mir etwas ausmacht? Fahrt ruhig fort, mich mit euren Beschimpfungen zu überschütten, an denen sich eure Undankbarkeit nährt. Ich gebe euch das Recht dazu, wie ich mich ja jetzt selbst beschuldigt habe. Noch mehr: Ich werde die Kritik, die ihr Tag für Tag an mir übt, noch überbieten, denn in meiner Dummheit habe ich die Sitten eurer Stadt nicht gleich begriffen. Lacht nur . . . Nur los! Lacht, spottet über mich, behandelt mich grob, zerreißt mich mit blanken Zähnen! Ich werde euch nur auf eine Weise bestrafen, nicht durch Hinrichtungen, Geißelung, Eisen, Gefängnis. Wozu wäre das auch gut? Es würde euch nicht besser machen . . . Ich habe beschlossen, Antiochia zu verlassen und nie wieder hierherzukommen. Ich werde mich nach Tarsos begeben . . .»[52]

Doch wie schon einmal der Umsturz vom Heidentum zum Christentum durch die Armee gefördert wurde (S. 259 f), so auch jetzt. Julian hatte befohlen, Christen von ihr auszuschließen, war aber auf Widerstand gestoßen. Soldaten schlugen vor, den «Apostaten» bei einer Truppenschau zu erdolchen. Und zwei christliche Gardeoffiziere, Juventinos und Maximos, die erwähnten «Märtyrer», die zur Rebellion getrieben haben sollen, ließ er hinrichten.[53]

Im Perserfeldzug, zu dem der Kaiser am 5. März 363 von Antiochien aufbrach (Roms wichtigster Militärbasis, seit Konstantius von hier aus gegen die Perser operierte), war die Lage günstiger. Julian, ohne Panzer, fiel nördlich von Ktesiphon am

Tigris. Warum war er ungeschützt? Traf ihn doch eine feindliche
Lanze? Die wirklich verirrte eines eigenen Soldaten? Niemand
wußte es. Sogar das Gerücht kursierte, man habe ihm den Speer
auf eigenen Wunsch in die Seite gestoßen, nachdem er die ver-
meintlich hoffnungslose Lage des Heeres erkannt. Libanios, mit
Julian eng befreundet, versichert, es sei ein Mann gewesen, «der
sich weigerte, die Götter zu ehren». Und selbst ein antiker Kir-
chenautor hält Julian, der am 26. Juni 363 um Mitternacht, im 32.
Lebensjahr, im 20. Monat seiner Regierung einem Lanzenstich in
seine Leber erlag, für das Opfer eines gedungenen christlichen
Mörders – eines tadellosen Helden natürlich, da er «um Gottes
und der Religion willen eine so kühne Tat vollbracht». (Auch die
Perser schlossen einen der Ihren als Täter aus, waren sie doch
weit vom Schuß, als der Kaiser, inmitten seiner Truppen, verwun-
det und getötet wurde.) «Nur eines ist sicher», behauptet Benoist-Méchin, «ein Perser war es nicht.» Doch beweiskräftig ist
auch dies nicht. «Aber wie dem auch sei», schreibt Kirchenvater
Theodoret, «mag ein Mensch oder ein Engel das Schwert gezückt
haben, sicher ist, daß er hierbei als Diener des göttlichen Willens
gehandelt hat.»[54]

CHRISTLICHE SCHAUERMÄRCHEN

Die Christen aber, die Prediger der Feindesliebe, der Lehre auch,
alle Obrigkeit stamme von Gott, feierten den Tod des Kaisers mit
öffentlichen Gastmählern, mit Tanzveranstaltungen in den Kirchen, den Märtyrerkapellen, den Theatern von Antiochien –
einer Stadt, nach Ernest Renan, «von Gauklern, Scharlatanen,
Schauspielern, Magiern, Thaumaturgen, Hexern, betrügerischen
Priestern . . .» Sie vernichteten alsbald Julians noch kurz vor
seinem Tod hier geschaffene Streitschrift ‹Gegen die Galiläer›,
drei Bücher, wider die noch über 50 Jahre später Kirchenlehrer
Kyrill lang und breit zu Felde zog: «Pro sancta Christianorum
religione adversus libros athei Juliani», 30 Bücher, wovon nur die

ersten zehn im griechischen Wortlaut erhalten sind, zehn weitere in griechischen und syrischen Fragmenten. Natürlich gab sich ein Bischof wie Kyrill (S. 25, 513 f), der Philosophie weitgehend ablehnte, vielleicht ihren Unterricht in Alexandrien sogar verbieten wollte, keinerlei Mühe, in Julians Gedanken einzudringen. Ging es ihm doch «nur darum, ihn mit Energie zu erledigen» (Jouassard). Die Christen vernichteten auch alle Bilder, die Julian zeigten, ebenso alle knappen Inschriften, die an seine Siege erinnerten. Jedes Mittel schien recht, ihn aus dem Gedächtnis der Menschen zu streichen.[55]

Zu Julians Lebzeiten hatten die gefeierten Kirchenlehrer geschwiegen, keinen offenen Widerstand gewagt. Gleich nach seinem Tod aber und lang danach noch fielen sie über ihn her. Und während ihm selbst Augustin, neben Perfidien freilich, zumindest «ungewöhnliche Begabungen» zugestand, behauptete Johannes Chrysostomos, daß «wir alle in Lebensgefahr schwebten», ja, daß Julian Knaben schlachten und opfern ließ, was dieser Heilige doch mutatis mutandis auch von den Juden sagte (S. 134). Auch Gregor von Nazianz schleuderte dem Kaiser zwei wilde Reden nach ins Grab, grotesk verzerrte Karikaturen, in denen er den Toten als durch und durch schlecht, als Werkzeug des Teufels diffamierte, «ein Schwein, das sich im Schmutze wälzt». «Alle Laster waren in ihm vereinigt, der Abfall Jerobeams, der Götzendienst Ahabs, die Härte Pharaos, die tempelschänderische Gesinnung des Nebukadnezar. Alle diese Laster waren zu einer einzigartigen Gottlosigkeit verbunden.»[56]

Der hl. Ephräm aber, dessen haßstrotzende Triumphtiraden man nun in der Kirche von Edessa sang, schmetterte eine ganze Schrift gegen «Julian den Apostaten», «den heidnischen Kaiser», für ihn «der Rasende», «der Tyrann», «der Frevler», «Verfluchte», «Götzenpriester». «Sein Ehrgeiz lockte ihn zu dem todbringenden Speer», dem «Speer der Gerechtigkeit», der den von «Orakeln seiner Zauberer schwangeren Leib» aufriß, um ihn «in die Hölle» zu schicken. Und zerfetzt werden auch alle Anhänger des Heidentums: «Der Galiläer rädert die Herde des Zauberers und überliefert sie den Wölfen in der Wüste, aber die galiläische Herde erstarkt und erfüllt die Welt.» Kirchenlehrer Ephräm lügt sogar, Julian habe Nisibis den Persern ausgeliefert, «damit seine Schande eine fortdauernde sei . . .»[57]

In Wirklichkeit hatte Jovian, Julians christlicher Nachfolger, die Festung Nisibis (Nusaybin) den Persern überlassen. Ebenso die Festung Singara (Sinjar), beide römische Schlüsselstellungen. Preis gab Jovian damals auch fünf Grenzprovinzen jenseits des Tigris, die Maximian und Diokletian 297 erobert hatten, und wagte, aus Scham über den Verrat an Nisibis, auf seinem Rückzug nicht in der Stadt zu nächtigen. Er schlug sein Lager vor ihren Toren auf und sah am nächsten Tag samt seiner Armee, wie ein hoher feindlicher Offizier Nisibis betrat und die persische Fahne über der Festung hißte. Kirchenlehrer Ephräm aber kam aus einem Tor, um sich an Kaiser Julians Leiche zu ergötzen (die einbalsamiert von den Truppen mitgeführt und dann etwas außerhalb von Tarsos, wo Julian nach einem Sieg über die Perser hatte residieren wollen, an der Römerstraße zu den Pässen über den Taurus beerdigt worden ist, gegenüber dem Grab des Kaisers Maximinus Daia: S. 225 ff). Der hl. Ephräm besah sich den toten Herrscher und schrieb:

> «Ich ging, meine Brüder, und nahte
> mich der Leiche des Unreinen.
> Ich stand über ihm
> und verhöhnte sein Heidentum . . .»[58]

Zur Antijuliana Ephräms gehören vier vielstrophige Lieder: «Gegen den Kaiser Julian, der Heide wurde, gegen die Irrlehren und gegen die Juden. Nach der Melodie: ‹Haltet euch an die Wahrheit!› »[59]

Julian wird in diesen Produkten – mit dem Kehrvers für den Chor: «Heil dem, der ihn vernichtet und alle Söhne des Irrtums in Trauer versetzt hat!» – als scheußlicher Lüstling verteufelt, obwohl Ammian mit Recht seine Sittenreinheit rühmt. Er wird Magier, Zauberer, Lügner geschimpft, der Schwarze, Böse, der Tyrann, der Wolf, der Bock. Schon im Auftakt des ersten Liedes singt der Heilige: «Bei seinem Anblick frohlockten die Bestien, die Wölfe traten auf seine Seite . . ., ja sogar die Schakale erhoben ein Freudengeheul.» Die fünfte Strophe beginnt: «Damals geriet der Kot in Gärung und brachte Schlangen jeder Größe und Gewürm jeglicher Art hervor . . .» Die fünfzehnte Strophe veranschaulicht die peinlich verengte Optik und Schwarzweiß-Zeichnung nicht nur dieses Kirchenlehrers, sondern, alles in allem, seiner Kirche: «Denn nur die Kirche war ganz gegen ihn, wie auch umgekehrt er und alle seine Anhänger gegen sie waren. Dies genügt zweifellos zum Beweise, daß es nur zwei Parteien gibt, die der Kirche und die ihrer Widersacher.»[60]

Die klerikalen Historiker des 5. Jahrhunderts, teilweise Rechtsanwälte, Rufinus, Sokrates, Philostorgios, Sozomenos, Theodoret, lästerten Julian oft noch mehr.

Kirchenvater Theodoret behauptet allen Ernstes, Julian habe im Tempel von Karrhä (einer Stadt in Mesopotamien, südöstlich von Edessa; das biblische Haran) vor seinem letzten Feldzug ein Weib mit ausgespannten Armen aufgehängt, «dessen Unterleib hatte der Frevler aufgeschnitten und aus der Leber natürlich seinen Sieg über die Perser herausgelesen . . . Zu Antiochia aber soll man im kaiserlichen Palast viele Kisten voll von Köpfen und zahlreiche Brunnen angefüllt mit Leichen vorgefunden haben. Solche Dinge lernt man nämlich in der Schule der verabscheuungswürdigen Götter.»[61]

Im 5. Jahrhundert verbreiteten die Christen schon tollste Schauergeschichten, bezeichnenderweise oft mit sexuellem Unterton. So sollte man unter Julian im libanesischen Heliopolis Nonnen zur Entkleidung gezwungen, ihnen das Haar abrasiert, sie umgebracht und mit ihren Eingeweiden die Schweine gefüttert haben. Kein Zeitgenosse des Kaisers kennt natürlich die Geschichte. Und kam es zu Ausschreitungen der Massen oder Gewaltanwendung durch Behörden, so nicht auf seinen Befehl. Er hatte, schreibt sein Biograph Robert Browning, «weder den Wunsch noch die Absicht, irgend jemanden zur Änderung seiner Ansichten zu zwingen». Gleichwohl machten ihn seine Gegner zum «stinkenden Bock», «Abtrünnigen», «Antichrist», schimpften ihn christliche Mönche «verfluchter Hund», «Handlanger des Teufels». Ganze von Wut und Haß pralle Legenden ranken sich um den hl. Merkur, Julians angeblichen Mörder. Auch im Orontes wollte man, wie in den Kellern des kaiserlichen Palastes, Leichen von Kindern gefunden haben, die Julian den Göttern geopfert. In altsyrischen Geschichten tritt er als Monstrum auf, das Kindern das Herz aus dem Leib reißt, um magische Beschwörungen zu zelebrieren. Das katholische Mittelalter und Jesuitendramen setzen diese Tendenz fort. Die christliche Literatur wird durch Szenen bereichert, in denen der Kaiser die Gebeine der Märtyrer und Heiligen schändet, schwangeren Müttern den Leib aufschlitzt, sich der Höllenkönigin Hecate verpfändet, mit «Saublut» neu taufen und Christen «dem Jupiter schlachten» läßt. In allen christlichen Ländern waren gefälschte Berichte über Märtyrer unter Julian entstanden – obwohl es unter ihm so gut wie keine christlichen Märtyrer gab (S. 331).[62]

Nachdem die christliche Welt «den Abtrünnigen» heruntergerissen hatte, wie freilich ähnlich alle großen Christengegner, korrigierte erst die Aufklärung entscheidend das Bild.

1699 würdigte der protestantische Theologe Gottfried Arnold in seiner «Unparteiischen Kirchen- und Ketzerhistorie» Julian. Wenige Jahrzehnte später bedachte Montesquieu den Staatsmann und Gesetzgeber mit höchstem Lob. Voltaire schrieb: «So ist dieser Mann, den man so abscheulich geschildert hat, vielleicht der erhabenste Mensch oder steht wenigstens an zweiter Stelle.» Montaigne und Chateaubriand zählten ihn zu den Großen und Größten der Geschichte. Goethe rühmte sich, Julians Haß gegen das Christentum zu verstehen und zu teilen. Schiller wollte ihn zum Helden eines Dramas machen. Shaftesbury und Fielding schätzten ihn, Edward Gibbon äußerte, er verdiente, die Welt zu regieren. Ibsen schrieb ‹Kaiser und Galiläer›, Nikos Kazantzakis seine Tragödie ‹Julian Apostata› (1948 in Paris uraufgeführt), der Amerikaner Gore Vidal noch 1962/64 einen Julian-Roman. Der französische Historiker André Piganiol sieht Julians wahre Größe mit Recht im ethischen Bereich, verkennt jedoch, wie üblich, das Phänomen der Heiligkeit, wenn ihm der Herrscher mehr als die meisten Theologen seiner Zeit, «als Heiliger» erscheint – recht betrachtet: der schlimmste Schimpf. Historiker Rubin preist den Kaiser als verkanntes religiöses Genie und erklärt: «Obwohl ein großer Schriftsteller und größerer Feldherr, war er am größten als Persönlichkeit.» Und auch der Julian oft streng beurteilende Robert Browning spricht von einem brillanten Autor und stellt fest: «Sein Charakter besaß einen Adel, der fast wie ein Leuchtfeuer die vielen Opportunisten seiner Umgebung übertrahlte.»[63]

Der Benediktiner Baur aber – der hier für viele moderne Katholiken steht – diffamiert Julian noch im 20. Jahrhundert, schmäht ihn einen «wirklichkeitsfremden Phantasten», «diese merkwürdige ‹Majestät›», immer wieder «Fanatiker», «der jugendliche Fanatiker», «der verärgerte Fanatiker». Er vermißt «Takt und Würde», findet dafür «Besessenheit», «maßlose Eitelkeit», «Lächerlichkeit». Er attestiert ihm «die Wahnsinnstat eines Fanatikers», die «Gehässigkeit des Ideologen», «einen ganz ungewöhnlichen Fehlbetrag an politischer Einsicht und Verständigkeit». Er nennt ihn einen Mann, der «persönliche Liebhabereien von den Pflichten und Aufgaben eines Regenten nicht zu unterscheiden verstand», der «Philosophen und Scharlatane jeder Art» zu Ämtern und Würden gebracht. Doch obwohl er Julian schlimme «Verfolgung» nachsagt, Schändung und Mord von Christinnen und Christen, «oft unter ausgesuchten Martern», sagt er auf derselben Seite auch: fühlte sich Julian nur stark genug, würde er «zum offenen blutigen Verfolger werden», oder, an anderer Stelle, ließe «die blutige Verfolgung ... nicht mehr lange auf sich warten ...»[64]

Da der sogleich zum Nachfolger gewählte Secundus Salutius, ein toleranter heidnischer Philosoph, Prätorianerpräfekt des Ostens und Freund Julians, verzichtete, gelangte der Gardegeneral Jovian (363–364), ein Illyrer, im Juli auf den Thron.

Jovian, Valentinian I. und Valens

Wiewohl «überzeugter Christ» (Bigelmair), «Christ und Katholik» (Baur), «an earnest Catholic» (The Oxford Classical Dictionary), der sich einst dem Opferzwang des Heeres nicht unterworfen haben soll, zögerte Jovian nicht, gleich nach seiner Thronbesteigung noch ein Opfer darbringen und die Eingeweideschauer befragen zu lassen. Auch schloß er alsbald einen vielbeschimpften Frieden mit den Persern (S. 336), wobei er große territoriale Zugeständnisse machte, auf alles römische Land jenseits des Tigris vertraglich verzichtete sowie auf einen breiten Streifen diesseits, mit mehreren wichtigen Städten, darunter Nisibis, dessen Einwohner ihn vergeblich anflehten, ihre Mauern auch ohne römisches Heer verteidigen zu dürfen. Und während die Perser ihre Fahne auf der Burg hißten und die Bürger Nisibis verlassen mußten, jagten schon Jovians Boten in den Westen mit der Behauptung, er komme als Sieger.[65]

Grundverschieden von dem Asketen Julian, liebte der mäßig gebildete, doch gern den Mäzen spielende katholische Kaiser, den die Kirche als «Gefährten der Heiligen» feierte, Wein, Weiber, Ausgelassenheit. Er machte das Labarum wieder zur Kaiserstandarte und ließ nicht nur einen Notar gleichen Namens, den er als Thronkandidaten fürchtete, ermorden, sondern auch zahlreiche zivile und militärische Beamte Julians absetzen, ihres Vermögens berauben, verbannen oder hinrichten – nach Theodoret freilich nur Personen, die sich gegen Christen oder die christliche Kirche vergangen. Auch soll er den Vindaonius Magnus, Zerstörer eines «Gotteshauses» in Berytus, zwar zum Tod verurteilt, doch begnadigt haben mit der Auflage, es aus eignen Mitteln wieder aufzubauen. Das Heidentum wurde anscheinend nicht stark benachteiligt, immerhin mancher Tempel geschlossen oder geschleift (so auf Korfu) und das Opfer verboten, in Antiochien eine Bibliothek, vielleicht meist antichristlicher Werke, die Julian im Tempel Trajans eingerichtet, niedergebrannt. Etwas unfähig, doch klerushörig, gab Jovian, sobald er römischen Boden betreten, den jubelnden Priestern ihre Privilegien wieder – nebst neuen, die sie noch nie besessen. Und im Lauf der Zeit gewannen sie immer mehr. Verbannte Geistliche kehrten zurück, haufenweis strömten die Prälaten zum Hof, auch im Osten lebte jetzt der nicaenische Glaube wieder auf. Der hl. Athanasius, vom Kaiser durch eine Epistel geehrt und in Hierapolis empfangen, prophezeite Jovian schwarz auf weiß «eine langjährige Regierung im Frieden» – acht Monate später, am 17. Februar 364, starb er, in Dadastana (Bithynien), erst dreiunddreißigjährig, «mit der besten und schönsten Vorbereitung auf den Tod» (Theodoret), im Rausch am Rauch eines Kohlenfeuers und wurde in der Apostelkirche von Konstantinopel bestattet.[66]

Nachdem noch einmal Secundus Salutius den Purpur abgelehnt, einigten sich die Reichswürdenträger in harten Auseinandersetzungen Ende Februar 364 in Bithynien auf Valentinian, einen pannonischen Bauernabkömmling und Sohn des ehemaligen Befehlshabers Gratianus, als Kaiser. Am 28. März erhob er seinen Bruder Valens auf dem Marsfeld vor Konstantinopel zum Mitregenten für den Osten – «unter Zustimmung aller», wie Ammian höhnt, «denn es wagte niemand zu widersprechen». Auch behielt Valentinian die potior auctoritas sich selber vor.[67]

Von Valentinian und Valens, in deren Ära der Name pagani (vgl. S. 184) für die Heiden aufkommt, heißt es meist, sie hätten den alten Glauben «im allgemeinen» geduldet. Und gewiß trugen selbst noch sie, wie Konstantin und seine Nachfolger, den Titel Pontifex Maximus. Auch sind in den höchsten Führungsstellen von Staat und Heer unter Valentinian Heiden in der Mehrheit (allerdings zum letztenmal und nur geringfügig, 12 : 10). Doch bei Valens sieht es schon anders aus, stehen unter den noch bekannten hohen Funktionären neun Göttergläubige einem Manichäer, drei Arianern und zehn Orthodoxen gegenüber. Und gleich zu Beginn der Regierung dieser Kaiser verlieren immerhin viele angesehene Senatoren aus den Tagen Julians und vorher ihre Stellung, offensichtlich wegen ihres Götterglaubens. Auch erließen die Herrscher gemeinsam Gesetze, die das Beschlagnahmen heidnischen Tempellandes (für den kaiserlichen Privatbesitz), die Bestrafung von Astrologen verfügten, ja,

die Androhung des Todes für jeden, der nachts Beschwörungs-
riten praktiziere.[68]

Beide Kaiser waren wieder dezidierte Christen. Valentinian soll
deshalb unter Julian gemaßregelt worden sein, während von
einer Behelligung des Valens nichts verlautet. Beide verkündeten
sogleich durch ein Dekret (falls es echt ist!), «daß die Trinität
Vater, Sohn und Heiliger Geist eines Wesens ist. Wir befehlen
diesen Glauben . . .» Beide vertraten aber bald verschiedene Konfessionen und begünstigten natürlich ihre Kirchen. Valentinian I.
im Westen die nicaenische, Valens, anfangs «noch rechtgläubig»
(Theodoret), im Osten die arianische Richtung, wie schon Konstantius, wobei der Glaubensgegensatz wieder den Gegensatz
zwischen Ost und West ausdrückt. Beide sind ziemlich ungebil-
det, besonders Valens; beide brutal, besonders Valentinian; beide
heillos angstbesessen vor jeder Art Zauberei. Beide waren auch
Soldatenkaiser, auf den Thron gebrachte Offiziere, die mächtig
den Militarismus förderten, Krieg im Innern führten, an den
Grenzen, draußen, ganze Provinzen schröpften und verheerten.
Und beide christliche Regenten scheuten weder Eidbruch noch
Meuchelmord, bekundeten vielmehr bei ihren politischen Methoden «eine große Bedenkenlosigkeit» (Stallknecht).[69]

Valentinian und Valens zogen nach ihrer Erhebung gemeinsam
durch Thrakien und Dakien und trennten sich in Sirmium.[70]

STRÖME VON BLUT
UNTER DEM KATHOLIKEN VALENTINIAN I.

Der häufig in Mailand und Trier residierende Katholik Valentinian I. (364–375), im Jahr 321 zu Cibalae, einer wichtigen Militär-
station Pannoniens, geboren, blond und blauäugig, fleißig, drauf-
gängerisch, verschlagen, vordem Offizier in Julians Leibwache,
bei seiner Thronbesteigung 43, kümmerte sich zwar weder sehr
um das Dogma noch um den Streit des Klerus, trat dessen Erbschleicherei sogar gesetzlich entgegen, ja, erklärte in dem bereits

erwähnten umstrittenen Dekret: «Bischöfe, laßt davon ab, die Autorität des Kaisers als Vorwand zu benutzen, und verfolgt nicht die echten Diener Gottes . . .» Da Valentinian jedoch stark abergläubisch war (eher hätte er auf sein Kaisertum verzichtet, als es an einem Schalttag zu beginnen, weshalb er seine Ausrufung zum Augustus einen Tag verzögerte), so achtete er, wie bei allem Hokuspokus, genau auf Einhaltung christlicher Riten. Seine Gesetzgebung auf kirchlichem Gebiet umfaßt etwa 30 Konstitutionen. Schon unter Konstantin verfügte Privilegien des Klerus stellte er wieder her und verbot die Verurteilung von Christen (!) zu Gladiatorenkämpfen. Ehebruch strafte er, puritanischer Katholik, mit dem Tod, wahrte auch selber die eheliche Treue – zumindest gegenüber Justina, seiner zweiten, jüngeren Frau, die in erster Ehe mit dem Usurpator Magnentius (S. 309 ff) verbunden war. Valentinian hatte als Tribun um 357 eine gewisse Marina Severa geheiratet, eine Katholikin, die Mutter des späteren Kaisers Gratian (S. 402 ff), schob diese jedoch 369 nach Gallien ab, um die bildschöne, hochadelige Justina zur Frau zu nehmen. Erst *nach* dem Tod des Kaisers 375 protestierten die Bischöfe gegen diese Scheidung! In einem Gesetz vom 17. November 364 drohte der Imperator immerhin für christenfeindliche Maßnahmen den verantwortlichen Richtern und Beamten Vermögensentzug und Todesstrafe an. Und 368 befahl er, daß Geistliche in Sachen des Glaubens und der Disziplin nur von Geistlichen gerichtet werden dürfen! Doch auch den Juden stand Valentinian, wie sein Bruder Valens, wohlwollend gegenüber und privilegierte ihre Theologen.[71]

Überhaupt suchte der im Heer aufgestiegene, stark vom Primat seiner Militärpolitik bestimmte und daher des inneren Friedens besonders bedürftige Potentat religiöse Konflikte zu vermeiden, wie schon seine paritätische Besetzung der höchsten Regierungsstellen zeigt. So duldete er fast alle Sekten und war auffallend tolerant gegenüber Auxentius, dem arianischen Bischof Mailands. Freilich verfolgte Valentinian auch als erster christlicher Kaiser 372 die Manichäer durch Verbannung und Konfiskation ihrer Kultgebäude sowie 373 die aufständischen Donatisten unter Strömen von Blut.[72]

Provoziert hauptsächlich durch das Schreckensregiment des comes Africae, Romanus (364–373), warf sich 372 der von Valentinian zum dux Mauretaniae ernannte Klientelfürst Firmus, ein romanisierter Katholik, zum Kaiser auf. Sogar römische Truppenteile fochten mit ihm. Mauren und vor allem die Donatisten – noch zur Zeit Augustins Firmiani geschimpft –, deren Wiedertaufe Valentinian gerade gesetzlich bekämpfte, ergriffen begeistert für Firmus Partei. In Rusicade öffnete ihm ihr Bischof die Tore und jubelte, als die wilden Mauren die Katholiken ausplünderten. Doch nicht nur in Mauretanien und Numidien setzte Firmus seine Herrschaft durch. Noch in Africa proconsularis erkannten ihn einzelne Städte an. Dann aber marschierte der magister militum, Theodosius, ein spanischer Katholik, der Vater des späteren Kaisers (S. 415 ff), gegen Firmus. Er sicherte ihm, vermittelt von Bischöfen, zweimal Frieden zu und brach zweimal sein Versprechen. Die aufrührerischen Truppen, die sich bereits ergeben hatten, wurden niedergemetzelt oder hingerichtet. Nur wenige Bevorzugte kamen mit dem Abhacken beider Hände davon. So blieb den Betrogenen bloß ein Verzweiflungskampf übrig, ein ganz Nordafrika aufwühlender, ungewöhnlich grausamer Krieg, wobei Heermeister Theodosius nicht nur eigene kampfmüde Soldaten lebendig verbrennen oder zumindest verstümmeln, sondern auch ausgedehnte Gebiete zur Wüste machen und ganze maurische Stämme abschlachten ließ, insgesamt Hunderttausende von Menschen. «Die starke Regierung des Kaisers Valentinian I. . . . brachte ruhige Verhältnisse» (Neuß/Oediger). Der in die Enge getriebene Firmus erhängte sich 374/75, Theodosius selber fiel einer Hofintrige zum Opfer und wurde, eben noch getauft, Anfang 376 in Karthago geköpft, sein Sohn Theodosius in seinen Sturz hineingezogen. Romanus dagegen, der räuberische comes Africae, der vermutlich Firmus zur Rebellion getrieben, das ganze Gemetzel ausgelöst hatte und 373 durch Theodosius gefangengesetzt worden war, wurde nach einem alsbald eingeleiteten Prozeß 376 freigesprochen. – Der Papst aber verbot nach Niederwerfung des Aufstands den donatistischen Gottesdienst. Und der hl. Optatus von Milewe, der die Donatisten

damals, vermutlich nicht ohne Urkundenfälschung, in einem sie-
benbändigen Opus (Titel nicht überliefert) attackierte, forderte
für sie, unter Heranziehung alttestamentlicher Beispiele, die
Todesstrafe. «Optatus schreibt in irenischer Tendenz» (Katholik
Martin), das heißt in friedlicher.[73]

Mit Justizmorden wütete Valentinian, ein «überzeugter
Christ» (Bigelmair; ebenso Joannou), gegen Magier, Weissager,
«Sexualverbrecher». Seine Devise dabei: äußerste Strenge stützt
die Gerechtigkeit. Er liebte hartes Durchgreifen der Richter –
einige Milderungen im Strafrecht wirkten sich wegen der Gewis-
senlosigkeit jener nicht aus –, und keine Berufung an ihn hatte
Erfolg. «Die elementarsten Grundsätze der Justiz wurden durch
Todesurteile ohne Beweise oder auf Grund von auf der Folter
gewonnenen Indizien umgangen» (Nagl). Auch beim stadtrömi-
schen Hochadel, dem Bauernsprößling besonders verhaßt, ließ
Valentinian nach Zauber- und Beschwörungsbüchern, nach Lie-
besträngen fahnden und Männer wie Frauen höchster Kreise
verbannen oder töten, ihr Vermögen konfiszieren. In Wutanfällen
befahl er wahllos Exekutionen. Ohne zu fackeln strafte er selbst
kleine Vergehen oft durch Enthaupten oder Verbrennen, schwere
zuvor noch durch Foltern. Ein Page, der auf der Jagd einen Hund
zu früh freigab, wurde totgepeitscht; kein Ausnahmefall. Humane Richter setzte er ab; nie gebrauchte er sein Begnadigungs-
recht.[74]

Verbrecher warf er manchmal zwei Bärinnen vor, «Goldchen»
(Mica aurea) genannt und «Unschuld» (Innocentia), deren Käfige
vor seinem Schlafzimmer standen. Unlängst schien allerdings
Reinhold Weijenborg diese Bärengeschichte Ammians in «ihrem
vordergründigen Sinn» nicht sehr glaubhaft. So erfand er einen
hintergründigen, eine «tiefere Bedeutung», indem er in den zwei
Käfigen die Schlafzimmer beider Kaiserinnen, in den zwei «menschenfressenden Bärinnen» niemand anders erkannte – als die
zwei Kaiser-Gattinnen selbst, Marina Severa und Justina. Der
antike Historiker, vermutet der Gelehrte, habe einen «gehässigen
Humor» und aus Rache für Demütigungen durch Valentinian
sowie eine gewisse Aversion gegen Justina seinem großen Publi-

kum «einen Bären, ja zwei Bärinnen, aufgebunden». Wenn nicht,
bindet uns Weijenborg einen Bären auf, der sich dann immerhin
wissenschaftlich gewaschen hätte. Nur am Sonntag verbot Valentinian I. Hinrichtungen. Und den Nonnen gewährte er Steuerfreiheit. «Dankbar gab man seinen Namen gern den Kindern»
(Neuß/Oediger).[75]

Des Kaisers Hauptinteresse galt der Armee. Während er brutal
die Steuern eingetrieben, durch Strafurteile große Vermögen konfisziert und eine krasse Verwaltungskorruption geduldet hat, wobei seine hohen Beamten sich unermeßlich bereicherten – nur
gegen die niederen schritt er ein –, erwies der Militär Valentinian
sich als «ein Naturgenie» (Pörtner). Seine elfjährige Regierung
fast ganz an Rhein und Mosel verbringend, legte er, teilweise
unter persönlicher Leitung, durch Ammian hochgepriesene Ketten von Kastellen, Brückenköpfen, Wachtürmen an, stampfte
zwischen Andernach und Basel seine Festungen aus dem Boden,
sicherte Boppard, Alzey, Kreuznach, Worms, Horburg, Kaiser-
augst, schuf Brückenköpfe bei Wiesbaden, Altrip (Alta Ripa),
Alt-Breisach, dehnte den Limes, den er als letzter gründlich erneuerte, an Rhein und Donau aus, stieß zu den Donauquellen, zum
Neckar, ins Kinzigtal vor. Als «Saxoniens großer Schreck» ließ er
368/69 (durch comes Theodosius, den späteren Firmus-Besieger)
Britannien bis zum Hadrianswall unterjochen. Und häufig
machte er Einfälle jenseits des Rheins. Er bekriegte zweimal die
Alemannen, mit schweren Verlusten im zweiten Feldzug. Ihr
König Vithicabius – sein Vater Vadomar war im römischen
Dienst unter Julian aufgestiegen – erlag dem Mörder, den Valentinian geschickt. Er verwüstete aber auch die Länder der Franken
und Quaden mit Feuer und Schwert und bewog 370 die Sachsen
durch Verhandlungen zum Rückzug, um sie dann heimtückisch
überfallen und vernichten zu lassen.[76]

Kaiser Valentinian, der sich – eine unter seinesgleichen verbreitete Selbsteinschätzung – für sehr milde hielt, erlag schließlich
einem Wutanfall. Mit armseligen Quaden konferierend, deren
Land er verwüsten, deren König Gabinius sein dux Valeriae,
Marcellianus, 374 zu einem Tafelgelage laden und dann (s. die

Ermordung des Alemannenkönigs) hinterrücks erstechen ließ,
lief Valentinian plötzlich vor Erregung blaurot an und sank wie
vom Blitz getroffen um. Er bekam einen Blutsturz, starb gleich
darauf, am 17. November 375, in der Grenzstadt Brigetio (gegenüber Komorn) und wurde in Konstantinopel beigesetzt.[77]

FURCHT UND ZITTERN
UNTER DEM ARIANER VALENS

Sein Bruder Valens (364–378), der letzte Kaiser, der den Arianismus offen unterstützte, war ursprünglich orthodox, wurde jedoch
bekehrt, wahrscheinlich durch seine Frau Albia Domenica. Schon
«früher eine Beute des arianischen Irrtums», soll sie Valens überredet haben, «sich mit ihr in den Abgrund der Gotteslästerung zu
stürzen», zunächst zugunsten des Patriarchen Eudoxius, «der
noch das Ruder von Konstantinopel in Händen hielt, aber das
Schiff nicht lenkte, sondern in die Tiefe versenkte» (Theodoret),
seit 370 zugunsten seines gemäßigteren Nachfolgers Demophilus.
Von Eudoxius, erst Anhomöer, später Homöer, bestimmt, verfolgte Valens Sekten und sonstige Außenseiter, sogar die Semiarianer, die dann, nur um sich behaupten zu können, in Rom zu
Kreuze krochen.

   Die Katholiken aber drangsalierte dieser Herrscher in seiner
letzten Regierungszeit besonders hart, was ihren Widerstand
noch steigerte, zumal schon ihre Verbannten als Märtyrer galten.
Die Bischöfe Athanasius von Alexandrien, Meletius von Antiochien, Pelagius von Laodicea, Eusebius von Samosata, Barses von
Edessa und viele andere wurden exiliert, in Antiochien einige
Katholiken ertränkt. Auch in Konstantinopel kam es zu Martyrien. Ja, anno domini 370 soll dort Valens durch einen Geheim-
befehl an seinen Präfekten Modestus 80 katholische Bischöfe und
Priester auf ein Schiff gelockt und dies samt Insassen auf offener
See verbrannt, auch angeblich ganze Scharen von «Rechtgläubigen» in den Orontes geworfen haben. Selbst als der hl. Afrahat,

der militante Syrer (S. 298), des Kaisers krankes Pferd mit Weihwasser heilte – auch Heuschrecken hielt der Wundertäter so von
einem Acker ab und mit geweihtem Öl einen Ehemann von
Seitensprüngen –, ließ Valens nicht von seiner «Ketzerei»[78].

«Eine Verfolgung ist über uns hereingebrochen, ehrwürdigste
Brüder, und zwar die heftigste der Verfolgungen», klagt 376
Kirchenlehrer Basilius, seinerseits allerdings unbehelligt bleibend, den Bischöfen Italiens und Galliens. Bethäuser wurden
geschlossen, Altäre ohne Dienst gelassen, Bischöfe auf pure Verleumdung hin eingekerkert, in der Nacht fortgeschleppt, über die
Grenze und in den Tod geschickt. «Allbekannt» nennt Basilius –
«wenn wir sie auch verschwiegen haben»! – die Flucht der Priester
und Diakone, die Verheerung des ganzen Klerus, kurz, «der
Mund der Frommen» sei geschlossen, «aber jede freche Lästerzunge . . . losgelassen»[79].

Nach Faustus von Byzanz, der so gern übertreibt, schickte
Valens «gottlose Hirten» und «arianische Nicht-Bischöfe» in alle
Städte. «Alle wahrhaftigen rechtgläubigen Lehrer wurden von
ihren Anhängern getrennt, und ihre Stellen nahmen die Arbeiter
Satans ein.»[80]

Zauberei, von dem ängstlichen Valens gefürchtet, bedrohte er
bereits im ersten Regierungsjahr mit dem Tod. So nahm er auch die
– von Konstantius eröffnete (S. 321 ff) – Verfolgung der Schwarzkünstler, Hellseher, Traumdeuter im Winter 371/72 für fast zwei
Jahre wieder auf «wie ein wildes Tier im Amphitheater». Ja, er
legte nun «eine solch wilde Wut an den Tag, daß er zu bedauern
schien, seine Strafen nicht noch über den Tod seiner Opfer hinaus
verlängern zu können» (Ammian). Verlor schon 368 der Senator
Abienus den Kopf, weil eine Dame, zu der er in Beziehung stand,
sich umgarnt von Zauberblendwerk spürte, so wurde jetzt der
Rechtsanwalt Marinus getötet, weil er die Ehe einer gewissen
Hispanilla mittels Magie erstrebt, oder der Wagenlenker Athanasius verbrannt, da er sich ebenfalls schwarzer Künste bedient
haben sollte. Furcht und Zittern erfüllten den Orient. Tausende
wurden verhaftet, gefoltert, liquidiert, angesehene Staatsbeamte,
Gelehrte, Philosophen, bereits Teilnehmer oder bloße Mitwisser

erdrosselt, lebendig verbrannt, geköpft, wie in Ephesos der schwerkranke Philosoph Maximos, der Lehrer und nahe Freund Julians, ihre Güter eingezogen, große Gelder erpreßt – angeblich schon wegen eines Scherzworts oder der Herstellung eines Mittels gegen Haarausfall. Zur Besänftigung des Volkes flogen auch ganze Bibliotheken als «Zauberbücher» ins Feuer. Und da Valens die Justizmaschine noch zu langsam lief, ließ er, ohne sich erst um Beweise zu kümmern, kurzweg köpfen und verbrennen, hielt sich aber, wie Bruder Valentinian, für einen gleichfalls milden Herrn. War ja auch er ein gläubiger Christ, ein guter Gatte und gar keusch. Keine Seite bestreitet die «Sittenreinheit» an seinem Hof. Ein Henker, der eine Ehebrecherin nackt zum Richtplatz trieb, wurde ob solcher Schamlosigkeit selber lebendig verbrannt.[81]

Einen Verwandten Julians, den vierzigjährigen Prokop, der in Konstantinopel, gefördert vor allem von Heiden, als Usurpator auftrat, ließ Valens, kaum seiner habhaft, am 27. Mai 366 unverzüglich enthaupten. Dabei hätte der Kaiser, beim Aufstand so nervös wie Prokop selbst, fast abgedankt, hätte ihn seine Umgebung nicht gehindert. Auch alle Putschenden traf ein blutiges Strafgericht; und durch Vermögenseinzug füllte Valens seine Taschen und die seiner Beamten. Ein Verwandter Prokops, Marcellus, der nun Kaiser werden wollte, wurde samt allen Rebellen nach schweren Martern beseitigt, auch die Verschwörung des Theodoros 371/72 grausam geahndet. Valens kannte «kein Maß» mehr (Nagl), ließ noch die Frauen der Empörer jagen, ungezählte Bücher verbrennen und bereicherte sich erneut nebst seinen Bütteln. Fast ein Jahrzehnt lang gab es immer wieder Konflikte mit den Persern. Armeniens unzuverlässigen König mußten römische Offiziere bei einem Bankett ermorden (vgl. S. 296). Der armenische Adel hielt trotzdem zu Rom – «vor allem bewogen durch den gemeinsamen christlichen Glauben» (Stallknecht). 367 begann der Kaiser auch einen dreijährigen Krieg gegen die Westgoten, die Prokop geholfen hatten. Er operierte mehr aus Sümpfen heraus, den Wäldern, und zahlte für jeden Goten einen Kopfpreis. Der Krieg endete 369 ohne Erfolg. Doch bei Adrianopel, am 9. August 378 (S. 413), verlor Valens Schlacht und Leben.[82]

Dies also die ersten christlichen Majestäten: Konstantin, seine Söhne, die Kaiser Jovian, Valentinian I., Valens. Waren sie, die eifrigen Christen, die ein riesiges Reich regierten, eine «christliche Institution», freundlicher, friedlicher, humaner als die Herrscher vorher? Oder als Julian «der Abtrünnige»?

Mit all den fortgesetzten Gemetzeln im Reich, an den Grenzen, im Feindesland, mit der kolossalen Ausbeutung, vermengten sich aber noch die klerikalen Querelen. Beherrscht die Innenpolitik des 4. Jahrhunderts doch geradezu der Kampf der beiden Haupt-konfessionen – zwei sind es, die da boxen, die Arianer und die Orthodoxen (Goethe). Dabei stand im Mittelpunkt Athanasius von Alexandrien, wichtigster Bischof zwischen Konstantin und Valens, einer der fatalsten, weil folgenschwersten Kirchenführer aller Zeiten.

8. KAPITEL

KIRCHENLEHRER ATHANASIUS
(CA. 295–373)

«Der hl. Athanasius . . . war der größte Mann seiner Zeit, und vielleicht hat die Kirche, wenn wir alles genau erwägen, nie einen größeren aufzuweisen gehabt.» Abbé de Bletterinni[1]

«Die dankbare Nachwelt hat dem kraftvollen alexandrinischen Bischof den verdienten Beinamen des ‹Großen› gegeben; die morgen- und abendländischen Kirchen verehren ihn als Heiligen.» Joseph Lippl[2]

«Jede politische Frage wird auf das theologische Geleise geführt: seine Gegner sind Ketzer, er der Verfechter des reinen Glaubens. Die Gegner lernen die Verbindung von Theologie und Politik von ihm.» «Als eine Art Gegenkaiser nahm er den Typ der großen römischen Päpste vorweg, der erste der eigenwilligen ägyptischen Patriarchen, die Ägypten zum Schluß aus dem Reichsverband lösten.» G. Gentz[3]

«Die Akteure der Kirchengeschichte waren weithin dieselben wie die der allgemeinen byzantinischen Geschichte.» Friedhelm Winkelmann[4]

«Um des Vaters, des Sohnes und des Geistes willen befehdeten sich vom 4. bis zum 7. Jahrhundert theologische Hochschulen, Päpste und Patriarchen mit allen Mitteln; wird verurteilt, degradiert, verbannt; treten Geheimdienste und Propagandamaschinerien in Tätigkeit; geraten kontroverse Richtungen in wilde Ekstasen; gibt es Volksaufläufe und Straßenschlachten; wird gemordet; schlägt das Militär Revolten nieder; hetzen Wüstenanachoreten mit Unterstützung des Hofes von Byzanz die Mengen auf; verflechten sich die Intrigen um die Gunst von Kaisern und Kaiserinnen; wütet der staatliche Terror; stehen Patriarchen gegeneinander auf, werden erhoben und wieder von ihren Thronen gestoßen, sobald eine andere trinitarische Ansicht siegreich ist . . .» Hans Kühner[5]

KÜHNER FÄHRT FORT: «. . . erscheinen die ersten großen Kirchenlehrer und Heiligen, leisten, gegen alle menschlichen Leidenschaften, eine bewundernswerte Denkarbeit, die ebenso der Glaubensgeschichte wie der Geistesgeschichte zugehört . . .» Doch beiseite, daß dies nicht gegen alle menschlichen Leidenschaften geschah, sondern nur zu sehr damit – wer den Geist ernst nimmt, kann nicht eins für zwei halten oder drei, und drei nicht für eins. Die christliche Theologie nennt dies übervernünftig, nicht wider- oder unvernünftig. Sie nennt es Mysterium, nicht Absurdität. Und gibt es auch vieles zwischen Himmel und Erde, wovon unserer Schulweisheit nichts träumt, braucht man längst nicht alles, wovon sie schon geträumt hat, für wirklich, braucht man nicht noch den haarsträubendsten Unsinn für wahr und ein großes Geheimnis zu halten. «Wenn Gott», sagt Diderot, «von dem wir die Vernunft haben, das Opfer der Vernunft verlangt, so ist er ein Taschenspieler, der das, was er gegeben hat, wieder verschwinden läßt.»[6]

DAS KOMPLIZIERTE WESEN GOTTES UND DIE DOMÄNE DER FINSTERNIS

Alle Wissenschaft, die den Namen verdient, beruht auf Erfahrung. Was aber hat man von Gott erfahren – vorausgesetzt, er existiert? Im ältesten Christentum wogte über die himmlischen Geister eine «Masse von Vorstellungen» durcheinander (Theologe Weinel). Im 2. und frühen 3. Jahrhundert dachte auch und

gerade an den «Heiligen Geist» noch «kaum einer» (Theologe
Harnack). Im 4. Jahrhundert kennt niemand, klagt Kirchenlehrer
Hilarius, das Glaubensbekenntnis des nächsten Jahres. Doch
dann ergründeten die Theologen im Lauf der Zeiten immer mehr.
Sie eruierten etwa, daß Gott ein Wesen (ousia, substantia) in drei
Personen (hypóstaseis, personae) sei. Daß diese Dreipersönlich-
keit aus zwei «Hervorgängen» (processiones) stamme: des Sohnes
Zeugung (generatio) aus dem Vater und aus des Geistes «Hauchung» (spiratio) zwischen Vater und Sohn. Daß den zwei «Hervorgängen» noch vier «Wechselbeziehungen» (relationes) entsprechen: Vaterschaft, Sohnschaft, Hauchung, Gehauchtwerden,
und den vier «Wechselbeziehungen» wieder fünf «Eigentümlich-
keiten» (proprietates, notiones). Daß endlich all dies in gegensei-
tiger «Durchdringung» (perichóresis, circuminsessio) nur einen
Gott ergebe – actus purissimus! Wiewohl aus vielem Gehirn-
schweiß in Jahrhunderten erzeugt, wissen die Theologen, «daß
alle Geistesarbeit am Dreifaltigkeitsdogma ‹unvollendete Sinfo-
nie› bleibt» (Anwander) oder, obwohl doch schön durchdrungen
schon, «ein undurchdringliches Glaubensgeheimnis», wie Benediktiner von Rudloff bescheiden schreibt, ernsthaft beteuernd,
nichts davon spreche «gegen die Vernunft. Wir sagen ja nicht:
Drei ist gleich eins . . . sondern drei Personen sind ein Wesen»! Zu
schweigen davon, daß all dies noch vielmals vertieft, weiterent-
wickelt wurde und werden kann. Erscheint es doch 1977 Karl
Rahner ganz «selbstverständlich, daß die Dogmengeschichte (im
weitesten Sinn des Wortes) weitergeht und weitergehen muß . . .
die Dogmengeschichte geht also weiter . . .»[7]

Nun können die Theologen viel sagen – ein processus in infi-
nitum oft nebulosester Begriffe, zumal in der Dogmengeschichte,
deren Glaubensformeln man mit allen Mitteln, auch allen Mitteln
der Gewalt, durchgesetzt hat. Doch weil derartige Dispute nie
etwas andres als ein Streit um Wörter sind, weil sie nie die
geringste Erfahrungsgrundlage besaßen und besitzen, eben deshalb wurde, mit Helvetius zu sprechen, «das Reich der Theologie
stets als eine Domäne der Finsternis betrachtet»[8].

In diese Finsternis suchte man im 4. Jahrhundert Licht zu

bringen, wobei alles noch finstrer wurde. «Jeder hat seinen Nächsten in Verdacht», gesteht Kirchenlehrer Basilius, «losgelassen ist jede Lästerzunge.» Die Konzilien aber, auf denen man, erleuchtet vom Heiligen Geist, die Mysterien zu klären strebte, brachten nur weitere Verwirrung. Selbst Gregor von Nazianz, der hl. Kirchenlehrer, übergießt die klerikalen Konferenzen mit Spott und bekennt, daß sie selten ein gutes Ende nähmen, den Streit mehr schürten als entschärften; «daß ich jede Versammlung von Bischöfen meide, weil ich noch bei keiner Synode einen günstigen Ausgang erlebte; sie beseitigen keine Übel, sondern schaffen bloß neue . . . Es gibt auf ihnen nur Rivalität und Machtkämpfe.»[9]

Die Orientierung ist durch verschiedene Umstände erschwert. Einerseits blieb von dem bedeutsamen Konzil von Nicaea (325) nebst einigen sonstigen Synoden fast nichts erhalten. Andererseits haben die Sieger oppositionelle Schriften unterdrückt, wenn nicht vernichtet. Nur geringe Fragmente des Arius oder des Asterios von Kappadokien, eines gemäßigten Arianers, kamen durch Zitate in Gegenschriften auf uns. Katholische Traktate wurden zwar häufig überliefert, vor allem zahlreiche der Kirchenlehrer Hilarius von Poitiers (gest. 367) und Athanasius von Alexandrien (gest. 373). Aber dies sind einseitige Propagandaprodukte. Und die kaum weniger tendenziösen Geschichtsschreiber des 5. Jahrhunderts, Sokrates, Sozomenos, Theodoret sowie der streng arianisch (genauer: eunomianisch) gesinnte Philostorgios, gehören überdies späteren Generationen an.[10]

Eine gute Vorstellung von der geistlichen Historiographie dieser Ära und ihrer rücksichtslos verfälschenden Tendenz vermittelt die erste umfassende Kirchengeschichte nach Euseb, die des Gelasios von Caesarea (gest. zwischen 394 und 400). Bis vor kurzem noch unbekannt, wurde sie zu beträchtlichen Teilen rekonstruiert und ist um so wichtiger, weil sie Kirchenhistoriker des 5. Jahrhunderts (Rufinus, der älteste Kirchengeschichtler des Abendlands, Sokrates und Gelasios von Kyzikos) zur Hauptquelle ihrer Darstellungen machten. Auch war Gelasios, der (zweite) Nachfolger des Euseb, ein hoher Würdenträger, der Erzbischof von Caesarea mit Jurisdiktionsgewalt über ganz Palästina.[11]

Friedhelm Winkelmann hat die Methode dieser einzigen größeren zeitgenössischen Kirchengeschichte während des trinitari-
schen Streites prägnant aufgezeigt: die völlig klischeehafte Verketzerung des Gegners. Der erzbischöfliche Autor kümmert sich
dabei kaum um Entwicklungen oder Differenzierungen. Von den
Arianern meldet er nur Hinterhältigkeiten, Intrigen; sie selber
sind nichts als unbekehrbare Störenfriede, «Puppen des Teufels,
der durch ihren Mund redet». Dem Arius hängt Gelasios einen
Meineid an. Auch lügt er, nicht Konstantin, sondern erst dessen
Sohn, Kaiser Konstantius, wollte Arius rehabilitieren. Andrerseits habe Konstantin – eine neue Lüge – den Athanasius, Arius'
Gegner, nicht verbannt, ihn vielmehr in Ehren nach Alexandrien
zurückgesendet. Gelasios bietet als erster auch die Unwahrheit,
Konstantin habe testamentarisch Konstantin II., den Katholiken,
zum Erben seiner Herrschaft eingesetzt, ein arianischer Presbyter
jedoch Konstantius das Testament gegeben gegen sein Versprechen, den Arianismus zu stützen. Derart wird durch den Bischof
von Caesarea nicht nur alles Negative verschleiert, das meiste
Geschehen gänzlich übergangen, sondern auch einfach phanta-
siert, der Wahrheit strikt zuwider; kurz, «ein großer Komplex
grober Geschichtsfälschung» wird manifest.[12]

Aber war Kirchenlehrer Athanasius weniger skrupellos, weniger agitatorisch und apologetisch? In Bausch und Bogen verdammt er die Arianer: «Wen haben sie nicht . . . nach Laune und
Willkür mißhandelt? Wen haben sie nicht . . . so übel zugerichtet,
daß er entweder elend sterben oder doch an allen Gliedern Schaden nehmen mußte? . . . Wo ist ein Ort, der nicht irgendein
Erinnerungszeichen ihrer Bosheit aufzuweisen hätte? Welche An-
dersgesinnten haben sie nicht zugrunde gerichtet, und zwar unter
erlogenen Vorwänden nach Art der Jezabel?»[13]

Selbst Benediktiner Baur spricht von einem «Bürgerkrieg zwischen Katholiken und Arianern», wobei natürlich, wie bei allen
echten katholischen Apologeten, die Arianer – bald eines der
schlimmsten Schimpfworte der Kirchengeschichte – allein des
Teufels waren und den christlichen Namen vor der noch halb-
heidnischen Welt schändeten «durch abscheuliche Intrigen, Ver-

folgungswut, Lügen und Gemeinheiten jeder Art, sogar durch
Massenmorde»; hohe Zeit also, «daß diese Giftpflanze endlich
aus der Welt verschwand»[14].

Im Zentrum der Theologenschlacht stand die Frage, ob Christus wahrer Gott sei, gleichen Wesens wie Gott selbst. Die Orthodoxen, wiewohl mitunter uneins, bejahten dies, die Arianer, die
Mehrzahl aller orientalischen Bischöfe auf der Höhe ihrer Macht
(nach dem Konzil von Mailand, 355), verneinten es. Als sie fast
gesiegt zu haben schienen, spalteten sie sich in Radikale, Ano-
möer, die «Sohn» und «Vater» durchaus ungleich, unähnlich
(anhomoios) nannten, in Semiarianer, Homöer, die sich, aus ihrer
Sicht, mehr oder weniger für Homöusianer hielten, und in eine
Partei, die diese beiden verwarf und den Homöismus vertrat, die
(absichtlich vage belassene) Ähnlichkeit beziehungsweise Gleich-
heit von «Vater» und «Sohn», die aber nicht die «Wesensidenti-
tät», das nicaenische «homousios», besagte. Arianer und Orthodoxe hielten am Monotheismus fest. Doch für die Arianer,
urchristlichem Glauben zweifellos näher, war der «Sohn» gänzlich verschieden vom «Vater», ein Geschöpf Gottes, wenn auch
ein vollkommenes, turmhoch über allen anderen Geschöpfen
stehend. Arius spricht mit höchster Verehrung von ihm. Für die
Orthodoxen war Jesus, mit Athanasius zu reden, «Gott, der
Fleisch trägt» (theos sarkophoros), aber nicht ein «Mensch, der
Gott trägt» (anthropos theophoros), bildeten «Vater» und
«Sohn» ein einziges Wesen, eine absolute Einheit; sie waren «homoúsios», wesenseins. Denn nur so konnte man die offenkundige
Zwei-, ja Drei-Götterlehre kaschieren und zum «Sohn», das Neue
doch, genauso beten wie zum «Vater», den schon die Juden
hatten. Den Arianern warf man «Vielgötterei» vor, «ein großer
Gott ist bei ihnen und ein kleiner Gott».[15]

Doch auch die Orthodoxen taten sich, damals und später noch,
sichtlich schwer, dogmatisch einwandfrei zu denken, was selbst
Theologe Grillmeier S. J. durchblicken läßt: «Manchmal wirkt
die Betonung der menschlichen Seele Jesu Christi noch ziemlich
unlebendig.» Sogar in der Christologie des hl. Kirchenlehrers
Kyrill, jedenfalls in dessen vorephesinischer Phase, findet der

Jesuit «die Idee der ‹vollständigen Menschheit› des Herrn oft [!] recht wenig durchdacht»; so daß er, überrascht von der schwachen Leistung des Heiligen Geistes, staunt, «wie schwer es den kirchlichen Kreisen gefallen» sei, eine «Synthese zu erarbeiten»[16].

Für die Volksmassen Konstantinopels, die nun dort, wie überall, in die bevorrechtete «Staatskirche» strömten, war die Glaubensfrage angeblich fesselnd, faszinierend, der christologische Krach wurde höchst populär, auf Straßen, Plätzen, in Theatern, wie ironisch ein Zeitgenosse aus dem späten 4. Jahrhundert zeigt: «Diese Stadt ist voll von Handwerkern und Sklaven, die alle tiefgründige Theologen sind und in den Läden und auf den Straßen predigen. Wenn du von einem Manne ein Geldstück gewechselt haben willst, wird er zunächst dich darüber belehren, worin der Unterschied zwischen Gott-Vater und Gott-Sohn besteht; und wenn du nach dem Preis von einem Laib Brot fragst, wird man dir an Stelle einer Antwort erklären, daß der Sohn dem Vater untergeordnet ist; und wenn du wissen willst, ob dein Bad fertig ist, wird der Bademeister dir antworten, der Sohn sei aus dem Nichts geschaffen worden . . .»[17]

Nicht Kampf um den Glauben:
um die Macht, um Alexandrien

Das aufgeputschte Glaubensinteresse war freilich nur die Vorderseite der Sache.

Hinter dem Jahrhundertstreit standen von Anfang an weniger dogmatische Gegensätze als Brennpunkte typischer Priesterpolitik. «Den Vorwand bildete das Seelenheil», konzediert selbst Gregor von Nazianz, der hl. Bischofssohn und Bischof, der Einmischung in weltliche Belange mied und seinen geistlichen Ämtern sich immer wieder durch Flucht entzog, «doch Herrschsucht war der Grund – daß ich nicht sage: Zins und Steuergeld.» Die hierarchischen Machtansprüche, das Gefecht um Bischofsstühle, worüber man die theologische Kontroverse oft vergaß, verliehen dem Zwist auch Dauer und Vehemenz. Nicht nur die Kirche wühlte er auf, sondern, zumindest im Osten, ebenso den Staat. Nicht nur die Konzilsväter schlugen gelegentlich aufeinander ein, bis endlich der Heilige Geist sprach, sondern auch die Laien prügelten sich in aller Öffentlichkeit blutig. Jeder große Kleruskrawall dort, der arianische, monophysitische, der Bilderstreit, geht weit über bloße Pfaffenfehden hinaus und erschüttert jahrhundertelang das gesamte politische und gesellschaftliche Leben. Denn: so Helvetius lapidar: «Was folgt aus der religiösen Intoleranz? Das Verderben der Nationen.» Und Voltaire behauptet gar: «Wenn man die Morde zählte, die der Fanatismus seit den Zänkereien zwischen Athanasius und Arius bis heute begangen hat, wird man sehen, daß diese Wortgefechte mehr dazu beigetragen haben, die Erde zu entvölkern, als die kriegerischen Auseinandersetzungen . . .» – freilich nur allzuoft gleichfalls Folgen der Kumpanei von Thron und Altar.[18]

Wie aber Staats- und Kirchenpolitik unlösbar verknäuelt waren, so auch Kirchenpolitik und Theologie. Dabei gab es selbstverständlich noch gar keine offizielle Lehre von der Trinität, sondern nur konkurrierende Traditionen (vgl. S. 144 ff). Verbindliche Entscheidungen wurden «erst im Verlauf des Konflikts getroffen» (Brox). Doch jede Seite, besonders der hl. Athanasius, deklarierte Prestige- und Machtstreben gern als Glaubensfrage, weil Anklagen da ständig sich finden und begründen ließen. Jeder politische Impetus wird von Athanasius gleichsam theologisiert, jeder Rivale verketzert. Aus Politik wird Theologie, aus Theologie Politik. «Seine Terminologie ist nie erschöpfend klar, die Sache stets dieselbe» (Loofs). «Nie geht es dem Athanasius um Formeln» (Gentz). Vielmehr charakterisiert es den «Vater der Rechtgläubigkeit», daß er seine dogmatische Position lange reichlich unklar läßt, ja, alle später als Kennzeichen arianischer oder halbarianischer «Häresie» gegeißelten Schlagworte bis in die fünfziger Jahre zur Kennzeichnung des «wahren Glaubens» selbst gebraucht! Daß er, der Streiter für Nicaea und «homousios», die Hypostasenlehre lange Zeit abgelehnt und damit die Einigung hinausgeschoben, daß er, der Hort der Orthodoxie, sogar einer

«Irrlehre», dem Monophysitismus, den Weg gebahnt hat! Die Katholiken mußten darum im 5. und 6. Jahrhundert die dogmatischen Traktate ihres Kirchenlehrers «überarbeiten»! Die Arianer aber schlugen lang eine Bekenntnisformel vor, die mit der von Athanasius häufig gebrauchten wörtlich übereinstimmte, dann jedoch als «arianische Ketzerei» erschien. Denn was immer der Gegner sagte, war schlecht von vornherein, böse, teuflisch, jeder persönliche Feind: «Arianer».[19]

All dies freilich fiel um so leichter, als längst eine totale theologische Begriffsverwirrung grassierte, die Arianer auch noch einmal sich spalteten (S. 356). Bereits Konstantius II., der sie allmählich immer radikaler favorisierte – «alle korrumpierten Bischöfe des Reiches» (Katholik Stratmann), «Karikaturen des christlichen Bischofs» (Katholik Ehrhard) –, hatte das Disputieren über Christi «Wesen» so satt, daß er es schließlich verbot. Theologen der nachkonstantinischen Zeit verglichen den immer undurchsichtigeren Glaubenskrieg mit einer Seeschlacht im Nebel, einem Nachtgefecht, wobei man Freund und Feind kaum noch auseinanderhält, doch wild um sich haut, oft davon- oder überläuft, am liebsten zur stärkeren Seite natürlich, wobei man alle Mittel erlaubt, infernalisch haßt, intrigiert, neidet.[20]

Selbst Kirchenlehrer Hieronymus behauptete seinerzeit, nicht einmal einen kleinen Winkel der Wüste gönne man ihm in Ruhe und Frieden, täglich verlangten die Mönche Rechenschaft von seinem Glauben. «Ich bekenne, wie sie es wollen, und es genügt ihnen nicht. Ich unterschreibe, was sie mir vorlegen, und sie glauben es nicht . . . es ist leichter, unter wilden Tieren zu leben als unter solchen Christen!»[21]

Vieles in der Chronologie des arianischen Streits ist bis heute umstritten, auch die Echtheit mancher Urkunden. Seinen unmittelbaren Ausgang aber nahm der Aufruhr von einer Trinitätsdebatte um 318 in Alexandrien, jener Stadt, um die man weit mehr rang als um den Glauben.[22]

Alexandrien, von Alexander d. Gr. im Winter 332/31 gegründet, die Stadt des Dichters Kallimachos, des Geographen Eratosthenes, der Grammatiker Aristophanes von Byzanz und Aristarchos von Samothrake, die Stadt Plotins und später der Hypatia, war die hervorragendste Metropole des Ostens, eine Weltstadt mit fast einer Million Einwohnern, deren Luxus nur dem Roms nachstand. Alexandrien war großzügig angelegt, reich, ein wichtiger Handelsplatz, nicht unbeträchtlich der Fischfang, und hochbedeutend sein Monopol für die Papyrusindustrie, die die ganze Welt beliefert hat. Alexandrien, wo man das Alte Testament ins Griechische (die Septuaginta) übertrug, war aber auch Sitz eines Patriarchats – die Gründung durch den hl. Markus ist erlogen; der erste historisch nachweisbare Bischof Demetrios I. –, war innerhalb der gesamten Kirche, einschließlich der westlichen, der größte und mächtigste Bischofssitz überhaupt. Ihm unterstanden die beiden Ägypten, die Thebais, Pentapolis und Libyen. Diese Position sollte gewahrt, gefestigt, erweitert werden. Die alexandrinischen Hierarchen, mit «Pápa» (Papst) angesprochen, bald auch immens reich, erstrebten auf Biegen und Brechen die Herrschaft über alle orientalischen Diözesen im ganzen 4. und 5. Jahrhundert. Dabei stand ihre Theologie im Gegensatz zur antiochenischen, womit sich eng der Rangstreit zwischen den beiden Patriarchaten verband, den immer der gewann, den der Kaiser und der reichskirchliche Stuhl von Konstantinopel stützten. Im ständigen Kampf mit geistlichen Konkurrenten und dem Staat, entstand hier erstmals ein kirchenpolitischer Apparat ähnlich dem späteren römischen. Und auf ihre Weise operierten entsprechend die kleineren Episkopen, die jeden Kurswechsel mit dem Verlust ihrer Stühle bezahlten oder sie eben gewannen. – Keine der ungezählten altchristlichen Kirchen Alexandriens blieb erhalten.[23]

Um 318 hätte Patriarch Alexander die aufglimmende Affäre um die ousia, das Wesen des «Sohnes», vielleicht am liebsten vertuscht. Einmal war er dem – von Meletianern denunzierten – Wortführer Arius (um 260–336), seit 313 Pfarrer der Kirche Baukalis, der angesehensten Kirche der Stadt und Mittelpunkt einer großen Anhängerschaft von jungen Frauen und Dockarbeitern, persönlich verbunden. Hatte doch Arius, ein liebenswürdig-konzilianter, vermutlich die ersten, völlig verschollenen Volkslieder der christlichen Zeit dichtender Gelehrter, zugunsten Alexanders auf den Bischofssitz verzichtet; ja, er war überhaupt weniger als Einzelpersönlichkeit in den Zusammenstoß verwickelt, denn als Exponent der antiochenischen Theologenschule, weder gegründet freilich von ihm noch geführt. Zum anderen verfocht Bischof Alexander, was ihm die Arianer auch vorhielten, früher ähnliche Gedanken, Lehren, die er nun verfluchte; behauptete er, Arius ergehe sich «Tag und Nacht in Schmähungen gegen Christus und gegen uns» und schrieb von ihm nebst Gefolge: «Bald setzen sie nämlich die Gerichte in Bewegung durch die Anklagen zügelloser Weibspersonen, welche sie in ihre Irrtümer verstrickt haben, bald bringen sie das Christentum in schlechten Ruf durch die ihnen anhängenden jüngeren Frauenzimmer, welche ohne Zucht und Sitte in allen Straßen herumschwärmen.» «O diese unselige Verblendung, dieser maßlose Wahnsinn, diese eitle Ruhmsucht und satanische Gesinnung, die in ihren unheiligen Seelen wie eine verhärtete Geschwulst sich festgesetzt hat!» Nach zwei öffentlichen Disputationen exkommunizierte und exilierte der hl. Alexander auf einer Synode von rund 100 Bischöfen Arius samt Genossen – stark mitbestimmt allerdings durch den Kampf des hohen Stuhls gegen die Privilegien seiner Presbyter – und warnte allseits vor den Ränken des «Irrlehrers». Er unterrichtete auch den römischen Bischof Silvester (314–335), appellierte in zwei Enzykliken, 319 vermutlich und 324, an «die geliebten und ehrwürdigen Mitliturgen überall», «an alle gottgeliebten Bischöfe allerorts». Es kam zu Aktionen und Gegenaktionen. Kirchenfürsten verdammten Arius und anerkannten ihn. Unter letzteren prominente Fürsprecher am Hof, der einflußreiche Bischof Euseb, Oberhirte der Residenzstadt Nikomedien, der seinen verbannten Freund bei sich aufnahm, und Bischof Euseb von Caesarea, bereits als Bibelexeget und Historiker berühmt. Zwei zugunsten des Arius entscheidende Synoden ermöglichten seine Rehabilitation und Rückkehr. Die arianische Partei in Alexandrien wurde immer stärker, es kam zur Aufstellung eines Gegenbischofs. Alexander wehrte sich vergeblich, lamentierte über die «Räuberhöhlen» der Arianer und war seines Lebens nicht mehr

sicher. Krawall folgte auf Krawall, ganz Ägypten wurde davon
erfaßt und schließlich die gesamte Ostkirche entzweit.[24]

Weitere Bischofskonferenzen, so eine Synode in Antiochien
324, verdammten Arius erneut, wobei man auch «an die Bischöfe
Italiens» schrieb, «die dem Thronos des großen Rom unterste-
hen», doch ohne daß der Römer als Oberherr gegolten oder
überhaupt eine sonderliche Rolle gespielt hätte. Und 325 kam es
zum Konzil in der Sommerresidenz des Kaisers.[25]

DAS KONZIL VON NICAEA
UND DAS «KONSTANTINISCHE» GLAUBENSBEKENNTNIS

Konstantin hatte den Ort als klimatisch günstig empfohlen und
einen angenehmen Aufenthalt versprochen. Er hatte das Konzil
einberufen, nicht etwa der «Papst». Er hatte es am 20. Mai auch
eröffnet und den Vorsitz geführt. Die Teilnehmer – die Angaben
schwanken zwischen 220 und 318 (nach den 318 Knechten Abrahams!) – waren auf Kosten des Kaisers und per kaiserlicher
Staatspost angereist (wie übrigens schon zur Synode nach Arles:
S. 253), mit einem Mehrfachen an Personal; aus dem Westen
freilich nur fünf Prälaten. Silvester, der römische Oberhirte,
fehlte. Er ließ sich durch zwei Presbyter, Victor und Vincentius,
vertreten und nahm – nicht nur deshalb – «keine führende Stellung ein» (Wojtowytsch). Der Kaiser aber erschien den Bischöfen
«wie ein Engel Gottes vom Himmel her leuchtend in seinem
glänzenden Gewande wie von Lichtglanz strahlend in der feuri-
gen Glut des Purpurs und geschmückt mit dem hellen Schimmer
von Gold und kostbarem Edelgestein» (Euseb). Die geistlichen
Herren selber bewachten Leibwächter und Trabanten, «die
scharfen Schwerter gezückt». Auf allerhöchste Verordnung
wurde ihnen «Tag für Tag der Lebensunterhalt in reicher Fülle
geboten». Bei einem Festbankett, berichtet Euseb, lagen die einen
«auf demselben Polster zu Tisch wie der Kaiser, während die
anderen auf Polstern zu beiden Seiten ruhten. Leicht hätte man

dies für ein Bild vom Reiche Christi halten oder wähnen können, es sei alles nur ein Traum und nicht Wirklichkeit.» Für den dogmatischen Aspekt – Akten wurden überhaupt nicht geführt – hatten die weitaus meisten Diener Gottes bedeutend weniger oder gar kein Verständnis. Und der Hausherr selbst war ohne eigentliches Intersse daran. Teilte er ja schon ein Jahr zuvor, im Oktober 324, durch Bischof Hosius von Cordoba den Exponenten des Kampfes, Arius und Alexander, in einem langen Schreiben mit, «daß es sich hierbei doch nur um eine Lappalie handelt», um «Streitsucht unnützen Nichtstuns». «Auf keinen Fall berechtigt eure Sache ein solch Lamento!»[26]

Keine sehr rühmliche Rolle spielte in Nicaea Bischof Euseb, der «Vater der Kirchengeschichte». Als Angeklagter erschienen, beugte er sich schließlich der Gegenpartei des Alexander und Athanasius. Allerdings gewann Euseb, durch seine Diplomatie, Beredsamkeit, seine Servilität, die Gunst des Kaisers, den er von nun an theologisch und kirchenpolitisch beriet.[27]

Leitete Konstantin vielleicht auch nicht die Sitzungen – ein vielumstrittenes Problem –, bestimmte und entschied er sie doch; wobei er es mit der Mehrheit hielt, freilich sogar ihr die entscheidende Formel oktroyierte, das heißt sowohl vorschlug als auch durchsetzte; eine Formel, die sie nicht vertreten, ja, die noch 268 die östliche Kirche auf der Synode von Antiochien ausdrücklich als «ketzerisch» verurteilt hatte! Es war der etwas schillernde (gleich, identisch, aber auch ähnlich – vom griechischen homos – bedeutende) Begriff des «homoúsios», der Homousie, der Wesensgleichheit von «Vater» und «Sohn», – «ein Zeichen der Feindschaft gegenüber der Wissenschaft, die in den Bahnen des Origenes dachte» (Gentz). Nicht das geringste davon stand in der Bibel. Auch widersprach das – erweislich vom Kaiser selbst eingeführte – Schlagwort dem Glauben der Mehrheit des östlichen Episkopats, stammte es doch aus gnostischer Theologie. Auch die Monarchianer, weitere (antitrinitarische) «Häretiker», hatten es schon gebraucht. Der den Bischof Alexander als Diakon begleitende junge Athanasius allerdings hat es «in seinen frühen Schriften noch nicht als Schlagwort seiner Theologie benutzt» (Schnee-

melcher), «hat 25 Jahre gebraucht, bis er sich mit ihm anfreunden
konnte» (Kraft). Zwar will er auf dem Konzil «offen gegen den
Arianismus» gewesen sein, was er aber erst ein Vierteljahrhun-
dert später schreibt. Die Glaubensentscheidung wurde nicht näher erklärt und begründet. Der Kaiser, dem es, kaum verkennbar,
um Einheit ging, der im Streit der Priester nur Starrsinn sah,
verbat sich jede theologische Diskussion und forderte bloß Aner-
kennung der Formel selbst; die «seligen Väter» (Athanasius),
deren Gegenwart dem Diktator angeblich ein Glück bescherte,
«das jedes andere übersteigt», die er ein Vierteljahr lang im Palast
verwöhnt, hofiert, mit Ehren überschüttet hatte, gehorchten: –
und noch heute glauben Millionen Christen an die fides Nicaena,
das Nicaenische Glaubensbekenntnis, das richtiger, höhnt Johannes Haller, das Konstantinische heißen sollte – das Werk eines
Laien, der noch nicht einmal getauft war. «Wir glauben an einen
Gott, den allmächtigen Vater ... und an einen Herrn, Jesus
Christus ... wahrer Gott aus dem wahren Gott, gezeugt, nicht
geschaffen, wesensgleich (homousios) mit dem Vater ... Und an
den Heiligen Geist ...»[28]

Im Westen war der Nicaenische Glaube noch Jahrzehnte später
wenig bekannt und selbst in rechtgläubigen Kreisen nicht unumstritten. Sogar Kirchenlehrer Hilarius (S. 169) spielte dagegen
zunächst den Taufglauben aus, wenn er auch dann zum Nicaenischen Bekenntnis zurückkehrte. Wohl aber amüsierte sich der hl.
Bischof Zeno von Verona, ein eifriger Heiden- und Arianerfeind,
über ein Credo, das mit Formeln arbeite, das «tractatus» und
Gesetz sei. Noch um die Wende zum 5. Jahrhundert erwähnen die
Predigten des Gaudentius von Brescia oder des Maximus von
Turin «Nicaea an keiner Stelle» (Jesuit Sieben). Noch Luther
bekennt 1521, daß er «das Wort ‹homousion› haßt», aber 1539, in
seiner Schrift ‹Von den Konziliis und Kirchen›, akzeptiert er es.
Recht behält Goethe, nach dem die «Lehre von der Gottheit
Christi, dekretiert durch das Konzilium von Nicäa ... dem Des-
potismus sehr förderlich, ja Bedürfnis gewesen».[29]

Konstantins Verhalten war alles andere als singulär. Die Kaiser
entschieden nun über die Kirche – nicht etwa Päpste. Noch

während des ganzen 4. Jahrhunderts spielten Roms Bischöfe keine maßgebliche Rolle auf den Synoden, waren sie nicht bestimmende Instanz. Vielmehr besteht seit Konstantin die «kaiserliche Synodalgewalt». Nüchtern schreibt Kirchengeschichtler Sokrates um die Mitte des 5. Jahrhunderts: «Seit die Kaiser begannen, Christen zu sein, hingen von ihnen die Angelegenheiten der Kirche ab, und die größten Konzile wurden und werden nach ihrem Gutdünken abgehalten.» Knapp kommentiert Myron Wojtowytsch 1981: «Es war eine Feststellung, die keinerlei Übertreibung enthielt.» Der Papsthistoriker ergänzt: «Selbst der Inhalt der Beschlüsse entsprach in den meisten Fällen dem Willen des jeweiligen Herrschers.» Und: «Von kirchlicher Seite wurde die Einschaltung der weltlichen Gewalt ins Synodalwesen im allgemeinen grundsätzlich als rechtens anerkannt.»[30]

Das Glaubensbekenntnis der Arianer, die dem homousios dann homoiusios (wesensähnlich) entgegenstellten, war in Nicaea ihrem Sprecher entrissen und zerfetzt worden, ehe er zu Ende gelesen. Wurde es doch «sofort von allen verworfen und als unecht und gefälscht bezeichnet. Es entstand ein sehr großer Lärm ...» (Theodoret) Überhaupt herrschte in der heiligen Versammlung, mit dem teilnehmenden Euseb zu sprechen, «allenthalben erbittertes Wortgezänk» – wie noch oft auf Konzilien. Beschwerde- und Streitschriften der Bischöfe übergab der Kaiser ungeöffnet dem Feuer. Alle, die «willig der besseren Ansicht» beistimmten, erhielten «sein höchstes Lob ... Die Unfügsamen hingegen wies er mit Abscheu zurück.» Arius wurde wiederum verurteilt und (nach dem Abfall all seiner Anhänger bis auf zwei, den Bischöfen Secundus von Ptolemais und Theonas von Marmarika) samt diesen nach Gallien verbannt, auch Verbrennung seiner Bücher befohlen, ihr Besitz mit der Todesstrafe bedroht. Und da wenige Monate darauf Euseb von Nikomedien, Arius' bedeutendster Parteigänger, und Theognis von Nicaea ihre Unterschriften widerriefen und Arianer bei sich aufnahmen, traf auch sie der «göttliche Zorn», die Festnahme und das gallische Exil. Nach zwei Jahren aber konnten die Verbannten auf ihre Bischofssitze zurück. Auch Arius, den «Mann mit dem eisernen

Herzen» (Konstantin), rehabilitierte offenbar eine weitere Synode in Nicaea, Spätherbst 327; eine zweideutige Erklärung des
«Ketzers» genügte Konstantin. Doch wartete der Priester vergeblich auf seine Wiedereinsetzung. Alexandriens neuer Patriarch
widerstand der Forderung des Kaisers, seine erste Amtstat.[31]

Charakter und Taktik eines Kirchenlehrers

Bischof Alexander war im April 328 gestorben. Athanasius, sein
Geheimsekretär, weilte nicht am Sterbebett. Wie so viele, wenn
nicht die meisten Kirchenfürsten – eine ihrer Standardlügen –,
erstrebte er keine hohe Würde, keine Macht, demonstrierte er,
gleich Papstkandidaten noch des 20. Jahrhunderts, Demut. So
unterschob man auch seinem sterbenden Vorgänger das Wort:
«Athanasius, du meinst davongekommen zu sein, aber du wirst
nicht entfliehen.»[32]

Athanasius, um 295, vermutlich zu Alexandrien, von christlichen Eltern geboren, bestieg, etwa dreiunddreißigjährig, am
8. Juni 328 den dortigen Patriarchenstuhl, von dem er fünfmal,
insgesamt siebzehneinhalb Jahre, verbannt worden ist. Er war
somit der einflußreichste Bischof im Orient und Beherrscher des
größten Kirchenapparates der Zeit (vgl. S. 359 f). Allerdings
wurde er, wie Augustinus und so mancher Papst, inkorrekt, nicht
ohne Wirren und Gewaltsamkeit, erhoben. Angeblich «einstim-
mig von der Geistlichkeit und dem Volke erwählt» (Katholik
Donin), hatten ihn tatsächlich von 54 ägyptischen Oberhirten nur
sieben, überdies eidbrüchige, ernannt und geweiht – ein peinliches Faktum, über das der oft arg Geschwätzige dezent hinweg-
geht. «Unangenehme Ereignisse pflegt unser Bischof kurz zu
behandeln oder gar totzuschweigen, so zum Beispiel die Vorgänge
bei seiner Wahl» (Hagel).[33]

Wie weithin im Römischen Reich, waren auch in Alexandrien
die kirchlichen Verhältnisse irritierend, und dies nicht erst damals.

Schon während der Diokletianischen Verfolgung kam es in Ägypten, ähnlich wie in Nordafrika beim Donatistenstreit, zum Schisma. Patriarch Petrus verschwand vorsichtigerweise von der Bildfläche, worauf der rigoristische Melitius, Bischof von Lykopolis, sich die Rechte des flüchtigen Alexandriners anmaßte, der das Schisma nicht einmal durch sein Martyrium (311) beseitigen konnte. Es bestand als «Kirche der Märtyrer» fort, trotz der schon 306 erfolgten Exkommunikation des Melitius, der immerhin, schließlich selber in die berüchtigten Bergwerke von Phaino (Palästina) verbannt, rund ein Drittel des ägyptischen Episkopats, 34 Prälaten, hinter sich hatte. Auf dem Konzil von Nicaea weder exkommuniziert noch voll anerkannt, versuchte nun offenbar sein Anhang beim Tod des Patriarchen Alexander, einen eignen Kandidaten zu erheben. Denn nur so erklärt es sich, daß von 54 in Alexandrien versammelten Bischöfen bloß sieben, eine peinliche Minderheit, den Athanasius wählten, der es gleichwohl verstand, Konstantin Einigkeit vorzuspiegeln und von ihm ein Glückwunschschreiben zu erhalten.[34]

Wie Paulus vermutlich und Gregor VII. war Athanasius – einer der umstrittensten Menschen der Geschichte (auch einige seiner Lebensdaten sind heute noch kontrovers) – klein und schwächlich; «homunculus» nennt ihn Julian. Doch wie Paulus und Gregor, jeder ein Genie des Hasses, kompensierte wohl auch dieser starrsinnigste Gottesmann des Säkulums sein unscheinbares Äußere durch eine unheimliche Aktivität. Er wurde einer der zähesten und skrupellosesten geistlichen Verführer. Die Katholiken freilich erklärten ihn zum Kirchenlehrer – höchste Ehre für einen ihresgleichen; wozu denn auch die Fakten passen: «brutale Gewalt gegen Gegner, an die er herankam, Mißhandlungen, Prügel, Verbrennung der Kirchen, Mord» (Dannenbauer). Fehlen Bestechung noch und Fälschung; «imposant», wenn man mit Erich Caspar so will, aber «menschlich gewinnender Züge gänzlich bar». Ähnlich spricht Eduard Schwartz von «dieser menschlich abstoßenden, geschichtlich großartigen Natur», der er «die Unfähigkeit» bescheinigt, «zwischen Moral und Politik einen Unterschied zu machen, das Fehlen jeglichen Zweifels an der eignen

Selbstgerechtigkeit». Theologe Schneemelcher dagegen trennt feinsinnig Athanasius' «kirchenpolitische Pamphlete . . . mit ihrer gehässigen Polemik und ihrer Unwahrhaftigkeit» von seinen «dogmatischen Schriften, die das Herz der Rechtgläubigkeit erfreuen», und versteht Athanasius als einen Mann, «der ganz Theologe und Christ sein will und doch immer ganz Mensch bleibt» – was offensichtlich heißt, daß der Theologe und Christ, wie so viele seines Schlags, herzerfreuende Rechtgläubigkeit mit Haß und Lüge verbindet. Schneemelcher selbst erwähnt die «Intrigen» und «das gewalttätige Treiben des Hierarchen» und findet mit Recht das Bild nicht verschönt «durch die genau auf derselben Ebene liegenden Aktionen der Gegenseite». (Wobei der wichtige Satz fällt: «Kirchenpolitik hat im letzten Grund immer unrecht.») Athanasius aber, der «mit allen Mitteln der Diffamierung» gearbeitet und «mehr als einmal die Grenze des Hochverrats gestreift» hat, was sein Bewunderer v. Campenhausen schreibt, scheute nach Aussagen von Zeitgenossen auch die Liquidierung der Gegner nicht. Ein «Blutmensch», so 355 der da sehr kompetente Konstantius in Mailand, der «der ganzen Welt hämisch ins Gesicht» lacht. Oder, wie sein heidnischer Nachfolger Kaiser Julian sagt: ein Wicht, der sich groß vorkomme, wenn er seinen Kopf riskiere. Oder, wie Katholik Lippl resümiert: «Sein Leben und Wirken ist ein bedeutungsvolles Stück Kirchengeschichte.»[35]

Nun stimmte der alexandrinische «Papst» vielleicht als erster zwar den Kampfruf an: Freiheit der Kirche vom Staat – wenn man davon absieht, daß vorher schon die Donatisten fragten: Was hat denn der Kaiser mit der Kirche zu tun? Aber wie sie, so rief auch Athanasius bloß, weil er den Staat, den Herrscher, gegen sich hatte. Denn an sich schätzte der Heilige natürlich Druck und Macht, war er «oft so hemmungslos wie seine Gegner» (Vogt). Auch der als «Patriarch der Orthodoxie» geehrte hl. Epiphanius (desen Glaubenseifer anerkanntermaßen arg mit seinem Verstand kontrastierte; vgl. S. 163 f), bezeugt von Athanasius: «Wenn man Widerstand leistete, brauchte er Gewalt.» Traf Gewalt ihn aber selbst, wie 339 beim Einzug des Arianers Gregor in Alexandrien

(S. 378), erklärte er: «Niemals hätte ein Bischof sich eindrängen dürfen mit Hilfe des Schutzes und der Gewalt der weltlichen Statthalter.» Traf Gewalt ihn selbst, predigte er, wie 357/58, auf der Flucht vor den Beamten des Konstantius, pathetisch Toleranz und verdammte Zwang geradezu als Zeichen der Irrlehre.[36]

Dies aber blieb immer die Politik einer Kirche, die bei eigener Unterlegenheit Duldung propagiert, Freiheit von jeder Bedrängnis, im Besitz der Majorität, der Macht, freilich vor keiner Nötigung und Schurkerei zurückscheut (vgl. S. 478 f). Denn *nie* erstrebt die christliche Kirche, zumal die katholische, Freiheit, *grundsätzliche Freiheit*, sondern stets nur *Freiheit für sich*. Nie erstrebt sie die Freiheit der andern! Angeblich des Glaubens, tatsächlich ihrer Herrschsucht wegen, zerstört sie vielmehr jedes Freiheitsbewußtsein und -bedürfnis, sobald immer sie kann, drängt sie jeden Staat, ihre «Rechte» zu schützen, die Menschenrechte zu ruinieren, und dies durch alle Jahrhunderte.

Als die Catholica Staatskirche war, billigte, 366/67, Optatus von Milewe die Bekämpfung der «Ketzer», auch ihr Abschlachten durch Militär. «Warum», fragt der Heilige, «sollte es verboten sein, Gott [!] durch den Tod der Schuldigen zu rächen? Will man Beweise? Das Alte Testament wimmelt davon. Wie soll man nicht an die schrecklichen Exempel denken . . .» – und ist nun gewiß nicht um Schriftstellen verlegen (vgl. S. 74 ff)! Als aber die Arianer herrschten, traten die Katholiken als Verteidiger der religiösen Freiheit auf. «Die Kirche droht mit Exil und Kerker», jammerte der hl. Hilarius, »sie will durch Zwang zum Glauben führen, sie, an die man früher im Exil und Kerker geglaubt. Sie verjagt die Priester, sie, die einst ausgebreitet wurde durch Priester, die man jagte. Der Vergleich zwischen der heute verlorenen Kirche von einst und dem, was wir vor Augen haben, ist himmelschreiend.» Ebenso berief sich Athanasius auf Kaiser Konstantin, der zu den Katholiken stand. Als freilich Konstantius die Arianer stützte, verfocht Athanasius die libertas ecclesiae, war die Politik des Kaisers plötzlich «unerhört», wurde er der «Patron der Gottlosigkeit und Ketzerei», Vorläufer des Antichrist, ein Teufel gleichsam auf Erden. Athanasius zögerte keinen Moment, ihn auch persönlich schwer zu beleidigen, ihn einen Mann bar jeder Vernunft und Begabung zu schimpfen, einen Freund von Verbrechern – und Juden. «Mit Schwertern, Speeren und Soldaten verkündet man nicht die Wahrheit», predigt er. «Der Herr hat niemandem Gewalt angetan.» Selbst Jesuit Sieben gibt zu, «daß Bekenntnisse dieser Art Athanasius durch die Not der Verfolgung abgepreßt werden. Solange die nicaenische Partei die Oberhand und das Ohr des Kaisers hatte, werden solche Töne nicht laut.» Doch konnte derselbe Athanasius demselben Kaiser, etwa wenn er hoffte, durch ihn seinen Bischofssitz wiederzugewinnen, geradezu panegyrische Girlanden winden, mit immer neuen Attributen seine Menschlichkeit und Milde preisen, ja, ihn als Christen feiern, seit eh und je erfüllt von Gottesliebe. In seiner ‹Apologia ad Constantium›, 357 veröffentlicht, hofiert er den Herrscher in widerlicher Weise. Schon 358, in seiner ‹Historia Arianorum ad monachos›, überschüttet er ihn mit Hohn und Haß. Athanasius wandelt von Mal zu Mal seine Ansicht über Kaiser und Kaisertum, er paßt sich an, er opponiert – je nach Lage, nach Bedarf. Während seiner dritten Verbannung erwog er sogar die offene Empörung gegen seinen (christlichen) Herrn. Doch der frühe Tod des Konstantius ersparte es ihm, Konsequenzen aus solchen Überlegungen zu ziehen.[37]

Weitere Diffamierungen durch Athanasius, Fälschungen und der Tod des Arius

Wie den Kaiser, attackiert und schmäht Athanasius natürlich auch Arius.

Immer wieder spricht er vom «Wahnsinn des Arius», seiner «Verirrung», seinen «erbärmlichen, gottlosen Reden», seinen «abstoßenden und von Gottlosigkeit strotzenden Possen». Arius ist «der Betrüger», «der Gottlose», der Vorläufer des «Antichrist». Und ebenso wütet er gegen alle anderen «Heuchler des arianischen Wahnsinns», «die Übelgesinnten», «Streitlustigen», «die Christusfeinde», «die Gottlosen, die ganz dem Unverstand anheimgefallen sind», «dem Fallstrick des Teufels». Alles, was Arianer sagen, ist «albernes Geschwätz», «Blendwerk», «bloßes Wahngebilde und Hirngespinst». Er hängt ihnen «Heuchelei und Prahlerei» an, «unsinniges und törichtes Zeug», einen «Abgrund von Unverstand» und immer wieder «Gottlosigkeit». «Denn die göttlichen Schriften sind ihnen verschlossen, und nach allen Seiten wurden sie aus ihnen überführt als Toren und Christusfeinde.» Ja, er behauptet, «daß die Arianer mit ihrer Häresie nur scheinbar gegen uns ankämpfen, in der Tat aber gegen die Gottheit selbst den Kampf führen». «Sie wissen», schreibt 1737 Friedrich II. von Preußen dem sächsischen Gesandten v. Suhm, «daß die Anklage auf Gottlosigkeit die letzte Zuflucht aller Verleumder ist.»[38]

Als «Arianer» aber verunglimpft Athanasius rücksichtslos auch jeden persönlichen Gegner, sogar, geschichtlich völlig falsch, die gesamte antiochenische Theologie. Wer immer sich gegen ihn stellt, «den erklärt er im Tone höchster Entrüstung erbarmungslos für einen notorischen Ketzer» (Dörries). Der heilige Kirchenlehrer, der prahlt: «Christen sind wir und wissen die Frohbotschaft vom Heiland zu würdigen», äußert von Christen anderen Glaubens: «Das ist das Erbrechen und der Auswurf der Häretiker»; hetzt, «daß ihre Lehre alles zum Erbrechen reizt», daß sie diese Lehre «wie Schmutz in der Tasche mit sich herumtragen und speien es aus wie eine Schlange ihr Gift». Überboten die Arianer doch noch «mit ihrer Verleumdung Christi den Verrat der Juden». Schlimmeres ließ sich kaum sagen. Und «so gehen die Unglücklichen wie Käfer [!] herum und suchen mit ihrem Vater, dem Teufel [!], Vorwände für ihre Gottlosigkeit», den Juden dabei «die Lästerungen» entlehnend, «den Heiden die Gottlosigkeit»[39].

Denn Athanasius «ist nicht bloß der mutige Verteidiger der Orthodoxie ... der erfolgreichste literarische Anwalt des nicaenischen Glaubens», nein, «Athanasius rechtfertigt das Christentum» auch «gegenüber dem Heidentum und Judentum ... in

tiefgründender und glücklicher Weise». Das heißt, der Verfechter
der vera fides, die «geistige Großmacht im kirchlichen Leben
seiner Zeit» (Lippl), bewirft auch Juden und Heiden mit Dreck
wie alles, was ihm nicht paßt. Der «Wahnwitz» der Arianer
nämlich ist «jüdisch», «Judaismus unter dem Namen des Christentums», «Verkehrtheit der jetzigen Juden». Arianer tun dasselbe wie «die Juden», die «den Herrn zu töten suchten», die
«ihren Verstand verloren», «noch ärger als der Teufel» sind. Und
die Heiden sprechen gleichfalls «mit verleumderischer Zunge»,
sind «verfinstert», «Toren», «Trunkene und Blinde», voller «Unwissenheit», «Stumpfsinn», «Götzenwahn», «Abgötterei»,
«Gottverlassenheit», «Gottlosigkeit», «Lügen», sie müssen «zuschanden werden» et cetera, et cetera.[40]

Wir kennen dies christliche Eifern und Geifern gegen jeden
andren Glauben schon, und es bleibt sich durch die Zeiten gleich.
Daß Athanasius dabei nicht nur skrupellos ist, sondern möglicherweise sogar vieles glaubt, was er predigt, macht alles eher
schlimmer, gefährlicher, fördert den Fanatismus noch, die Intoleranz, Halstarrigkeit, Selbstgerechtigkeit dessen, der niemals an
sich, vielleicht nicht einmal an seiner Sache zweifelt, seinem
«Recht».

Die skandalöse Wahl des Heiligen hatte zur Aufstellung eines
Gegenbischofs geführt und vielerorts zu solchen Straßenschlachten, daß Kaiser Konstantin 332 brieflich den Katholiken Alexandriens bewegt das jämmerliche Schauspiel der Kinder Gottes
klagte, die um kein Haar besser seien als die Heiden! Ein Abge-
sandter des Athanasius, der Presbyter Makarios, zertrümmerte in
der meletianischen Kirche der Mareotis den Bischofsstuhl und
stürzte den Altar um, wobei ein Abendmahlskelch in Stücke ging.
Und Athanasius selber setzte die «ihm eigene Befriedigungspoli-
tik» (Voelkl) mit Verprügeln, Einkerkern und Vertreiben der Meletianer fort. (Erst kürzlich entdeckte Papyrusbriefe erweisen
diese Beschuldigungen als begründet.) Doch Joannes Archaph,
Nachfolger des Meletios, behauptete sogar, Bischof Arsenius sei
im Auftrag des Athanasius an eine Säule gebunden und lebendig
verbrannt worden. So mußte der Heilige sich am Hof sowie vor

zwei Synoden verantworten. Beim Kaiser gelang ihm das noch. Vor einer in Caesarea, Palästina, im Frühjahr 334 anberaumten Synode aber erschien er nicht. Und vor der Reichssynode im Sommer 335 in Tyrus, wo man die Vorgänge bei seiner Wahl inkriminierte, ungerechte Besteuerung seiner riesigen Kirchenprovinz, Mißachtung der Synode von Caesarea, vielfältige Gewalttätigkeit, Unzucht und anderes, sogar eine abgeschlagene Hand des «ermordeten» Arsenius vorwies, tauchte er zwar, nach einem kaiserlichen Drohbrief, mit vielen Prälaten samt dem Totgesagten selber auf (der auch seine unversehrte Hand vorzeigen konnte). Doch die gegnerischen Bischöfe schimpften ihn nur einen «Zauberer», sprachen von «Blendwerk» und schickten sich an, «ihn zu zerreißen und hinzuschlachten» (Theodoret).

In Wahrheit war die synodale Untersuchungsmission – die der kaiserliche comes Dionysius nicht etwa, wie Athanasius behauptet, geleitet, sondern, um wenigstens das Schlimmste zu verhindern, befehlsgemäß überwacht hat, ohne, höchstwahrscheinlich, teilzunehmen – «wirklich bemüht», so ein heutiger Theologe, Licht in die dunkle Angelegenheit zu bringen. Man habe auch Aussagen protokolliert, die nicht mit der Anklageschrift übereinstimmten. «Dadurch wurde zwar die Legende von der Gewalttat während des Gottesdienstes zerstört, die Tatsache des Eindringens, des Umwerfens des Altars durch Makarius und das Zerbrechen des Kelches aber nur bestätigt» (Schneemelcher). Athanasius verließ denn auch heimlich die Stadt, um einer Unterwerfung zu entgehen. Doch die Arianer oder (und) Eusebianer haben seine um den 10. September erfolgte und von Konstantin bestätigte Absetzung in Tyrus stets als rechtmäßig verteidigt; bis zum Tod des Konstantius bildet sie die Rechtsgrundlage für das Vorgehen gegen den Hierarchen. Hofbischof Euseb aber, einer von Athanasius' Todfeinden, gewann nun immer mehr Einfluß auf den Kaiser, besonders über dessen Halbschwester Konstantia, einer überzeugten Christin und Anhängerin des Arius. Systematisch hob Euseb jetzt seine Gegner aus den Sätteln, so daß die Arianer (von denen viele, zumal die einflußreichsten, zwar nicht mehr die ursprüngliche Lehre des Arius vertraten, doch auch nicht die

Formel von Nicaea), immer mehr das Feld beherrschen und die
Bischöfe der Katholiken in die Verbannung wandern, auch Athanasius, der zuletzt noch mit einem Dockarbeiterstreik, einer Sper-
rung der ägyptischen Kornlieferungen, gedroht haben soll. Konstantin, dessen Sympathie für die Katholiken allmählich erkaltet
war, relegierte ihn ohne Verhör, selbst ohne die Bitten des hochheiligen Antonius zu beachten, am 7. November, eine Woche
nach seiner Ankunft in Konstantinopel, ans andere Ende des
Römerreichs, nach Trier (stets reinste Lustsitze als Verbannungs-
orte für Kleriker wählend).[41]

Dem Bischof der Hauptstadt aber befahl er, mit Arius in
Kommunion zu treten. Doch in Konstantinopel saß seit 336
Paulus, ein enger und kaum minder brutaler Freund des Athanasius, im Patriarchensessel. Und eben in Konstantinopel starb 336,
unmittelbar vor seiner Wiederaufnahme in die Kirche, Arius ganz
plötzlich eines mysteriösen Todes auf der Straße; angeblich beim
Gang zur Kommunion, vielleicht aber erst auf dem Heimweg
davon: für die Katholiken ein Gottesurteil, für die Arianer Mord.
Athanasius behauptet zwanzig Jahre später in einer unwahrscheinlich detaillierten Story, Arius sei durch Erhörung der Gebete des Ortsbischofs verschieden: auf einem öffentlichen Abort
mitten auseinandergeborsten und in der Jauche verschwunden –
eine «häßliche Legende» (Kühner), eine «Lügengeschichte»
(Kraft), «die seitdem zum eisernen Bestand der populären Polemik gehört, dem kritischen Leser aber höchstens als Bericht über
einen Giftmord erscheint» (Lietzmann).[42]

Wer derart einen toten Feind buchstäblich in den Kot zieht, ist
zu allem fähig, nicht nur als Kirchenpolitiker, auch als Kirchenschriftsteller. Zwar attestiert gerade diesem ein Experte wie
Schwartz «stilistische Unfähigkeit», und Duchesne notiert
trocken: «Es genügte ihm, schreiben zu können . . .» Doch ein
quasi-literarisches Talent besaß der «Vater der Rechtgläubigkeit», auch «Vater der wissenschaftlichen Theologie» (Dittrich),
der mit dem Attribut «der Große» geehrte Kirchenlehrer: er war
ein großer Fälscher vor dem Herrn. Nicht bloß schmückte er seine
Vita Antonii (die bei Augustins Bekehrung eine Rolle spielte,

Vorbild wurde sämtlicher griechischen und lateinischen Heiligenviten und jahrhundertelang Morgen- und Abendland für das
Mönchtum begeistert hat!) mit immer dümmeren Mirakeln aus,
sondern fälschte auch Urkunden im sozusagen schlechtesten Stil.
Erstaunt es, daß man ausgerechnet unter dem Namen des berühmten Fälschers wiederum «ungezählte» Schriften gefälscht
hat? (Der Theologe v. Campenhausen zieht vor zu sagen: «unter
den Schutz seines Namens gestellt» . . .[43])

«Hinterlasse den Lebenden ein Gedenken, das deines Wandels
ganz würdig ist, ehrwürdigster Vater!» spornte einmal der hl.
Basilius den hl. Athanasius an.[44] Und er hinterließ . . . Fälschungen einerseits zur Diffamierung des Arius, andererseits zur eigenen Rechtfertigung.

Eine lange Epistel, als Brief Kaiser Konstantins an Arius und
die Arianer deklariert, stammt zumindest großenteils von unsrem
Kirchenlehrer. Er überschüttet darin den – ihm auch geistig überlegenen – Arius mit einer Flut unverschämter Invektiven: «Gal-
genstrick», «Jammergestalt», «Gottloser, Boshafter, Hinterlisti-
ger», «Bösewicht», «Lügenmaul», «Narr» und weiter so. Und in
einem anderen Brief, von Athanasius, fünfzehn Jahre nach Konstantins Ende, ganz unter dessen Namen verfaßt, wollte er alle
sofort mit dem Tod bestraft sehen, die auch nur eine Schrift des
Arius aufbewahren – ohne Appellation und Gnadenakt![45]

Ein Schreiben Konstantins an das Konzil von Tyrus (335), das
Athanasius rechtmäßig abgesetzt, fälschte der Kirchenlehrer
gleich zweimal.

Die Tatsache nämlich, daß der von jedem Christen hochverehrte erste christliche Regent sein Gegner gewesen, mußte dem
Patriarchen verdacht und als schwerer Makel empfunden werden. So milderte er in Konstantins angeblichem Brief an das
Konzil das harte Urteil des Herrschers erst einmal vorsichtig ab
und gab es vor allem als Folge politischer Verleumdung aus.
Weiter durfte er in dieser ersten Version, enthalten in seiner
‹Apologia contra Arianos›, einer umfangreichen Dokumenten-
sammlung nebst Erläuterungen, kaum gehen: etwa ein Jahrzehnt
nach Konstantins Tod war dessen kirchenpolitische Stellung

noch allgemein bekannt. In dem späteren «Synodicum» aber, als keine Augenzeugen mehr Athanasius der Lüge zeihen konnten, teilt er den Brief ganz anders mit, erklärt der Kaiser geradezu: «Wir sahen den Mann so erniedrigt und gedemütigt, daß wir von unaussprechlichem Mitleid für ihn ergriffen wurden, da wir wußten, daß dies jener Athanasius war, dessen heiliger Anblick [!] imstande ist, selbst die Heiden zur Ehrfurcht vor dem Weltgotte hinzuziehen.» Der hl. Fälscher läßt den Kaiser weiter beteuern, daß schlechte Männer ihn, Athanasius, verleumdet, die ganze Lügerei aber widerlegt worden sei, «und nachdem er in allen jenen Sachen als unschuldig erfunden worden war, wurde er mit möglichst großer Ehre von uns in seine eigene Heimat geschickt und in Frieden dem orthodoxen Volke zurückgegeben, das er lenkt»[46].

Tatsächlich gelangte Athanasius, der auch sonst «vor keiner Verfälschung» zurückscheut (Klein), erst durch den Thronwechsel nach Konstantins Tod am 23. November 337 nach Alexandrien.[47]

«SCHLACHTFELD» ALEXANDRIEN UNTER DEN PATRIARCHEN ATHANASIUS UND GREGORIOS

Athanasius' Entlassung im Juni aus der westlichen Hauptstadt Trier, die ihn triumphal empfangen und entsprechend verwöhnt hatte, war die erste Regierungshandlung Konstantins II. – «ein arger Rechtsbruch und eine schwere Beleidigung nicht nur für Konstantius, sondern auch für die Bischöfe, die in Tyrus das Urteil gefällt» (Schwartz). (Über Synoden dachte Athanasius natürlich wie über Gewalt. Synoden waren immer gut, sprachen sie für ihn, die causa Athanasii, wobei er stets mit der Majorität renommiert. «Wenn man nämlich Zahl mit Zahl vergleicht, dann sind die Synodalen von Nicaea in der Mehrzahl gegenüber den Partikularsynoden . . .» Oder: «Dem Urteil zu unseren Gunsten stimmten [in Serdika] mehr als 300 Bischöfe zu . . .» Und während es für Nicaea «einen vernünftigen Anlaß» gab, werden die Synoden der Arianer nur «aus Haß und Streitsucht gewaltsam zusammengetrommelt».) Die lange Rückreise nutzte der Heimkehrer gleich, um in Kleinasien und Syrien auf seine Weise Frieden zu stiften, den Katholiken also wieder zur Macht zu verhelfen. Allerwärts deshalb nach seiner Werbetour Gegenbischöfe, Zwietracht, neue Spaltungen. Denn: «Wo Gegenbischöfe vorhanden waren, da kam es regelmäßig zu Tumulten und Straßenkämpfen, nach denen mitunter Hunderte von Leichen das Pflaster bedeckten» (Seeck).[48]

Da auch die übrigen Verbannten zu den heimatlichen Herden eilten, blühte ringsum die Rechtgläubigkeit auf. Zuerst reinigte man oft gründlich die durch «Häretiker» befleckten Kirchen – nicht partout, wie bei den Donatisten, mit Salzwasser (S. 328). Diese katholischen Bischöfe praktizierten drastischere Bräuche. In Gaza ließ Oberhirte Asklepas den «entweihten» Altar zertrümmern. In Akyra riß Bischof Markellus seinen Gegnern das Priestergewand vom Leib, hängte ihnen die «geschändeten» Hostien um den Hals und jagte sie aus der Kirche. In Adrianopel fütterte Bischof Lucius die Hunde mit Abendmahlsbrot – und verweigerte später den aus Serdica zurückreisenden orientalischen Synodalen die Kommunion, ja, hetzte anscheinend auch das Volk der Stadt gegen sie auf; weshalb Konstantius zur Wiederherstellung der Ruhe zehn Arbeiter aus den kaiserlichen Waffenarsenalen hinrichten ließ. Natürlich wanderten die «Vorkämper der nicaenischen Orthodoxie» (Joannou) erneut in Verbannung. Und Athanasius feierte all diese und weitere Helden seiner Partei. «Ankyra trauert um Markellus», schreibt er, «Gaza um Asklepas», und Lucius sei «oftmals» von den Arianern «in Ketten gelegt und so zu Tode gemartert worden»[49].

In seiner eignen Bischofsstadt, der ägyptischen Metropole, «einem wirklichen Schlachtfelde» (Schultze), amtierten nun zwei Patriarchen, Pistos, der Bischof der Arianer, dem Athanasius wieder einmal «Gottlosigkeit» attestiert, und eben er selbst. Polizei- und Militäreinsätze, Verbannungen, Brandstiftungen, Exekutionen nehmen kaum ein Ende, wobei Athanasius nicht die ständige Behauptung scheut, das Volk Alexandriens stehe einmütig hinter ihm, obwohl eher das Gegenteil galt.[50]

Erste Amtshandlung sozusagen des Ende November 337 Heimgekehrten: er entzog die vom Kaiser zur Armenernährung bestimmten Kornlieferungen allen Parteigängern seiner Gegner, um mit dem Überschuß offenbar neue Streiter für seine Knüttelgarde anzukirren. Auch unterstützte ihn ein Auftritt seines aus der Wüste herbeizitierten Lehrers, des hl. Antonius, mit jeder Menge Wundertaten und antiarianischen Aktionen. Im Winter 338/39 stellten die Arianer, die ihren Bischof Pistos für zu lau hielten, in einem höchst unkanonischen Verfahren den Presbyter Gregorios aus Kappadokien als Gegenbischof auf, nachdem Euseb von Emesa dankend verzichtet hatte. Bischof Pistos verschwindet spurlos. Patriarch Gregorios, ein gelehrter Herr, dessen große Bibliothek der spätere Kaiser Julian schätzt (und nach Gregors Tod in Antiochien unterbringen läßt), zieht in der Fastenzeit, im März 339, in Alexandrien ein. Er wird begleitet von Militär und Philagrios, dem Gouverneur von Ägypten, einem bewährten, in Alexandrien sehr beliebten Mann, den der Kaiser auf die Bitte einer städtischen Gesandtschaft ernannt hatte. Vereint stürmen Arianer, Meletianer, Heiden und Juden katholische Kirchen. Die Dionysos-Kirche geht in Flammen auf (die Synode von Serdica beschuldigt Athanasius der Brandstiftung). Die Katholiken werden hart verfolgt, Vermögen konfisziert, Mönche und hl. Jungfrauen verprügelt, eingelocht, Kerzen vor Götterbildern aufgestellt, das Baptisterium dient als Bad. Athanasius, der an alt- und neutestamentliche Leiden erinnert, auch an die Passion Christi, hatte schon zuvor in der Kirche des Theonas seine Schäflein zur Stärkung für die kommende Schlacht getauft und zur Erhebung aufgerufen. Dann brachte er sich selbst in Sicherheit und organisierte offenbar von seinem Versteck aus zum heiligen Osterfest neue Tumulte. Mitte März 339 aber floh er nach Rom, am Hals gleichsam eine Kriminalklage, an alle drei Kaiser gerichtet, mit der Beschuldigung neuer «mörderischer Verbrechen». (Nur in diesem einzigen Fall konnte er übrigens nicht, wie sonst bei seinen

Verbannungen und Reisen, die kaiserliche Post benutzen! Er nahm den Seeweg.) Die Seinen verbrennen noch die Kirche des Dionysios, Alexandriens zweites großes «Gotteshaus», das so wenigstens jeder «ketzerischen» Profanierung entgeht.[51]

Während Bischof Gregor mit Hilfe des Staates ein strenges Regiment führt, sitzt Athanasius, mit anderen gestürzten Kirchenfürsten, bei Bischof Julius I. in Rom, das fast mit dem ganzen Westen dem Nicaenum anhängt. Und zum erstenmal in der Kirchengeschichte betreiben jetzt von östlichen Synoden exkommunizierte Prälaten ihre Rehabilitierung durch ein westliches Bischofsgericht. Namentlich sicher kennen wir von ihnen nur Athanasius und Markellus von Ankyra, den bereits erwähnten Priester- und Hostienschänder (S. 377). Nach Erweis seiner «Rechtgläubigkeit» nahm ihn und die anderen Flüchtlinge Julius I. in aller Form in die Communio seiner Kirche auf. Und hier in Rom und dem Westen, der entscheidende Bedeutung für Athanasius' Machtpolitik bekommt, arbeitet er «auf ein Schisma der Reichshälften hin» (Gentz), das 343 die Synode von Serdica auch bringt. Die Arianer, wütend über Roms Einmischung, «im höchsten Grad verwundert», so ihr in Serdica verabschiedetes Manifest, schleudern gegen Bischof Julius I., «den Urheber und Anführer des Übels», den Kirchenbann. Und indes Athanasius im Sinne seiner «causa» die eine Hälfte des Reichs gegen die andere aufwiegelt und ausspielt, so daß der Streit um die Macht des alexandrinischen Bischofs zu einem Streit um die Vormacht des römischen wird, steigert sich die Frömmigkeit im Orient zu immer neuen Höhepunkten.[52]

ANTIOCHIEN UND DAS MELETIANISCHE SCHISMA

Seit langem zerrissen Spaltungen den großen Patriarchensitz Antiochien – heute das türkische Antakya (28 000 Einwohner, darunter 4000 Christen), nicht zu ahnen mehr, was es einst war: die Hauptstadt Syriens, nach Rom und Alexandrien mit vielleicht

800 000 Einwohnern die drittgrößte Stadt des Römischen Reichs, «Metropolis und Auge» des christlichen Orients.

Unweit der Mündung des Orontes ins Mittelmeer entzückend gelegen, von den prunkliebenden syrischen Königen herrlich erbaut, berühmt durch prachtvolle Tempel, Kirchen, Säulenstraßen, den Kaiserpalast, Theater, Bäder, Stadion, ein bedeutendes Zentrum auch für das Militär, hatte Antiochien in der Geschichte der neuen Religion von Anfang an eine große Rolle gespielt. Es war die Stadt, in der die Christen ihren Namen erhielten (von Heiden – von denen sie alles bezogen, was nicht von den Juden war), die Stadt, wo Paulus predigte und schon mit Petrus stritt (S. 147 ff), wo Ignatius agitierte (S. 155 ff), wo die durch Lukian, den Märtyrer, geschaffene Theologenschule lehrte, im christologischen Konflikt gleichsam der «linke Flügel» und weithin die Kirchenhistorie des Jahrhunderts mitprägend, auch wenn die meisten dieser Schule (selbst Johannes Chrysostomos gehörte ihr an) zeitweilig oder ganz verketzert worden sind, Arius vor allem . . . Antiochien, wo viele Synoden, meist arianische, tagen, über 30 Konzile der alten Kirche, wo 362/63 Julian residiert und seine Streitschrift ‹Gegen die Galiläer› schreibt (S. 334), Johannes Chrysostomos das Licht der Welt erblickt und verdunkelt. Antiochien wurde eine der wichtigsten Bastionen für die Ausbreitung des Christentums, «das Haupt der Kirche des Ostens» (Basilius) und Sitz eines Patriarchen, dem im 4. Jahrhundert die Kirchen der politischen Diözese Oriens, fünfzehn Kirchenprovinzen mit etwa 220 Bistümern, unterstanden. So lohnte es sich schon, für «Gott» zu streiten, ging es drunter und drüber in den Christentempeln der Stadt, war Antiochien mit seiner sehr suggestiblen, wankelmütigen Einwohnerschaft voller Intrigen, Tumulte; vor allem seit die Arianer 330 den hl. Patriarchen Eustathius, einen der eifrigsten Apostel des Nicaenums, wegen «Ketzerei» abgesetzt hatten, wegen Unsittlichkeit und Aufmüpfigkeit gegen Kaiser Konstantin, der ihn bis zu seinem Tod verbannte. Gab es doch hier zur Zeit des meletianischen Schismas, das immerhin 55 Jahre dauert, von 360 bis 415, gelegentlich drei, vier Prätendenten, die einander bekämpften und östliche wie westliche Kirche in ihre Fehden

rissen, die Paulinianer (Integral-Nicaener), die Nicaener, die
Halb- und die Ganz-Arianer.[53]

Selbst «der gesunde Leib der Kirche» (Theodoret) war da lang
geteilt, wirkten doch zeitweise nicht nur zwei katholische Parteien, sondern auch zwei katholische Bischöfe. «Was sie voneinander trennte», meint Theodoret, «war einzig und allein die
Streitsucht und die Liebe zu ihren Bischöfen. Ja nicht einmal der
Tod des einen Bischofs machte der Spaltung ein Ende.»[54]

Beim meletianischen Schisma entschieden sich Athanasius
samt dem ägyptischen Episkopat, der arabische Episkopat, Rom
und das Abendland früher oder später für den (nicht einwandfrei
geweihten) Paulinos von Antiochien – den Lucifer von Cagliari
zum Bischof gemacht hatte, jener Lucifer, der dann, gegen die
katholische Kirche, seine eigenen Konventikel schuf (S. 389 f).
Dagegen stand fast der ganze Orient, darunter die «drei großen
Kappadokier», die Kirchenlehrer Basilius, Gregor von Nazianz
und der hl. Gregor von Nyssa, zu dem durch den arianischen
Kaiser Valens wiederholt jahrelang verbannten hl. Bischof Meletios von Antiochien – der Kirchenlehrer Johannes Chrysostomos
als begeisterten Schüler hatte. (Er verließ nach dem Tod des
Meletios dessen Partei, schloß sich aber nicht dem Paulinos an.)
Auch Kirchenlehrer Hieronymus war in Verlegenheit: «Ich kenne
den Vitalis nicht, den Meletius weise ich ab, ich weiß nichts von
Paulin.» Selbst Basilius, der die Verhandlungen mit Rom ange-
bahnt hatte, bereute zuletzt, sich mit dem «hochthronenden»
Römer überhaupt eingelassen zu haben. Und noch bei Meletios'
pompöser Bestattung im Mai 381 hetzte der hl. Gregor in Gegenwart des Kaisers: «Ein Ehebrecher» (Paulinos) «drang zum
Hochzeitsbett der Braut Christi» (das ist die schon mit Meletios
vermählte antiochenische Kirche), «doch die Braut blieb unversehrt». (Für Paulinos waren «Vater», «Sohn» und «Geist» eine
einzige Hypostase, für Meletios drei; wie für die drei Kappadokier.) Noch auf dem Konzil von Konstantinopel (381) brachen
wegen der Nachfolge des Meletios wilde Kräche unter den «Vätern» aus. Paulinos wäre jetzt der einzige Bischof in Antiochien
gewesen. Man wählte aber Flavian. Ambrosius protestierte.

Außer den beiden Orthodoxen, Meletios und Paulinos, samt dem «gesunden Teil des Volkes», gab es in Antiochien aber noch den «kranken» (Theodoret) unter dem radikalen arianischen Bischof Euzoios, der über fast alle Kirchen der Stadt gebot, sowie eine ganze Reihe konkurrierender Sekten, Massalianer, Novatianer, Apollinaristen, Paulinianer (der Anhang des Bischofs Paul von Samosata – nicht zu verwechseln mit den Paulinianern des Paulinus!) und noch weitere. Bis ins 5. Jahrhundert dauerte das «Antiochenische Schisma», wobei die Stadt von Aufständen infolge sozialer Konflikte geschüttelt wurde: allein in den achtziger Jahren erhob sich die hungernde und ausgebeutete Bevölkerung 382/83, 384/85 und 387. Schließlich schloß sich das syrische Volk größtenteils den «Ketzern», den Jakobiten, an: im 6. Jahrhundert (in dem Antiochien 526 ein Erdbeben heimsuchte, das angeblich eine Viertelmillion Menschenleben verschlang) gründete der Mönch und Priester Jakob Baradai die syrisch-monophysitische Kirche. Und am Vorabend der Kreuzzüge gehörten zum Patriarchat Antiochien noch 152 Bischofssitze. Doch die christlichen Kirchen und Bauten der Stadt sind so spurlos verschwunden wie in Alexandrien.[55]

Bürgerkriegsähnliche Zustände in Konstantinopel und Kriegsdrohung aus dem katholischen Westen

In Konstantinopel schickt man den rabiaten Nicaener, den schon von Konstantin nach Pontus verbannten Erzbischof Paul – Arius' Mörder für die Arianer –, Ende 338 in Ketten erneut ins Exil. (Freilich widersprechen sich die Berichte über sein Leben und Schicksal arg.) Sein Nachfolger, Euseb von Nikomedien, der prominente Gönner des Arius, stirbt etwa drei Jahre später. Mit kaiserlicher Billigung reist Paulus, inzwischen als Flüchtling beim Bischof von Rom, 341 wieder heim. Der Fanatiker Asklepas von Gaza (S. 377), selbst gerade, mit Erlaubnis des Konstantius, aus der Verbannung zurück, bereitet den Einzug des Patriarchen vor, mit Mord und Totschlag, auch in den Kirchen. Es herrschen «bürgerkriegsähnliche Zustände» (von Haehling). Hunderte von Menschen werden umgebracht, noch ehe Paulus triumphierend die Hauptstadt betritt und die Massen aufputscht. Makedonios, der Semiarianer, sein alter Feind, wird Gegenbischof. Doch trägt, nach Quellenlage, an den blutigen, sich immer mehr steigernden Wirren Paulus die Hauptschuld. Der 342 vom Kaiser mit der Wiederherstellung der Ordnung beauftragte Reitergeneral Hermogenes – es ist das erste Eingreifen eines Heermeisters in einen innerkirchlichen Konflikt – wird vom Anhang des katholischen Oberhaupts in die Irene-, die Friedenskirche, gedrängt, diese angezündet, Hermogenes erschlagen und seine Leiche an den Füßen durch die Straßen geschleift. Direkt beteiligt: zwei Hausgenossen des Patriarchen, Subdiakon Martyrius und Lektor Marcianus, jedenfalls nach Auskunft der Kirchengeschichtsschreiber Sokrates und Sozomenos. Prokonsul Alexander rettet sich durch Flucht. Auch in Konstantinopel reißen die Religionskrawalle kaum ab, wobei einmal 3150 Menschen das Leben verlieren. Patriarch Paulus aber, durch den Kaiser selbst entfernt, wird von einem Verbannungsort zum andern geschleppt, bis er in Kukusus, Kleinarmenien, stirbt, vermutlich von Arianern erwürgt, und Makedonios für lange alleiniger Oberhirte der Hauptstadt ist.[56]

Nach dem Sieg der Orthodoxie wurde die Leiche des Paulus 381 nach Konstantinopel gebracht und in einer Kirche, die man den Makedonianern wegnahm, beigesetzt. Seitdem trug diese Kirche seinen Namen.[57]

Vermutlich hatte der brutale Auftritt des katholischen Seelenretters auch einen außenpolitischen Hintergrund. Die Diözese Thrakien soll samt Konstantinopel bei der Aufteilung des Reichs (S. 308) zunächst zum Territorium des Konstans gehört, dieser sie aber im Winter 339/40 an Konstantius abgetreten haben für dessen Hilfe gegen Konstantin II. Der freilich war inzwischen ausgeschaltet, und es erscheint nicht unwahrscheinlich – eine erst von jungen Historikern wieder aufgegriffene These –, daß Patriarch Paulus in Konstantinopel den Wiederanschluß der Stadt an das Westreich vorbereiten sollte.[58]

Jedenfalls suchte Kaiser Konstans, der im Westen die Nicaener fördert, politischen Einfluß auch im Osten. Und nicht zufällig drängte ihn Bischof Julius I. von Rom Anfang der vierziger Jahre zu Interventionen. Er sollte bei Konstantius für Athanasius, Paulus und andere Verfolgte eintreten und eine allgemeine Synode berufen, wofür weitere einflußreiche Katholiken warben. Ein Jahr nachdem sich zwei Konzilien, Orientalen und Abendländer samt Athanasius, in Serdica (Sofia) gegenseitig verfluchten (von hier führt der Weg zu der bis heute bestehenden Kirchenspaltung von 1054), protestiert Konstans in Antiochien, der derzeitigen Residenz, durch die Bischöfe Vincentius von Capua und Euphrates von Köln. (Dabei gibt es im Schlafzimmer des bejahrten Kölner Oberhirten ein peinliches Nuttenintermezzo, das dem Initiator, dem arianischen Ortsbischof Stephanus, sogar den Stuhl kostet; freilich war sein Nachfolger Leontius ebenfalls «heimtückisch wie die verborgenen Klippen des Meeres».) Hinter diesen Umtrieben aber des Westens gegen den Osten stand offenbar Athanasius. Er ist der Schützling und Mitstreiter des römischen Bischofs. Er taucht auch wiederholt am Kaiserhof auf. Er gewinnt die Palastbeamten, besonders den bei Konstans hochangesehenen Eustathius, durch überreiche Geschenke. Und er spricht schließlich auch in Trier mit dem Herrscher selbst, der die Rückkehr der Verbannten bei Konstantius sogar durch Kriegsdrohung erzwingen will. Ebenso knapp wie unverschämt schreibt er dem Bruder: «Meldest du mir nun, daß du ihnen ihre Throne wiedergibst und diejenigen abwehren willst, welche sie mit Unrecht belästigen, so werde ich die Männer zu dir schicken; weigerst du dich aber, es so zu machen, so mögest du wissen, daß ich selbst dorthin kommen und auch gegen deinen Willen jenen die ihnen gehörigen Throne wiedergeben werde.»[59]

Entweder ihre Bischofsstühle oder Krieg. Die Verlockung schien nicht gering, dem ewig mit den Persern kämpfenden Bruder in den Rücken zu fallen, zumal Perserkönig Šāpūr sich zu einer neuen Attacke auf Nisibis anschickte. Doch im Frühsommer 345 erreichte Athanasius in Aquileja, wo er ein ganzes Jahr verbracht hatte, seine Rückberufung durch Konstantius. Gleichwohl ging er erst nach Trier an den Hof, «beschwerte» sich dort, erhob «Klagen und Vorstellungen», kurz, rief «im Kaiser den Eifer seines Vaters wach» (Theodoret). Aber auch Konstantius beklagte in einem weiteren Schreiben – dem sogar ein drittes folgte – das Ausbleiben des Bischofs und lud «Hochwürden» ein, «ohne alles Mißtrauen und ohne Furcht die staatlichen Postwagen zu besteigen und zu uns zu eilen . . .» Endlich reiste Athanasius, eindringlich von Konstantius zu versöhnlichem Verhalten in der Heimat gemahnt, im Sommer 346 von Trier nach Rom, wo er wieder mit Bischof Julius, und von dort weiter in den Osten, wo er in Antiochien auch mit Konstantius zusammentraf, der ihn huldvoll empfing und alle alten Akten gegen ihn vernichten ließ. Das hinderte den Patriarchen jedoch nicht, wie schon bei seiner Rückkehr 337 (S. 376 f), wieder allerlei Umwege zu machen, Intrigen zu spinnen, ihm genehme Oberhirten einsetzen, andere vertreiben, in Jerusalem durch Ortsbischof Maximus eine kleine Synode veranstalten zu lassen, die den in Serdica von den Orientalen Verdammten mit Mehrheit erneut in die kirchliche Gemeinschaft aufnahm und ihm noch eine überschwengliche Empfehlung an den ägyptischen Klerus mitgab zur Erleichterung seiner Heimkehr.[60]

RÜCKKEHR DES ATHANASIUS (346), NEUE FLUCHT (356) UND SECHSJÄHRIGER UNTERSCHLUPF BEI EINER ZWANZIGJÄHRIGEN SCHÖNHEIT

Am 21. Oktober 346 zog Athanasius, nach siebeneinhalbjährigem Exil, wieder einmal in Alexandrien ein, wo im Vorjahr der arianische Bischof Gregor verstorben war, nachdem er «sechs Jahre lang grausamer als ein wildes Tier» gewütet (Theodoret). Um so segensreicher wirkte nun der Heilige – und bis zur Beseitigung von Kaiser Konstans (350) sogar ganz unbestritten. Doch weil um

Gottes willen alles erlaubt, geradezu geboten ist, schrieb Athanasius nach der Ermordung seines westlichen Wohltäters heimlich an dessen Mörder Magnentius. Seine Truppen standen bereits in Libyen, auf dem Gebiet des ägyptischen Patriarchats. Also
suchte der Patriarch den Usurpator für sich einzunehmen – und
behauptete später, seine Briefe an Magnentius habe man gefälscht! (Und von Fälschungen verstand nicht nur dieser Heilige
einiges.) Zwar stürzten ihn wieder einmal – nachdem die Euseba-
ner schon 351 durch die erste sirmische Glaubensformel das
Nicaenum zu verdrängen strebten (357, 358, 359 kamen drei
weitere sirmische Formeln hinzu: S. 391 ff) – die Konzilien in
Arles und Mailand, wovon gleich noch zu sprechen ist. Denn jetzt
wurde Athanasius von keinem westlichen Herrscher mehr geschützt. Doch mißlang es Konstantius immer noch, den Alexan-
driner zu vertreiben. Nicht dieser, sondern der Gesandte des
Kaisers, der Notar Diogenes, wich nach vier Monaten, am 23.
Dezember 355, aus der Stadt. Erst nachdem der Notar Hilarius
und der arianische Dux Syrianos erschienen und in der Nacht
vom 8. auf 9. Februar 356, «mit mehr als 5000 Soldaten, welche
Waffen, entblößte Schwerter, Bogen, Pfeile und Keulen mit sich
führten» (Athanasius), die Kathedrale des Patriarchen umzingeln
ließen, wobei es – nicht durch seine Schuld, wie Syrianos betonte
– einige Verwundete und Tote gab, suchte Athanasius das ret-
tende Weite. Während im Nahkampf mit den Truppen mehrere
seiner Anhänger fielen, soll er zu Mönchen in die Wüste geflohen
sein.[61]

Doch gibt es auch eine delikatere Version, sogar von gut kirchlicher Seite.

Nach den mondänen Städten Trier und Rom nahm Athanasius
jetzt etwas Intimeres auf – eine Jungfrau, etwa zwanzigjährig und
«von so außerordentlicher Schönheit», wie der «ganze Klerus
bezeugte», «daß man ihr um ihrer Schönheit willen aus dem Wege
gegangen sei, um niemandem Anlaß zu Verdacht und Tadel zu
geben».[62]

Die Geschichte erzählt uns kein böser Heide, sondern der
Mönch und Bischof von Helenopolis in Bithynien, Palladius, ein

guter Freund auch des hl. Johannes Chrysostomos. In seiner
berühmten ‹Historia Lausiaca›, einer wichtigen Quelle für das
ältere Mönchtum, die insgesamt «der wirklichen Geschichte sehr
nahe» kommt (Kraft), berichtet Bischof Palladius von dem jungen
Mädchen, dem der ganze Klerus auswich, um nicht böse Zungen
zu provozieren. Anders Athanasius. Plötzlich in seinem Palast
von den Häschern gestört, ergriff er «Gewand und Mantel und
floh mitten in der Nacht zu dieser Jungfrau». Freundlich nahm sie
ihn auf, wenn auch ängstlich – «angesichts des Tatbestandes».
Der Heilige aber beruhigte sie. Nur wegen «angeblicher Verbrechen» sei er flüchtig, um nicht als unvernünftig zu gelten «und um
nicht diejenigen, die mich zur Strafe ziehen wollen, in Sünde zu
stürzen»[63].

So rücksichtsvoll! Und da die Erstürmung seiner Kathedrale
Verwundete und Tote gekostet, die erneute Flucht diesmal sogar
die Freunde gerügt, die Feinde verhöhnt hatten, verwahrte er sich
durch Verweise auf lauter gotterleuchtete Bibelgrößen, die alle,
gleich ihm, schon entsprungen waren: Jakob dem Esau, Moses
dem Pharao, David dem Saul et ceteri. «Denn es ist das gleiche,
sich selber zu töten oder sich seinen Feinden zur Ermordung
auszuliefern». Lang und breit verstand Athanasius stets, sein
Davonlaufen zu rechtfertigen. Fliehen, wußte er, war das Gebot
der Stunde – «für die Verfolger sorgen, damit sie nicht bis aufs
Blut wüten und dabei schuldig werden». An das eigene Leben
dachte der Mann überhaupt nicht, wenn er die Seinen ihrem
Schicksal überließ – gleich so manchem tapfren General in der
Schlacht. Dies tadeln, sei geradezu Undank gegen Gott, Mißachtung seines Gebotes. Auch konnte man die Flucht nützen und
noch fliehend das Evangelium verkünden. Selbst der Herr,
schreibt Athanasius, «verbarg sich und floh». «Wem muß man nun
gehorchen? Den Worten des Herrn oder ihrem Geschwätz?»[64]

Nicht jeder freilich findet fliehend Unterschlupf bei einer
zwanzigjährigen Schönen. Athanasius hatte das Glück oder die
Gnade. «Gott offenbarte mir in dieser Nacht: ‹Nur bei jener
kannst du gerettet werden.› Voller Freude ließ sie da alle Bedenk-
lichkeit fallen und wurde ganz dem Herrn zu eigen.» (Gut gesagt.)

«Sie verbarg demnach jenen sehr heiligen Mann sechs Jahre lang,
so lange noch Konstantius lebte. Sie wusch seine Füße, beseitigte
seine Abfälle, sorgte für alles, was er brauchte ...» Auffällt: die
große Heiligkeit des Athanasius wird in einem Atemzug mit
seinem langen Unterschlupf bei der jungen Attraktion betont –
ein Zeitraum übrigens, den man auch anderweitig bestätigt. Dennoch nimmt man heute (zugunsten des Heiligen) an, er habe bei
der Augenweide «nur vorübergehend» gehaust (Tetz) – ein dehn-
barer Begriff. Ganz beiseite, daß das Zusammenleben eines Kle-
rikers mit einer Gottgeweihten Jungfrau, einer gynä syneisaktos,
einer «geistlichen Ehefrau», im 3. und 4. Jahrhundert weit verbreitet war und selbst die engste Gemeinschaft, die des Bettes,
einschloß. Aber Athanasius war natürlich über jeden Verdacht
erhaben. «Ich floh zu ihr», verteidigt er sich, «weil [!] sie sehr
schön und jung ist. So habe ich zweierlei gewonnen: ihr Heil,
denn ich habe ihr dazu verholfen, und [die Wahrung] meines
Rufes». Manche bleiben allzeit makellos. (In unserem Jahrhundert machte der spätere Papst Pius XII. mit 41 Jahren eine
dreiundzwanzigjährige Nonne zu seiner Lebensgefährtin – bis er
starb.[65])

DIE SYNODEN VON ARLES, MAILAND, RIMINI, SELEUKIA UND DAS TRAGIKOMISCHE SCHAUSPIEL DER BISCHÖFE LUCIFER VON CAGLIARI UND LIBERIUS VON ROM

Der Sturz des Athanasius auf den zwei großen Synoden in der
Kaiserresidenz Arles (353) und Mailand (355) war unter starkem
kaiserlichen Druck erfolgt. Vergeblich versuchte der verschwin-
dend geringe Anhang des Athanasius dessen politischen Fall auf
theologisches Terrain zu verlagern und eine Religionsdebatte zu
beginnen – getreu der Praxis des Meisters, bloßes Machtstreben,
die causa Athanasii, hinter der Sache des Glaubens zu verstecken.
Der wiederholt entthronte «Vater der Rechtgläubigkeit» wurde

von fast allen Synodalen, an ihrer Spitze die Bischöfe Ursacius und Valens, abermals abgesetzt und förmlich verflucht. «Gegen alle hat Athanasius gesündigt», sagte der Kaiser, «doch gegen niemanden so viel wie gegen mich.» Nur Bischof Paulinus von Trier, seit Jahren Athanasius' engster Vertrauter im Westen, hatte (in Arles, wo auch die päpstlichen Legaten, Bischof Vincentius von Capua, seit fast drei Jahrzehnten mit Athanasius befreundet, und Marcellus, unterzeichneten) die Unterschrift verweigert und wanderte sofort in die Verbannung nach Phrygien; hier blieb er bis zu seinem Tod. In Mailand aber war auf Wunsch des römischen Bischofs Liberius, nach dem Verrat seiner Legaten in Arles, eine neue Synode zusammengetreten, und als sich dort das Volk, offensichtlich aufgestachelt von seinem Bischof Dionysius, zu erregen begann, verlegte der Kaiser den Ort der heiligen Handlung aus der Kirche in seinen Palast und verfolgte hinter einem Vorhang die Sitzungen – «Mein Wille ist Kanon»! Von 300 Konzilsvätern widerstanden ihm ganze fünf, drei Bischöfe und zwei Priester, die gleichfalls mit sofortiger Verbannung büßten, die höheren Würdenträger von Bischof Liberius durch einen Gratulationsbrief geehrt, in dem er den Kaiser einen «Feind des Menschengeschlechts» nannte. Auch der Priester Eutropius, einer der römischen Legaten, soll verbannt, der andere Legat, Diakon Hilarius, ausgepeitscht worden sein, falls Athanasius nicht lügt, wie so oft.[66]

Einer der fünf Standhaften – ein tragikomisches Kuriosum der Heilsgeschichte – war Bischof Lucifer von Cagliari (Calaris), ein wenig gebildeter fanatischer Antiarianer, der fast allein in Syrien und Palästina ein langjähriges Exil für den nicaenischen Glauben auf sich nahm. Da ein Priester einem «ketzerischen» Kaiser keine Ehrfurcht schulde, überhäufte er diesen publizistisch, zwischen reichlich eingestreuten Bibelzitaten, mit primitiven Schmähungen im Vulgärlatein als leibhaftigen Antichristen und des Höllenfeuers sicher. Lucifer überwarf sich aber auch mit Liberius von Rom, mit Hilarius von Poitiers, und erkannte auch die opportunistischen Maßnahmen des Athanasius auf der «Friedenssynode» (362) nicht an. Vielmehr kehrte er den Katholiken, über deren

Reichtum, Laxheit, Anpassung entsetzt, den Rücken und organisierte von Sardinien aus seinen eigenen, bis ins 5. Jahrhundert
bestehenden Heilsverein; kleine, doch aktive, weitverzweigte,
von Trier bis Afrika, Ägypten und Palästina missionierende Konventikel. Selbst im römischen Klerus hatte Lucifer Anhänger.
Nach seinem Tod (370/71) wurde Gregor, Bischof von Elvira, das
Haupt der Bewegung; auch er ursprünglich ein radikaler Vorkämpfer der Orthodoxie. Die Luciferaner, «die wahren Bekenner», lehnten die Katholiken als Schismatiker ab, geißelten deren
Staatshörigkeit, die Gier ihrer Prälaten nach Ehre, Reichtum,
Macht, die «prachtvollen Basiliken», die «von Gold strotzenden,
mit kostbarem Marmorprunk bekleideten, auf ragender Säulen
Pomp ruhenden Basiliken», «die weithin sich erstreckenden Liegenschaften der Herrschenden» – und wurden noch von dem
streng katholischen Theodosius I. als rechtgläubig anerkannt.
Sogar in Rom hatten sie einen Bischof, Ephesius, den Papst
Damasus vergeblich der dortigen Kriminaljustiz auszuliefern
suchte. Stadtpräfekt Bassus weigerte sich entschieden, «katholische Männer untadeligen Charakters zu verfolgen»[67].

Doch das besorgten die Herren schon selbst.

In Oxyrhynchos, Ägypten, schlugen katholische Priester den
Altar des Luciferanerbischofs Heraclides mit Beilen in Stücken.
In Trier wurde der Luciferanerpresbyter Bonosus verfolgt. In
Rom mißhandelten päpstliche Kleriker und Polizei den Lucife-
raner Macarius derart, daß er, verbannt nach Ostia, dort seinen
Wunden erlag. (Ortsbischof Florentinus wollte allerdings mit
dem «Verbrechen des Damasus» nichts zu tun haben und trans-
ferierte die Gebeine in ein Ehrengrab.) In Spanien erbrachen die
Katholiken die Kirche des Presbyters Vincentius, schleppten den
Altar in einen Tempel unter ein Götterbild, erschlugen die Mi-
nistranten des Priesters mit Knütteln, legten ihn selber in Ketten
und ließen ihn verhungern. Einen viel kürzeren heilsgeschichtli-
chen Prozeß demonstrierte Bischof Epictet von Civitavecchia.
Er spannte den Luciferaner Rufinian an seinen Wagen und
hetzte ihn zu Tode. Bischof Lucifer von Cagliari aber wurde auf
Sardinien, das zeitweilig geschlossen gegen die Großkirche stand,

als Heiliger verehrt und als solcher 1803 von Papst Pius VII. anerkannt.[68]

Daß es gerade der Papstgeschichte an Kuriosa nicht mangelt, zeigt auch Bischof Liberius.

Vergeblich suchte der Gesandte des Kaisers, der praepositus sacri cubiculi, Eusebios, ein berüchtigter, unter Julian hingerichteter Eunuch, Liberius zur Verurteilung des Athanasius zu bewegen. Weder Geschenke noch Drohungen sollen geholfen haben, so daß Konstantius den Römer nachts entführen und nach Mailand bringen ließ. Dort hielt er ihm vor, wie sehr Athanasius allen geschadet, am meisten aber ihm. «Er hat sich mit dem Tod meines ältesten Bruders nicht zufriedengegeben und nicht aufgehört, den inzwischen verstorbenen Konstans zur Feindschaft gegen uns aufzuhetzen». Selbst seine Erfolge gegen die Usurpatoren Magnentius und Silvanus, erklärte der Regent, bedeuteten ihm nicht soviel «wie das Verschwinden dieses Gottesverächters von der kirchlichen Bühne». Hat Konstantius doch anscheinend einen hohen Preis auf die Ergreifung des flüchtigen Alexandriners gesetzt und noch die Könige von Äthiopien um Mithilfe gebeten.[69]

Anders als seine Legaten (S. 389) aber wollte der römische Bischof dem «Ketzer»-Kaiser bis aufs äußerste widerstehen, ja, «für Gott den Tod erleiden». So brach Konstantius die Unterredung ab: «Der wievielte Teil der bewohnten Erde bist Du, daß Du allein einem gottlosen Manne beistehst und den Frieden des Erdkreises und der ganzen Welt störst?» «Du allein bist es, der an der Freundschaft jenes ruchlosen Menschen noch festhält.» Liberius bekam drei Tage Bedenkzeit, blieb aber standhaft. «Die Gesetze der Kirche gehen mir über alles», sagte er. «Schicke mich wohin du willst.» Und dies, obwohl er, nach Ammian, von Athanasius' Schuld überzeugt war. Doch nach zweijährigem Exil zu Beröa (Thrakien), mit Gehirnwäsche durch den Ortsbischof, Demophilus, und den Bischof Fortunatian von Aquileja, kapitulierte Liberius. Der in Mailand so bewundernswerte Römer, der «siegreiche Kämpfer für die Wahrheit» (Theodoret), schloß nun, ein Schauspiel besonderer Art, den «Vater der Rechtgläubigkeit», Kirchenlehrer Athanasius, aus der Kirche aus und unterzeichnete ein semiarianisches Glaubensbekenntnis (die sog. 3. sirmische Formel, wonach der «Sohn» dem «Vater» nur ähnlich ist), ausdrücklich seinen freien Willen betonend. In Wirklichkeit erkaufte er sich die Heimkehr, strebte er bloß «aus dieser Trübsal» zurück nach Rom. «Sehet Ihr zu, wenn Ihr mich im Exil verkommen lassen wollt», klagte er 357 dem Vincentius von Capua – und prangt im Martyrologium von Nikomedien und im Martyrologium Hieronymianum gleich zweimal. Doch gegenüber den Orientalen nannte der Märtyrer-Papst noch seine wildesten Feinde, die Bischöfe Valens und Ursacius, vom hl. Athanasius bei jeder sich bietenden Gelegenheit aufs schlimmste beschimpft, «Söhne des Friedens», verhieß ihnen Lohn im Himmelreich, beteuerte, er habe «Athanasius nicht verteidigt», Athanasius sei «von unser aller Gemeinschaft, auch des Briefverkehrs, geschieden», «mit Recht verurteilt». Und schrieb von seinem halbarianischen Glaubensbekenntnis: «Ich habe es bereiten Sinnes angenommen, in keinem Punkte widersprochen, ihm zugestimmt. Das befolge ich, das wird von mir gehalten.» Er gebarte sich so, daß man die – gänzlich gesicherte – Echtheit seiner ihn schwer kompromittierenden Exilsbriefe wieder einmal lange und heiß bestritt, obwohl sie heute (!) selbst im katholischen Lager überwiegend eingeräumt wird. Erklärte seinerzeit doch sogar Kirchenlehrer Hieronymus, Liberius, im Exil gebrochen, habe eine «ketzerische» Unterschrift gegeben.[70]

Im übrigen wird man – mit Richard Klein – die Haltung des römischen Bischofs als Ausdruck menschlicher Schwäche nachsichtiger beurteilen als das Verhalten sowohl des hl. Athanasius (der den Fall des Liberius ausführlich schildert, um die eigene Standhaftigkeit desto heroischer aufleuchten zu lassen), wie des hl. Hilarius, die beide, je nach Bedarf, dem Herrscher widerlich schmeicheln oder ihn unflätig begeifern, wenn freilich auch Liberius – er müßte kein Papst gewesen sein – mutig genug war, wenigstens dem toten Konstantius eine Verwünschung nachzurufen.[71]

(Noch in unsren Tagen aber gibt Perikles-Petros Joannou die Briefe des Liberius als arianische Falsifikate aus. «Was die Aria-

ner durch Gewalttaten nicht erreichen konnten», behauptet
Joannou, «stellten sie in den vier Fälschungen, die sie unter dem
Namen des Liberius in Umlauf setzten, als erreicht hin.» Allerdings erfährt man: «Die Anregung zum vorliegenden Werk gab
Kurienkardinal Amleto Giovanni Cicognani [Rom].» Der Prälat
hatte erst «in einem persönlichen Gespräch» Joannous Ansichten
geprüft, darauf ihn ersucht, «den genannten Begriff des Primats in
den byzantinischen Kirchenquellen näher zu erforschen und ihm
die Ergebnisse vorzulegen». Erst danach erfolgte die Zustimmung
des «unterdessen zum Staatssekretär des Papstes ernannten Kardinal Cicognani».)[72]

Konstantius erlaubte 358 Liberius die Heimkehr. Freilich – dies
war Bedingung – sollte er mit seinem Nachfolger Felix in Rom
gemeinsam das Bischofsamt verwalten. Sogar eine Synode in
Sirmium wirkte in diesem Sinn auf Felix und den römischen
Klerus ein. Doch kam es dann zu solchen Tumulten in der «Heiligen Stadt», daß man Hilarius' Äußerung begreift, er wisse nicht,
womit der Kaiser den größeren Frevel begangen, mit der Verbannung des Liberius oder mit der Erlaubnis zu seiner Rückkehr.[73]

GEWISSENLOSE KONZILSVÄTER UND PATRIARCH GEORG, EIN ARIANISCHER «WOLF», MONOPOLHERR UND MÄRTYRER

Instruktiv ist das große Doppelkonzil 359. Im Mai tagten in
Rimini die Abendländer, rund 400 Bischöfe, etwa 80 Arianer
darunter, und im September in Seleukia (Silifke), nahe der Süd-
küste Kleinasiens, die Orientalen, etwa 160 Bischöfe, Anhomöer,
Semiarianer und Nicaener.

In Rimini verwarfen zunächst Hunderte von Konzilsvätern
unter Berufung auf das Nicaenum das von Konstantius gefor-
derte arianische Credo, die am Hof beschlossene, von Kirchenführern beider Parteien vereinbarte sogenannte vierte sirmische
Formel, in der es hieß: «Daß aber der Sohn dem Vater in allem

ähnlich (homoios) ist, das behaupten wir, wie die Heilige Schrift
es sagt und lehrt»! Die Glaubenszeugen verweigerten sogar die
Annahme unentgeltlicher Verpflegung durch den Kaiser. Als dieser jedoch erst nach Zustimmung aller die Rückreise zu erlauben
schien, fielen Hunderte wieder um und bekannten sich zu der
vom Herrscher diktierten homöischen Formel. (Die Worte «nach
dem Wesen» und «in allem» wurden dabei fortgelassen; die Ausdrücke homousios und homoiusios fehlen ganz.) «Auf deinen
Befehl» (te imperante), versicherte die Kirchenversammlung,
«haben wir das Bekenntnis unterschrieben, beglückt, durch dich
über den Glauben belehrt worden zu sein.»[74]

Auf der Synode von Seleukia, die erst im September zusam-
mentrat, standen sich die Vertreter des Homousianismus, des
Anhomöismus, Homöusianismus und Homöismus gegenüber.
Und auch hier drückte schließlich der Kaiser seine Formel durch,
die den «Sohn» nur «ähnlich» (homoios), also nicht einmal «wesensähnlich» (homoiusios), dem «Vater» nennt. Wie auch eine
Anfang 360 tagende Synode der Akazianer, die den Homöismus
zur Glaubenslehre erhob, sowohl den Führer der Anhomöer wie
den der Semiarianer absetzte, mit allem Konstantius' Zustimmung bekam. «Die ganze römische Welt schrie seufzend auf und
wunderte sich, arianisch zu sein», schrieb schaudernd der hl.
Hieronymus.[75]

Man sieht, daß die Bischöfe, hundertweise, von Mal zu Mal
abspringen, ihre «heiligste» Überzeugung verraten, daß es ihnen,
schon oft belegt, weit weniger um ihren Glauben geht als um
ihren Stuhl. Wie sie sich in Arles (353) und Mailand (355) so gut
wie alle dem kaiserlichen Willen beugten, so unterzeichneten sie
auch 359 in Rimini und Seleukia ein arianisches Bekenntnis.
Kaum aber war Konstantius gestorben, proklamierten die in
Rimini abgefallenen Prälaten von Illyricum und Italien wieder die
nicaenische Konfession, während die gallischen Bischöfe schon
360 in Paris ihre Unterschriften widerrufen hatten. Und als Athanasius am 21. Februar 362 erneut Alexandrien heimsucht, bald
darauf seine «Friedenssynode» hält und den Arianern, falls sie der
«Ketzerei» abschwören, zum Nicaenum sich bekennen, den Ver-

bleib auf ihren Sitzen garantiert, da werden Hunderte von Bischöfen wieder katholisch; die Anführer freilich, «die mit List», so
Bischof Liberius, «das Licht zur Finsternis und die Finsternis zum
Licht zu machen suchten», verlieren ihre Stühle. Auch der wendige Akazius, der eben noch 360 mit dem Beifall des Kaisers
Konstantius zu den Arianern überging, sprang sofort wieder ab,
als Kaiser Jovian die nicaenische Lehre zu bevorzugen begann.[76]

Inzwischen hatte der Kampf um die Kirchen weiter getobt. Es
kam zu wilden Szenen, Polizei- und Truppenaufgeboten. Dut-
zende von Bischöfen wurden verbannt oder flohen. Vielerorts
regierten zwei gleichzeitig, in Antiochien zeitweise drei (S. 379 ff).

Der Sieg der Antinicaener aber schien sicher, als Konstantius
356 seine gefährlichsten klerikalen Widersacher ausgeschaltet
hatte, Athanasius und Hilarius – zumindest letzterer von Setton
nicht zu Unrecht beherzter genannt «behind the emperor's back
than in his presence». Verunglimpfte er ihn doch nur aus sicherer
Entfernung als arianischen «Ketzer», leibhaftige Verkörperung
des Antichristen, «teuflischen Charakter», «reißenden Wolf»;
während er im Exil, dem Kaiser näher und in Erwartung einer
Audienz, ihn «piissime imperator» apostrophieren konnte, «op-
time ac religiosissime imperator», heilsbegieriger Christ – obwohl sein Glaube genau der gleiche war![77]

In Alexandrien ergriff seinerzeit Georg von Kappadokien, ein
arianischer Ultra, das Regiment, einer jener jetzt immer häufiger
auftauchenden Jünger des Herrn, die mit ihrem geistlichen Amt
einen stupenden Finanzsinn verbinden.

Patriarch Georg errang ein Bestattungs-Monopol, soll sich
aber auch in den Besitz des Natriumkarbonat-Monopols gebracht und versucht haben, die Papyrus-Sümpfe aufzukaufen
samt den ägyptischen Salzseen. Zu seinen religiösen Lieblings-
projekten gehörten ferner Erbschaften – durch alle Jahrhunderte
ein Spezialgebiet christlicher Seelenretter. Bischof Georg brachte
freilich nicht nur die Erben um das, was ihnen die Verwandten
hinterlassen hatten, sondern erklärte selbst dem Kaiser, alle Gebäude Alexandriens seien öffentlicher Besitz. Kurz, der ägyptische Primas zog «aus dem Ruin vieler Leute Nutzen» und folglich,

schreibt Ammian, «haßten alle Menschen ohne Unterschied Georg glühend»[78].

Obwohl schon 356 für Alexandrien ordiniert, kommt er dort erst Ende Februar 357 zum Zug, grausamer wütend wieder «als ein Wolf oder Bär oder Panther» (Theodoret). Katholische Witwen läßt er auf die Fußsohlen und Jungfrauen in der City, angeblich splitternackt, vor einem lodernden Scheiterhaufen mit Palmruten peitschen oder bei schwachem Feuer rösten; 40 Männer auch «auf eine ganz neue Art und Weise prügeln» (Athanasius); mehrere segnen das Zeitliche. Athanasius meldet Raubzüge und Überfälle, Abführung gefesselter Oberhirten, Einkerkerungen, Exilierung von über 30 Bischöfen «mit solcher Rücksichtslosigkeit, daß einige von ihnen auf dem Wege, andere in der Verbannung selbst den Tod erlitten». Im Herbst 358 geht Athanasius zur Gewalt über. Patriarch Georg entkommt einem Mordversuch in der Kirche und muß fliehen. Am 26. November 361 kehrt er zu seinem Unheil (und höherem Heil jedoch) zurück, ohne Ahnung vom Ableben seines Beschützers Konstantius. Er wird rasch eingesperrt, am 24. Dezember aber, von Katholiken und Heiden gemeinsam, herausgeholt und, zusammen mit zwei unbeliebten kaiserlichen Beamten, unter dauernden Hieben durch die Straßen zu Tod gezerrt. Hatte Bischof Georg doch erst kürzlich den Strategen Artemius, Militärgouverneur von Ägypten, gerufen und mit seiner Hilfe auch die Heiden gejagt, den Tempel des Mithras gestürmt, Statuen gestürzt, pagane Heiligtümer geplündert, natürlich zum Vorteil christlicher Kirchen, die man bauen wollte. (Den Tempelstürmer Artemius ließ Julian 362 köpfen, worauf er als arianischer Märtyrer verehrt worden ist.) Bischof Georgs Leiche führen Katholiken und «Götzendiener» auf einem Kamel herum. Stundenlang kühlen sie ihr Mütchen an dem Toten. Dann verbrennen sie ihn und streuen seine Asche, mit der von Tieren vermischt, ins Meer. Und während so der wilde arianische Wolf, ausgerechnet an Weihnachten, noch Blutzeuge wird, kehrt Athanasius abermals heim und entschläft endlich – nachdem ihn der Heide Julian 362 wieder ausgewiesen, Katholik Jovian 363 erneut zurückgerufen und Arianer Valens noch einmal, zum letztenmal, 365/66 verbannt hatte – am 2. Mai 373 hochbetagt und hochgeehrt im Herrn.[79]

Seinen Thron hatte Athanasius offenbar einem gewissen Petros II. zugedacht, die Rechnung jedoch ohne die Arianer gemacht. Sie steckten sich hinter Valens und ließen Lukios zum Bischof weihen. Der «bewundernswürdige Petros», überrascht durch den «unerwarteten Krieg», fliegt ins Gefängnis, entkommt aber und eilt 375 nach Rom. In Alexandrien werden die Katholiken inzwischen durch Bischof Lukios, der sich «seine Leibwächter unter den Götzendienern» gesucht und, wie so viele wieder, «die schlimme Tätigkeit eines Wolfes» nachgeahmt haben soll, in bewährter Weise eingesperrt, verjagt, manche ihrer Häuser zerstört, auch erneut «gegen Christo geweihte Jungfrauen unaussprechliche Schandtaten» verübt. Sie werden in der Kirche ergriffen, entkleidet und nackt «wie die Natur sie geschaffen» durch die Stadt getrieben. Viele, denen «die Tugendübung das Gepräge von heiligen Engeln aufgedrückt», hat man vergewaltigt, viele «mit Keulen auf den Kopf geschlagen, bis sie entseelt liegen blieben». Aufsässige Mönche sind entfernt, widersetzliche Prälaten exiliert, ihre Schäfchen mißhandelt worden. «Wer für den wahren Glauben gekämpft, wurde nicht einmal den Mördern gleichgestellt, da ihre Leichen unbestattet blieben; wer tapfer gefochten, dient wilden Tieren und Vögeln zum Fraß . . .» (Theodoret). Nach dem Toleranzedikt des Valens aber vom 2. November 377 reist Petros zurück, und Lukios wird aus der Hauptkirche vertrieben.[80]

Doch hat die Catholica, seit Athanasius, ihr «starker Mann» im Osten, tot ist, bereits einen neuen, nicht minder «starken Mann» im Westen. Und er prägt nicht nur ihre Geschichte mit, sondern, mehr als Athanasius, auch die «große» Politik.

9. KAPITEL

KIRCHENLEHRER AMBROSIUS
(UM 333 ODER 339–397)

«... eine überragende Persönlichkeit, in der sich die Tugend
des Römers mit dem Geiste Christi zu vollendeter Einheit
verband: jeder Zoll ein Mann, ein Bischof, ein Heiliger; neben
Theodosius d. Gr. die bedeutendste Erscheinung seiner Zeit, der
Berater dreier Kaiser, die Seele ihrer Religionspolitik und die
Stütze ihres Thrones; ein gewaltiger Vorkämpfer der Kirche.»
Der katholische Theologe Johannes Niederhuber[1]

«Ambrosius, der Freund und Berater dreier Kaiser, war der
erste Bischof, den die Fürsten anriefen, ihren wankenden Thron
zu stützen ... Eine unmittelbare große Wirkung ging von seiner
überragenden Persönlichkeit aus, die von reinster Gesinnung
und vollkommenster Selbstlosigkeit getragen war ... neben
Theodosius I. die glänzendste Erscheinung seiner Zeit.»
Der katholische Theologe Berthold Altaner[2]

«Ambrosius ist ein Bischof, welcher in der Bedeutung und
Reichweite seiner Wirksamkeit alles vor ihm in den Schatten
stellt ... er übertrifft nicht nur alle Päpste der Frühzeit ...
sondern auch alle uns sonst bekannten abendländischen
Kirchenführer.» Der protestantische Theologe Kurt Aland[3]

«Alle Menschen, die unter römischer Gewalt (ditione Romana)
stehen, dienen euch, ihr Herrscher und Imperatoren der Welt.
Ihr selbst aber streitet für den Allherrscher und den
heiligen Glauben.» Ambrosius[4]

Ambrosianische Politik –
Vorbild für die Kirche bis heute

Wie Athanasius war Ambrosius (im Amt 374–397) – nach Augustins Zeugnis der «best- und weltbekannte Bischof von Mailand» – weniger Theologe als Kirchenpolitiker: ähnlich unnachgiebig und intolerant, doch nicht so direkt; versierter, geschmeidiger; herrschkundig gleichsam von Geburt. Und seine Taktik wird, weit mehr als die des Athanasius, exemplarisch für Prälatenpolitik bis heute.[5]

Die Spitzel des Heiligen sitzen in den höchsten Reichsbehörden. Gewandt wirkt er aus dem Hintergrund, läßt lieber «die Gemeinde» handeln, die er so virtuos fanatisiert, daß gegen sie selbst Truppenaufgebote scheitern. Geschickter als Athanasius schützt er Gott, das Religiöse vor, den «Glauben Christi», obwohl es ihm kein Jota weniger um Einfluß geht, um Macht. Doch operiert er unter anderen Bedingungen; unter gutgläubigen katholischen Kaisern, erklärten Nicaenern. Und je mehr er sie bestimmt, desto weniger gibt er es zu; betont vielmehr gerade dann, nicht in staatliche Geschäfte einzugreifen, versteht er sich doch, typisch fast für den pastor politicus bis in die Gegenwart, vornehmlich als Theologe, als Seelsorger. Bei äußerster Entschlossenheit tritt er demütig auf bis zum letzten, erweckt er Mitgefühl, Rührung, demonstriert Blutzeugen-Posen und deutet das Apostelwort: «Wenn ich schwach bin, bin ich stark»: «Habemus tyrannidem nostram: Die Tyrannei des Priesters ist seine Schwäche.» In schweren Krisen streut er großzügig Gold unters Volk und zaubert aus den Erdentiefen wunderkräftiges Märtyrerge-

bein. Vier Herrscher im Westen stürzen zu seiner Zeit; er überlebt. «Wir sind der Welt abgestorben: was kümmern wir uns noch
um sie?» (Ambrosius).[6]

Als Sohn des Präfekten von Gallien um 333 oder 339 in Trier
geboren, wuchs der früh Vaterlose mit zwei Geschwistern unter
Roms Aristokraten auf. Rhetorisch und juristisch ausgebildet,
wurde er um 370 Statthalter (consularis Liguriae et Aemiliae) mit
dem Amtssitz Mailand. Dort hatte 355 der Arianer Maxentius
den verbannten Ortsbischof Dionysius abgelöst und die Mailänder mit seiner «geistigen Krankheit» angesteckt (Theodoret).
Nach Maxentius' Tod 374 rief bei der turbulenten Bischofswahl
plötzlich dreimal eine Kinderstimme: «Ambrosius Bischof!»
Worauf angeblich alles einmütig respondierte: «Ambrosius Bischof!» Doch bescheiden, wie er war, lehnte der noch nicht
einmal Getaufte das hohe Amt, viel bedeutender als sein bisheri-
ges, selbstredend ab. Heftiger noch, als es ohnedies zum guten
Ton gehörte, sträubte er sich, in der (nach Rom) zweiten Stadt des
Abendlandes Oberhirte zu werden. Sogar Dirnen soll er zur
Ruinierung seines Rufes sich ins Haus geschleust haben. Auch
entfloh er, heißt es, nachts in Richtung Pavia. Doch verirrte er
sich, ein wahrlich folgenschweres Fehlverhalten, und stand bei
Tagesanbruch wieder da, wo er nun eben, wahrscheinlich am 7.
Dezember 374, zum Bischof geweiht worden ist – bloß acht Tage
nach seiner Taufe und ohne die Kenntnisse auch nur eines gebildeten Laien vom Christentum![7]

Andererseits freilich gingen im Elternhaus des Ambrosius Bischöfe aus und ein, zählte er eine Märtyrerin oder gar mehrere
Blutzeugen zu seinen blaublütigen Ahnen. Auch hatte seine einzige Schwester Marcellina bereits in jungen Jahren ewige Jung-
fräulichkeit gelobt, wobei Papst Liberius, der Unterzeichner des
arianischen Credo (S. 391 ff), an Weihnachten 353 die Festpredigt
hielt. Und den Bruder Satyrus, ihm zum Verwechseln ähnlich,
machte Ambrosius gleich zu seinem intimsten Mitarbeiter, zum
Verwalter der kirchlichen Güter. Er selbst aber wurde der Haupt-
niederringer des abendländischen Arianismus, der erste auch, der
im Westen den Gedanken vom katholischen Staat verfocht, ein

Bischof, der nicht nur die Kirche, sondern, als geistlicher Chef-souffleur dreier Kaiser, den Staat beherrschte, ein maßgeblicher Politiker somit, nach Erich Caspar: «Die führende Gestalt dieses Zeitalters.»[8]

Mailand (Mediolanum), eine gallische Gründung, ein bedeutender Verkehrsknotenpunkt, besonders mit wichtigen Straßen zu den Alpenpässen, war im 4. Jahrhundert Hauptstadt Italiens, ja, wurde mehr und mehr kaiserliche Residenz. Valentinian II. weilte hier nahezu ständig, Gratian des öfteren, Theodosius I. von 388 bis 391 sowie nach seinem Sieg über Eugenius (394). Bischof Ambrosius sah die Herren zeitweise fast täglich. Und da Valentinian II. bei seiner Ausrufung zum Augustus (375) kaum fünf, sein Vormund und Stiefbruder Gratian erst sechzehn Jahre alt, der Spanier Theodosius zumindest ein sehr beherzter Katholik war, bekam der hochadelige Jesusjünger die Majestäten gut in den Griff. Und er billigte deren antihäretische und antiheidnische Religionspolitik nicht nur, sondern drängte dazu, auch gegen die Juden, sogar unter Androhung der Exkommunikation. Es kam vor, daß die kaiserliche Kanzlei den Text eines Anti-«Ketzer»-Gesetzes (vom 3. August 379) eng, teils sinngemäß, teils wörtlich, nach einem römischen Synodalschreiben (des Jahres 378) formulierte – «ohne Zweifel ein Einfluß der persönlichen Einwirkung des hl. Ambrosius auf den Kaiser» (Rauschen). Geht die verschärfte staatliche «Ketzer»-Bekämpfung doch eindeutig auf den Bischof zurück, wobei er weder Diskriminierung noch Verfälschung scheute noch Aufputschung des Volks, der Truppen, der kaiserlichen Offiziere. Denn das Unrecht der andern bestand in ihrer Religion. Und selbst da, wo Katholiken nur allzu offenkundig Unrecht taten (indem sie, aus Glaubensgründen, verfolgten, verbrannten, zerstörten), war es für Ambrosius «Recht».[9]

Diesen Rechtsbegriff pflanzte «der väterliche Freund und Berater des Kaisers», «die festeste Stütze des Thrones» (Niederhuber), den hohen Herren ein.[10]

Valentinian I. (S. 342 ff) war einige Jahre nach Ambrosius' Amtsantritt gestorben. Der erst sechzehnjährige Sohn Gratian (375–383) folgte ihm in der Herrschaft.

Der Kaiser, blond, hübsch, betont sportlich, hatte an Politik kein Interesse, «hatte nie gelernt, was es heißt zu herrschen und beherrscht zu werden» (Eunapius). Er war passionierter Läufer, Speerwerfer, Ringer, Reiter, killte jedoch am liebsten Tiere. Tag für Tag soll er, ohne Rücksicht auf Staatsgeschäfte, ungezählte mit fast «übernatürlichem» Geschick getötet haben, selbst Löwen mit einem einzigen Pfeil. Tag für Tag freilich betete er auch, war er «fromm und rein im Herzen», wie zumindest Ambrosius behauptet, so daß man schon bald recht anzüglich stichelte: «Seine Tugenden wären vollkommen gewesen, hätte er auch die Kunst der Politik gelernt» (Epit. de Caes.).[11]

Diese Kunst aber trieb Ambrosius für ihn. Er lenkte den jungen Machthaber – wohl seit 378 – nicht nur persönlich, sondern beeinflußte auch seine Regierungsmaßnahmen. Gerade damals hatte der Herrscher durch ein Edikt allen Glaubensrichtungen im Reich, wenige extreme Sekten ausgenommen, Toleranz verkündet. Doch flink fabrizierte Ambrosius, der vor vier Jahren noch Ungetaufte, eine Aufklärungsschrift: ‹Über den Glauben fünf Bücher an Kaiser Gratian›, der schnell kapierte. «Beeile dich, frommer Bischof, zu mir zu kommen», rief er vom Trierer Hof aus, ersehnte er doch «die göttlichen Offenbarungen tiefer ins Herz». Nach der Belehrung über die Divinität Christi wünschte er nähere Information auch über die dritte göttliche Person. ‹Drei Bücher über den Heiligen Geist an Kaiser Gratian› folgten 381. Ambrosius aber wollte auf das allerhöchste Handschreiben hin nichts dringender als den Worten des Kaisers lauschen. Denn nicht der Bischof habe den Kaiser, sondern der Kaiser den Bischof belehrt. Nie habe er etwas derartig Vollkommenes gelesen! Und kaum war Gratian selber Ende Juli 379 nach Mailand gekommen – im gleichen Monat hatte er, am 5. Juli, gesetzlich die Handel treibenden Kleriker durch Erlaß des vectigal (auch lustralis auri collatio genannt) begünstigt –, annullierte er, bisher religionspolitisch, wie Valentinian I., neutral, nach einer Unterredung mit Ambrosius, schon am 3. August das erst im Vorjahr erlassene Toleranzedikt. Bloß das, entschied er nun, dürfe als «katholisch» fortdauern, was sein Vater und er in vielen Verordnungen als ewig während befohlen haben, doch «alle Häresien» sollten «in Ewigkeit verstummen». Er verbot jeden Gottesdienst sonstiger Bekenntnisse. Jahr für Jahr, ausgenommen 380, erließ er antihäretische Verfügungen, verhängte Konfiskation von Versammlungsplätzen, Häusern und Kirchen, Verbannung sowie, ein noch ziemlich neues Mittel religiöser Unterdrückung, Entzug des Testierrechts. Er legte auch als erster von allen christlichen Kaisern den Titel Pontifex Maximus ab (den die römischen Herrscher seit Augustus getragen) oder besser: verweigerte die Annahme, wenn auch das Jahr noch immer umstritten ist. Der Militär Sapor erhielt Befehl, «die Prediger der arianischen Gotteslästerung wie wilde Tiere aus den gottesdienstlichen Gebäuden zu vertreiben und diese den so edlen Hirten und den Herden Gottes zurückzugeben» (Theodoret). Auch die unter seinen Vorgängern übliche Duldung des Heidentums – sein Vater ließ noch zerfallende Tempel auf Regierungskosten restaurieren – hörte bald auf. 381 übersiedelte Gratian nach Oberitalien. 382 attackierte er die heidnischen Kulte Roms, sehr wahrscheinlich von Ambrosius beraten; zusätzlich mag die Sanierung der Staatskasse eine Rolle gespielt haben. Auch ließ er die Markioniten jagen und, wie freilich schon der Vater (S. 349), die Manichäer und Donatisten, deren Gemeinde man in Rom, angestachelt durch Papst Siricius (383–399), mit staatlicher Hilfe kurzerhand auflöste.[12]

Den noch viel jüngeren Valentinian II. (375–392) beeinflußte der Heilige am stärksten. Routiniert spielte er ihn gegen den überwiegend heidnischen Senat Roms und wider den gesamten Kronrat aus. Und der letzte Abendländer auf dem östlichen Thron, der selbständigere Theodosius (379–395), erließ fast in jedem Jahr seiner Regierung Gesetze gegen Heiden oder «Ketzer»; war aber, sogar nach Pater Stratmann, noch toleranter als sein Hofbischof, der ihn zum scharfen Vorgehen nach allen Seiten trieb, gegen Heiden, «Ketzer», Juden und äußere Reichsfeinde. Denn –: «Nicht mehr unser altes Leben ist es, das wir ferner noch leben, sondern das Leben Christi, das Leben lauterster Unschuld, das Leben himmlischer Einfalt, das Leben aller Tugenden» (Ambrosius).[13]

Wie Bischof Ambrosius das Leben Christi lebte, das Leben lauterster Unschuld, himmlischer Einfalt und aller Tugenden, zeigt sich in vieler Hinsicht. Zum Beispiel in seinem Verhalten gegenüber den Goten. Mit ihnen haben wir es noch oft zu tun, spielen sie doch in der Geschichte Europas, besonders vom 5. bis 8. Jahrhundert, eine bedeutende Rolle. Die Quellenlage ist hier günstiger als bei jedem andren Ostgermanenstamm, und der Beitrag der Historiographie reicher, wenn auch, wie üblich, nicht wenig kontrovers.[14]

Der hl. Ambrosius treibt zur Vernichtung der Goten – und erlebt «den Untergang der Welt . . .»

Die Goten – in ihrer Sprache Gutans oder Gutôs genannt – waren das Hauptvolk der Ostgermanen. Wohl von Schweden, von Gotland oder Öster- und Västergotland gekommen, saßen sie zur «Zeitenwende» an der unteren Weichsel, um 150 am Schwarzen Meer. Sie spalteten sich, etwa um die Mitte des 3. Jahrhunderts, in Ost- und Westgoten (Ostrogoten, vom germ. austra = glänzend, und Wisi- oder Wesegoten, vom germ. wisi = gut), fühlten sich jedoch seit je als ein einziges Volk und hießen auch meist nur Goten. Die Ostgoten hausten damals zwischen Don und Dnjestr (in der heutigen Ukraine), die Westgoten zwischen Dnjestr und Donau, von wo sie in den Balkan drangen, nach Kleinasien – meist nennt man hier das Jahr 264. Dakien und Mösien (etwa das heutige Rumänien, Bulgarien, Serbien) standen dauernd unter ihrem Druck. 269 schlug sie Kaiser Claudius II., häufig bekriegte sie Konstantin (S. 247 f), und 375 wurden beide Völker (ausgenommen die abgelegenen – katholischen – Krimgoten, die sich bis ins 16. Jahrhundert erhielten) von den westwärts stürmenden Hunnen überrannt. Unwiderstehlich wirbelte dieser innerasiatische, selber schon wiederholt von den Chinesen geschlagene und vertriebene, nur zu Pferd lebende Nomadenstamm – «zweibeinige Tiere», schreibt Ammian – vom Nordrand des Kaspischen Meeres über die südrussischen Ebenen und eroberte ein riesiges Reich. (Um 360 hatten sie den Don überquert, um 430 Ungarn erreicht. Doch 451 schlug sie, im Bund mit den Westgoten, der Reichsfeldherr Aetius – der einst bei den Hunnen Schutz und Hilfe gesucht wie gefunden – in Gallien in der Schlacht auf den Katalaunischen Feldern. Schon wenige Jahre später starb ihr König Attila, und schneller noch als sie gekommen stoben sie mit ihrer Hauptmasse nach Asien zurück, in die pontischen Steppen, den nördlichen Kaukasus, zum Asowschen Meer. Sie lösten sich in mehrere Stämme auf und wurden unter dem neuen Namen der Bulgaren wieder bekannt.[15])

Die Goten auf dem Balkan, an der unteren Donau, der Schwarzmeerküste, waren früh «bekehrt» worden, als erste Germanen überhaupt. Dies begann im 3. Jahrhundert durch Kontakte mit den Römern, mit Gefangenen. Im 4. Jahrhundert nehmen die Christen bei den Westgoten stark zu. 325 besteht schon ein Bistum Gothia unter dem orthodoxen Bischof Theophilus, einem Teilnehmer des Konzils von Nicaea (S. 362 ff). 348 kommt es zu einer Christenverfolgung, 369 zu einer zweiten, die drei Jahre dauert. Doch bald darauf ist die Mehrzahl der Westgoten christlich. Die Ostgoten dagegen waren, wenn wir Augustin glauben können, 405 bei ihrem Aufbruch unter Radageis nach Italien noch Heiden, sind aber, als sie 488 mit Theoderich Italien heimsuchen, gleichfalls Christen.[16]

Die Verfolgung 348 durch einen «religionslosen und gottesschänderischen Richter der Goten», einen Heiden also, führte zur Vertreibung Wulfilas, des um 341 durch Euseb von Nikomedien zum «Bischof der Christen im Gotenland» geweihten Schöpfers der gotischen Bibel. Mit ihm floh eine Gruppe Gleichgesinnter, die später so genannten Kleingoten. Kaiser Konstantius II. siedelte sie südlich der Donau, in der Provinz Moesia inferior, in den Mösischen Bergen an, wo ihre Nachkommen noch nach zwei Jahrhunderten lebten.[17]

Die zweite Christenverfolgung unter den Westgoten (369–372) erfolgte durch ihren Fürsten Athanarich. Daß er schon antike

Autoren faszinierte, ist begreiflich bei einem Mann, der beispielsweise Kaiser Valens die Anrede als Basileus verweigerte mit der
Begründung, er bevorzuge die Bezeichnung Richter, da ein solcher Weisheit verkörpere, ein König aber nur Macht. Zu der
zweiten Verfolgung führten keinesfalls bloß Glaubensfragen. Sie
war vor allem eine antirömische Reaktion und hing zusammen
mit dem gotisch-römischen Krieg zwischen 367 und 369, offensichtlich aber auch mit einem Machtkampf zwischen den Fürsten
Athanarich und Fritigern, dem Vertreter einer rom- und christen-
freundlichen Politik.[18]

Nach gründlicher Vorbereitung überquerte Valens 367 die Donau und setzte einen Kampf gegen die Goten fort, den schon
Konstantin gekämpft und 332 durch einen formellen Friedensschluß mit den Westgoten beendet hatte (S. 248). Valens, ohne das
kriegerische Format des «großen Kaisers», verwüstete das Land,
machte Kopfjagd auf versprengte Feinde, bekam indes nie ihre
Hauptmasse zu fassen, da Athanarich immer wieder geschickt in
die Karpaten entwich. Als er sich 369 doch mit einem Teil seiner
Leute stellte, wurde er zwar geschlagen, offenbar aber so wenig
entscheidend, daß Valens seine Weigerung, römischen Boden zu
betreten, akzeptieren und im September einen ganzen Tag auf
einem im Fluß verankerten Boot mit ihm verhandeln mußte.
Anschließend hatte der Gotenfürst freie Hand zur Zähmung
seiner eignen Stammesgegner, was zu der dreijährigen Verfolgung
führte.[19]

Athanarichs Herrschaft wurde erst erschüttert, als die Hunnen
Ost- wie Westgoten überrannten, wobei Athanarich und Fritigern, ungeachtet ihrer Feindschaft, Seite an Seite die übermäch-
tigen Invasoren bekriegten und Ostgotenkönig Ermanarich sich
aus Verzweiflung selbst getötet haben soll. Ein Teil seines Volks
wurde unterjocht, der andere floh über den Dnjestr zu den Westgoten. Doch auch deren Verteidigung zerriß im hunnischen Orkan. Mit Athanarich entwichen sie wieder in die unwegsamen
Karpaten. (1857 fanden dort Straßenarbeiter, nahe einer verfalle-
nen Festung bei Pietrosa, den westgotischen «Kronschatz»; Ru-
neninschrift eines Halsrings: Gutani othal ik im hailag, Hort der

Goten, ich bin unverletzlich.) Noch einmal geschlagen, flüchteten etwa 40 000 bis 70 000 Westgoten südwärts und baten 376 Kaiser Valens um Aufnahme ins Römische Reich.[20]

Während Athanarich zwar auch die Gutthiuda, das Land des Gotenvolks, verließ, doch nicht die Donau überschritt, sondern mit einem gleichgesinnten kleineren Stammesverband die Sarmaten aus ihrer Heimat, dem Caucaland, gejagt und im Gebiet des späteren Siebenbürgen gesiedelt hat, erlaubte Valens der Masse der Goten unter Fritigern die Einwanderung als foederati, als «Bundesgenossen», das heißt zur Heeresfolge verpflichtete Siedler – ein altes Mittel, um Bauern und vor allem Soldaten zu bekommen. Im Herbst 376, ein Ereignis von großer historischer Tragweite, überschritten sie, vielleicht bei Durostorum (Silistria), den Strom: eine lange Reihe von Wagen, oft noch die alten heidnischen Heiligtümer darauf, oft aber auch ein Bischof dazwischen, ein christlicher Priester. Und Fritigern, mit vielen der Seinen 369 Arianer geworden, hatte Valens die «Bekehrung» seines noch heidnischen Volksteils versprochen, was der fanatische «Ketzer» nicht ungern gehört haben, bei den Goten aber mehr Opportunismus gewesen sein mag: Not und Hunnen auf der einen Seite, das lockende Römische Reich auf der andern. Seine ausbeuterischen Offiziere und Beamten jedoch, Lebensmittelwucher und Hunger, der nicht wenige Goten, selbst Häuptlinge, die eignen Frauen und Kinder im Tauschhandel (sogar gegen Hundefleisch) versklaven ließ – ein freilich an der Donau fast übliches Geschäft –, das Nachdrängen auch stets neuer «Barbaren», Ostgoten, Taifalen, Alanen, Hunnen, über die offene Grenze, all dies trieb die Ankömmlinge, die ganz Thrakien überschwemmten, bald zum Aufstand und Marsch auf Konstantinopel, wobei sie Hunnenscharen und Alanen, ja, einheimische Sklaven, Bauern und Bergarbeiter verstärkten.[21]

Die Goten sahen in ihrem um 311 von gotisch-kappadokischen Eltern geborenen Oberhirten Ulfila einen «hochheiligen Mann». Noch auf dem Sterbebett schrieb er: «Ich Ulfila, Bischof und Bekenner», ein Ehrentitel, der mit der Verfolgung der gotischen Christen, wahrscheinlich 348, zusammenhängt. Aber wie er –

ein enger Kollaborateur Fritigerns, doch Christ, der, gleich der vorkonstantinischen Kirche, «mit vollem Bewußtsein eine kriegsabgewandte Haltung bei seinen Anhängern gepflegt» (K.-D. Schmidt) – nur im Arianismus die «una sancta» sah, in allen anderen Christen Antichristen, in ihren Kirchen samt und sonders «Synagogen des Teufels» und speziell im Katholizismus eine «Irrlehre böser Geister», so empfand, auf der andern Seite, eben Bischof Ambrosius gegenüber den gotischen Arianern, die keine Erlösung durch das Kreuz, sondern allein, was immer sie darunter verstehen mochten, die Nachfolge Jesu kannten: «das hervorstechendste Merkmal des gotischen Arianismus» (Giesecke).[22]

Zwar, wenn Ambrosius das Evangelium kommentierte, da konnte er rühmend das Wort des Paulus, eines noch größeren Hassers, zitieren: «Die Liebe ist geduldig, ist gütig, eifert nicht, bläht sich nicht auf.» Da konnte er schwärmen: «Was aber wäre so wunderbar, als ‹dem, der dich schlägt, auch die andere Wange darzureichen›?» Doch tatsächlich hielt Ambrosius weder die eine noch andre Wange hin, animierte er dazu auch durch die besonders christliche (und schon paulinische) Überlegung: «Erreicht man nicht durch Geduld, daß man dem Schlagenden in Form des eigenen Reueschmerzes die Schläge doppelt [!] zurückgibt?»[23]

Es ist bezeichnend für unsren Heiligen, daß er oft von Nächstenliebe spricht, sie in einer eigenen Monographie, seiner «Pflichtenlehre», sogar geschlossen behandelt, die Feindesliebe aber etwas ausführlicher anscheinend nur ein einziges Mal! Sie war für ihn – wie bald für Augustinus (S. 514 ff) und die ganze Kirche – nicht brauchbar; war für ihn nur Zeichen der höheren Vollkommenheit des Neuen Testaments gegenüber dem Alten – das sie freilich auch schon hatte! Doch ergibt sich daraus für Ambrosius nirgendwo eine bindende Forderung. Vielmehr lehnt er «auffälligerweise an keiner einzigen Stelle den Krieg unmißverständlich als unerlaubt ab» (K.-P. Schneider). Im Gegenteil! Immer wieder tritt «indirekt» der Gedanke eines «gerechten Krieges» bei ihm hervor.[24]

Und nicht nur indirekt. Denn während etwa im Osten der mehreren Kaisern nahestehende Philosoph und Prinzenerzieher

Themistios, der nie zum Christentum übertrat, sowohl zwischen kirchenpolitischen Parteien wie zwischen Heiden und Christen zu vermitteln suchte, während er kraftvoll auch die Politik eines friedlichen Ausgleichs mit den Goten unterstützte und Valens beschwor, daß er für die gesamte Menschheit verantwortlich sei, also auch für die «Barbaren», die er wie seltene Tiere hegen und erhalten müsse, trieb der hl. Ambrosius genau zum Gegenteil! Jagte er alsbald seinen neunzehnjährigen Schützling Gratian im Namen des Herrn Jesus gegen die Goten, die Heiden, die «Ketzer», «Barbaren».[25]

Der Bischof ließ es nicht an Pathos fehlen. «Es gibt keine Sicherheit, wo der Glaube angetastet ist», eifert er auf den Kaiser ein. «Erhebe dich darum, o Herr, und entfalte dein Banner! Dieses Mal sind es nicht die militärischen Adler, die die Streitmacht führen, und ist es nicht der Flug der Vögel, der sie leitet; es ist dein Name, Herr Jesus, den sie anrufen, und dein Kreuz, das vor ihnen herzieht . . . Du hast es stets gegen den barbarischen Feind verteidigt; räche es nun!» Rächen sollte man sich ja gerade nach dem Herrn Jesus nicht! Doch Ambrosius verwies jetzt – wie der Klerus in allen Kriegen bis heute – aufs Alte Testament (vgl. 1. Kap.), wo Abraham mit geringer Mannschaft viele Feinde vernichtet, wo Josua über Jericho triumphiert. Die Goten sind nun für den Heiligen das Volk Gog («Gog iste Gothus est»), dessen Vertilgung der Prophet verheißen, de quo promittitur nobis futura victoria; ein Volk, das Jahwe, in seiner markigen Art, Raubvögeln und sonstigem Vieh «zum Fraß geben» will und nicht zuletzt den Seinen: «Und ihr sollt Fett fressen, bis ihr satt werdet, und Blut saufen, bis ihr trunken seid von dem Schlachtopfer, das ich euch schlachte.» Zum Sieg über die Goten bedarf es, nach Ambrosius, der «germanisch» und «arianisch», «römisch» und «katholisch» schon fast für gleichwertig hält, nur eines: des wahren Glaubens! Obwohl ja das Imperium noch immer eher heidnisch war und der Kaiser des Ostens, Valens, Arianer! Doch der Bischof ignoriert dies. Gottesglaube und Reichstreue könnten nicht getrennt werden. «Wo man Gott die Treue bricht, da bricht man sie auch dem römischen Staat.» Wo «Ketzer» seien, da folgten die «Barbaren» nach.[26]

Gewiß kam zum militärischen Aspekt ein kirchenpolitischer. Tobte doch im besetzten Illyrien, also nahe bei Oberitalien und Mailand, neben dem Krieg mit dem äußeren Gegner der mit dem inneren, die Auseinandersetzung mit den Arianern. Secundianus residierte in Singidunum als Bischof, Palladius in Ratiaria, Iulianus Valens in Poetovio, Auxentius in Durostorum; aber auch Wulfila, besonders in den östlichen Donauprovinzen tätig, lebte noch. Und nicht zuletzt gegen diese einflußreichen Christen will Ambrosius den Kaiser aufstacheln, zumal illyrische Arianer auch in Mailand und anderen Städten Oberitaliens agitierten und überhaupt durch den Zustrom der Goten die «Ketzerei» neuen Auftrieb erhielte. So versäumte der Katholik nicht, die religiöse Situation, das Wirken der Arianer, als eine Gefahr für das Reich, für die militärische Sicherheit zu beschwören, böten «häretische» Untertanen ja viel geringeren Schutz vor den Goten, ihren Glaubensgenossen, als die Rechtgläubigen.[27]

Doch der militärische Aspekt war jetzt für Ambrosius offenbar wichtiger als der religiöse, den er betont. Denn der Gote stand seinem Sprengel nicht sehr fern mehr, und in der römischen Christenheit machte man damals, nach alter Tradition, zwischen Römern und «Barbaren» denselben Unterschied wie zwischen Mensch und Tier. Die Gefahr ging vom Landesfeind aus. So kommt dem religiösen Eifer des Bischofs jetzt sein vaterländischer zuvor – als hätten wir das nicht ungezählte Male noch im Ersten und Zweiten Weltkrieg erlebt! Und wie da die deutschen Feldpfaffen die Franzosen Sittenstrolche sondersgleichen schimpften, vom «Babylon des Westens» sprachen, «Giftgarten des Seinebabels, des modernen Sodom und Gomorrha», so stellte schon Ambrosius die Lasterhaftigkeit der «Barbaren» besonders heraus, sind ihre Schändlichkeiten «schlimmer als der Tod». Der Feind ist für ihn, den unbestrittenen Patrioten, auch sonst der «Fremde»; der «Ausländer» (alienigena) fast gleichbedeutend mit ungläubig. Die Goten und ihresgleichen (Gothi et diversarum nationum viri) nennt er «Leute, die früher auf Karren hausten», Wesen, weit furchtbarer als Heiden (gentes). Somit bekämpft er jetzt nicht die ungläubigen Römer; vielmehr unterschlägt er das

Heer der Heiden auf der eignen Seite und hetzt gegen die «Barbaren», schiebt er, um den Kaiser einzunehmen, religiöse Gründe vor, während er die Vormacht der «römischen Kultur» erstrebt, die ihm selber Schutz verbürgt. Und ein sehr angesehenes Leben.[28]

Immer wieder treibt so der hl. Bischof gegen die Goten, beschwört er die Welt, darin nicht nachzulassen, sind dabei für ihn «nicht nur fast alle Mittel erlaubt, sondern nahezu gefordert» – die Haltung aller Pfaffen im Krieg, auch noch und gerade im 20. Jahrhundert –, «ja der Heermeister wird für seine Schläue gelobt, daß er Barbaren gegen Barbaren kämpfen lasse und so die römischen Waffen schone, und dieser Heermeister ist selbst Nichtchrist. Enthüllender konnte Ambrosius kaum zeigen, daß seine Abneigung gegenüber den Barbaren nur vordergründig von religiösen Beweggründen getragen wird» (K.-P. Schneider). Nicht einmal im Traum wäre ihm der Gedanke des Basilius gekommen, Bischof, Heiliger und Kirchenlehrer wie er: «Wir sind so weit davon entfernt, die Barbaren mit der Kraft des Geistes und der Wirksamkeit seiner Gaben bezähmen zu können, daß wir vielmehr die Gezähmten durch das Übermaß unserer Sünden wieder wild machen».[29]

Ambrosius hatte dem «heiligen Kaiser» seine seelsorgerischen Bemühungen ‹De fide›, während des Gotenkonflikts entstanden, auf den illyrischen Kriegsschauplatz geschickt, wußte er doch, ein Sieg werde «mehr durch den Glauben des Kaisers als durch die Tapferkeit der Soldaten» errungen (fide magis imperatoris quam virtute militum), wobei er noch gegen die Arianer hetzt, die eigentlich gar keine Menschen, die nur äußerlich Menschen seien, inwendig aber reißende Tiere! Obwohl er jedoch Triumph prophezeit, der Sieg für ihn sicher ist, «zum Zeugnis für den wahren Glauben», wich Gratian, der bereits Kriegsvolk aus Pannonien und Gallien mobilisiert hatte, aber nur bis in die Gegend von Castra Martis in Moesia superior kam, zurück, um gegen die Alemannen zu ziehen. Sie waren, die Stunde nutzend, über den Rhein gegangen und verheerten römisches Gebiet. Gratian schlug sie in der Schlacht bei Argentaria, wo ihr König Priarius fiel, überquerte seinerseits den Strom und erzwang ihre Unterjochung. Doch war es das letzte Mal, daß ein römischer Kaiser den Rhein überschritt.[30]

Und dieser Sieg im Westen, die Abwesenheit von Gratians Streitmacht im Osten, führte dort zu einer Katastrophe. Denn als die Goten 377 gegen Konstantinopel marschierten, weit und breit sengend, brennend, plündernd, von römischen Truppen geschlagen und sie selber schlagend, leitete Valens, der zwar die Niederlassung der Fremden erlaubt, aber die Verträge nicht gehalten hatte, persönlich die Gegenoffensive ein. Vom persischen Kriegsschauplatz über Konstantinopel herbeigeeilt, stand er am 9. August 378 bei Adrianopel mit etwa 30 000 Soldaten vor den vereinigten Ost- und Westgoten. Und während er mehrere Friedensangebote des um Zeitgewinn bemühten Fritigern verwarf, traf gerade noch die erwartete ostgotische und alanische Kavallerie ein, infolge ihrer langen Streifzüge durch Rußland und Mitteleuropa hervorragende, schon mit Steigbügel und Sporen ausgestattete Reiter. Unter den alanischen Königen Alatheus und Saphrax fielen sie, mitten aus dem Ritt, den bereits angreifenden römischen Legionen in Flanke und Rücken und zerrieben sie förmlich. Zwei Drittel des Heeres lagen auf dem Schlachtfeld; darunter, zur Genugtuung vieler Katholiken, der Kaiser, der «gottgehaßte Ketzer», «sicherlich ein Gericht Gottes» (Jordanes). Valens hatte sich zuletzt selbst ins Getümmel gestürzt, mit vier seiner höchsten Truppenführer, indes seine meisten Generale, nach alter Generalsart, flohen. Es war die erste blutige Abfuhr des Imperiums durch ein Nomadenvolk und der erste große Sieg schwerer germanischer Reiter – die seitdem die christlichen Schlachtfelder für die nächsten 1000 Jahre, bis ins 14. Jahrhundert, beherrschten – über römische Infanterie; nach Ammian seit Cannae die schlimmste Niederlage in der römischen Geschichte, nach Stein der «Anfang vom Ende des römischen Weltreiches». Die byzantinischen Kaiser lösten nach diesem Debakel, das den Untergang des Imperium romanum einleitete, ihre Infanterielegionen auf.[31]

Ammianus Marcellinus, ein aus Antiochien stammender Grieche und Soldat, der letzte bedeutende, hier schon öfter genannte antike Historiker, hat die Schlacht, die für ein Jahrtausend den

Krieg zugunsten der Kavallerie «revolutionierte», selbst miter-
lebt. Am Schluß seines 31 Bücher umfassenden Werkes, das vom
Ende der Historien des Tacitus bis zur Katastrophe von Adrianopel führt, schildert er, wie die Goten den Angriff absichtlich
hinauszögerten, die römischen Truppen unter der Sonnenglut
und ringsum entzündeten Bränden sozusagen in ihrem Saft
schmoren ließen, bis dann die gotische Reiterei «wie ein Blitz, der
auf hohem Berggipfel einschlägt, unter unsere Leute» fuhr und
alles «in wildem Gemetzel über den Haufen» ritt. Das Fiasko hat
die Zeitgenosen ungeheuer beeindruckt. Und der kriegshetzeri-
sche hl. Ambrosius entsetzte sich jetzt: «Wir erleben den Untergang der Welt».[32]

«Die Folgen der Katastrophe waren unermeßlich» (Ostrogorsky). Ein Jahrhundert lang ringt das römische Ostreich mit
dem Germanenproblem, das römische Westreich geht daran zugrunde, und Valens' Untergang führt den endgültigen Untergang
des Arianismus herbei.[33]

In Asien ließ nach diesem Treffen, wodurch ganz Mösien und
Thrakien verlorenging, der magister militum per Orientem, Julius, alle seinem Kommando unterstellten gotischen Soldaten an
einem Tag meuchlings niedermachen. Für sie ging die Welt unter;
wie für die Gefallenen bei Adrianopel – und für jene Goten, die im
folgenden Jahr, 379, einer verheerenden Seuche erlagen: Ergebnis
der Gebete des hl. Bischofs Acholius von Thessalonike, wie Ambrosius weiß, für den die Welt, offensichtlich zur Ausrottung alles
Nichtkatholischen prädestiniert, zumal alles Arianischen, nicht
unterging. Denn die Arianer, die sich «den Namen von Christen
anmaßen», doch die Katholiken «mit mörderischen Waffen zu
verwunden suchen», glichen, laut Ambrosius, dem Antisemiten
(S. 438 ff), den Juden, waren aber schlechter. Sie glichen den
Heiden, waren freilich noch schlechter als sie, schlimmer als der
Antichrist und Teufel selber. Sie hatten «das Gift jeder Ketzerei
gesammelt», «nur äußerlich Menschen, im Innern aber voll von
der Tollwut der Tiere».[34]

Deshalb erregte den Ambrosius auch der Arianer Julianus
Valens, bis zu seiner Vertreibung Bischof von Poetovio (Pettau,

heute Ptuj in Jugoslawien), weil er, «von gotischer Gottlosigkeit besudelt und wie ein Heide gekleidet, im Angesicht des römischen Heeres» erschien. Die «Ketzer», im Abendland auf Mailand und einige illyrische Bistümer beschränkt, mußten verschwinden; «der Wahnsinn des arianischen Leidens», «die Krankheit des Volks», wie auch Kirchenlehrer Basilius den Kollegen ermuntert. «Wohlan, du Mann Gottes, kämpfe den guten Kampf.» Nun, Ambrosius, der einfach den Klerus seines Vorgängers übernommen, konnte bald jubeln, im ganzen Westen seien nur noch zwei Arianer zu finden. Hier nämlich wie im Osten hingen die Hirten weniger am Glauben als am Stuhl.

Schrieben doch damals katholische Eiferer dem Kaiser Theodosius: «Diese hohen Herren Bischöfe, die einst unter Konstantius den makellosen Glauben erst verteidigten, dann mit häretischer Unterschrift verdammten, haben sich jetzt wieder zum Bekenntnis des katholischen Glaubens bekehrt, kaum daß sie sahen, daß auch der Kaiser wieder auf seiten der katholischen Bischöfe stand!»[35]

KAISER THEODOSIUS «DER GROSSE»: KAMPF FÜR DEN KATHOLIZISMUS UND «BLUT VERGIESSEN WIE WASSER»

In Theodosius I. (379–395) bekam Kirchenlehrer Ambrosius einen energischen Mitstreiter. «Kaum ein Jahr seiner Regierung verläuft», so der protestantische Theologe v. Campenhausen, «ohne ein neues Gesetz oder sonstige Maßnahmen zur Bekämpfung des Heidentums, zur Unterdrückung der Ketzerei und zur Förderung der katholischen Kirche.» «Vollständige Vernichtung aller Andersgläubigen war von Anfang an das Ziel seiner Regierung, und die kirchliche Überlieferung, die Theodosius als einen unermüdlichen Förderer des Katholizismus und Feind alles Irr- und Unglaubens schildert, hat ihn im wesentlichen durchaus richtig gezeichnet.»[36]

Theodosius, dessen gleichnamiger Vater, ein «rechtgläubiger» Christ bereits, den hohen Posten eines magister equitum praesentalis einnahm, ehe er ihn und seinen Kopf auf Befehl des Katholiken Valentinian unterm Henkerbeil verlor (S. 344), war in Kriegslagern groß geworden. Seit 367 hatte er in Britannien und gegen Alemannen gekämpft. In den siebziger Jahren glänzt er als dux, Militärsbefehlshaber, der Provinz Moesia I (heute serbisches Gebiet) gegen Quaden und Sarmaten. Der hochgewachsene, auffallend schöne und, wenn er wollte, ungewöhnlich freundliche Katholik konnte «Blut vergießen wie Wasser» (Seeck). «Leider», rühmt ihm Benediktiner Baur nach, «war er das letzte militärische Talent, das den kriegerischen Ruhm des alten Römerreiches noch einmal neu aufleuchten ließ».[37]

Am 19. Januar 379 erhob Gratian den dreiunddreißigjährigen Theodosius nach dem Heldentod des Valens zum Mitregenten, zu einem Kaiser, dem es nebenbei dringlich schien, die hauptstädtischen Stände mittels strenger Kleiderordnung voneinander zu scheiden sowie Valentinians Gesetze über Rang, Vortritt, Titel detaillierter einzuschärfen, etwa auch den Ehefrauen der Senatoren senatorische Titel zuzubilligen. Theodosius I. tendierte zu Verschwendung, höfischer Pracht, starker Verwandtenbegünstigung, nicht zuletzt zu enormer finanzieller Ausbeutung, besonders der Bauern und Kolonen. Noch nach Konfiskation des ganzen Eigentums zwang er Schuldner unter Anwendung der Folter zum weiteren Zahlen, indem er wohl hoffte, Verwandte sprängen für die Mittellosen ein. Mit der Keuschheit freilich hielt er es genau. Selbst einer der vielen treuen kaiserlichen Gatten wieder, schloß er Ehebruch von seinen Amnestien aus und bestrafte streng die zweite Heirat einer Witwe vor Ablauf des Trauerjahrs. Sogar des Ehebruchs Angeklagte, die freigesprochen worden waren, einander jedoch heirateten, wurden hingerichtet. Und Päderasten mußten öffentlich vor dem Volk verbrannt werden – eine erschwerende Todesstrafe gegenüber dem Alten Testament und einem Erlaß des Konstantius. Kurz, ein Kaiser, «der mehr an das Heil seiner Seele als an das Heil des Staates dachte» (Cartellieri). Grund genug, daß ihm die Kirche, schon bald nach seinem Tod, den raren Beinamen «der Große» verlieh, hier, wie meist, eine Art historischer Steckbrief in nuce.[38]

Seine Liebe zu Christus und zum Militär entwickelte Theodosius als Kaiser erst recht.

Wie Konstantin, der Arianer Konstantius II. und der Katholik Valentinian I., wurde auch Theodosius ein immer gewaltigerer Kriegsheros. Das bei Adrianopel schwer getroffene Heer machte er wieder schlagkräftig. Seine Feldarmee umfaßte rund 240 Infanterieeinheiten und 88 Kavallerieregimenter, seine «Grenzschutztruppe» 317 Infanterie- und 258 Kavallerieverbände, dazu zehn Flußflottillen, alles in allem eine halbe Million Soldaten. Sie mußten, nach einem wohl unter ihm kreierten Eid, bei der hl. Dreifaltigkeit und dem Kaiser schwören, diesen gleich nach Gott zu lieben und zu ehren. Denn: «Wenn der Kaiser den Namen Augustus empfangen hat, schuldet man ihm wie einem gegenwärtigen und leibhaftigen Gott Treue und Gehorsam und rastlosen Dienst.» So der Christ Vegetius, damals Militärschriftsteller schon und Verfasser einer Kriegskunde.[39]

Die spezielle Leistung des katholischen Herrschers aber bestand in einer neuen Germanenpolitik. Bei seiner Reorganisierung der stark gelichteten Armee durchsetzte er sie (eine freilich seit Konstantin vorhandene Tendenz) bis in die höchsten Führungsstellen mit «Barbaren»: Franken, Alemannen, Sachsen, besonders aber Goten – und «säuberte» nun mit diesem gleichsam «gotisierten» Heer den Balkan von den Goten, offiziell zwar Angehörige des Reichs, doch nicht Reichsbürger, eher Reichsknechte. Noch in seinem ersten Regierungsjahr erfocht er so Siege über Goten, Alanen und Hunnen.[40]

Ob zu den vielen Opfern des «großen» Theodosius auch Gotenfürst Athanarich gehört? Von den caucaländischen Goten, vielleicht sogar von seinen eignen Verwandten, vertrieben, kam er auf der Flucht nach Konstantinopel, wurde am 11. Januar 381 von Theodosius glanzvoll empfangen und starb überraschend und noch nicht besonders alt zwei Wochen darauf, am 25. Januar «– wohl eines natürlichen Todes» (Wolfram). Man kann nicht das Gegenteil behaupten. Doch läßt es sich bei einem Mann wie Theodosius ausschließen? Spricht der königliche Empfang, der Athanarich zuteil wurde, das königliche Begräbnis, zweifelsfrei dagegen?[41]

Theodosius, angeblich stets voller «Großmut gegen den Besiegten» (Thieß), ja, «der letzte große Schutzherr der Germanen auf dem römischen Kaiserthron» (von Stauffenberg), schlug keine regelrechten Schlachten. Vielmehr führte er, in Fortsetzung gleichsam von Valens' gotischer Kopfjägerei (S. 349), eine Art Guerillakrieg, wobei er auch die eigenen gotischen Truppen «bedenkenlos oder absichtsvoll» opferte (Aubin). Er – ebenso Gratian – suchte die einzelnen «Barbaren»-Gruppen nacheinander aufzureiben. So überfiel er abgesonderte Gotenkontingente, wo immer es günstig schien, etwa 386 einen Ostgotenschwarm unter dem Fürsten Odotheus. Er hatte im Herbst an der Donaumündung die Erlaubnis zu ihrer Überschreitung erbeten, der in Thrakien kommandierende magister militum, Promotus, sie zunächst aber verweigert. Dann jedoch lockte dieser die Goten in einer dunklen Nacht über den Strom, um ihnen das römische Heer in die Hand zu spielen. In 3000 Einbäumen setzten sie über und wurden – der Fluß schwamm voller Leichen – sofort niedergemacht, die jenseits zurückgebliebenen Haufen der Weiber und Kinder in Gefangenschaft geschleppt. Und dementsprechend wäre sicher auch sonst die Gotenpolitik des Kaisers gewesen, hätte er über ausreichende Machtmittel verfügt. Theodosius eilte selber herbei, die Großtat zu besichtigen, und zog am 12. Oktober mit Elefanten (Geschenk des Perserkönigs), die seinen Wagen zogen, triumphierend in Konstantinopel ein, wo er zur Erinnerung an diese und andere glorreiche «Barbaren»-Massaker eine 140 Fuß hohe Prunksäule errichten ließ. Einige Jahre später traf sein Heermeister Stilicho einen weiteren Gotenhaufen schwer. Jubelnd meldet Bischof Theodoret «Gemetzel» mit «vielen Tausenden» erschlagener «Barbaren». Die Gefangenen aber aus solchen Operationen überschwemmten die Sklavenmärkte des ganzen Orients. Und von jetzt an kämpften durch die «Leistung» des Theodosius in allen Völkerwanderungskriegen auf beiden Seiten Germanen.[42]

Freilich, was war dies neben seinen religiösen Werken! «Du magst in Schlachten unerhört glücklich und auch sonst lobenswert gewesen sein», wie ihn Ambrosius preist, «der Gipfel Deiner Taten war immer Deine Frömmigkeit.»[43]

Bestand die erste bedeutende Regierungsmaßnahme des Kaisers doch gleich in seinem berüchtigten Religionsedikt «Cunctos populos», am 28. Februar 380 in Thessalonike erlassen, ein Jahr nach seiner Thronbesteigung, kaum nachdem er die Goten durch geschicktes Verhandeln wieder beruhigt und selber eine lebensgefährliche Krankheit hinter sich hatte.

Anscheinend ohne jedwede bischöfliche Assistenz proklamierte der damals noch gar nicht Getaufte den Glaubenszwang, indem er, kurz und bündig, in der Sprache eines «fast irrsinnigen Glaubensfanatismus auf dem Throne» (Richter), den Katholizismus zur einzig legalen Religion im Reich erklärte, alle andern Christen aber «für toll und wahnsinnig». «Sie müssen zuerst von der göttlichen Rache getroffen werden, sodann auch von der Strafe unseres Zornes», die Theodosius in Übereinstimmung mit dem göttlichen Ratschluß verhing (ex caelesti arbitrio). Der Kaiser hatte gesprochen, nicht nur die Körper sich unterjocht, sondern jetzt auch die Seelen, beeinflußt vielleicht doch von dem fanatischen Ortsbischof Ascholios, nachdem er von diesem, in seiner schweren Krankheit und in Erwartung des Todes, die Taufe begehrt. Der Codex Iustinianus stellt das Edikt an den Anfang aller Gesetze. Weitere Religionsverfügungen des Herrschers folgten noch im selben Jahr, erneute und sehr scharfe antihäretische Erlasse im nächsten, wo das von ihm berufene Konzil von Konstantinopel – auf dem weder Papst Damasus anwesend war noch ein römischer Legat – das staatliche Gesetz besiegelte: das «große» oder nicaeno-konstantinopolitanische Glaubensbekenntnis, das bis heute geltende christliche Credo, das einzige, das alle christlichen Kirchen akzeptierten. Es übernahm fast wörtlich die Formeln von Nicaea, brachte aber als Novität die volle Gottheit des Geistes zur Geltung, von dem man in Nicaea noch nichts Näheres gewußt oder doch ausgesagt, wenn man ihn auch schon nominell einbezogen hatte. Der Katholizismus gewann als Staatsreligion eine Monopolstellung, allen anderen Bekenntnissen ging es an den Kragen, zumal dem Arianismus – von den Goten noch einige Jahrzehnte unterstützt – und allem, was man darunter verstehen wollte. Eigens beauftragte Truppen schlugen ringsum Unruhen und Erhebungen nieder, die arianischen Bischöfe wurden vertrieben, ihre Kirchen den Katholiken überstellt.[44]

In Konstantinopel, damals fast ganz arianisch, stürmen die Arianer noch 380 während der Osternachtsfeier die Kirche der Katholiken, wobei Mönche, ja Frauen, schwere Ausschreitungen begehen. Ende November setzt der Kaiser den bejahrten Homöer Demophilus, der nicht nicaenisch werden will, als Bischof ab und verbannt ihn. Unter Waffenschutz zieht nun ein Athanasianer ein, Kirchenlehrer Gregor von Nazianz. Ein Sturm entsteht, «als ob ich», erzählt er selber, «statt eines Gottes mehrere Götter einführen wollte». Auf allen Straßen und Plätzen demonstrieren die Anhänger des Demophilus. Selbst während des Gottesdienstes wird Gregors Kirche überfallen, besonders von Mönchen. Ein Steinhagel prasselt an ihm vorbei auf den Altar; man erwägt ernstlich seine Ermordung, sind ihm doch auch viele Katholiken feind. 381 macht Theodosius den Juristen Nektarios zum Patriarchen der Hauptstadt, einen noch nicht einmal getauften (!) Laien, der kirchlichen Kreisen sogar ziemlich unbekannt, eben darum freilich noch nicht unbeliebt war. Gleich nach der Taufe wird er zum Bischof geweiht. Kein Nicaener, früher so laute Rufer oft nach der «libertas ecclesiae», protestiert gegen die Willkür des Kaisers. Im Gegenteil: auch die Synode von Rom (382) stimmt der Wahl zu. Zwar brennt man Nektarios 388 das Palais ab, doch baut er es, außerordentlich groß und luxuriös, wieder auf, drückt seinen Thron bis 397 und wird noch heute in der byzantinischen Kirche als Heiliger verehrt.[45]

Als Heiligen aber verehrt man im Katholizismus auch Ambrosius – nicht obwohl, sondern weil er ebenso rücksichtslos wie erfolgreich alles unterjochte: Heiden, «Ketzer», Juden, der Urheber ungezählter Tragödien.

Die Bekämpfung des Heidentums
durch Ambrosius

Zwar war er selbst, gleich vielen Kirchenvätern, beeinflußt von heidnischer Philosophie, besonders von Plotin. Doch spricht er höchst abfällig darüber, verknüpft sie mit «Götzendienst», einer Spezialerfindung Satans, auch mit «Ketzern», vor allem den Arianern. Hat diese Philosophie überhaupt etwas Gutes, dann – aus der «Heiligen Schrift», aus Esra, David, Moses, Abraham und anderen! Auch die ganze Naturwissenschaft verwirft er als Angriff auf «Deus maiestatis». Das Heidentum insgesamt ist für ihn die «arma diaboli», der Kampf dagegen «ein Kampf gegen das Reich des Teufels» (Wytzes).[46]

Der junge Gratian hatte die Heiden zunächst offenkundig geschont (S. 403), doch von seinem geistlichen Mentor gelernt, «das christliche Kaisertum als eine Verpflichtung zur Unterdrückung der alten Staatsreligion zu empfinden» (Caspar). Dies war nicht mehr schwer, das Christentum bereits etabliert, das Heidentum weithin angeschlagen. Und nach dem Besuch Gratians und seines Mitregenten 376 in Rom erlebte die noch immer stark altgläubige Stadt die Zerstörung eines Mithrasheiligtums durch den Stadtpräfekten Gracchus, der damit, vor seiner Taufe stehend, wohl seine Würdigkeit bewies. Im Sommer 382 weilte Ambrosius in Rom, entsetzt gewiß über die zahlreichen Heiden, die «tollen Hunde», wie sie der damalige Papst, Damasus I., ein Spanier, nannte, während Ambrosius schlicht von Verfolgung sprach, mußten die christlichen Mitglieder des Senats ihren Diensteid vor dem Götterbild der Victoria leisten. Und noch Ende desselben Jahres verfügte der (bald darauf umgebrachte) Fürst «wohl auf Anraten des Ambrosius» (Thraede), «sicherlich nicht ohne Einwirkung seines väterlichen Beraters Ambrosius» (Niederhuber), eine Reihe einschneidender antiheidnischer Erlasse für die Stadt, indem er verschiedenen Kulten und Priesterschaften, wie den populären Vestalinnen, die Staatszuschüsse entzog, die Steuerfreiheit nahm, den Landbesitz der Tempel.[47]

Ferner ließ der Monarch die Statue der Victoria, ein erbeutetes tarentinisches Meisterwerk und hochverehrtes Symbol römischer Weltherrschaft, aus dem Senatssaal entfernen. Da Victoria eine der ältesten Nationalgottheiten war, auch ihr Kultbild seit Augustus im Sitzungssaal stand (nur Konstantius II. hatte es kurz beseitigt), sahen sich die meisten Senatoren und Roms heidnische Bürger um ihr Heiligstes gebracht. Rasch schickten sie Gesandte an den Hof, die man aber nicht einmal empfing, obschon sie Aurelius Symmachus führte, seinerzeit Roms prominentester, überdies mit Ambrosius verwandter Literat, der zudem gute Beziehungen zu Gratian hatte.[48]

Zwei Jahre später, 384, pilgerte Symmachus erneut mit einer Delegation nach Norden, nun an den Hof Valentinians II. Die Lage schien günstig. Symmachus selbst war inzwischen Präfekt, Inhaber des höchsten kaiserlichen Amtes der Stadt. Weiter amtierte als Praetorianerpräfekt Vettius Agorius Praetextatus, ein eifriger Verteidiger der Altgläubigen und aus sehr vornehmen Geschlecht. Und auch andere einflußreiche Männer waren keine Christen: der hochgebildete, schriftstellerisch tätige Virius Nicomachus Flavianus, zeitweilig praefectus praetorio per Italiam, von Symmachus in allen Briefen als «Bruder» apostrophiert; die beiden magistri praesentales, der Heermeister Rumoridus und der von Valentinian II. stark geförderte und von Augustinus 385, als Augustin noch Heide war, panegyrisch besungene Bauto (beide schlugen sich dann freilich auf die Seite des christlichen Kaisers). So trug Symmachus mit berechtigter Hoffnung seine berühmt gewordene Bitte um Wiederaufstellung des Altars vor, gemäß dem klassischen Rechtsverständnis: ius suum cuique. Maßvoll, ebenso diplomatisch klug wie literarisch ergreifend, bat der – noch in unserer Zeit als «borné, hypocrite et égoiste» (Paschoud) – Diffamierte um Toleranz. «Wir schauen zu denselben Sternen auf, ein Himmel wölbt sich über uns, eine Welt umschließt uns. Was macht es aus, daß jeder mit anderer Einsicht nach der Wahrheit sucht?»[49]

Man war tief beeindruckt, schon zum Nachgeben bereit. Heiden und Christen stimmten im Kronrat dafür. Doch wie zwei Jahre zuvor intervenierte Ambrosius, steckte sich als «Seelsorger»

hinter den dreizehnjährigen Herrscher, erklärte die zustimmen-
den Heiden für inkompetent, die jasagenden Christen für
schlechte Christen. Die Rechtsverhältnisse interessierten ihn
ebensowenig wie die ethische Integrität des Symmachus, von dem
er selbst einmal schrieb, er könne durchaus einem Christen als
Vorbild dienen. Nein, die Macht des Klerus interessierte. «Nichts
ist wichtiger als die Religion, nichts wichtiger als der Glauben!»
Ambrosius erinnerte an den sehr antipaganen (gerade von Mailand wieder abgereisten) älteren Mitkaiser. Er drohte dem jungen
Regenten schroff mit der Verstoßung im Jenseits. «Entschuldige
dich nicht mit deiner Jugend – auch Kinder haben sich tapfer zu
Christus bekannt, und für den Glauben gibt es kein Knabenal-
ter.» Er kündigte ihm unverhohlen die Exkommunikation an. Bei
einer ungünstigen Entscheidung sei für ihn kein Platz mehr in der
Kirche. Erstmals drohte damit ein Bischof einem Kaiser mit
Ausschluß. Ja, Ambrosius behauptete, die Wiederherstellung des
Altars wäre ein Religionsverbrechen und käme einer Christenverfolgung gleich! So hatte der Eiferer die Genugtuung, daß sich
der kaiserliche Knabe «wie ein Daniel» erhob und die Heiden
abwies. «Denn keinen andern Weg» kannte der Heilige «zur
Wohlfahrt des Staates, als daß ein jeder den wahren Gott, das
aber ist der Gott der Christen . . . anbetet.» (Dabei replizierte er
selber auf Symmachus' Einwand, Gratians Ermordung, letzte
Mißernte und Hungersnot seien Folgen des Götterzorns: politischer Erfolg und Mißerfolg habe keinerlei Zusammenhang mit
Religion!)[50]

Bezeichnend auch, daß der Kirchenfürst bedenkenlos Fakten
fälschte, schien es ihm opportun. (Freilich: wie viele Bischöfe
werden im Mittelalter noch Akten fälschen und, zugegeben, ungleich schlimmer!) Ambrosius nämlich log, die Christen bildeten bereits die Mehrheit im Reich und auch der römische Senat
sei in seiner Mehrheit christlich (cum maiore iam curia Christianorum numero sit referta). Beides entsprach nicht den Tatsachen, was Ambrosius gelegentlich selbst durchblicken läßt.
Wie denn noch Augustin das heidnische Übergewicht erwähnt.
Seit Gibbon ist es deshalb, ungeachtet seltener Ausnahmen, fast

einhellige Ansicht der Forschung: Ambrosius sagt hier bewußt die Unwahrheit.[51]

Überzeugend zeigt Albrecht Dihle, daß Symmachus nicht an das Wohlwollen des Kaisers appelliert, nicht eine Gunstbezeugung erbeten, sondern ein Recht reklamiert, daß er vor allem juristisch argumentiert hat, während bei Ambrosius Recht und Unrecht keine große Rolle spielen. Vielmehr kehrt er sich deutlich von der überlieferten Rechtsprechung und Gesetzgebung ab – «den gewiß eindrucksvollsten Zivilisationsleistungen des Römischen Staates». Nach Ambrosius geht es viel weniger um die öffentliche Wohlfahrt (salus publica) als um das Seelenheil des Kaisers (salus apud Deum); steht dieser über dem Recht, hat aber, als «miles Christi», Christus, das heißt der Kirche, zu dienen und deren Gebote in Regierung und Gesetzgebung durchzudrücken. «Es gibt denn auch aus der Feder des Ambrosius erschütternde Bekundungen mangelnden Rechtsgefühls . . .» Wenn etwa Katholiken eine Kirche der Valentinianer niederbrennen, wenn sie eine Synagoge zerstören – in den Augen des Heiligen ist dies nicht im geringsten ein Unrecht.[52]

Vielleicht wegen seiner Aktivitäten beim Versuch der Restituierung des Victoria-Altars denunzierten Symmachus christliche Kreise beim Kaiser. Der Stadtpräfekt sollte Gläubige aus den Kirchen schleppen, ja, sie foltern haben lassen. Obgleich Symmachus sich eindrucksvoll rechtfertigen, sogar ein Entlastungsschreiben des römischen Bischofs Damasus vorlegen konnte, resignierte er und reichte seine Entlassung ein.[53]

Wie die Heiden, bekämpfte Ambrosius auch die «Ketzer», besonders die Arianer oder was er dafür hielt.

Ambrosius vernichtet
das arianische Christentum des Westens

«Ketzer» waren für Ambrosius «nichts anderes als die Brüder der Juden» (non aliud quam fratres sunt Judaeorum). Gewiß ein furchtbarer Vorwurf in seinen Augen. Manchmal zwar schienen ihm die Juden schlimmer noch als «Ketzer», meistens aber diese schlimmer als die Juden, da sie viel unmittelbarer die «Kirche Gottes» bedrohten, sie spalteten. Und Häresien schossen wie Pilze aus dem Boden. Jeder Tag, behauptet Ambrosius, bringe eine neue «Ketzerei», und je mehr man sie bekämpfe, desto mehr entstünden. Ein einziger Tag reichte gar nicht, um alle «nomina haereticorum diversarumque sectarum» aufzuzählen. Der hl. Bischof klagt über das ewig gleiche Thema, diesen unentwegten Krieg. Doch läßt er nicht ab davon. Wußte er ja, ein wahrer «apostolicus» gewinne einen «Schatz mit Zinsen», attackiere er «Ketzer», die verschlagen und unbezähmbar wie Füchse seien, die «Christen» anfielen wie Wölfe in der Nacht.[54]

Wenn Ambrosius auch mancherlei «Irrlehren» bestritt – allein zwei Bücher ‹De paenitentia› richtete er gegen die Novatianer –, sein Hauptkampf galt den Arianern, gegen die er fünf Bücher ‹De fide ad Gratianum› schrieb, drei Bücher ‹De Spiritu Sancto› sowie ein weiteres Opus. Arianer waren für ihn das Übelste, zumal sie in seiner eigenen Bischofsstadt saßen! Und besonders im nahen Illyrien! Aus allen «Ketzereien», wußte er, sammelten sie ihr Gift und spritzten es dann umher, völlig bedenkenlos in ihren Mitteln, die ‹Heilige Schrift› fälschend, raffiniert, je nach Bedarf, Partien herausnehmend, hineindichtend, «Antichristen», schlimmer als Satan. Habe dieser doch die wahre Gottheit Christi anerkannt, Arius aber nicht (verum filium dei fatebatur, Arrius negat).[55]

Solchen Teufeln mußte man den Garaus machen, und Ambrosius tat das am 3. September 381 auf einer Synode in Aquileja, die ihm, «die Seele der Verhandlungen» (Rauschen), im Abendland mit einem Schlag zum Ruhm verhalf.[56]

Angeregt bei Gratian hatte die Zusammenkunft Ambrosius'

alter Gegner Palladius von Ratiaria. Freilich wünschte dieser ein
Generalkonzil, das der Kaiser auch versprach. Doch Ambrosius,
der seit Jahren den westlichen Arianismus bekämpfte, besonders
dessen Hochburgen in Norditalien, im Illyrikum, fürchtete eine
Versammlung mit vielen Orientalen. Auch wollte er alles andere
als eine Diskussion, sondern eine Verurteilung der «Ketzer». So
vereitelte er das große Konzil, indem er dessen Schwierigkeiten
und Kosten dem Kaiser darstellte, die Anreisen aus dem ganzen
Reich, die Belastung für die fern Wohnenden, noch dazu für eine
simple Affäre. Er schlug vor, bloß Italiener herzubefehlen, fühlte
er sich in seiner Petition an Gratian doch schon mit einigen
norditalienischen Amtsbrüdern «überreichlich» befugt, den wahren Glauben festzustellen. Der junge Regent gab nach, und so
kam, statt des vereinbarten Generalkonzils, bloß eine kleine Pro-
vinzialsynode zustande, auf der auch der Römer weder anwesend
noch durch Legaten vertreten war. Mit Ausnahme der aus Illyrien
angereisten, wenn nicht arianisch, so doch auch nicht nicaenisch
gesinnten (homöanischen) Bischöfe Palladius von Ratiaria und
Secundianus von Singidunum tagten nur etwa drei Dutzend orthodoxe Katholiken; zehn, zwölf Oberitaliener darunter als har-
ter Kern, als «Verschworene» (Palladius) des Ambrosius, die sich
nachher mokierten über die zwei «Ketzer», «die es wagten, dem
Konzil mit frechen und gottlosen Reden entgegenzutreten». Kurz,
nur Feinde der beiden waren da, arianische Laien selbst als
Zuhörer ausgeschlossen. Ambrosius hatte genau das von ihm
gewünschte «Konzil» und das Heft in der Hand.[57]

Die Illyrer kamen nicht ohne Mißtrauen nach Aquileja. Kaiser
Gratian, gerade in Sirmium, mußte bei einer Audienz ihre Bedenken zerstreuen. Er behauptete, zu Unrecht, auch die übrigen
Morgenländer seien geladen. Entweder belog er die Bischöfe
oder, wahrscheinlicher, der hl. Ambrosius hatte ihn hintergan-
gen. Erst in Italien sahen sich die beiden ohne ihre orientalischen
Kollegen und düpiert.[58]

Der greise Palladius erklärte zu Beginn: «Wir kommen als
Christen zu Christen», und darin irrte er nicht. Sonst aber war er
in allem betrogen worden, über die Aussperrung der Orientalen

ebenso wie über die eigentliche Absicht der Synode. Denn obwohl
man den Illyrern freie Aussprache zugesichert, verwandelte der
Heilige die Szenerie im Handumdrehen in ein regelrechtes Verhör. Es half nicht, daß ihm Palladius vorhielt: «Deine Bitte hat es
bewirkt, daß [die Morgenländer] nicht gekommen sind. Du hast
[dem Kaiser] Absichten vorgetäuscht, die du in Wirklichkeit gar
nicht hegtest, und das [sc. allgemeine] Konzil damit auseinandergerissen.» Es half nichts, daß Palladius das ihm versprochene
Allgemeine Konzil verlangte, daß er unausgesetzt die Befugnis der
Versammlung bestritt, daß er mehr als einmal bekannte, nicht
Arius zu folgen, von Arius nichts zu wissen; daß sich Secundianus
auf die Bibel berief. Es half nichts, daß die beiden auch von ihnen
gewählte Protokollschreiber begehrten. Denn ins Protokoll kamen fast nur die Attacken ihrer Gegner. Man verhandelte so
unehrlich, wie man begonnen. Man blieb ungerührt durch alle
Proteste. Fand Ambrosius doch überhaupt, Argumentieren und
Diskutieren sei keine angemessene Art, heilige Dinge zu erörtern,
weil, wie er einmal formulierte, «der philosophische Streit mit
üppigen Worten prunkt, die Frömmigkeit aber die Furcht Gottes
beobachtet». Ambrosius leitete die Sache, und sein Anhang fiel an
den entscheidenden Stellen ein wie ein Chor. Bischof Palladius,
dem man sogar Gewalt antat, den man umklammerte, am Fort-
gehen hinderte, brüllte schließlich, nannte Ambrosius, schon in
einer Kampfschrift als Übeltäter, Phrasenheld, «Ketzer» und Bi-
belfeind herausgestellt, jetzt einen «gottlosen Menschen», ja Verbrecher. Die «Rechtgläubigen» schleuderten immer wieder ihr
«Anathema» dazwischen. Und zuletzt verdammten sie einstim-
mig und in aller Form die «Arianer», die sich klar von Arius
distanzierten, als Christuslästerer, Arianer und sorgten für ihr
Verschwinden. Auch Bischof Julianus Valens verfluchte man in
absentia, diffamierte ihn als Landesverräter, gotischen Götzenpriester und forderte die Verbannung des abscheulichen Frevlers.
Ambrosius aber, der in der turbulenten Sitzung, deren Akten
ohne erkennbaren Grund plötzlich abbrechen, «das einfachste
Gefühl der Wahrhaftigkeit und des sittlichen Anstands» mißachtet hatte, suggerierte nun auch dem Kaiser, den er sofort brieflich

um Bestätigung der Beschlüsse bat, «ein völlig verkehrtes Bild» (v. Campenhausen).[59]

Auf einer eintägigen Synode hatte der Heilige die beiden Bischöfe verhören, verurteilen und absetzen lassen. Allerdings hätten die Illyrer gewarnt sein können. Befahl doch nur drei Jahre zuvor eine römische Synode unter Damasus, mit erheblicher Beihilfe wieder des Ambrosius, «daß jeder, der durch des römischen Bischofs Spruch verurteilt wurde und widerrechtlich seine Kirche behalten wollte, . . . von den Präfekten Italiens oder dem kaiserlichen Vikar von Rom herbeigeschafft werde oder aber sich Richtern stelle, die der römische Bischof bestellt». Expressis verbis bestand man auf «staatlichem Zwang» und ersuchte die Herrscher, abgesetzte, doch unfügsame Episkopen aus ihren Sprengeln zu verbannen, was beinah regelmäßig geschah, wie jetzt auch mit den verketzerten Illyrern. Noch ein letzter Versuch von Palladius und Secundian, gemeinsam mit Gotenbischof Wulfila, auf einer Bittreise nach Konstantinopel scheiterte trotz ihres verhältnismäßig freundlichen Empfangs beim Kaiser. Der Arianismus war damit in Westrom erledigt.[60]

Bezeichnende Nachspiele aber gab es noch; vor allem den Streit mit der Kaiserinmutter Justina, die den Arianismus in der gemäßigteren Form der Semiarianer verfocht.

Nach dem Tod von Justinas Stiefsohn Gratian war durch die faktische Vormundschaft über ihren eignen Sohn Valentinian II. ihr Einfluß gewachsen. Doch als sie an Ostern 385 für sich und ihren Bischof Mercurinus Auxentius, einen Schüler des Goten Wulfila (S. 408 f), die kleine ältere basilica Portiana extramurana (San Vittore al Corpo) vor der Stadtmauer erbat, lehnte Ambrosius sofort und brüsk ab. Dabei verfügte er in Mailand über mindestens neun Kirchen. Auch hatte er, als dort erst vor kurzem Kaiser Gratian eine Kirche der Katholiken den Arianern gab, nicht im geringsten protestiert. Jetzt aber fragte er, wie könne er, ein Priester Gottes, dessen Tempel «ketzerischen» Wölfen ausliefern? Ganz ungeniert schimpfte er Bischof Mercurinus einen Wolf im Schafspelz (Vestitum ovis habet . . . intus lupus est), der blutgierig und maßlos suche, wen er verschlingen könne. In Wirklich-

keit war er, Ambrosius, maßlos, denn der Arianer wollte nur eine
Kirche, Ambrosius alle. In Wirklichkeit verschlang *er*! Und da ein
Tumult entstand, seine verhetzten Horden an den Wachen vorbei
schon in den Palast des Staatsrats drangen, alle bereit, sagt Ambrosius, «sich für den Glauben Christi töten zu lassen», gab der
junge Kaiser erschreckt nach.[61]

Als jedoch Justina die Torbasilika kurzerhand kassierte und
darum, zum Zeichen der Konfiskation, die kaiserlichen Wimpel-
schnüre spannen ließ, stürzten Ambrosius' Scharen von neuem
herbei, verprügelten einen arianischen Priester und besetzten das
Haus. Die Regierung befahl ungezählte Verhaftungen und erlegte
die Riesenbuße von 200 Pfund Gold der Kaufmannschaft auf;
doch die protzte, auch das Doppelte zahlen zu wollen, «wenn sie
nur ihren Glauben rettete» (Ambrosius). Der Heilige aber, der
überall als Anstifter der Erhebung galt, beteuerte, nicht er habe
das Volk aufgeputscht. Nicht seine Sache sei es, sondern die
Gottes, es wieder zu beruhigen. Tatsächlich hatte er die Agitation
«bis zum Äußersten» verschärft (Diesner). Und mit äußerster
Entschiedenheit weigerte er sich auch, die Menge zu befriedigen.
Die gegnerischen Kleriker nannte er «Götzendiener» und die
arianische Kirche «Hure». Zynisch gestand er, auch seine Tyrannei zu haben, «die Tyrannei des Priesters ist seine Schwäche».
Gleichzeitig predigte er gegen böse Weiber, verwies in immer
durchsichtigeren Anspielungen auf Eva, Jezabel, Herodias. Hatte
er es doch zu tun, sagt Augustin, «mit der Raserei eines Weibes –
aber einer Königin». Als die Regierung eine weitere Kirche zer-
nieren ließ, drohte der Bischof, jeden gehorchenden Soldaten zu
exkommunizieren, worauf ein Teil die Front wechselte, freilich
«zum Beten und nicht zum Gefecht» (Ambrosius). Auch Justina
kapitulierte jetzt. Und selbst der Kaiser, von Offizieren zu einem
Versöhnungsdienst gedrängt, resignierte zornig: «Ihr würdet
mich ihm gebunden ausliefern, wenn Ambrosius es euch be-
fähle».[62]

Nachdem jedoch Valentinian, arianisch gesinnt wie die Mutter, am 23. Januar 386 durch ein regelrechtes Toleranzedikt nicht-
orthodoxe Gottesdienste erlaubt und jede Störung unter strenge

Strafe gestellt hatte, wiederholte die Kaiserin an Ostern ihren Versuch, nun bereits mit einer Stadtbasilika. Doch abermals bot ihr Ambrosius Paroli. Erst vergewisserte er sich des Beistands seiner Nachbarkollegen, dann hielt er die bedrohten Kirchen Tag und Nacht durch eine Art «ewiger Anbetung» besetzt, ließ «in dieser heiligen Gefangenschaft» (Augustinus) predigen, Hymnen singen, verteilte Goldstücke unter die rasenden Katholiken, die entschlossen waren «zu sterben mit ihrem Bischof» (Augustinus); «eher zu sterben, als ihren Bischof zu lassen» (Sozomenos); wie auch Ambrosius seinerseits unentwegt zum Martyrium sich bereit erklärte, «alles» erdulden wollte «um Christi willen.»[63]

Nicht nur ein weiterer Truppeneinsatz scheiterte so, sondern, zuvor schon, auch eine vom Kaiser erstrebte Konfrontation Ambrosius – Mercurinus vor einem Schiedsgericht. Bischöfe, behauptete Ambrosius da in einem Brief an Valentinian, «Bischöfe können nur von Bischöfen gerichtet werden»! Denn der Kaiser stehe «in der Kirche, nicht über der Kirche» (imperator enim intra ecclesiam non supra ecclesiam est), könne also nicht über Bischöfe, wohl aber der Bischof, als solcher, über den Kaiser urteilen! Das hatte sich noch kein Hierarch gegenüber einem Herrscher erlaubt. (Mitte des 9. Jahrhunderts aber verlangten berüchtigte christliche Fälschungen bereits, die Pseudo-Isidorischen Dekretalen, «daß alle Fürsten der Erde und alle Menschen den Bischöfen gehorchen». Und schließlich verlangten es auch die Päpste . . .)[64]

Gewiß begehrten die Prälaten schon im 4. Jahrhundert ein privilegium fori – hatten sie doch längst allen Grund, sich der Kriminalgerichtsbarkeit des Staates zu entziehen; was ihnen freilich nur eine Konstitution Konstantius' II., des Arianers, anno 355 gewährte, und kurz genug. Ambrosius selber berief sich auf ein Präzept aus dem Jahr 367. Nicht nur in Glaubensfragen sollten demnach «über Priester die Priester richten», sondern auch «in anderen Dingen, wenn ein Bischof belangt würde und eine causa morum zu untersuchen sei». Doch das Präzept ist nirgends erhalten. Hat es je existiert?[65]

Sicher ist, Ambrosius besaß einen wahrhaft gottbegnadeten

Spürsinn für alles, was er brauchte. Drastisch zeigt dies seine
Entdeckung zweier Märtyrer, just im richtigen Moment: auf dem
Höhepunkt des Mailänder Kulturkampfes im Sommer 386 – «zur
Bändigung der Wut jenes Weibes», wie Augustin, der Augen-
zeuge, treffend sagt. Die Forschung spricht von den «ambrosia-
nischen Märtyrern» (Ewig) und von Ambrosius selber als dem
«Wegbereiter und Förderer der Märtyrerverehrung im Abend-
land» und zwar, gleichfalls gut bemerkt, «in besonderer Weise»
(Dassmann).[66]

FUNDE EINES KIRCHENLEHRERS
ODER «L'ELEMENTO SOPRANNATURALE»

Ambrosius hatte damals ein «bestimmtes brennendes Gefühl»,
die Gebeine irgendwelcher Märtyrer zu finden, zumal die Mailänder für die von ihm erbaute und erst eingeweihte basilica
Ambrosiana stürmisch einen Reliquienschatz wünschten. Und
wirklich, die hl. «Gervasius» und «Protasius», bisher aller Welt
unbekannt, meldeten Ambrosius im Traum, sie ruhten in einer
Kirche und wollten ans Licht gebracht werden. Kraft seiner
«glühenden Ahnung» (ardor praesagii) geht er der Sache nach
und hebt in der Tat in der basilica Felicis et Naboris, umringt von
seiner Herde, vor Ergriffenheit kaum mehr der Sprache mächtig,
«i corpi venerati dei Santi Martiri Gervaso e Protaso» (Zulli), die
kostbaren Blutzeugen, «unverwest» (Augustinus), aus der Tiefe.
Die Erde war sogar noch gerötet vom Blut der Helden, enthaup-
teter Riesen, wußte Ambrosius, «wie sie die alten Zeiten hervor-
brachten». (Und die Theologen!) Kein Wunder, daß die Gelehrten
grübeln, welch teuflischem Christenverfolger sie diese ebenso
furchtbare wie fruchtbare Blutschuld in die kaiserlichen Schuhe
schieben sollen, und ein Experte wie Gabriele Zulli gestehen muß:
«Ancora oggi la questione non è definita . . .» Ein gottgefälliger
Akt, den «der schwer geprüfte Bekennerbischof» (Niederhuber)
offensichtlich zur Entfachung der Glaubensinbrunst seiner – hei-

lige Knochen heischenden! – Kämpen inszenierte, was seinen Sieg entschied. Letzteres schreiben zumindest sein Biograph Paulinus und der hl. Augustin, der damals in Mailand wohnte. Der kaiserliche Hof hielt das Ganze allerdings für ein abgekartetes Spiel. Und auch neueren Datums schwört nicht jeder darauf, gibt es nicht bloß Schwachköpfe und Opportunisten. Previté-Orton spricht von «frommem Betrug», Stein von einem «großangelegten Betrug». Während Protestant von Campenhausen in all dem «nichts» findet, «was einen Verdacht gegen die Ehrlichkeit des Ambrosius begründen müßte» – und der italienische Salesianer Gabriele Zulli mit der Verteidigung des ambrosianischen Märtyrerspürsinns sogar einen gleichsam dreifach abgesegneten (Vidimus et approbamus) Doktorhut erwarb – verdientermaßen, kann man nur sagen, bedenkt man allein, wie scharfsinnig er immer wieder auf «l'elemento soprannaturale» rekurriert.[67]

Die Forschung betont: die näheren Umstände der martyrologischen Aktivität, die Gebeinauffindung, das Bergen, Identifizieren, alles werde von Ambrosius «bemerkenswert nüchtern», «äußerst knapp beschrieben» und lasse «manche Frage offen»; er habe von der Entdeckung der beiden Heiligen «wenig Aufhebens» gemacht. Und auch seine sonstigen «Märtyrerinventionen», die andere ihm nachrühmen – wir kommen bald dazu –, «werden von ihm selbst nur zurückhaltend erwähnt oder ganz verschwiegen» (Dassmann). Mit dieser für einen Kirchenfürsten erstaunlichen Bescheidenheit stimmt überein, daß in seinem großen Schrifttum Homilien zu Märtyrerfesten und -gedächtnistagen gänzlich fehlen. Daß er überhaupt auf Mirakel überraschend wortkarg reagiert. Und ist nicht auch erwähnenswert, daß er ursprünglich selber unter dem Altar der neuen Basilika Ambrosiana bestattet sein wollte, doch nach der dortigen Beisetzung von «Gervasius» und «Protasius» nicht mehr? Er gab Ehrfurcht vor. Vielleicht aber war es bloß ein Rest von «Geschmack» nach all der martyrologischen Geschmacklosigkeit? Einfach der Wunsch, nicht zusammen mit den Knochen von irgendwem zu verfaulen?[68]

Interessant auch, wie schnell Bischof Ambrosius die kaum entdeckten ehrwürdigen Leichen wieder verschwinden ließ. Die meisten Kommentatoren übergehen das stillschweigend; kaum zufällig. Und Ernst Dassmann, der 1975 über diese Eile nachsann, erklärt sie – nicht sehr einleuchtend – durch das angebliche Bemühen, «den Frieden nicht erneut zu gefährden» und durch ein – auch nur vermutetes – «Mißbehagen gegenüber der Zurschaustellung unbestatteter Gebeine». Fest steht bloß das große Drängen des Bischofs auf schnelle Bestattung – und das nicht minder große Drängen des Volkes auf das Gegenteil. Ambrosius entdeckte die beiden Mäyrtyrer am 17. Juni 386. Bereits nach zwei Tagen wurden sie endgültig begraben. Doch die zahlreich versammelte Menge hatte erregt das Aufschieben der Beisetzung bis zum nächsten Sonntag gefordert und der Heilige dies nur mit aller Anstrengung verhindert. Warum? Nun, es war Sommer, wahrscheinlich warm, wenn nicht heiß – hätten die seit so vielen Jahrzehnten «unverwesten» Bekenner nun beginnen sollen, in zwei Tagen zu stinken? – Wie sagt Lichtenberg? «Erst die natürlichen Betrachtungen gemacht ehe die subtilen kommen, und immer vor allen Dingen erst versucht ob etwas ganz simpel und natürlich erklärt werden könne.»[69]

Der Triumph war beträchtlich. Prompt folgten die erwarteten Wunder, von keinem Geringeren wieder als Augustin bezeugt: ein Blinder, der den Reliquienschrein mit seinem Schweißtuch berührt, der Schlachter Severus, wird sehend, Besessene und andere Kranke finden Heilung. Ambrosius hatte endlich seinen Reliquienschatz. In zwei Festpredigten feierte er «Gervasius» und «Protasius» als Verteidiger der Orthodoxie und gab dem Ganzen die authentische Deutung: «Seht nur alle, das sind die Bundesgenossen, die ich mir aussuche.» (Die Tyrannei des Priesters ist seine Schwäche.) Und betete: «Herr Jesus, Dir sei Dank, daß Du uns in solcher Zeit den starken Geist der heiligen Märtyrer wiedererweckt hast . . .» Schon bald weihte denn auch die reiche römische Matrone Vestina den hl. Mailänder Duldern eine umfangreiche Stiftung, Liegenschaften in Rom, Chiusi, Fondi, Cassino, samt Zinseinkünften von rund 1000 Golsolidi: titulus Vestinae! (Später ließ man Vestina beiseite und benannte den titulus nach einem Märtyrer.) Rasch verbreitete sich der von Ambrosius gewaltig geförderte Kult über Westeuropa und, durch Augustin, in Afrika. Allein im merowingischen Gallien gibt es dann sechs den «Märtyrern Gervasius und Protasius» geweihte Kathedralen sowie viele weitere «Gervasius»- und «Protasius»-Kirchen, bis nach Trier und Andernach. Ja, schließlich hatte man Reliquien der beiden Blutzeugen ringsum in solcher Zahl, daß es zur Erklärung neuer Wunderberichte bedurfte.[70]

Angeregt durch den Erfolg und gottbegnadet, wie er war, legte der Bischof sieben Jahre nach der ersten «sacra invenzione» in Mailand, im Sommer 393, bei einem Besuch in Bologna, abermals zwei ganz unbekannte hl. Helden frei: «Agricola» und «Vitalis» – ausgerechnet im jüdischen Friedhof. Unter Scharen von Juden und Christen sammelte Ambrosius mit eigener Hand diverse Kostbarkeiten und brachte sie nach Florenz zur Bereicherung einer neu errichteten, von der Witwe Juliana gestifteten Basilika. Sogar das Kreuz fand man, woran «Agricola» gelitten, dazu solche Mengen Nägel, «daß die Wunden des Märtyrers zahlreicher gewesen sein müssen als seine Glieder» (Ambrosius). Zwei Jahre später endlich, 395, am Ende von «un periodo caratteristico del culto delle reliquie» (Zulli), stieß der begabte Entdecker noch einmal auf zwei Blutopfer, die hl. «Nazarius» und «Celsus», nun in einem Garten außerhalb Mailands – schweigt davon aber bescheiden in all seinen Werken, wo er indes auch seine anderen «Märtyrerinventionen» nur zurückhaltend erwähnt; während v. Campenhausen in den immer neuen Funden des Ambrosius nur immer neue Beweise von dessen «Ehrlichkeit» zu erkennen scheint. Biograph Paulinus freilich, der dabeigewesen, erblickte «das Blut des Märtyrers» «Nazarius» – wieder umhüllt tiefes Dunkel das Martyrium – »so frisch, als wäre es am selben Tag vergossen worden, und sein von den verruchten Verfolgern abgeschlagenes Haupt so vollständig und unversehrt mit Haar und Bart, daß es aussah, als hätte man es gerade gewaschen und hergerichtet . . .»! In der gallischen Provinz Embrun aber verehrt man bereits im 5. Jahrhundert «Nazarius» und «Celsus» als Landesapostel, und noch in der Pariser Heiligkreuzbasilika St. Germain des Prés hütete man ihre Reliquien.[71]

War Ambrosius bei der Vernichtung des Arianismus im weströmischen Reich, wo ihm sein ingeniöser Märtyrerspürsinn so zustatten kam, ohne Zweifel der führende Mann seiner Zeit, spielte er beim blutigen Niederringen der spanischen Priszillianisten nur eine (traurige) Nebenrolle.

DAS KESSELTREIBEN GEGEN PRISCILLIAN – DIE ERSTEN HINRICHTUNGEN VON CHRISTEN DURCH CHRISTEN

Priscillian, ein gelehrter Laienchrist, um 345 geboren, aus vornehmer, reicher Familie, war weder habgierig noch anspruchsvoll. Vielmehr verzichtete er, wie Sulpicius Severus, der Biograph des hl. Martin von Tours, mitteilt, auf Geld und Einkommen. Gebildet, fleißig, beredt und charakterlich tadellos, doch entsetzt über die Laxheit des Klerus, debütierte Priscillian um 375 in Lusitanien als Haupt einer ethisch-rigoristischen Bewegung. Sie vertrat strenge Askese (einschließlich vegetarischer Diät, weil sie Fleischnahrung für widernatürlich hielt), Hochschätzung der Prophetie sowie ein gewisses dualistisches Denken und breitete sich rasch über Spanien aus. Auch Bischöfe hingen ihr an, besonders Instantius und Salvian. Von ihnen wurde Priscillian selber 381 zum Bischof von Avila geweiht. Die Mehrheit des Episkopats aber stand gegen sie, obwohl Priscillian und sein Anhang Wert darauf legten, mit den Lehren der Kirche voll übereinzustimmen. Unter Führung des Hyginus von Córdoba (der Priscillian denunzierte, dann jedoch zu ihm überging), des Hydatius von Mérida und Ithacius von Ossonoba (Faro), eines großen Fressers, dem jede Askese von vornherein zuwider war, hetzte man gegen die Priscillianisten. Eine Synode von zwölf Bischöfen in Zaragoza verurteilte am 4. Oktober 380 unter Hydatius von Merida einige ihrer Ansichten und Praktiken, aber noch nicht sie selbst. Als sie sich wehrten, gestanden ihnen die spanischen Bischöfe ein neues Konzil zu. Doch Hydatius vereitelte es. Er zeigte Priscillian und seinen Anhang wegen manichäischer «Ketzerei» bei Kaiser Gratian an, der nun, beraten vielleicht von Ambrosius, die Verfolgung der «Manichäer und Pseudobischöfe» durch den Staat befahl.[72]

Als darauf Priscillian, Instantius und Salvianus im Winter 381/82 in Mailand und Rom vorsprachen, lehnte Ambrosius seine Einmischung ab, Papst Damasus sogar einen Empfang. Vergeblich baten sie den Römer in einer Bittschrift: «Gib uns Gehör ... gib uns, so bitten wir flehentlich, Briefe an Deine Brüder, die spanischen Bischöfe mit ...» Erst auf der Heimreise widerfuhr Priscillian und Instantius (Salvianus war in Rom gestorben) in Mailand bei Hof Gerechtigkeit, wenn auch nur durch Bestechung des magister officiorum (= Hofmarschall) Macedonius. Das kaiserliche Edikt wurde aufgehoben, die Beschuldigten durften auf ihre Stühle zurück. Gegen ihre speziellen Widersacher aber erging Haftbefehl. Priscillian und seine Todfeinde, die Bischöfe Ithacius und Hydatius, wandten sich an den Hof in Trier. Dort regierte inzwischen der Usurpator Maximus (S. 442 f), ein orthodoxer Spanier, der sich beim spanischen Episkopat beliebt machen wollte, doch Grund genug hatte, auch in den Bischöfen Italiens Anti-Priscillianisten zu sehen. So belangte er im Frühjahr 385 Priscillian nebst seinen reichsten Anhängern. Ithacius und Hydatius fungierten als Ankläger. Ihre Opfer wurden durch Folterqualen «geständig» gemacht, dann die ersten Christen durch Christen offiziell zum Tod verurteilt und sofort geköpft – wegen angeblicher Sittenverderbnis und «magischer Künste» (maleficium): sieben Menschen, Priscillian, die Kleriker Felicissimus und Armenius, der Diakon Aurelius, ein gewisser Latronianus, ein Asarivus sowie die reiche Witwe Euchrotia. Auch Bischof Britto von Trier und sein Nachfolger Felix haben das Verbrechen gebilligt, ebenso weitaus die meisten gallischen Prälaten. In Bordeaux starb im selben Jahr eine Priscillianistin durch den katholischen Pöbel. Eine Reihe von «Häretikern» wurde verbannt. Die Inquisition griff auf Spanien über. Thronräuber Maximus aber, ein eifriger Orthodoxer, der erst kurz vor seiner Usurpation getauft worden war und sich darauf berief, durch «göttliche Eingebung»

(divino nutu) zu regieren, mit dem hl. Martin von Tours an der
kaiserlichen Tafel saß, auch mit anderen Bischöfen an seinem Hof
verkehrte, schickte, vom hohen Klerus um Ithacius bestimmt,
«tribuni cum iure gladii» nach Spanien, um die «Ketzer» aufzu-
spüren, ihnen Leben und Besitz zu nehmen, und schmückte sich
in einer Epistel an Papst Siricius mit seinen Verdiensten um den
Katholizismus durch Liquidierung der «Manichäer».[73]

Das Entsetzen über die Bluttat von Trier, wo ja schon Athanasius als Verbannter «Ketzer»-Kampf und Glaubenstyrannei gefördert, war damals noch gewaltig. Auf dem Konzil von Toledo
(400) akklamierten Kleriker, unterstützt durch Bischof Herenas,
Priscillian als Katholiken und heiligen Märtyrer. Sie wurden
sämtlich abgesetzt. Und Bischof Symposius von Astorga mußte
dem hl. Ambrosius zugestehn, daß er Priscillian und seine getöteten Genossen nicht als Blutzeugen feiern, auch seine «Lehrneu-
erungen» meiden werde.[74]

Im übrigen log man, wie schon früher, kräftig weiter. Priscillian sollte obszönen Gedanken gehuldigt, nachts nackt mit geilen
Weibern gebetet, ja, Euchrotias Tochter Procula ein Kind von ihm
mit Kräutern abgetrieben haben. Tatsächlich zog es vor allem die
Frauen zu den Asketen, denen man Bestechung vorwarf, Gewalttat, Verfolgung der Orthodoxen, besonders aber, durch eineinhalb Jahrtausende, eine Art manichäischer «Ketzerei» – bis man
1886 Priscillians Schriften fand. Denn nun erwies sich, daß er
weder Magier noch Manichäer gewesen, vielmehr umfassend
ihre Prinzipien verdammt und mehrere gnostische Sekten, am
schärfsten die Manichäer, bekämpft hatte. (Freilich auch rigoros,
in fast an Firmicus Maternus [S. 316 ff] erinnerndem Ton, die
Heiden: «Zugrunde gehen mögen sie samt ihren Göttern.»
«Gleich ihren Göttern wird das Schwert des Herrn sie schlagen.»)
Trotzdem verleumdeten ihn auch die Kirchenlehrer Hieronymus,
Augustinus, Isidor von Sevilla – er erwähnt sogar einen Mann,
der Priscillian in der Zauberei unterrichtet habe – und, wilder als
alle, Papst Leo I., «der Große», der ausdrücklich die Hinrichtung
des «Ketzers» samt seiner Gefährten rechtfertigt. Bezichtigen sie
doch im 20. Jahrhundert noch Katholiken der «absoluten Zügel-

losigkeit» (Ries) und legen die Tragödie von Trier «allein» dem Staat zur Last (Stratmann).[75]

In Spanien lebte der Priscillianismus durch mehrere Jahrhunderte fort. Noch das 1. Konzil von Braga (561) mußte sich hauptsächlich mit ihm befassen und einen ganzen Katalog von Anathematismen dagegen schleudern. Verdammt wird darin, wer glaubt, daß der Teufel nie ein guter Engel gewesen, daß der Mensch dem Einfluß der Gestirne unterworfen sei, wer am Sonntag oder an Weihnachten fastet oder jede fleischliche Nahrung für unrein hält und so weiter. Das Konzil entblödet sich nicht, die Abstinenz der Geistlichen von Fleischspeisen anzuprangern, da dies den Verdacht auf Priscillianismus nähre. Der ebenso komische wie beschämende Kanon 14 zwang den katholischen Klerus, gekochtes Gemüse zusammen mit Fleisch zu essen. Wer sich weigerte, wurde exkommuniziert und seines Amtes enthoben! (Und anscheinend ohne ein Spur von Ironie glaubt Domingo Ramos-Lissón noch 1981, «daß sich dieser Kanon nicht auf die von der Kirche vorgeschriebenen Abstinenztage bezog . . .»[76])

Stand Ambrosius bei der Tragödie Priscillians und seines Anhangs nur im Hintergrund, sehen wir ihn im Kampf gegen die Juden wieder in vorderster Front.

KIRCHENLEHRER AMBROSIUS: EIN FANATISCHER JUDENFEIND. ERSTES NIEDERBRENNEN VON SYNAGOGEN MIT BILLIGUNG UND AUF BEFEHL CHRISTLICHER BISCHÖFE

Ambrosius teilt selbstverständlich den obligatorischen Antijudaismus der Kirche. Jahrelang und detailliert beschimpft er die Juden. Wie die Heiden gehören sie zu den «gentes peccatores», für ihn «mystice» durch die mit Jesus gekreuzigten Räuber symbolisiert. Er wirft den Juden, manchmal recht höhnisch, Dummheit und Hochmut vor, «Verschlagenheit» (versutia), «Frechheit» (procax), «Treulosigkeit» (perfidia), wobei hinter dieser besonders typischen Eigenschaft ihres Volkes nicht bloß gewöhnliche Unzuverlässigkeit, Untreue, stehe, sondern eine grundsätzliche Feindschaft gegenüber der Wahrheit, der Kirche, Gott. Er unterstellt den Juden «Unruhestiftung» und «Mord». Ganz zu schweigen davon, daß sie nicht nur den Herrn umbrachten, sondern sich auch weiterhin gegen ihn, nämlich gegen die Kirche, versündigen. Kurz: «Seine Ablehnung der Juden ist eindeutig» (K.-P. Schneider).[77]

Wie weit Ambrosius dabei geht, wie der literarische Antijudaismus des Klerus nun in den tätlichen umschlägt, zeigt die Affäre von Kallinikon (jetzt Raqqa) am syrischen Euphrat.

In dieser wichtigen Militär- und Handelsstadt hatten randalierende Mönchshaufen 388 auf Geheiß des zuständigen Bischofs eine Synagoge überfallen, geplündert und niedergebrannt – ebenso eine nahegelegene Kirche (fanum, lucus) valentinianischer Gnostiker, damals schon «fast alltäglich» (Kupisch): doch mehr als eineinhalb Jahrtausende vor der «Kristallnacht»! Dabei garantierte das christliche Reichsgesetz den Juden freie Kultausübung und schützte Synagogen als «aedificia publica»! Anlaß zu den Attacken in Kallinikon waren vermutlich: die kirchenväterliche Haßpropaganda, Neid auf den jüdischen Reichtum und gewisse Übergriffe der Gnostiker, nicht der Juden.[78]

Selbst Kaiser Theodosius, der entschiedene Katholik, trat seinerzeit für die Juden ein. Verfocht er doch überhaupt, ähnlich wie Valentinian I. und Valens, einen eher projüdischen Kurs. Gewiß schloß Theodosius die Juden vom Erwerb christlicher Sklaven aus, ja, auch er bestrafte Ehen zwischen Juden und Christen mit dem Tod. Andererseits aber befreite er Juden und Samaritaner von der Zwangseingliederung in die Korporation der Reeder oder Frachtschiffer (naúklēroi), die mit beträchtlichen Auflagen verbunden war, und untersagte den Gerichten die Einmischung in religiöse Streitigkeiten der Juden. 393 dekretierte er, «daß die Sekte der Juden durch kein Gesetz verboten ist», zeigte sich «sehr besorgt, daß an einigen Orten ihre Zusammenkünfte verboten werden», verlangte besonderen Schutz des Patriarchen, des Oberhaupts aller jüdischen Gemeinden, einschließlich seiner Apostoloi, seiner Religionssteuereintreiber, und forderte die strenge Bestrafung jener, die aus Gründen des christlichen Glaubens Synagogen plündern oder zerstören.[79]

Auch nach dem Vorfall in Kallinikon gelobte der Kaiser mit einem Eid, die Brandstiftung hart zu bestrafen. Er befahl Übergabe des Raubs und Wiederaufbau durch die Schuldigen. Doch abermals trat Ambrosius dazwischen, um «Gottes Gebot zu gehorchen»; zumal Juden für den hl. Antisemiten prinzipiell «eigentlich des Todes schuldig» waren (Judaei digni sint morte), mindestens jedoch durch die «befreiende Geißel» Christi vertrieben werden müssen «in ein unbegrenztes und endloses Exil, so daß in der Welt kein Platz mehr bleibt für die Synagoge». Er betonte sogar, selber die Synagoge in Brand gesteckt, den Auftrag dazu gegeben zu haben (certe quod ego illis mandaverim), «damit es keinen Ort gebe, wo Christus geleugnet wird». Nach bewährtem Muster nannte der Falschmünzer das kaiserliche Vorhaben Christenverfolgung und den Bischof von Kallinikon einen Märtyrer. Er erklärte sich flammend solidarisch mit ihm, versicherte, die Mailänder Synagoge selbst verbrannt zu haben, wäre sie nicht schon einem Blitz zum Opfer gefallen. Er schimpfte das Heiligtum seiner Gegner «eine Heimstätte des Irrsinns», behauptete, die Juden würden darauf schreiben: «Mit Christengeld errichtet!» Er appellierte an den Herrscher (der ihm vorhielt: «Und die Mönche begehen so viele Verbrechen»), ein Anwalt des Katholizismus zu sein, ja, drohte auch ihm offen mit Exkommunikation. Höre er «im Palast» nicht, müsse er es «in der Kirche» tun. Wirklich erpreßte er zuletzt dem lange Zögernden vor versammelter Gemeinde, durch Verweigerung der Messe, für die Gangster von Kallinikon die Amnestie und übermittelte gleich danach der eignen Schwester brieflich seinen Triumph (durch wörtliche Wiedergabe seiner Rede und seines Gesprächs mit dem Kaiser). Denn, unterwies er ihn: «Was steht höher: der Begriff der Ordnung oder das Interesse der Religion?» Mit Recht schreibt Gert Haendler: «Der erste Bischof, der die Macht hatte, klerikale Ansprüche gegenüber dem Staat durchzusetzen, war nicht davor gesichert, diese Macht zu mißbrauchen.»[80]

Fast bedauert man, daß dem hl. Ambrosius bei Mailands Judentempel der Blitz zuvorkam . . . Oder war sein Ausfall bloße Phrase? Doch seit die Christen herrschten, setzten sie die anfangs rein theologische Kontroverse – im Gegensatz zum Philosemitismus der übrigen spätantiken Welt – durch einen sehr handfesten Antijudaismus fort. Er führte, über nicht abreißende mittelalterliche Judenpogrome, bis in die Gaskammern Hitlers. Sein Antisemitismus wäre «unmöglich gewesen», so selbst Katholik Küng, «ohne die fast zweitausendjährige Vorgeschichte des ‹christlichen›» – wobei die ‹christlichen› Gänsefüßchen pure Täuschung sind. Denn eine Judenfeindschaft, die auch die größten christlichen Heiligen flammend vertreten haben und geschürt, Athanasius, Ephräm, Chrysostomos, Hieronymus, Hilarius, Ambrosius, Augustinus et ceteri (s. 2. Kap. u. S. 511 ff), lauter Kirchenlehrer, war selbstverständlich eine *christliche* Judenfeindschaft und bleibt es.[81]

Die in vorkonstantinischer Zeit zahlreichen Streitreden mit Juden werden allmählich seltener und im 4. und 5. Jahrhundert kaum mehr erwähnt. Auch zum einst häufigen Gebet für sie animierten Päpste und Bischöfe immer weniger (geschweige daß sie, wie nach Hitler, deshalb förmliche «Gebetsfeldzüge» forderten). Man hatte nun die Möglichkeit ganz anderer Feldzüge – und führte sie.

Schon Mitte des 4. Jahrhunderts ließ in Norditalien Bischof Innocentius von Dertona eine Synagoge zerstören, wobei offenbar auch der ganze Besitz der Juden – ein heilsgeschichtlich noch oft notwendiges Werk – beschlagnahmt worden ist. Etwa um dieselbe Zeit raubte man in Nordafrika die Synagoge von Tipasa und machte eine Kirche daraus. Bereits vor dem Verbrechen von Kallinikon steckten auch die Christen Roms eine Synagoge in Brand. Drängten die Bischöfe doch, nach Julians Judenfreundlichkeit (S. 328 f), auf schärfere antijüdische Attacken. Und so rauchen von Italien bis Palästina schon damals die Synagogen . . . Denn, wie Ambrosius sagte: «Was steht höher: der Begriff der Ordnung oder das Interesse der Religion?»[82]

Doch noch nach Hitlers Judenvergasung lobt Katholik Stratmann: «Am meisten zu Recht besteht der Protest des Heiligen gegen den Wiederaufbau der Synagoge durch einen Bischof . . .»[83]

Wie Ambrosius auch sonst das Interesse der Religion über den Begriff der Ordnung stellen, fast eine ganze Galerie mehr oder minder legitimer Kaiser überleben und schlechthin alle Wechselfälle des Lebens und der Weltgeschichte meistern konnte, hatte sich auch bei der Katastrophe Gratians, seines geistlichen Ziehkinds, gezeigt.

EINE ZWIELICHTIGE DIPLOMATISCHE MISSION DES AMBROSIUS UND EIN KRIEG ZWISCHEN KATHOLISCHEN HERRSCHERN

Im Jahr 383, als in Italien, Gallien und Spanien eine Hungersnot grassierte, war der Heerführer Quintus Aurelius Maximus (S. 436), ein Katholik, durch britannische Soldaten Augustus geworden. Beim Versuch, den Usurpator niederzuringen, wurde Kaiser Gratian, nach einer Reihe kleinerer Gefechte, von seinen unzufriedenen Truppen verlassen, durch den Magister equitum Andragathius, den Reitergeneral und Freund des Maximus, verfolgt, in Lyon gefangen und dort am 25. August, vierundzwanzigjährig, bei einem Gastmahl verräterisch erschlagen. Doch noch während er, an der Spitze von 300 Reitern, von Paris den Alpen zufloh, jede Stadt ihre Tore vor ihm schloß, all seine Freunde ihn mieden, fand er, wußte wieder einmal Ambrosius, Hilfe und Trost in der Religion, in manchem Psalm, im Glauben an die Unsterblichkeit seiner Seele. Und sein letztes Wort, berichtet Ambrosius, war: «Ambrosius».[84]

Tatsache ist, daß mit Gratian, dem Ambrosius, vor allem in der letzten Zeit, am nächsten stand, im Grunde niemand mehr zufrieden, Kaiser Theodosius wohl selber an seiner Beseitigung beteiligt war. Einerseits hatte er mit ihm große kirchenpolitische Differenzen, andererseits früher Seite an Seite mit Maximus ge-

kämpft, einem Verwandten seiner Familie, was den Abfall von
Gratians Herr nur fördern konnte.[85]

Daß die Heiden um den Ambrosiuszögling nicht trauerten, ist
klar. Auch die Katholiken aber weinten ihm kaum nach, war er
doch ihren Führern eher mißliebig geworden: durch sein Streichen aller Steuerbefreiungen und Privilegien zugunsten weniger,
wobei die Gesetze (vom 19. Januar und 5. März 383) selbst die
Kirche schädigten. Und durch seine Priscillianisten-Politik, die
den Sektierern, entgegen dem Wunsch auch der Bischöfe von
Mailand und Rom, ihre «Gotteshäuser» wiedergab. Maximus
aber, der Waffengefährte und Verwandte des Theodosius, rückte
als rigoroser Katholik den «Ketzern» fanatisch auf den Leib
(S. 436 f). Konnte er also nicht brauchbarer sein?[86]

Jedenfalls reiste jetzt Ambrosius gleich zweimal zu dem Thronräuber, dem Mörder seines Schützlings – natürlich nur im Auftrag der Kaiserinmutter Justina, seiner persönlichen Feindin und
politischen Rivalin, der «Ketzerin». Mit dem kleinen Valentinian
an der Hand, habe sie ihn selbst darum ersucht. Und wen, fragt
der klerikale Diplomat, freilich bloß ausnahmsweise die zwielich-
tige Mission berührend, wen sollen die Bischöfe mehr schützen
als Witwen und Waisen? Doch auch in Gallien umgab schon die
«schmutzige Schmeichelei» der Bischöfe (foeda adulatio: Sulpicius Severus) den Sieger Maximus. Selbst der bedeutendste gallische Kirchenfürst der Zeit, Martin von Tours, erschien an der
kaiserlichen Tafel und ließ sich am Hof des Usurpators durch
diesen und die Kaiserin besonders verehren. So wird der Mörder
des frommen Gratian, der katholische Eiferer, schließlich als
Herr über Britannien, Gallien und Spanien anerkannt und der
Stiefbruder des ermordeten Gratian, Valentinian II., mit dem
mittleren Reichsteil, Italien, Afrika, Illyrien, abgefunden.[87]

Valentinian II. aber, christlich erzogen, doch nie getauft, stand
unter dem Einfluß seiner offen arianischen Mutter; er war «Hä-
retiker». Und während Ambrosius, der Witwen- und Waisen-
Beschützer, sich immer mehr mit den beiden überwarf, beschwor
Maximus, zwar Usurpator, doch rechtgläubig, Valentinian, den
«Ketzer», aber legitimen Kaiser (eine paradoxe Situation), «den

Kampf gegen den wahren Glauben aufzugeben» und «von der frommen Rechtgläubigkeit des Vaters nicht abzulassen». Maximus verlangte Umkehr, schnelle Besserung, drohte auch bereis mit Krieg, den er 387 begann, allerdings nur, wie er öffentlich beteuert, zur Verteidigung des nicaenischen Glaubens. Ohne Widerstand zu finden, rückt er auf Mailand vor, wo Bischof Ambrosius getrost bleiben kann, Valentinian jedoch mit Mutter, Schwester, Hofstaat zu Theodosius flieht, der sein Elend prompt als Strafe für den Glaubensabfall erklärt und ihren Übertritt zur Orthodoxie erreicht. Auch verliebt sich der Witwer, dessen Frau Aelia Flavia Flaccilla gerade erst gestorben war, in Valentinians junge Schwester Galla, heiratet sie alsbald, freilich wohl mehr aus dynastischen Gründen und im Hinblick auf «einen notwendigen, aber schmutzigen Krieg» (Holum). Er rüstet, holt noch die günstige Prophezeiung des ägyptischen Einsiedlers Johannes ein und zieht dann gegen den rechtgläubigen Maximus. (Die heikle Situation hoher Kleriker erhellt das Pech des alexandrinischen Patriarchen Theophilus. Als erster wollte er dem Sieger gratulieren, zujubeln lassen und schickte, zur Demonstration seiner Sehergabe, Geschenke nebst Briefe an Theodosius und Maximus zugleich nach Italien. Dort sollte sein Bote, der Presbyter Isidorus, je nach Ausgang, die Post übergeben. Doch wurde diesem alles von seinem Lector geklaut und die Sache ruchbar, worauf er schleunigst nach Alexandrien zurückkehrte.[88])

Theodosius siegte im Sommer 388 durch zwei Schlachten bei Siscia (Esseg) und Poetovio (Pettau). Maximus, der Landsmann, Verwandte und gute Katholik, der keine Gelegenheit verstreichen ließ, ohne sich als Schützer der rechtgläubigen Christenheit auszugeben und die Gottgewolltheit seiner Regierung mit seinen Siegen zu begründen, wurde gefangen und getötet. So gedenkt Ambrosius jetzt des Psalms 37,35: «Ich sah den Gottlosen übermütig und hochaufgerichtet wie die Cedern des Libanon. Und dann ging ich vorüber, und er war nicht mehr.» Auch die maurische Leibwache des Maximus wird liquidiert. Ferner werden viele der zu ihm übergelaufenen «Barbaren» im römischen Heer, die in die Sumpfgegenden und Gebirgswälder Makedoniens geflohen,

auf kaiserlichen Befehl gejagt und niedergemacht. Der Feldherr
Andragathius, der Mörder Gratians, ertränkte sich. Auch Maximus' in Gallien zurückgelassener Sohn Flavius Victor, ein Kind
noch, springt über die Klinge. Und die mit dem Usurpator kollaborierenden gallischen und spanischen Prälaten wandern unnachsichtig in Verbannung.[89]

Der junge Valentinian aber gerät nach dem Sieg über Maximus
und dem Tod seiner arianischen Mutter immer mehr unter den
Einfluß von Theodosius und Ambrosius. Er nimmt deren Glauben an und erläßt entsprechende Religionsgesetze.

Am 14. Juni 388 verbietet er «Ketzern» Versammlungen und
Predigten, das Errichten von Altären sowie jeden Gottesdienst.
Am 17. Juni 389 geht er (gemeinsam mit Theodosius) gegen die
Manichäer vor. Man untersagt ihnen den Aufenthalt auf dem
ganzen Erdkreis, speziell aber in Rom, bei Todesstrafe; ihre Güter
sollen dem Volk anheimfallen. 391 bedroht Valentinian mit hohen
Geldstrafen (bis zu 15 Pfund Gold für die höchsten Beamten)
Tempel betretende und dort Götter anbetende Heiden, ferner
«Ketzer» durch Versammlungsverbot in Städten und Dörfern,
endlich, besonders hart, Apostaten: sie dürfen nicht nur, wie
schon früher festgesetzt, nicht erben und vererben, sondern auch
weder Zeugnis ablegen noch Buße tun oder Absolution erlangen.
Sie sollen alle Würden verlieren und für immer ehrlos sein. 392
wird Valentinian II. selber ermordet, vermutlich wieder nicht
ohne Beihilfe des Theodosius.[90]

Zwei Massaker eines «notorisch christlichen» Kaisers und die Verklärung des Blutbads durch Augustin

Wozu gerade Theodosius «der Große» fähig war, zeigte sich auch
387 in Antiochien nach einem (besonders reich dokumentierten)
Volksaufruhr wegen einer erhöhten Steuerforderung vom Februar.

Die Quellen stimmen überein, daß es um eine Zahlung in Gold ging; Theodosius brauchte es zur Finanzierung seiner Söldner. Nach Verlesung des kaiserlichen Briefes durch den Gouverneur sind die Honoratioren wie vernichtet. Sie erklären die Steuer als unerschwinglich; manche flehen zu Gott, was dann schon als unrechtmäßig gilt. Die Menge, durch Hungersnöte in den letzten Jahren mitgenommen, beginnt zu randalieren, setzt zum Sturm auf das Gouverneursgebäude an, stürzt die Standbilder der kaiserlichen Familie, legt Feuer an einen Palast, droht mit weiteren Brandstiftungen, auch an der Kaiserresidenz. Indes gehen bereits Bogenschützen gegen das Volk vor, die Stadt wird degradiert und verliert ihren militärischen Status; Zirkus, Theater, Bäder werden geschlossen, Todesurteile gefällt, Menschen, darunter sogar Kinder, geköpft, verbrannt, sogenannten Bestien vorgeworfen. Und doch: alles eine Bagatelle fast, verglichen mit dem Blutbad in Thessalonike.

Dort nämlich hatte man im Frühjahr 390 den gotischen Militärkommandanten Butherich umgebracht – wegen Verhaftung eines populären Wagenlenkers, der Butherichs hübschen Mundschenk verehrte. Der fromme Theodosius, einer der «notorisch christlichen Herrscher» des Jahrhunderts (Aland), befahl darauf, die Bevölkerung zu einem Schauspiel in den Zirkus zu locken und zusammenzuschlagen. Sie wurden, schreibt Bischof Theodoret mit poetischer Bildhaftigkeit, «wie bei einer Ernte die Ähren, alle zumal hinweggemäht». Zwar widerrief Theodosius später, doch hatten seine Schlächter schon mehrere Stunden lang 7000 Frauen, Männer, Kinder, Greise abgestochen; nach Theophanes, Kedrenos, Moses von Chorene sogar 15 000; eines der scheußlichsten Massaker der Antike – – was den hl. Augustin nicht hindert, Theodosius als Idealbild eines christlichen Fürsten zu glorifizieren! Bekam der Regent ja durch die Kirche den Beinamen «der Große» und ging als «der vorbildliche katholische Monarch» (Brown) in die Geschichte ein.[91]

Infolge der allgemeinen Erregung konnte Bischof Ambrosius jetzt zwar nicht schweigen. Wenig wohl hätte er lieber getan. So jedoch schrieb er dem Kaiser – und ein großer Teil der Welt, auch der gelehrten, bewundert das noch heute! – im Mai 390 einen Brief, ausdrücklich nur zur persönlichen Lektüre. Nicht ohne Verständnis erinnert er an Theodosius' «heftiges Temperament», wäre aber bekümmert, würde ihn, «ein Muster erlesener Frömmigkeit», «die höchste Milde», «der Untergang so vieler Unschuldiger nicht schmerzen». Dabei beteuert Ambrosius freilich: «Dies schreibe ich nicht, um Euch zu beschämen.» «Zur Beschimpfung habe ich keinen Grund.» «Ich liebe Euch, ich verehre Euch.» Nein, bloß den Schein wollte der Kirchenmann wahren, den blassesten Schimmer wenigstens geistlicher Autorität.[92]

Die «Bußdisziplin» betraf nun einmal alle. Eine Frau – zum Vergleich – mußte damals für eine Abtreibung lebenslänglich büßen. Lebenslänglich büßten mancherorts auch Priesterwitwen, die wieder heirateten; oder Gläubige, die den Bruder oder die Schwester ihres verstorbenen Mannes ehelichten. Von Mördern zu schweigen! Buße jedoch bedeutete: Tragen eines härenen Sacks, Fahr- und Reitverbot, dauerndes Fasten, ausgenommen Sonn- und Feiertage, fast immer auch ständige Enthaltung vom Sexualverkehr und anderes – *lebenslänglich* also schon für eine Abtreibung oder gewisse Verwandtenehen! Dem *Mörder Tausender* aber erlegte Ambrosius jetzt auf, *einmal* in der Kirche unter den Büßenden zu sitzen![93]

Bei einem Kaiser geht es eben bloß um die Geste, das Prinzip. Daß freilich die grundsätzliche Fügsamkeit gegenüber dem Klerus diesem *alles* bedeutet, ein Mord an Tausenden im Grunde *nichts*, beweist auch Augustins Kommentar, dem sich das Blutbad zu einem herrlichen Exempel evangelischer humilitas verklärt – eingeflochten auch noch in Theodosius' generelle Glorifizierung als ideale christliche Herrschergestalt: «*Doch das Erstaunlichste von allem war seine fromme Demut.* Er hatte sich nämlich durch das stürmische Drängen einiger Männer seiner Umgebung hinreißen lassen, *den schweren Frevel der Thessalonicher*, obwohl er ihn auf bischöfliche Fürsprache bereits verziehen hatte, doch noch zu bestrafen, und leistete nun, in kirchliche Zucht genommen, in einer Weise Buße, *daß das für ihn bittende Volk beim Anblick seiner in den Staub gebeugten kaiserlichen*

Hoheit bitterlicher weinte, als wenn es seinen Zorn wegen eines Vergehens gefürchtet hätte. Diese und ähnliche gute Werke, die aufzuzählen zu weitläufig wäre, nahm er mit sich hinauf *aus dem irdischen Nebel, der alle menschlichen Gipfel und Hoheiten umhüllt. Ihr Lohn ist die ewige Seligkeit, die Gott nur dem wahrhaft Frommen verleiht.*»[94]

Ein entlarvender Text. Dient die Ermordung Tausender, um einen einzigen zu rächen – das befal selbst Hitler nie –, für Kirchenlehrer Augustin doch nur zum Demonstrieren der «frommen Demut» eines Kaisers! Und während der Heilige das ungeheure Gemetzel diskret übergeht, betont er «den schweren Frevel der Thessalonicher»! Während er kein Wort verliert über die Schlachtung so vieler Unschuldiger, läßt er den Mörder wegen seiner Pseudobuße beweinen; «bitterlicher» sogar, als wäre man selber zum Opfer seines Zorns geworden! Präsentiert er die allerhöchste Sühnegeste – Traumfrucht gleichsam eines Massenmords – unter dem Stichwort «gute Werke»! Zählt er den Bluthund zu den «wahrhaft Frommen» und verheißt ihm «ewige Seligkeit»!

Kaum wahrnehmbar aber die Untat: raffiniert verdreht im *Bestrafungs*hinweis auf das *Verbrechen der Bevölkerung*; und, rhetorisch bestrickend, in jenem «irdischen Nebel, der alle menschlichen Gipfel und Hoheiten umhüllt». Wirklich gut gesagt. Denn was zählt, ist allein die Unterwerfung unter den Klerus; das größte Geschichtsverbrechen daneben bloß ein bißchen Nebel, Wasserdampf, nichts!

Wir haben hier den ersten «Fürstenspiegel» eines christlichen Herrschers vor uns, ein Fürstenideal, das besonders die Gestalt Christi, des Königs, zum Vorbild des Kaisers macht und entscheidend fortwirken sollte in die germanische Welt! Der Augustinuskenner Peter Brown zählt dies augustinische «Porträt» von Theodosius, ebenso wie das von Kaiser Konstantin, zu «den größten Kitschpartien (the most shoddy passages) des ‹Gottesstaates›».[95]

Kam es damals zu Reibungen, gab Theodosius meist freiwillig nach. Zumal seit seiner «Buße» für Thessalonike ist er offenbar «vollkommen dem Ambrosius hörig geworden» (Stein). Einträchtig bekämpften Kaiser und Bischof, die «beiden großen, ja größten Männer ihrer Zeit» (Niederhuber), «Ketzer» und Heiden. Und wie gegen jene schon Theodosius' Vorgänger Konstantius schärfer eingeschritten war als Konstantin, so attackierte sie jetzt Theodosius bereits wieder härter als Konstantius. Doch während dieser und sein Vater der Kirche noch geboten, ordnet sich ihr Theodosius – lange vor seinem Tod getauft – gelegentlich schon unter.[96]

THEODOSIUS «DES GROSSEN» KAMPF
GEGEN DIE «KETZER»

Der Kaiser jagte die andersgläubigen Christen seit 381, als er, durch Erlaß vom 10. Januar, alle Kirchen ausnahmslos den Orthodoxen zu übergeben und «ketzerische» Kulte nicht mehr zu dulden befahl. Seinen General Sapor schickte er gleich in den Orient, um die arianischen Bischöfe aus den Kirchen zu treiben. Überall wurden sie nun streng verfolgt, noch einige Jahrzehnte aber durch die Goten unterstützt. Weitere Religionsdekrete zugunsten der Katholiken und zur Bekämpfung ihrer Gegner folgten im selben Jahr. Auch setzte Theodosius, wie Gratian, die schon von Konstantin begonnene Verfolgung der Markioniten (S. 277) mit verstärkter Brutalität fort. Die Eingaben «häretischer» Bischöfe zerriß er vor deren Augen. Die nichtkatholischen Christen erhielten Versammlungsverbot, Lehrverbot, Diskussionsverbot, Verbot der Priesterweihe. Ihre Kirchen und Tagungsräume wurden zugunsten katholischer Bischöfe oder des Staates konfisziert, ihre bürgerlichen Rechte eingeschränkt. Man schloß sie von der Beamtenlaufbahn aus, erklärte sie zeitweise für unfähig zu erben und zu vererben, bedrohte sie gelegentlich mit Vermögenseinziehung, Ausweisung, Deportation. Immer wieder ging man unter anderem besonders gegen die Eunomianer vor, die ein Gesetz vom 5. Mai 389 als «spadones» (Kastrierte) verspottet. Man nahm ihnen das ius militandi und testandi, das heißt das

Recht, am Hof und im Heer Beamte zu sein, sowie Testamente zu machen oder in Testamenten berücksichtigt zu werden. Sämtliche Güter von ihnen sollen nach ihrem Tod dem Fiskus zufallen. (Ihr Geschichtsschreiber wird Philostorgios.) Auf Zugehörigkeit zum Manichäismus, im Codex Theodosius unter allen Sekten am häufigsten genannt und durch zwanzig Gesetze bekämpft, setzt der Kaiser am 31. März 382 die Todesstrafe. Doch galt sie auch für Enkratiten, die Fleisch, Wein und Ehe verschmähten, Sakkophoren, die grobe Kleidung als Zeichen ihres Asketentums trugen, Hydroparastaten, die die Eucharistie mit Wasser statt mit Wein feierten. Staatsbüttel sollten alle «Ketzer» aufspüren und vor Gericht bringen. Für Denunzianten entfielen dabei die üblichen Bußen. Selbst gefoltert wurde manchmal schon. Ja, es erscheint – im Jahr 382 – das Wort: Inquisition![97]

Allein fünf Gesetze erließ Theodosius gegen Apostaten, ein Gesetz 381, zwei Gesetze 383, zwei 391. Diese Erlasse, immer detaillierter, schärfer gehalten, bestraften Apostaten durch Ausstoßung aus der Gesellschaft, Testier- und Erbunfähigkeit. Sie können somit weder ein gültiges Testament hinterlassen noch Erben sein. Nach dem dritten Gesetz sind Apostaten nicht nur Christen, die Heiden, sondern die auch Juden, Manichäer werden oder valentinianische Gnostiker. Das vierte Gesetz bemerkt zum Ausschluß aus der Gesellschaft: «Wir hätten sogar befohlen, sie in die Ferne zu stoßen und weiter weg zu verbannen, wäre es nicht offensichtlich eine größere Strafe, unter den Menschen zu leben, aber ihre Unterstützung zu entbehren. Sie sollen also als Ausgestoßene in ihrer Umgebung wohnen bleiben. Die Möglichkeit, in ihren früheren Status zurückzukehren, ist ihnen verwehrt. Für sie gibt es keine Buße; sie sind keine ‹Gefallenen›, sondern ‹Verlorene›.» Das letzte Gesetz attestiert hochgestellten Apostaten einen «unsagbar verworfenen Charakter» und bestimmt, sie sofort ständiger Ächtung (infamia) auszusetzen und nicht einmal zur niedrigsten Klasse zu zählen. Die gesellschaftliche Existenz dieser Menschen ist damit vernichtet.[98]

Die kaiserliche Kanzlei gebraucht bei ihrer antihäretischen Gesetzgebung regelmäßig das von den katholischen Bischöfen des

Westens entwickelte Anti-«Ketzer»-Vokabular. Es beeinflußte «nicht nur die Abfassung, sondern auch den Inhalt der Texte» (Gottlieb). Denn hinter Theodosius stand natürlich die katholische Kirche – «Die göttliche Vorsehung half dabei nach» (Benediktiner Baur). Vor allem durch Ambrosius – der in seiner Leichenrede auf den Kaiser jubelte, den «verruchten Irrwahn» tat er ab – wurde Theodosius «bestimmt, die Einigung der Kirche auf der katholischen statt auf der arianischen Basis zu versuchen» (Dempf). Auch Kirchenschriftsteller Rufinus von Aquileia betont, daß Theodosius nach seiner Rückkehr aus dem Osten besonders eifrig die Austreibung der «Ketzer» aus den Kirchen und deren Übergabe an die Katholiken betrieb.[99]

Ambrosius hörte nie auf, gegen andersgläubige Christen zu hetzen, die alle «die gleiche Gottlosigkeit» (!) kennzeichne, alle blind seien, in der Nacht der Unwahrheit steckten, die Gemeinden verwirrten. Ja, mit der ihm oft eignen Logik und Geistesschärfe (vgl. S. 187 f) bezichtigte er «Häretiker» einerseits, «nach Judenart» ihre Ohren vor dem Glauben zu verstopfen, und kreidete ihnen andererseits ihr Interesse am Glauben an, ihre Vorliebe, Fragen zu stellen, ihre Frechheit, in der Sache des Glaubens, der doch feststehe, auch noch zu diskutieren.[100]

Aber nicht nur Ambrosius, auch andere Kirchenführer, der hl. Gregor von Nazianz etwa, trieben Theodosius wiederholt zu vehementeren Ketzerattacken. Oder «der bewundernswürdige Amphilochius», Bischof von Ikonium, verwandt mit Gregor von Nazianz und heilig wie er. (Noch heute feiert die Catholica des Amphilochius Fest am 23. November.) Einst kam er zu Theodosius und bat ihn, wie Theodoret berichtet, «die Konventikel der Arianer aus den Städten vertreiben zu lassen. Der Kaiser hielt jedoch diese Forderung für zu rücksichtslos [!] und ging nicht darauf ein. Der weise Amphilochius schwieg für einen Augenblick, ersann aber eine merkwürdige List.» Bei einer neuerlichen Audienz grüßte er nämlich nur Theodosius, doch nicht den vor kurzem zum Mitkaiser ernannten Arkadius, seinen Sohn, der daneben stand. Von dem Monarchen schließlich zur Rede gestellt, erklärte der Bischof «mit erhobener Stimme: ‹Du siehst, o

Kaiser, wie du die Mißachtung deines Sohnes nicht ertragen kannst, sondern denen, die sich gegen ihn unanständig betragen, heftig zürnest. So glaube denn, daß auch der Gott des Weltalls diejenigen verabscheut, welche seinen eingeborenen Sohn lästern, und daß er sie haßt als Undankbare gegen ihren Erlöser und Wohltäter.› So kam der Kaiser zur Einsicht, bewunderte die Tat und die Worte des Bischofs und erließ sofort ein Gesetz, das die Zusammenkünfte der Häretiker verbot.»[101]

Die Priester wußten zu allen Zeiten, mochten sich auch ihre Mittel ändern, mit gekrönten Häuptern umzuspringen.

Karl-Leo Noethlichs, der erst unlängst «Die gesetzgeberischen Maßnahmen der christlichen Kaiser des vierten Jahrhunderts gegen Häretiker, Heiden und Juden» umfassend untersucht hat, stellt als Strafen gegen «Ketzer» zusammen: Bücherverbrennung, Verbot des Kirchenbaus, der Priesterweihen, Begräbnismysterien, Diskutier-, Unterrichts-, Versammlungsverbot, Entzug der Kirchen und Kulträume, Testamentsbeschränkungen, unbestimmte Strafen, Intestabilität, Infamie, Verbannung, Geldbußen beziehungsweise (für Ärmere) Stockschläge, Vermögensentzug, Todesstrafe. Im 20. Jahrhundert aber behauptet der Jesuit Lecler speziell vom späten 4.: «Stellen wir zunächst fest, daß die Kirche in den Perioden des Friedens wie in den Perioden des Kampfes die Grundsätze des Evangeliums über die Achtung des Gewissens und der Glaubensfreiheit nicht vergißt.»[102]

Sie «vergißt» sie nicht (ein jesuitisches Wort!) – doch sie mißachtet sie wann und wo immer möglich, wenn es ihr nützt.

Mit Gesetzgebung und Krieg
gegen das Heidentum

Heftig wie die «Ketzer» griff Theodosius auch das Heidentum an. Betrieb er doch «die bisher schärfste antiheidnische Politik» (Noethlichs), angeregt «oft von Bischöfen und Mönchen» (Kornemann).[103]

Zum Heidentum übertretenden Christen sprach Theodosius 381 und 383 Zeugnis und Erbfähigkeit ab, 382 verfügte er die Abschaffung des Titels Pontifex Maximus, auch die erneute Entfernung der Victoria aus dem Senat. Zwischen 385 und 388 erzwang er das Schließen vieler Tempel in Syrien und Ägypten. Und gerade in Mailand (388–391), wo Ambrosius beinah täglich im Kaiserpalast war, sowie unmittelbar danach, zeigte sich der katholische Herrscher aktiv: durch strenges Verpönen von Tempelbesuch, Statuenverehrung und Opfer, auch durch Verschärfung früherer Erlasse gegen Apostaten. Als 388/89 der römische Senat ein drittes Mal die Siegesgöttin in seinen Sitzungssaal stellen wollte, verweigerte es der schwankende Monarch, sagte ihm doch Bischof Ambrosius seine Meinung «unbedenklich ins Gesicht». 391 erließ Theodosius ein generelles Verbot, Götterbilder anzubeten und ihnen zu opfern, das wiederholt eingeschärft werden mußte. Ein Befehl vom 24. Februar 391 an den römischen Stadtpräfekten, Opferpraxis und Tempelbesuch, also jede heidnische Zeremonie, zu unterbinden, wurde am 16. Juni auf Ägypten ausgedehnt, im selben Jahr auch den Apostaten bürgerliche und politische Rechte entzogen.

Besonders rief man jetzt Richter, die sich gegen die Gesetze vergingen, zur Kasse. Betrat ein hoher Beamter (iudices) einen Tempel zur Götterverehrung, mußte nicht nur er 15 Pfund Gold als Strafe zahlen, sondern auch seine Behörde, falls sie sich nicht sofort von ihm distanzierte. Provinzgouverneure im Rang von consulares hatten 6 Pfund Gold zu geben, ebenso wieder ihre Behörde. Ein antiheidnisches Gesetz des nächsten Jahres erklärte das Opfern als Majestätsverbrechen. Bei Weihrauchspenden konfiszierte der Kaiser «alle Örtlichkeiten, die erwiesenermaßen von

Weihrauchqualm gedampft haben» (turis vapore fumasse).
Waren sie nicht im Besitz des Weihrauchspenders, mußte dieser 25
Pfund Gold entrichten, ebensoviel der Besitzer. Nachsichtige Be-
hördenchefs wurden mit 30 Pfund Gold Strafe belangt, ihr Personal büßte mit derselben Summe. Geffcken fand dies Gesetz «fast
im Tone einer rhetorischen Missionspredigt gehalten», Gerhard
Rauschen sprach vom «Grabgesang des Heidentums». Es erfolgte
das reichsweite Verbot für jeden Götterkult.[104]

So mancher Tempel fiel jetzt der christlichen Wut zum Opfer:
der Tempel der Juno Caelestis in Karthago, der des Sarapis in
Alexandrien; den Aphroditetempel Konstantinopels machte
Theodosius, der «die gotteslästerlichen Irrtümer beseitigte», wie
Ambrosius in seiner Grabrede rühmt, zu einem Wagenschuppen.
Jeden Dienst des «heidnischen Aberglaubens» (gentilicia super-
stitio) bedrohte er mit Verbannung oder Tod; jedes Weihrauch-
opfer, Lichteranzünden, Anbringen von Kränzen, selbst jede
Kulthandlung im eigenen Haus wurde verboten. Auch Augusti-
nus aber preist den Fanatiker, weil er «von Anbeginn seiner
Regierung an unermüdlich» gewesen sei, «der bedrängten [!]
Kirche durch höchst gerechte und barmherzige Gesetze wider die
Gottlosen beizustehen», weil er «die heidnischen Götzenbilder
allenhalben zerstören ließ»[105].

Bezwang Theodosius das Heidentum doch sogar durch einen
gewaltigen Krieg; wobei das Verhalten des Ambrosius wieder
bezeichnend ist.

Valentinian II., seit seiner Mutter Tod ganz dem Bischof, seinem «väterlichen» Freund jetzt, ausgeliefert, hing am 15. Mai 392
an einem Strick in seinem Palast in Vienne. Dorthin hatte Theodosius ihn versetzt, um seinem eignen Sohn Honorius Italien zu
sichern. Und dort in Vienne war Valentinian, vielleicht auf Geheiß des fränkischen Heiden und Heermeisters Arbogast, seines
ersten Ministers, ermordet worden. Die Quellen weichen stark
voneinander ab. Nach Zosimus, Sokrates, Philostorgios, Orosius
erwürgte man den Kaiser, nach Prosper brachte er sich selber um.
(In Mailand, wohin er überführt wurde, meinte Ambrosius bei
der Leichenrede etwas zweideutig mit der Bibel: «Welcher Tod

auch den Gerechten dahinrafft, seine Seele wird in Frieden ruhen».) Arbogast aber, den viele Valentinians Mörder nennen, galt
als engster theodosianischer Vertrauensmann im Westen. Stand
Theodosius also hinter der Liquidierung seines Mitregenten?
Billigte er sie wenigstens? Arbogast versicherte seine Unschuld –
dem Theodosius; der schwieg. Auch als Arbogast am 22. August
392 in Lyon den ehemaligen römischen Grammatik- und Rheto-
rikprofessor Eugenius zum Kaiser krönte und dieser gleich darauf
Theodosius durch eine Gesandtschaft von Bischöfen Arbogasts
Unschuld erklärte, blieb Theodosius passiv. So wuchs in Mailand
die Unsicherheit.[106]

Eugenius war, nach vorherrschender Ansicht, ein religiös
lauer, doch seit seiner Erhebung immer mehr mit der paganen
Reaktion verbundener Christ. Zwar förderte er sie nicht sonderlich, billigte sie aber von Anfang an. Er erließ weder Gesetze
gegen «Ketzer» noch Juden, wollte jedoch auch auf gutem Fuß
mit der Kirche stehn. Kurz, er erstrebte eindeutig religionspoliti-
sche Toleranz. Es ist mehrfach erwiesen, «daß die heidnische
Reaktion mit Eugenius in dem Bemühen um eine loyale politische
Verständigung übereinstimmte, allerdings unter der Bedingung,
daß die heidnische Religiosität toleriert wurde» (Straub). Doch
das wollte weder Theodosius noch gar Ambrosius. Und hatte
dieser auch früher kein schlechtes Verhältnis zu Eugenius – er
berief sich sogar auf eine persönliche Bekanntschaft –, hielt er
sich nun zurück, wie Theodosius. Würde der einschreiten, gegen
Arbogast in Italien erscheinen? Oder regierte hier Eugenius, der
zwar weiter Bereitschaft zur Verständigung mit Theodosius be-
kundete, aber auch ein Bündnis mit fränkischen und alemannischen Königen schloß, die sich zur Truppengestellung verpflich-
teten?

Ambrosius war in Verlegenheit. Zwei Briefe des Eugenius, der
noch als Kaiser den Kontakt mit dem mächtigen Kirchenfürsten
suchte, ließ er unbeantwortet. Schließlich wußte er, so sagt er in
anderem Zusammenhang, daß «es sich mit Schweigen sicherer
leben läßt . . . Der Weise überlegt erst viel, wenn er reden soll: was
er sprechen soll, zu wem er sprechen soll, an welchem Ort, zu

welcher Zeit . . .» Erst als Theodosius nach Monaten den Schwestern des Toten kondolierte, seines Schutzes sie versicherte, brach
auch Ambrosius sein Schweigen, beeilte er sich, dem Herrscher zu
schreiben. Bisher, hören wir, hatte übergroßer Schmerz ihn gehindert. Lang und breit beklagt er Valentinians trauriges Geschick, spart aber ganz die Politik aus, um die es ihm allein gehen
konnte, und deutet nur zum Schluß, in einem Segenswunsch,
verklausuliert und dunkel, sein Einverständnis mit den kaiserlichen Plänen an. Doch 393, als Eugenius' Einfall in Italien droht,
wendet Ambrosius sich auch an ihn, bezeugt seine Loyalität,
nennt ihn «clementia tua», gesteht ihm vorbehaltlos die «impera-
toria potestas» zu und rechtfertigt sein Verhalten mit dem bekannten Paulusspruch über die Obrigkeit. Schließlich hatte auch
der gallische Episkopat wieder (vgl. S. 443) sofort kollaboriert!
Später flieht der Bischof zwar über Bologna nach Florenz, wo er
unreine Geister austreibt und einen Toten erweckt (!), bedroht
den inzwischen auf Mailand vorgerückten, dort residierenden
Eugenius brieflich sogar mit Exkommunikation, aber beteuert,
ihm auch jetzt den schuldigen Gehorsam zu erweisen (sedulita-
tem potestati debitam). Seinen Klerus, nun in Bedrängnis, mahnt
er, das Priesteramt nicht aufzugeben, kehrt selber, sobald Eugenius die Stadt verlassen hat, am 1. August 394 dorthin zurück und
gewinnt «wie die kirchlichen Strategen aller Zeiten . . . aus der
Flucht neue Stärke» (Davidsohn). Ja, der zwischen beiden Kaisern ausbrechende Konflikt erscheint ihm schon wieder wie ein
Ringen zwischen Gott und Teufel . . .[107]

Der Kampf, zum wenigsten um Religion geführt – wenn auch
Theodoret die feindlichen Heere im Zeichen des Kreuzes sowie
im Gottesbild des Herakles verkörpert sah und Ambrosius dazu
beitrug, den Krieg als Religionskrieg hinzustellen –, wurde auf
jeder Seite mit religiösen Parolen und Zeremonien vorbereitet. Da
im Vertrauen auf die heidnische Opferschau und Prophetie. Dort
im Glauben an «die Kraft der wahren Religion» (verae religionis
fretus auxilio: Rufin); somit, wie 388 gegen Maximus, durch
abermaliges Befragen des bewährten Johannes von Scythopolis in
der thebaischen Wüste (der Erfolg «nach reichlichem Blutvergie-

ßen» verheißt); ferner durch Gebete, Fasten, auch durch eine
feierliche Prozession zu den Kirchen der Apostel und Märtyrer.
Beim Auszug betet Theodosius nochmals (am 7. Meilenstein) in
der erst kürzlich von ihm gebauten Kirche des Johannes Baptista,
auf dem Paradeplatz der Armee, wo die Kaiser ihre Reden an die
ausrückenden Truppen hielten und wo erst im Vorjahr der angebliche Kopf Johannes des Täufers deponiert worden war. Eusebius
und Arbogast hatten den Birnbaumerwald besetzt, den Ausgang
der Julischen-Alpen-Paßstraße, und dort Jupiterstatuen aufgestellt. Theodosius warf sich nach Ankunft auf der Paßhöhe zu
Boden, flehte unter Tränen zum Himmel, verbrachte die ganze
Nacht betend in einer Kapelle. Und gegen Morgen, als er ein-
schläft, erscheinen ihm vor der Entscheidungsschlacht am Frigi-
dus (heute Wippach), an einem Nebenfluß der Isonzo, der
Evangelist Johannes und der Apostel Philippus, «in weißen Gewändern und auf weißen Pferden sitzend», mit der frohen Botschaft, «guten Mutes zu sein» (Theodoret). Auch vor dem Gemetzel kniet «der tiefgläubige Kaiser», allen sichtbar, betend nieder,
gibt dann, dies berichtet Orosius, mit dem Kreuzzeichen das
Signal zum Angriff (signo crucis signum proelio dedit), und auch
seine Soldaten tragen «das Kreuz des Erlösers» voran. «Folgt den
Heiligen», schrie der Schlächter von Thessalonike, «unseren
Kämpfern und Führern . . .»[108]

So haut man denn am 5. und 6. September 394, im Verein mit
dem Erlöser, vielen Heiligen, dem Verrat eines Unterführers und
einem schlachtentscheidenden, gegen den Feind jagenden Wirbelsturm, der die Eugenianer kampfunfähig machte, «die Feinde
unerschrocken nieder» (Theodoret) – «mehr mit Gebet als mit
Waffengewalt», behauptet Augustin. Schon für den ersten, für
Eugenius günstig verlaufenden Schlachttag meldet der spanische
Priester Orosius – mit großer Genugtuung und wohl Übertreibung – 10 000 gefallene Goten. Auf Seite des Theodosius kämpfte
nämlich auch ein Kontingent von mehr als 20 000 Westgoten
unter Alarich, das besonders schwere Verluste erlitt. Die Goten
glaubten deshalb, vielleicht nicht zu Unrecht, der Kaiser habe es
auf ihre Schwächung abgesehen. Jedenfalls zogen sich Theodo-

sius' Krieger fluchtartig zurück, und Eugenius verteilte bereits
Geschenke an seine Truppen. Doch nach dem zweiten Kampftag,
den die Bora entschied, der den Eugenianern frontal entgegen-
peitschende Wirbelsturm, natürlich ein «Gottesurteil», wurde
Eugenius gefesselt vorgeführt und sogleich geköpft, sein Haupt
auf einer Stange durch Italien getragen. Arbogast durchirrte noch
zwei Tage das Gebirge und erstach sich dann selbst. Die Kirchenväter aber tröstet es, daß das Gemetzel im Heer des Theodosius
vor allem «barbarische» Soldaten verschlang. Und Ambrosius,
der den Usurpator, als er noch regierte, eindeutig als Christ und
«clementissimus imperator«apostrophiert hatte, nennt ihn jetzt
erstmals «indignus usurpator», seine Truppen «infideles et sacri-
legi», vergleicht den Triumph seines Gegners mit den Siegen eines
Moses, Josua, David, und ist glücklich über die Reinigung des
Reichs «vom Schmutz des unwürdigen Usurpators», der «Unmenschlichkeit des barbarischen Räubers», wie er Theodosius in
einem Brief beteuerte, dem er jedoch gleich noch einen zweiten,
stärkeren folgen ließ, ehe er selber herbeieilte, persönlich gratulierte und Dankgottesdienste hielt, die Siegesnachricht bei der
Messe in der Hand. Allerdings bat er auch, begreiflich genug, um
Schonung der Eugenianer. (Analog prozedierten die deutschen
Bischöfe noch 1551 Jahre später, 1945.) Und Theodosius glaubte
sogar, durch die Gebete des Ambrosius gesiegt zu haben, der
seinerseits Theodosius' Frömmigkeit und Kriegführung in einem
Atemzug nennt. Immerhin enthielt sich der Kaiser wegen des
vergossenen Blutes eine Zeitlang der Eucharistie – erst schlachtet
man, dann büßt man sozusagen, dann schlachtet man weiter ...[109]

Auch Augustin erfreute es, daß der Sieger die in den Alpen
aufgestellten Jupiterstatuen stürzte und ihre goldnen Blitze «hei-
ter und gütig» seinen Meldegängern schenkte. «Die heidnischen
Götterbilder ließ er allenhalben zerstören, denn er hatte klar
erkannt, daß auch die Verleihung irdischer Gaben in der Macht
des wahren Gottes und nicht der Dämonen steht.»[110]

«So war also der Kaiser im Frieden und im Krieg», kommentiert fröhlich gottergeben Bischof Theodoret, «immer bat er um

die Hilfe Gottes, und immer wurde sie ihm zuteil.» Freilich starb
er bald, am 17. Januar 395, mit 48 Jahren, an der Wassersucht.
(Und Ambrosius' andere kaiserliche Schützlinge wurden kaum
halb so alt.) Doch auf dem Sterbebett noch «dachte er mehr an
das Wohl der Kirche als an seine Krankheit», berichtet Ambrosius, der in einer Totenfeier und -rede in Mailand – selbstverständlich vor dem Heer – des Herrschers Demut und Barmherzigkeit pries, ihn das Idealbild eines christlichen Regenten nannte,
und als seine Lebenssumme das angeblich letzte Wort: «Ich habe
geliebt . . .», im Sinn des Paulus natürlich, wonach die Liebe die
Erfüllung des Gesetzes ist. Während nach Theodoret der Kaiser
sterbend «vollkommene Frömmigkeit» empfohlen haben soll.
« ‹Denn durch diese›, so sagte er, ‹wird der Friede bewahrt und der
Krieg beendigt, werden die Feinde in die Flucht geschlagen› . . .»
Auf Logik darf man bei kirchlichen Geschichtsschreibern kaum
hoffen. Im 12. Jahrhundert behauptet der hochadelige Bischof
Otto von Freising, dessen «Chronica» als Gipfel hochmittelalter-
licher Weltchronistik gilt, nach 388 herrschte unter Kaiser Theodosius «eine Zeit vollkommener Freude und ungetrübten Friedens».[111]

Und als Ambrosius selber am 4. April 397, wohlversehen mit
den hl. Sterbesakramenten, verschied – seine Reste ruhen heute,
was er wohl kaum sich träumen ließ, in einem Schrein mit denen
der hll. «Gervasius» und «Protasius» –, setzte seinen Kampf ein
neuer Heros fort.[112]

10. KAPITEL

KIRCHENLEHRER AUGUSTINUS
(354–430)

«Augustinus ist der größte Philosoph der Väterzeit und der genialste, einflußreichste Theologe der Kirche ... voll glühender Gottes- und selbstloser Nächstenliebe, umflossen vom milden Glanze unbegrenzter Güte und anziehendster Liebenswürdigkeit.» Martin Grabmann[1]

«Als genialer Denker, scharfer Dialektiker, begabter Psychologe, von einer seltenen religiösen Glut, zugleich ein liebenswürdiger Mensch, war Augustinus schon während seines Lebens der große Wegweiser der lateinischen Kirche. Für die spätere Zeit kann seine Bedeutung kaum überschätzt werden.» E. Hendrikx[2]

«Gott selbst tut es an euch durch uns, wenn wir bitten, drohen, zurechtweisen, wenn euch Verluste oder Leiden treffen, wenn die Gesetze der weltlichen Obrigkeit sich auf euch beziehen.» Augustinus[3]

«Was aber liegt daran, mit welcher Todesart dies Leben endet?» «Es ist ja, das weiß ich, noch niemand gestorben, der nicht irgendwann einmal hätte sterben müssen.» «Was hat man denn gegen den Krieg? Etwa daß Menschen, die doch einmal sterben müssen, dabei umkommen?» Augustinus[4]

«Die mich bewegende Kraft ist die Liebe.» Augustinus[5]

«Die versteckte Rachsucht, der kleine Neid *Herr* geworden! Alles Erbärmliche, An-sich-Leidende, Von-schlechten-Gefühlen-Heimgesuchte, die ganze *Ghetto*-Welt der Seele mit einem Male *obenauf.* – Man lese nur irgendeinen christlichen Agitator, den heiligen Augustin zum Beispiel, um zu begreifen, um zu *riechen*, was für unsaubere Gesellen damit obenauf gekommen sind. Man würde sich ganz und gar betrügen, wenn man irgendwelchen Mangel an Verstand bei den Führern der christlichen Bewegung voraussetzte – o sie sind klug, klug bis zur Heiligkeit, diese Herren Kirchenväter! Was ihnen abgeht, ist etwas ganz anderes. Die Natur hat sie vernachlässigt – sie vergaß, ihnen eine bescheidene Mitgift von achtbaren, von anständigen, von *reinlichen* Instinkten mitzugeben ... Unter uns, es sind nicht einmal Männer.» Friedrich Nietzsche (Der Antichrist 59)

Augustinus, der geistige Führer der abendländischen Kirche, wurde am 13. November 354 in Thagaste (heute Souk-Ahras, Algerien) als Sohn kleinbürgerlicher Eltern geboren. Seine Mutter Monika, streng christlich erzogen, erzog auch den Sohn in christlichem Sinn, doch blieb er ungetauft. Sein Vater Patricius, ein Heide, dem Frau Monika «wie ihrem Herrn diente», wurde erst «gegen Ende seines zeitlichen Lebens . . . gläubig» (Augustin) und wird vom Sohn fast in dessen ganzem Werk übergangen, sogar sein Tod nur beiläufig erwähnt. Augustin hatte wenigstens einen Bruder, Navigius, und vielleicht zwei Schwestern. (Eine Schwester, verwitwet, beschloß als Vorsteherin eines Frauenklosters ihr Leben.) Als Kind, ein sympathischer Zug, lernte Augustin nicht gern. Seine Ausbildung begann spät, endete früh und war zunächst überschattet von Zwang, Schlägen, vergeblichem Beten dagegen und dem Gelächter der Erwachsenen darüber, auch der ihn hart antreibenden Eltern.[6]

Siebzehnjährig ging der Jüngling nach Karthago, das unter Augustus wieder aufgebaut worden war. Ein reicher Mitbürger, Romanianus, hatte Augustins Vater, der damals starb, unterstützt und dem Sohn das Studium ermöglicht. Freilich betrieb er es nicht gründlich. «Was war es», gesteht er in seinen «Bekenntnissen», «was mich ergötzte, als zu lieben und geliebt zu werden.» So lockte ihn «ein wilder Wirrwarr wüster Liebeshändel», streunte er «auf den Straßen Babels umher», wälzte sich «in ihrem Kot, wie in köstlichen Spezereien und Salben», während ihn die Bibel weder inhaltlich noch formal anzog, ihm zu simpel schien. Zwar besuchte er die Kirche, doch auch deshalb, um eine Freundin zu finden. Und wenn er betete, so unter anderem: «Gib mir

Keuschheit, aber noch nicht gleich . . .» Fürchtete er ja, Gott
werde ihn alsbald erhören und «von der Krankheit der Fleisches-
lust heilen, welche ich eher gestillt als getilgt haben wollte». Als
Achtzehnjähriger wurde er Vater. Eine Konkubine, fast eineinhalb Jahrzehnte mit ihm liiert, gebar ihm 372 einen Sohn, Adeo-
datus (Gottesgabe), der 389 starb.[7]

Schon früh von Ehrsucht besessen, begehrte Augustinus Reichtum, Ruhm als Redner und eine attraktive Frau. Er wurde Lehrer
der Rhetorik in Thagaste und Karthago (374), in Rom (383),
dessen heidnischer Stadtpräfekt Symmachus ihn begünstigte, und
in Mailand (384). Hier hoffte er durch Vermittlung einflußreicher
Freunde eine Posten als Provinzgouverneur zu gewinnen; «an der
Kirche verzweifelte ich ganz und gar». Da kam ein Brustleiden
und veränderte sein Leben. Der «Berufsredner» – «übergroß war
mein Lebensüberdruß und übergroß auch die Furcht vor dem
Tod» – machte aus seinen «niederen» Wünschen «höhere», aus
seiner Not eine Tugend und setzte alles allein auf die Liebe zu
Gott: «Verachte alles [!], ihn aber achte!» Doch scheute er nicht
die Erklärung, daß in der Gottesliebe auch die *Selbstliebe* am
besten befriedigt werde! (Stark kann sein Gottvertrauen kaum
gewesen sein: niemals wagte er, aus Angst vor der See, an der
Felsküste entlang nach Karthago zu segeln.)[8]

Wie auch immer, Augustin, von Ambrosius, den er zunächst
für keinen «Lehrer der Wahrheit» hielt, in der Osternacht zum
25. April 387, nebst Sohn und Freund Alypius, in Mailand getauft, wurde 391, trotz verzweifelten Sträubens, Priester in Hippo
Rhegius, einer seit 1000 Jahren schon bestehenden Hafenstadt,
dem zweitgrößten Seehafen Afrikas. Und 395 machte ihn der alte,
schlecht Latein sprechende griechische Ortsbischof Valerius, so
gesteht Augustin, widerrechtlich zum «Mitbischof» (Koadjutor),
nämlich gegen die Vorschriften des Konzils von Nicaea (S. 362 ff),
dessen achter Kanon zwei Bischöfe in einer Stadt verbot. Auch
gab es noch einen Skandal bei seiner Bischofsweihe, wollte sie
doch erst Megalius von Calama, Numidiens Primas, an dem
«Krypto-Manichäer» nicht vollziehen, zumal dieser auch einer
hochgestellten Verheirateten Liebeszaubermittel geschickt habe

(offenbar der Gattin des Bischofs Paulinus von Nola, des neben Prudentius größten christlichen Dichters der Antike, der danach anscheinend den Kontakt zu Augustin abbrach).[9]

Obwohl der Heilige fast sein Leben lang kränkelte, wurde er 76 Jahre alt. Augustinusbiograph von der Meer beschreibt, in enger Anlehnung an seinen Vorgänger Possidius von Calama, den Schüler und Freund Augustins, dessen Tod am 28. August 430: «Zehn Tage lag er allein, die Augen unaufhörlich auf die Pergamentbogen mit den Bußpsalmen gerichtet, die er an der Wand hatte festnageln lassen, und die Worte unter ständigem Weinen wiederholend. So starb er.» Doch warum weinte er – angesichts des Paradieses . . .? Denn: «Wer sich danach sehnt, wie der Apostel sagt, ‹aufgelöst zu werden, um bei Christus zu sein›», schrieb Augustin – natürlich in gesunden Tagen –, «lebt geduldig und stirbt freudig.» Augustinus aber starb nicht freudig. Und er lebte nicht geduldig.[10]

«Genie auf allen Gebieten der christlichen Lehre» und Kampf «bis zum letzten Augenblick»

Der Bischof von Hippo, künftiger Patron der Theologen, Buchdrucker, Bierbrauer (und Helfer bei Augenkrankheiten), war hochbegabt, vielseitig, doch nicht gründlich. «An Gelehrsamkeit haben ihn viele übertroffen» (Jülicher). Er war enorm ruhmsüchtig und zerrissen. Seine Ausbildung blieb unvollständig, selbst gemessen an der oberflächlichen und absinkenden Bildung jener Zeit. Lebenslang fehlte es ihm an methodischer Schulung. Und nicht bloß was das Technische, sondern auch die gedankliche Präzision betrifft, ist er «immer ein Stümper geblieben» (J. Guitton). Dabei zersplitterte er sich. Oft diskutierte er mehrere Schriften nebeneinander dem Stenographen. 93 Opera oder 232 «Bücher» nennt er 427 in den «Retractationes» (die seine Arbeit in chronologischer Folge sozusagen kritisch betrachten), wozu noch die Produktionen aus den letzten Lebensjahren sowie Hunderte seiner Briefe kommen und die Predigten, mit denen er «fast immer» selber unzufrieden war. Vieles verrät darin kaum mehr als «einen durchschnittlichen Provinzbewohner des späten Kaiserreiches» (Brown).[11]

Augustins intellektuelle Leistung wurde seit je überschätzt, zumal auf katholischer Seite. «Ein Geistesriese wie er, wird der Welt nur alle tausend Jahre einmal geschenkt» (Görlich). Vielleicht der katholischen Welt! Doch was sie Geist nennt, ist das, was ihr nützt. Was ihr aber nützt, schadet der Welt. Gerade Augustins Existenz bekundet dies drastisch. Gleichwohl rühmt ihn Palanque «ein Genie auf allen Gebieten der christlichen Lehre». Und Daniel-Rops behauptet gar: «Wenn das Wort Genie einen Sinn hat, so ist es hier am Platze . . . Von allen Geistesgaben, die sich analytisch festlegen lassen, fehlte ihm keine; er besaß alle auf einmal, selbst diejenigen, von denen man gewöhnlich meint, sie schlössen einander aus.» Wer an solchem Unsinn rüttelt, gilt als übelwollend, bösartig – «eine niedere Seele» (Marrou). Doch nannte selbst Kirchenlehrer Hieronymus den Kollegen, allerdings aus Neid, einen «kleinen Emporkömmling» (vgl. S. 174 ff). Und im 20. Jahrhundert spricht ihm auch Katholik Schmaus Genialität als Denker rundweg ab; es ist zu offensichtlich.[12]

Augustins Denken? Es wird vom Gottesgedanken völlig beherrscht, teils euphorisch narkotisiert, teils terrorisiert. Seine Philosophie ist im Grunde bloß Theologie. Sie hat, ontologisch, bodenlose Voraussetzungen. Und eine Fülle peinlicher Ausfälle. Nichts als Fiktionen oft, Begriffsgeklapper. «Höchster, Bester, Mächtigster, Allmächtiger, Barmherzigster und Gerechtester, Verborgenster und Allgegenwärtigster, Schönster und Gewaltigster, du Beständiger und Unfaßbarer, du Unwandelbarer . . .» Wie sagt Augustin? «Befreie mich, Herr, von der Vielrederei . . .» Oft predigte er fünf Tage hintereinander, an manchen Tagen zweimal.[13]

Er hörte sich gern. Er las sich gern. Und gern auch verfiel er in Wortklaubereien anderer Art, in seitenlangen Leerlauf. «Der Heilige Geist seufzt in uns, weil er unser Seufzen bewirkt. Und es ist nichts Geringes, daß uns der Heilige Geist seufzen lehrt, denn er erinnert uns daran, daß wir Pilger sind, und lehrt uns nach dem Vaterland verlangen, und eben dieses Verlangen ist es, in dem wir seufzen. Wem es in dieser Welt wohl ist, oder vielmehr, wer glaubt, es sei ihm wohl ... hat die Stimme eines Raben; denn die Stimme des Raben ist krächzend, nicht seufzend. Wer aber weiß, daß er sich in Bedrängnis dieses sterblichen Lebens befindet und fern vom Herrn pilgert ... wer das weiß, seufzt. Und solange er deswegen seufzt, seufzt er gut; der Geist hat ihn seufzen gelehrt, von der Taube hat er seufzen gelehrt.» Allmächtiger! Sollen wir nun seufzen? Krächzen? Oder homerisch lachen über den Geistesriesen, der nur alle tausend Jahre einmal der Welt geschenkt wird, der zwar bis heute die Theologie tief beeinflußt, bis heute ihr «Jungbrunnen» ist (Grabmann), dessen Schrifttum aber von Analogem strotzt?[14]

Es wimmelt von Lächerlichem, wie zum Beispiel der Behauptung, Gott habe «die schädlichen Arten der Tiere» geschaffen, damit sich der Mensch, von ihnen gebissen, in der Tugend der Geduld übe, um «jenes immerwährende Heil, das auf so schimpfliche Weise verscherzt wurde, mit Kühnheit durch den Schmerz wiederzuerlangen». Doch sei auch «Unkenntnis des Nutzens heilsam als Übung der Demut».[15] – Ein Theologe wird nie verlegen! Deshalb kennt er auch keine Scham.

Augustinus, dem Palanque nachrühmt: «Mit einem Flügelschlag setzt er sich über oberflächliche Einwände ... hinweg», ist oft selber ein Ausbund an Oberflächlichkeit. Auch täuscht der «Berufsredner» von einst (und jetzt!) durch rhetorische Tricks. Er widerspricht sich: besonders häufig in dem stark von Arnobius bestimmten, zwischen 413 und 426 entstandenen ‹De civitate dei›, seinem, so er selbst, «magnum opus», worin er sogar mit Fälschungen arbeitet und noch die eigenen Fundamentalbegriffe, «Römisches Reich» und «Teufelsstaat» oder «Kirche» und «Gottesstaat», teils gleichsetzt, teils scharf trennt. Oder es erfolgt die Bekehrung Israels einmal in apostolischer Zeit, ein anderes Mal erst in nachheidnischer, ein drittes Mal behauptet er die ewige

Verstoßung der Juden. Als junger Christ glaubt er, es geschehen nicht mehr Wunder, daher «steht kein Toter mehr auf»; als alter Christ glaubt er das Gegenteil. Schon 412 hatte er den Gedanken, «alles, was mir mit Recht in all meinen Büchern mißfällt, sammeln und aufzeigen» zu wollen. Und so beginnt er, da weithin allerlei «verkehrt war», drei Jahre vor seinem Tod ein ganzes Buch mit «Richtigstellungen», die «Retractationes», ohne freilich alles «berichtigen» zu können. Immerhin bringt er es auf 220 Korrekturen.[16]

Wie Augustin jedoch häufig etwas «richtigstellte», so bestritt er, der schon an die Spitze so vieler Schriften ein «Contra . . .» setzt, dauernd etwas.

Im ausgehenden 4. Jahrhundert griff er die Manichäer an: Fortunatus, Adimantus, Faustus, Felix, Secundinus sowie, in einer Reihe weiterer Bücher, den Manichäismus überhaupt, den er zäh fast ein Jahrzehnt, von 373 bis 382, selbst förmlich vertreten, wenn auch nur als «Hörer» (auditor), nicht als «Auserwählter» (electus). «Was immer sie sagten, es mochte noch so unwahrscheinlich sein, ich hielt es für wahr, nicht weil ich es wußte, sondern weil ich wünschte, daß es wahr sei.» Ob es Augustin, dem Christen, den Christen gegenüber insgeheim anders erging? Und obwohl er bis um 400 den Manichäismus anfocht, konnte er ihn selber nie ganz überwinden, blieb er ihm verhaftet «mit wesentlichen Denkantrieben» (Alfred Adam), ja, nahm ihn «in die Christenlehre auf» (Windelband). In drei Büchern ‹Wider die Akademiker› (386) machte er gegen den Skeptizismus Front. Seit 400 stürzte er sich auf den Donatismus, seit 412 auf den Pelagianismus, seit 426 auf den Semipelagianismus. Doch neben diesen Hauptangriffszielen attackiert er mehr oder weniger auch Heiden, Juden, Arianer, die Astrologen, Priszillianisten, Apollinaristen – «alle Häretiker verabscheuen Dich», rühmt ihn nicht grundlos sein ehemaliger Gegner, Kirchenlehrer Hieronymus, «wie sie auch mich mit gleichem Haß verfolgen».

Mehr als die Hälfte von Augustins Schriften sind Streitschriften oder doch polemischen Charakters. Und während er als Bischof in 30 Jahren nur ein einziges Mal Mauretanien aufsucht, die wenig zivilisierte Provinz, reist er dreiunddreißigmal in das unglaublich reiche Karthago, wo er, anscheinend zur Kompensation seiner bescheidenen Klosterdiät, üppige «Arbeitsessen» (zum Beispiel Pfauenbraten) liebt, bei wichtigen Leuten vorspricht und mit seinen Amtsbrüdern ganze Monate in hektischer Betriebsamkeit verbringt. Waren die Bischöfe doch jetzt häufig bei Behörden und am Hof und selber Hofleute – Augustins Freund, Bischof Alypius, verhandelte bis zum Tod des Heiligen in Rom. Also nichts als Kampf, mit «wilder Energie . . . bis zu seinem letzten Atemzug» (Daniel-Rops), «bis zum letzten Augenblick . . . das Schwert des Geistes» schwingend (Hümmeler) – das freilich recht blutige Spuren hinterließ: vor allem mit Hilfe des «weltlichen Arms», durch den Hof in Ravenna, Provinzgouverneure, Generale, mit denen der Bischof eng kontaktierte. Und gegen alles, was er bekämpfte, forderte er – ikonographisch gern mit Buch und flammendem Herzen gezeigt, Symbolen der Weisheit, der Liebe – Gewalt! Zumal im Alter wurde er, in dessen Leben und Lehre angeblich die Liebe «einen besonderen Platz eingenommen» (‹Lexikon für Theologie und Kirche›), immer kälter, härter, unbarmherziger, das grandiose Beispiel eines christlichen Verfolgers. Denn: «Böse ist die Welt, ja böse ist sie . . . die bösen Menschen machen die böse Welt» (Augustin).[17]

Peter Brown, einer der neuesten Biographen des Startheologen, schreibt: «Augustinus war der Sohn eines ungestümen Vaters und einer unnachgiebigen Mutter. Was er für objektive Wahrheit hielt, darauf konnte er mit bemerkenswerter Einfalt seiner eigenen Streitsucht bestehen. So quälte er beispielsweise den begabten und eminenten Hieronymus auf einmalig humorlose und taktlose Weise.»[18]

Es sei dahingestellt, ob Augustins immer heftigere Aggression, wie sie nun sein Streit mit den Donatisten bekundet, nicht auch Folge seiner immer länger währenden Askese war. Er hatte früher bemerkenswert vitale Bedürfnisse, hatte, ein Selbstbekenntnis, «in Unzucht und Hurerei» seine «Kraft verspritzt» und später noch sehr eindringlich «das Jucken der Lust» beschworen. Er lebte lang im Konkubinat, nahm dann ein Kind zur Braut (dem

beinah zwei Jahre fehlten bis zur legalen Heiratsfähigkeit: bei
Mädchen zwölf Jahre) und gleichzeitig eine neue Mätresse. Für
den Kleriker aber ist sexueller Genuß «scheußlich», «höllisch»,
«Krankheit», «Wahnsinn», «Fäulnis», «ekler Eiter» et cetera,
kurz, ist «das Geschlechtliche ... etwas bleibend Unreines»
(Thomas). Rühmt er doch stets von neuem die Keuschheit, und
zwar, beteuert Augustiner Zumkeller, «um so mehr, je weiter er
in seinen Jugendjahren von ihr abgeirrt». Der Kampf wider die
«Ketzer», die Heiden, die Juden dagegen wird für ihn eine gute
Sache, ein unbezähmbar geistiges Bedürfnis. Und wirkten sich
verschärfend nicht auch Schuldgefühle aus, gegenüber der langjährigen Lebensgefährtin, die er zur Trennung zwang von ihm
und ihrem Kind!?[19]

Augustins Feldzug gegen die Donatisten

Die Donatisten, früher von dem Afrikaner nie erwähnt, beachtete
er erst als Priester. Dann aber befehdete er sie Jahr für Jahr,
hitziger als alle andern «Ketzer», schleuderte er ihnen seine
Verachtung ins Gesicht und trieb sie aus Hippo, seiner Bischofsstadt, aus. Denn die Donatisten hatten «das Verbrechen des
Schismas» begangen, waren nichts als «Unkraut», Tiere: «diese
Frösche sitzen in ihrem Sumpf und quaken: ‹Wir sind die einzigen
Christen!›» Doch: «Mit offenen Augen fahren sie zur Hölle
hinab.»[20]

Was gälte Augustin als Donatist? Eine Alternative, die sich ihm
schon deshalb nicht stellte, weil das Schisma, bei seiner Bischofswahl bereits 85 Jahre alt, vergleichsweise klein, eine afrikanische
Lokalangelegenheit war, wenn auch nicht gerade, wie er behauptet, zerrissen in «so viele Krümel». Der Katholizismus hingegen
sog Völker an, hatte die Kaiser für sich, die Masse, ja, so renommiert Augustin, «die Einheit des ganzes Erdkreises». Häufig und
ohne Zaudern insistiert der Berühmte auf solchen Mehrheitsbe-
weis, unfähig jener nachmals formulierten Schiller-Einsicht:

«Was ist Mehrheit? Mehrheit ist der Unsinn; Verstand ist stets bei Wen'gen nur gewesen.» Und selbst wenn man irrte, so denkt der «Geistesriese», wie er «der Welt nur alle 1000 Jahre einmal geschenkt» wird, wirklich, irrte man doch mit den meisten! (Natürlich kennt er weitere «Beweise» für die «veritas catholica», betont er nachdrücklicher noch: die Mirakel seiner Kirche, der Evangelien; glaubt aber dem Evangelium nur «wegen der Autorität der katholischen Kirche» – die ihre Autorität durch das Evangelium begründet![21])

Wir sind den Donatisten, deren Hauptverbreitungsgebiet Mauretanien und Numidien war, bereits mehrfach begegnet. Unter Konstantin und seinen Söhnen kam es zu schweren Zusammenstößen mit ihnen, zu Einkerkerung, Auspeitschung, Verbannung, zur Liquidierung selbst donatistischer Prälaten, wie des Bischofs Donatus von Bagai, eines resoluten Widerstandskämpfers, oder des Bischofs Marculus, die beide Märtyrer wurden (S. 309); die Hinrichtungsstätte des letzteren zog bald Ströme frommer Pilger an. Dann führte das kaiserliche Unionsdekret vom 15. August 347 zu einer (formell vierzehn Jahre bestehenden) Vereinigung von Donatisten und Katholiken, unter deren Oberhaupt Gratus von Karthago, führte erneut zur Vertreibung und Flucht der Gegner sowie zum Tod des Donatisten Maximian, der ein Exemplar des Unionsdekretes bei dessen Bekanntmachung zerfetzt hatte. Der Rückkehr der Verbannten unter Julian aber folgten deren Vergeltungsaktionen. Jetzt kam es zu Verjagung, Mißhandlung, vereinzelt zur Tötung von Katholiken (S. 328) – und, durch den vom Exil heimgekehrten Bischof Parmenian, zur Blütezeit der donatistischen Kirche.[22]

Denn obwohl man diese auch nach dem Firmus-Aufstand (S. 344 ff) verfolgte, ihre Wiedertaufe und Gottesdienste verbot, mehrere ihrer Führer exilierte – darunter Bischof Claudian, der an die Spitze der römischen Donatistengemeinde trat (die sich, einst von dem Afrikaner Victor von Garba, ihrem ersten Bischof, gegründet, bloß vor der Stadt versammeln durfte) –, ja, obwohl ein freilich nur lasch gehandhabtes Kaiseredikt 377 alle schon früher erlassenen antidonatistischen Gesetze erneuerte, überflügelte der Donatismus die afrikanische Catholica beträchtlich. Er wurde zur stärksten Konfession, vor allem durch seinen rund 30 Jahre tätigen Primas Parmenian, einen charakterlich wie geistig hochqualifizierten, auch literarisch befähigten Mann, der nicht Afrikaner war, sondern vielleicht aus Spanien oder Gallien stammte. Selbst auf katholischer Seite schreibt man heute von ihm und seiner Amtszeit: «daß er in seinen Entschlüssen sicher war, seinen Überzeugungen treu blieb, der Intrige und Brutalität abhold». «Die Kontakte zwischen den Mitgliedern der beiden Konfessionen im Alltag normalisierten sich, Donatisten warben zuweilen in einer geradezu friedfertigen Form um den Übertritt der Katholiken zu ihrer Gemeinschaft» (Baus).[23]

Die Vorherrschaft des Donatismus – laut Hieronymus in einer Generation die Religion von «fast ganz Afrika» – wurde erst nach Parmenians Tod allmählich gebrochen, teils durch innerkirchliche Gründe, eine Spaltung der «Spalter», teils durch äußere, einen verlorenen Krieg.

Parmenians Nachfolger Primian, autoritär, starr, ohne kluge Besonnenheit, brachte seinen eignen Diakon, den späteren gemäßigten Bischof Maximian (einen Nachkommen des etwa 355 gestorbenen Donatus des Gr.), gegen sich auf und wurde im Jahr 393 durch 55 Bischöfe abgesetzt. Primian aber nahm das nicht hin. Nachdem er Maximian mit allen Mitteln bedrängt hatte, durch Intrige ebenso wie durch Gewalt, scharte er seinerseits am 24. April 394 in Bagai ein Konzil von 310 Bischöfen um sich und ließ seinen Gegner exkommunizieren. Maximians Kathedrale wurde in Schutt und Asche gelegt, sein Haus von Primian geraubt, und der greise Bischof Salvius von Membressa, so klatscht zumindest Augustin, mußte auf seinem eigenen Altartisch tanzen mit toten Hunden um den Hals.[24]

Folgenreicher war eine vernichtende Niederlage auf dem Schlachtfeld.

Berberfürst Gildo, Bruder des Usurpators Firmus (S. 344), römischer General, comes Africae seit 386, schließlich auch magister utriusque militiae für Afrika, suchte sich von Ravenna unabhängig zu machen und wurde als Staatsfeind, als hostis

publicus, geächtet. Gestützt auf breite Kreise von Eigentums-
losen, auf Sklaven, Kolonen, Circumcellionen (= Wanderarbei-
tern), revolutionär Gesinnte, erstrebte er wohl eine Neuvertei-
lung des Besitzes, wobei er sich an Stelle des Kaisers setzen und
zum größten Grundherrn Nordafrikas machen wollte. Mit Kon-
stantiopel konspirierend, hatte Gildo bereits im Winter 394/95
Rom wiederholt die Zufuhr aus Afrika gesperrt, was die Verpflegung der Hauptstadt erschwerte. Im Sommer 397 schloß er ein
Übereinkommen mit dem Eunuchen Eutrop, dem einflußreichsten Minister im Osten, der durch eine Gesandtschaft in Rom
Afrika für seinen Kaiser Arcadius (383–408) beanspruchte, Theodosius' I. ältesten Sohn. Gildo erklärte seinen Anschluß an das
Ostreich, konfiszierte kaiserliche wie private Güter und verband
sich mit der Donatistenkirche, die betont als Gemeinschaft der
Armen und Gerechten auftrat, mehr zum Separatismus neigte
und schon bei der Firmus-Rebellion 372 gegen die römischen
Behörden gekämpft hatte. Bischof Optatus von Thamugadi
(heute Timgad), Numidiens einflußreichster donatistischer Prälat, war Gildos rechte Hand und soll ihn verehrt haben wie einen
Gott. Optatus, dessen Stadt im frühen 5. Jahrhundert, zusammen
mit Bagai, zu den «heiligen Städten» der Donatisten zählte, betrieb eine Art kommunistischer Politik. Er verteilte Land sowie
als Erbschaft anfallenden Besitz und terrorisierte an Gildos Seite
ein Jahrzehnt lang die Großagrarier Südnumidiens samt Katholiken.

Der Kaiser verhängte gegen die Kirchenplünderer die Todesstrafe. Und Reichsfeldherr Stilicho, von Eutrop in Konstantinopel zum Reichsfeind erklärt (was zur Beschlagnahme seiner Besit-
zungen in Ostrom führte), schickte gegen Gildo dessen eigenen
Bruder Mascezel vor, einen fanatischen, mit Gildo wegen einer
Familienfehde verfeindeten Orthodoxen. Von Pisa auslaufend,
nahm er an der Insel Capraria noch Mönche an Bord, um sich
durch ihren Beistand den Sieg zu sichern. Tag und Nacht, behauptet Orosius, der katholische Priester, soll Mascezel mit diesen
Mönchen gebetet und psalmodiert haben. Und im Frühjahr 398,
bereits vor dem Feind, so berichtet Orosius, erschien dem Mas-

cezel zur Nacht der hl. Ambrosius und zeigte mit einem Stab auf
die Erde: hic, hic, hic. Mascezel kapierte, rief den feindlichen
Soldaten «sanfte Friedensworte» zu, durchstach einem ihrer Fah-
nenträger den Arm und schlug nun überraschend bei Ammaedara
(Haidra) das angeblich 70 000 Mann starke Heer des Bruders,
dessen Truppen teilweise während der Schlacht überliefen, nicht
zuletzt wohl, weil viele seiner Offiziere mit den katholischen
Grundbesitzern sympathisierten. Gildo und ein Teil seiner Beamten endeten noch im gleichen Sommer durch den Henker oder
töteten sich selbst. Ihre Güter und Vermögen – besonders die
Gildos waren groß – wurden für den Staatsschatz eingezogen,
konfisziertes Kircheneigentum zurückerstattet, antikatholische
Erlasse aufgehoben. Bischof Optatus von Thamugadi, durch Augustin schärfstens verdammt, familiarissimus amicus des Gildo
genannt, auch Gildonis satelles, «ein ganz gewöhnlicher Bandit»
(van der Meer), krepierte, vom donatistischen Volk als Märtyrer
verehrt, im Kerker, während sich seine Mitbischöfe – das übliche
Verhalten des hohen Klerus in solchen Fällen – eilfertig von ihm
distanzierten. Augustin aber feierte überschwenglich die Vernichtung, und der Maure Mascezel, dem man sie verdankte, starb
bald auf Befehl Stilichos, angeblich aus Mißgunst. «Die afrikanischen Christen sind die besten»: Augustinus.[25]

   Gildos Fiasko ermutigte zwar die Katholiken zum entschlosse-
neren Angriff auf die Donatisten, die nun keine höheren Beamten
mehr deckten. Doch da in Afrika Donatisten selten Katholiken,
Katholiken häufig Donatisten wurden, hatten diese bis in die
neunziger Jahre die Mehrheit. Noch damals herrschten 400 Bischöfe über sie. Auch Hippo Rhegius und der ganze Sprengel
Augustins waren überwiegend donatistisch – der einzige Grund
offenbar, warum der Heilige zunächst durch Argumente siegen
wollte, warum er Diplomatie und Diskussion noch der Gewalt
vorzog. Jahrelang umwarb er die Gegner. Kaum einer ihrer Führer, den er, der «Berufsredner», nicht zu überreden suchte. Doch
die «Söhne der Märtyrer» mochten mit den Katholiken, der «Brut
der Verräter» (Bischof Primian) nicht zusammengehn, mit einer
Kirche, die «sich am Fleisch und Blut der Heiligen mästete»

(Bischof Optatus), die jedenfalls auf Seite des Staates, der Wohlhabenden stand. Dagegen war der Donatismus mehr Volkskirche und der Donatist überzeugt, Glied einer Bruderschaft zu sein, «die im dauernden Krieg mit dem Teufel liege; sein Los in dieser Welt sei Verfolgung, so wie eben alle Gerechten seit Abel verfolgt worden seien» (‹Reallexikon für Antike und Christentum›).

Auf ihrem Leidensweg kollaborierten die Donatisten mit einer religiös-revolutionären, die Gutsbesitzer drangsalierenden Bauernbewegung, den schon durch Donatus von Bagai, dann durch Gildo geförderten Circumcellionen – wandernde Erntearbeiter und gleichsam die Linksaußen dieser Kirche. Nach ihrem Gegner Augustin, der sie charakterisierte durch den Psalm «Schnell sind ihre Füße zum Blutvergießen», stahlen, plünderten sie, steckten Basiliken in Brand, warfen Katholiken Kalk und Essig in die Augen, forderten Schuldscheine zurück und erpreßten ihre Freilassung. Häufig von Geistlichen, auch Bischöfen, geführt, «Kapitänen der Heiligen», schlugen diese «agonistici» oder «milites Christi» (Märtyrerfans, Wallfahrer aus Leidenschaft, Terroristen) mit «Israeles» genannten Keulen, unter dem Schlachtruf «Gelobt sei Gott» (laus deo) – die «Drommete des Blutbads» (Augustinus) – auf katholische Kleriker und Großagrarier ein. Zweifellos erkannten sie hier bei aller ihnen nachgesagten «Verworrenheit» einen Zusammenhang. Waren die Katholiken doch «stark auf eine Unterstützung durch das römische Reich und die Großgrundbesitzer angewiesen ... die ihnen finanzielle Privilegien und materiellen Schutz gewährten» (‹Reallexikon für Antike und Christentum›). Auch töteten die Ausgebeuteten nicht selten sich selbst, um derart gleich ins Paradies zu kommen. Sie sprangen, wie die Donatisten sagten, bedingt durch die Verfolgung, von Felsen, etwa den Klippen bei Ain Mlila, oder in reißende Flüsse, für Augustin nur «ein Teil ihres gewohnten Verhaltens».[26]

Die Pflicht zum Martyrium, typisch für die Donatistenkirche, formuliert schon um 225 Tertullian. Und Cyprian, der hl. Bischof, der Tertullian persönlich bewundert und, unterstützt vom ganzen afrikanischen Episkopat, gegen den römischen Bischof Stephan behauptet hatte, kein Priester dürfe im Stand der Sünde den

Altardienst verrichten, wurde gleichsam zu einem Kronzeugen
der Schismatiker (S. 274 f). Auch hat Cyprians Märtyrertod am
14. September 258 seine – von Augustin heftig bestrittene – Lehre,
seinen sowie Tertullians Kirchen- und Sakramentsbegriff, für
viele Afrikaner besonders beglaubigt und die donatistische Mar-
tyriumsfreudigkeit vermutlich forciert. Jedenfalls bildete das
Zentrum ihres Gottesdienstes der Märtyrerkult. Ausgrabungen
in Zentralalgerien, einer Hochburg einst des Donatismus, haben
zahlreiche, der Verehrung der Märtyrer geweihte Kapellen zutage
gefördert, die offenbar den Schismatikern gehörten. Mehrere
enthielten bei ihnen beliebte Bibelsprüche oder ihre Devise «Deo
laudes».[27]

Es versteht sich (vgl. S. 154), daß der Hang der Circumcellionen
zum Martyrium, mit dem katholischen Bischof Optatus von
Milewe zu sprechen, nichts war als «cupiditas falsi martyrii».[28]

Die Circumcellionen erschienen ihren Gegnern als Umstürzler.
Sie holten sich, was ihnen zum Leben unentbehrlich war, wobei
häufig Kleriker an ihrer Spitze standen, wie der berüchtigte Bischof Donatus von Bagai. Sie erpreßten also, raubten, plünderten, mordeten. Sie kochten mit Holz zertrümmerter Altäre ihre
Speisen, machten Sklaven zu Herren, Herren zu Sklaven. Sie
banden sie an Mühlräder und verbreiteten solchen Schrecken,
daß die Gläubiger selber ihre Schuldurkunden beseitigten und
froh waren, mit dem Leben davonzukommen. Allerdings informieren uns über diesen linken Donatistenflügel, der anscheinend
wieder in verschiedene «Flügel» (Romanelli) zerfiel, von wenigen
juristischen Quellen abgesehen, fast nur ihre Rivalen: katholische
Schriftsteller und Kleriker, wie etwa Optatus, der Bischof von
Milewe, der sie im späteren 4. Jahrhundert «in friedlichem Ton»
beschreibt (Kraft), ihnen aber immerhin «Verrücktheit» (demen-
tia) bescheinigt, sie «Wahnsinnige» schimpft, ihre Bischöfe mit
«Räubern» (latrones) vergleicht und höhnt, sie möchten auch
noch als «Heilige und Unschuldige» (sancti et innocentes) gelten.
Die von solchen Kreaturen kommandierte Gefolgschaft wird als
geistig minderwertig erklärt, als «insana multitudo» und aller
Verbrechen fähig. Nicht zuletzt war es jedoch Augustin, der stets

von neuem den «furor», die Übergriffe der «turbae (agmina, multitudines) circumcellionum» gegeißelt, gleichfalls kaum mehr als Räuber, Psychopathen, Dummköpfe in ihnen gesehen, auch behauptet hat, daß «Kleriker immer ihre Anführer waren». Seine Urteile indes prägen «Haß» und «Übertreibungen» (Büttner), während der Kampf der Circumcellionen, bei allen abstoßenden oder gar kriminellen Zügen, «objektiv gerecht war» (Diesner).[29]

Die Donatisten blieben ihrer Konkurrenz nichts schuldig. Es kam zu heftigem Widerstand, ganzen Selbstmordserien, aber auch blutigen Racheakten. Im Bund mit den Circumcellionen plünderten und massakrierten sie, machten nächtliche Überfälle, steckten die Häuser, die Kirchen der Katholiken in Brand, warfen deren «heilige» Bücher ins Feuer und zerschmetterten oder zerschmolzen deren Kelche, um ihre eigenen Kirchen, wenn nicht gar sich selber, zu bereichern. Konvertierten donatistische Führer, wie der Bischof von Siniti, Maximinus, bedrohte man ihren Anhang. Zumindest erzählt Augustin, ein Herold der Donatisten sollte zu Siniti, wo Maximinus weiter amtierte, ausrufen: «Wer mit Maximinus Kirchengemeinschaft hält, dessen Haus wird angezündet.» Ferner meldet der empörte Kirchenvater nur an «jüngsten Taten»: «Der Priester Markus von Casphalia ist aus freiem Willen, ohne von jemand gezwungen zu sein, katholisch geworden. Deshalb haben ihn eure Anhänger verfolgt: sie hätten ihn auch beinahe getötet . . . Restitutus von Victoriana ist ohne Zwang von irgendeiner Seite zur katholischen Kirche übergetreten. Deshalb wurde er aus seinem Hause geschleift, geschlagen, im Wasser herumgewälzt, mit einem Spottgewand bekleidet . . . Marcianus von Urga hat aus freiem Willen sich für die katholische Einheit entschieden; deshalb haben eure Kleriker, da er selbst geflohen war, seinen Subdiakon bis auf den Tod geschlagen und mit Steinen überschüttet, weshalb ihre Häuser verdientermaßen niedergerissen worden sind.»[30]

Auge um Auge, Zahn um Zahn . . .

Die numidischen Oberhirten Urbanus von Forma und Felix von Idicra galten als besonders grausam. Ein donatistischer Bischof brüstete sich, eigenhändig vier Kirchen in Asche gelegt zu haben. Geistliche mißhandelte, blendete man und verstümmelte auch gegnerische Prälaten. Den hl. Possidius von Calama schlug man bewußtlos. «Einigen», sagt Augustin, «stachen sie die Augen aus, einem Bischof wurden Hände und Zunge abgeschnitten.» Verschiedene, behauptet er, habe man sogar getötet; obwohl die Donatisten sich hüteten, Bischöfe umzubringen, wenn auch bloß aus Angst vor Strafe. Dem Bischof Maximian von Bagai, Räuber einer Donatistenkirche, blieb der Tod als Märtyrer im letzten Augenblick versagt. Zwar wurde er verprügelt, mit Messern traktiert, auch ein Altar, unter dem er Schutz gesucht, zertümmert, wobei man ihn noch mit dem Altarfuß verdrosch. Doch schließlich, bereits für tot gehalten, schmiß man ihn blutüberströmt vom Turm, und da verwehrte ein Wunder, ein Misthaufen, das vollendete Martyrium.[31]

Die Donatisten dagegen, wie oft betont wird, auch durch Augustin, konnten gar keine Blutzeugen werden, «weil sie das Leben von Christen nicht gelebt». Die eignen Martyrien aber – waren sie dem Heiligen nicht ganz willkommen? Dienten sie nicht der Fanatisierung der Massen? Zur Mehrung des Ruhmes der Catholica? Dünkten ihm nicht bloß deshalb die «Helden» der Gegner so fatal? Beschwörend fast schrieb er dem kaiserlichen Donatistenjäger, Kommissar Marcellinus: «Wenn Sie nicht auf die Bitten des Freundes hören wollen, dann hören Sie wenigstens auf den Rat des Bischofs . . . Nehmen Sie dem Leiden der Diener Gottes aus der katholischen Kirche, das den Schwachen zur geistlichen Erbauung dienen muß, nicht seinen Glanz, indem Sie ihre Feinde und Peiniger zur gleichen Strafe verurteilen»![32]

Den eigentlichen Hintergrund des donatistischen Problems, das nicht nur zum Religionskrieg der Jahre um 340, 347, 361 bis 363 führte, sondern auch zu den großen Aufständen 372 und 397/98, hat Augustinus weitgehend verkannt oder verkennen wollen. Er hat geglaubt, durch eine theologische Diskussion klären zu können, was weniger ein konfessionelles als ein soziales Problem war, der krasse gesellschaftliche Gegensatz innerhalb des nordafrikanischen Christentums, die Kluft zwischen einer reichen Oberschicht und den Habenichtsen – keinesfalls nur den

«Circumcellionenbanden», auch den die Herrschenden hassenden freien Massen und den Sklaven. Bestand nämlich die führende kirchliche Kaste besonders aus katholischen Griechen und Römern, rekrutierten sich die Donatisten, wiewohl über ganz Nordafrika verbreitet, vor allem aus dem karthagischen, mehr noch dem berberisch-punischen Landvolk. Doch der Grund und Boden von Numidien und Maretania Sitifensis, einem der wichtigsten Olivenanbaugebiete des Mittelmeerraumes, gehörte hauptsächlich dem Staat sowie privaten Großgrundbesitzern. Die Bauern aber, durch kaiserliche Beamte unterdrückt, waren chronisch verschuldet, was zum Aufkommen umherwandernder Erntearbeiter führte, zu den aktivsten Propagandisten des Donatismus. Und das große soziale Gefälle zwischen beiden christlichen Gruppen, die Feindseligkeit der Berber und Punier gegen die Römer, trug viel mehr zur Kirchenspaltung bei als die an sich so belanglose religiöse Divergenz.[33]

Augustinus konnte oder wollte dies nicht sehen. Er vertrat mit aller Entschiedenheit die Interessen der besitzenden und herrschenden Klasse. Auch waren Donatisten nach ihm stets im Unrecht, sie verleumdeten bloß und logen. Er behauptet, daß sie die Lüge suchten, ihre Lüge «ganz Afrika erfüllt», «daß die Partei des Donatus sich immer auf die Lüge stützt». Und wohl nur die Ausdehnung des Donatismus ließ den Heiligen zunächst Zurückhaltung wahren, eine «Kriegführung mit Küssen» praktizieren, wie Donatistenbischof Petilian von Cirta die katholische Taktik charakterisiert, weshalb man Augustin noch heute loben kann: möge er «auch gelegentlich [!] von dem Grundsatz der Gewaltlosigkeit abgewichen sein, so gibt er uns doch an anderen Stellen Beweise dafür, wie er sich für das Verhalten gegenüber Häretikern an der Botschaft des Evangeliums bewußt orientiert» (Thomas; der allerdings bloß einen einzigen Beleg anführt).[34]

Nun wandte man Strafen nie unterschiedslos auf alle «Ketzer» an. Waren diese zahlreich, weit verbreitet, gab man sich gern mild, um nicht offen Widerstand zu riskieren. Ergo war dies nur eine abgenötigte Toleranz, Schonung gleichsam wider Willen, ein Nachgeben gegen, wie Augustin die Donatisten nennt, «unver-

mischtes Unkraut». «Wir dulden sie also so in dieser Welt, die der
Herr seinen Acker nennt und auf der die katholische Kirche bei
allen Völkern verbreitet ist, wie man etwa das Unkraut unter dem
Weizen ... bis zur Zeit der Ernte, der Säuberung der Tenne ...
duldet.»[35]

Hatte eine «Häresie» aber nur wenig Verfechter, ging man hart
gegen sie vor. So bekannte 411 der Bischof von Abora in der
Proconsularis, wo die Katholiken die Mehrheit bildeten: «Wer
sich bei uns als Donatist zeigt, wird gesteinigt.» Doch behandelte
man selbst ein und dieselbe Sekte, je nach den Umständen, verschieden, wozu nicht allzuviel Klugheit gehörte und noch weniger
Scham.[36]

Ähnlich vielsagend differenzierte man bei der Rückkehr «häretischer» oder schismatischer Priester. Hatten sie Buße geleistet,
öffentlich abgeschworen, hob man selbstverständlich ihre Exkommunikation auf, doch nicht ihre Absetzung. Ging es allerdings um große Gruppen, schonte man die Geistlichen, ließ ihnen
die Stelle oder wenigstens den Rang, um durch Wohlverhalten zu
den Hirten auch die Herde (wieder) zu gewinnen.[37]

Die Schismatiker Afrikas hätte man bei dem Priestermangel,
den die Synoden immer wieder beklagten, ohne ihren Klerus gar
nicht genügend gängeln können. Als darum Papst Anastasius 401
vor den «Fallstricken und Tücken» der Donatisten warnte,
dankte zwar im Herbst eine afrikanische Synode dem «Bruder
und Mitbischof Anastasius von Rom» für die «mit väterlicher
und brüderlicher liebender Fürsorge» erteilten Ratschläge. Doch
wollte man, angesichts aller Umstände, lieber «gelind und friedlich» (leniter et pacifice) verfahren und es, wie schon früher, den
einzelnen Bischöfen überlassen, bekehrte donatistische Kleriker
mit ihrem Rang wieder aufzunehmen oder nicht.[38]

Auch Augustinus war ursprünglich keinesfalls für Zwang.
Feierlich bestritt er jede Absicht, je wieder, wie zur «Zeit des
Macarius» (S. 309), zum Gebrauch der Gewalt zurückzukehren;
vermutlich die Folge seines Studiums neutestamentlicher und
altkirchlicher Schriften. So vertrat er zunächst die Überzeugung,
christliche Mission, Bekehrung Andersgläubiger, schließe jedwe-

des Mittel weltlicher Nötigung aus, verwarf er 393, als er noch
«Mitbischof» war, in einem Brief an einen Donatisten scharf
jeden Druck im religiösen Bereich, weigerte er sich, ein kirchliches Schreiben zu verlesen, «solange Militär anwesend ist, damit
niemand von Euch meine, ich hätte wegen der Sache mehr Lärm
schlagen wollen, als mit friedlichen Absichten verträglich ist.
Vielmehr soll die Verlesung erst nach dem Abmarsch der Soldaten
geschehen, damit alle meine Zuhörer erkennen, es sei nicht meine
Absicht, daß die Leute wider ihren Willen zur Kirchengemeinschaft mit irgend jemand gezwungen werden ... Auf unserer
Seite wird aufhören der Schrecken der weltlichen Gewalt; möge
auf Eurer Seite der Schrecken der herumziehenden Scharen aufhören. Wir wollen rein sachlich kämpfen ...»[39]

Nein, «mit den Behörden», wollte Augustin, wie er in einer
Predigt rief, «nichts zu tun haben». Verspürte er, der häufig mit
afrikanischen Gouverneuren und hohen Militärs kontaktierte,
mit Marcellinus, Bonifatius, Apringius, Darius, angeblich doch
sogar eine natürliche Abneigung gegen Politik. Nur die Bösen, so
predigte er seinerzeit oft, zögen gegen Böse mit Gewalt. Er dagegen bot sich seinen Widersachern zu persönlichem Gespräch an,
zu sachlicher Diskussion, immer wieder. Freilich, als er die
Schlechtigkeit der «Ketzer» kennengelernt und gesehen habe, wie
man sie durch etwas Nachdruck, wofür die Regierung seit 405
zunehmend sorgte, zum Bessern bringen könne, sei er andrer
Ansicht geworden. Nun, als er, zumal bei den Bischöfen der
Gegenseite, das Aussichtslose seiner Überredungskünste erkannte, spitzte sich seine Feder gefährlich zu und seine Zunge
auch. Jetzt hielt er es für sinnvoll, «Ketzer» auch gegen ihren
Willen zu ihrem eignen Heil zu bekehren – «sehen es doch viele
gerne, wenn man sie zwingt!» Erdulde allerdings ein Katholik
Zwang, sei dies «Unrecht» und ein solcher Katholik «ein Märtyrer». Werde aber ein Andersgläubiger gezüchtigt, «dem geschieht
kein Unrecht». Die Donatisten erhoben sich ja «mit Gewalt gegen
den Frieden Christi», und so leiden sie «nicht für ihn», sondern
lediglich um ihrer «Missetaten» willen. «Wie groß ist doch eure
Verblendung, daß ihr trotz eures schlechten Lebens, trotzdem ihr

Räubertaten vollführt und mit Recht bestraft werdet, doch den Ruhm des Martyriums in Anspruch nehmt!»[40]

Der tolerante Bischof, der mit Behörden nichts zu tun haben wollte, steckte sich nun bald ganz hinter sie, stachelte sie auf, sah seine Widersacher «mit Recht bestraft». Bestand ja schon Kaiser Konstantins Gesetz gegen sie, «ein sehr strenges Gesetz», wie Augustin zugibt, «zu Recht». Nein, «nicht jede Verfolgung war unrecht». Und da die Donatisten weder seiner religiösen Belehrung erlagen noch seiner Taktik, ihre diversen Parteien gegeneinander zu treiben oder auch ihren Klerus gegen die Laien, erinnerte er oft jetzt und eindringlich an die bekannte Römerbriefstelle über die von Gott eingesetzte Obrigkeit. Nicht ohne Grund, betonte der Verfasser eines Traktats ‹Über die Geduld›, trage die Obrigkeit das Schwert, und wer ihr widerstehe, widerstehe Gott. Auf der andern Seite freilich meinte Petilianus, Bischof von Cirta, einer seiner Hauptgegner, der die Katholiken «unzüchtige Seelen» schimpfte, «schmutziger denn aller Dreck», Christus habe niemanden verfolgt. Denn die «Liebe» verfolge nicht, peitsche den Staat nicht gegen Andersdenkende auf, raube und töte nicht. Augustin allerdings wußte in puncto Liebe zu differenzieren: «Liebet die irrenden Menschen; doch bekämpft mit tödlichem Haß ihren Irrtum!» Oder: «Unbedenklich aber dürfen wir in den Bösen die Bosheit hassen und uns zur Liebe das Geschöpf wählen.» Oder: «Betet für euere Gegner, deren Auffassung ihr zurückweist und schlagend widerlegt.»[41]

«Wenn die Kaiser etwas Gutes befehlen, so befiehlt kein andrer durch sie als Christus», wußte der hl. Bischof jetzt. Und wenn «die Kaiser zur wahren Lehre halten, so erlassen sie Verordnungen zugunsten der Wahrheit und gegen den Irrglauben, und jeder, der sie verachtet, der zieht sich selbst die Verdammnis zu. Er zieht sich Strafe bei den Menschen zu . . .» Dies schreibt derselbe Mann, der nur wenige Sätze zuvor beteuert: «Wir setzen indessen kein Vertrauen auf irgendeine menschliche Gewalt . . .» Und der im selben Brief doch wieder den Donatisten droht: «Wenn also ihr aus eigenmächtiger Verwegenheit so gewaltsam den Menschen Zwang antut, sich entweder dem Irrtum zuzuwenden oder in ihm zu verharren, wieviel mehr müssen dann wir durch die ganz rechtmäßige Obrigkeit, die Gott gemäß seiner Verkündigung Christo untertan gemacht hat, eurer Raserei Widerstand leisten, damit bedauernswürdige Seelen von eurer Gewaltherrschaft befreit, von uralter Verblendung geheilt und an das Licht der offenbarsten Wahrheit gewöhnt werden!»[42]

Der Glaube der Donatisten, so ähnlich dem seinen doch, ja, wesentlich mit ihm identisch, war nichts als Irrtum und Gewalt! Die Katholiken dagegen handelten aus purer Barmherzigkeit, aus Liebe. Und traf die Donatisten Strafe, so nicht durch ihre Feinde, sondern durch Gott selbst. «Wir lieben euch», erklärt der große Liebende, «und wünschen euch, was wir uns wünschen. Wenn ihr deshalb einen so großen Haß gegen uns tragt, weil wir nicht ruhig zusehen können, wie ihr irrt und zugrunde geht, so sagt dies Gott . . . Gott selbst tut es an euch durch uns, wenn wir bitten, drohen, zurechtweisen, wenn euch Verluste oder Leiden treffen, wenn die Gesetze der weltlichen Obrigkeit sich auf euch beziehen. Begreift, was an euch geschieht! Gott will nicht, daß ihr in frevelhafter Spaltung, losgetrennt von eurer Mutter, der katholischen Kirche, zugrunde geht.»[43]

Ja, begreift! – Und vergessen wir auch nicht, so das ‹Handbuch der Kirchengeschichte›, genauer: Katholik Baus, «daß hier die Stimme eines Mannes spricht, der von der religiösen Verantwortung, die in die Irre gegangenen Brüder wieder in die eine *ecclesia* zurückzuführen, so getrieben und gehetzt war, daß ihr gegenüber alle anderen Erwägungen in den Hintergrund traten». Wie typisch doch! Es soll Augustin entlasten, sein Denken, sein Handeln verständlich machen. Denn so hat man schon immer, durch zwei Jahrtausende, große Geschichtsverbrechen entschuldigt, gepriesen, verklärt. So, im Namen der Religion, im Namen Gottes, hat man sie durch die Zeiten gerechtfertigt, hat man stets aus religiöser «Verantwortung» alle humanen Erwägungen «in den Hintergrund» treten lassen, zum Teufel gejagt, durch das ganze christliche Mittelalter, die ganze Neuzeit, noch im Ersten Weltkrieg, im Zweiten, wo etwa Hanns Lilje, der spätere Landesbischof und stellvertretende Vorsitzende des Rates der Evangelischen Kirche

Deutschlands, in einer Schrift mit dem sprechenden Titel ‹Der
Krieg als geistige Leistung› schrieb: «Es muß nicht nur auf den
Koppelschlössern der Soldaten, sondern in Herz und Gewissen
stehen: Mit Gott! Nur im Namen Gottes kann man dies Opfer
legitimieren.»[44]

Jawohl, nur im Namen Gottes hat man gewisse Verbrechen,
gerade die größten, stets erlaubt und begangen, was die folgenden
Bände dieser Kriminalgeschichte immer eindringlicher belegen
werden.

Mit einer langen Reihe verschlagener Sentenzen und nicht ohne
Einschlägiges aus dem Alten, dem Neuen Testament fordert der
große Liebende nun Zwangsmaßnahmen gegen alle zu «Heilenden» (corrigendi atque sanandi). Zwang, lehrt Augustin jetzt, sei
manchmal unvermeidlich; denn werden auch die Besten durch die
Liebe gezogen, müßten doch die meisten, leider, durch Furcht
gezwungen werden. Des Freundes Wunden nämlich seien besser
als des Feindes Küsse. Besser sei es, in Strenge zu lieben, als in
Sanftmut zu betrügen. Ja, wer härter strafe, zeige größere Liebe!
Nötigten doch auch Eltern ihre Kinder, Lehrer die Schüler zu
Zucht und Fleiß. «Wer den Stock schont, haßt seinen Sohn»,
zitiert er die Bibel. «Ein böser Knecht wird nicht durch Worte
gebessert.» Und hatte nicht schon Sarah die Hagar verfolgt? Und
was tat Elias mit den Baalspfaffen? Bereits vor Jahren rechtfertigte Augustin die Gewalttätigkeiten des Alten Testaments gegenüber den Manichäern, nach denen dies Buch vom Fürsten der
Finsternis stammte. Doch selbst das Neue Testament ließ sich
gebrauchen. Denn übergab nicht auch Paulus schon einige Satan?
«Meinst Du», verdeutlicht er Bischof Vincentius die «Frohe Botschaft», «niemand dürfe zur Gerechtigkeit gezwungen werden,
wenn du liest, wie der Hausvater zu seinen Dienern sprach: ‹Wen
ihr findet, nötigt sie hereinzukommen!›?» Was er effektvoller
noch mit «zwingt sie» überträgt (cogite intrare). Widerstand
zeuge nur von Unvernunft. Wehren sich nicht auch die Fieber-
kranken im Delirium gegen ihre Ärzte? «Duldung» (toleratio)
nennt Augustin nun «unergiebig und nichtig» (infructuosa et
vana) und ist entzückt über die Bekehrung vieler «durch heilsa-

men Zwang» (terrore perculsi). Es war nichts anderes als das Programm des Firmicus Maternus (S. 316 ff), «das Programm einer allgemeinen Kriegserklärung» (Hoheisel), mochte ihn Augustin gelesen haben oder nicht.[45]

Das Problem der Ehrlichkeit kümmerte ihn kaum noch. Hatte er früher die erzwungene Konversion von «ficti Christiani» gefürchtet, überließ er diese Sorge jetzt Gott. Der Kaiser war, nach Augustin, ermächtigt, Gesetze in Angelegenheiten der Kirche zu erlassen, geschah es in deren Interesse. Zwang für das Gute schien ihm nun einfach gut. Er suchte seinen Gegnern nur eine Wohltat zu erweisen, wollte, was sie im Grunde selber wollten. «Unter dem äußeren Zwang», so predigt der trickreiche «Berufsredner», «kommt der innere Wille zustande», wobei er sich auf Apg. 9,4, Jh. 6,44 und schließlich, seit 416/17, auf Lk. 14,23 zu berufen verstand, auf das Evangelium der Liebe! Denn wirkte er beim Vorgehen gegen seine Feinde auch «gelegentlich fast ein wenig nervös» (Thomas), war doch das, was wie Verfolgung aussah, in Wirklichkeit nur Liebe, ging es ihm «immer nur um Liebe und nochmals um Liebe» Marrou).[46]

Ungezählte seiner Sprüche bezeugen dies! «Liebe – ein köstliches Wort, ein noch köstlicheres Tun . . . von nichts Besserem können wir ja reden.» «Laß die Liebe in deinem Herzen wurzeln, und es kann nur Gutes daraus hervorgehen!» «Das ist die kostbare Perle, die Liebe, ohne die dir nichts nützt, soviel du auch hast.» «Liebe ist Kraft und Blüte und Frucht; Liebe ist Pracht und Schönheit, Trank und Speise; Liebe ist . . .» natürlich auch das «Heimholen» der Donatisten: «Die Kirche preßt sie an ihr Herz und umgibt sie mit mütterlicher Zärtlichkeit, um sie zu heilen» – durch Zwangsarbeit, Auspeitschen, Konfiskation des Vermögens, Streichung des Erbrechts. Doch bloß «die Vorteile des Friedens, der Einheit und der Liebe» wieder möchte Augustin den Donatisten «aufdrängen, darum bin ich euch als Feind hingestellt worden. Ihr erklärt, mich töten zu wollen, obwohl ich euch nur die Wahrheit sage und, so viel an mir liegt, nicht gestatten will, daß ihr zugrunde geht. Gott räche uns an euch und töte in euch den Irrtum . . .»[47]

Gott räche uns an euch! Nicht im geringsten hielt sich der Bischof für einen Scharfmacher. Unterließ er doch, erschien es opportun, zuweilen eine Anzeige; verlangte freilich auch, Widerspenstige mit der ganzen Schärfe des Gesetzes zu treffen, gewährte ihnen «weder Gunst noch Schonung». Vielmehr erlaubte er schon die Tortur! Ja, der berühmteste Heilige der alten Kirche, vielleicht der Kirche überhaupt, ein so «liebenswürdiger Mensch» (Hendrikx), der Vater «unbegrenzter Güte» (Grabmann) «und Weitherzigkeit» (Kötting), der gegen die Donatisten «ständig Milde walten lassen will» (Espenberger), gegen sie «kein verletzendes Wort» vorbringt (Baus), «die Schuldigen» sogar «vor den harten Strafen des römischen Rechts zu bewahren» sucht (Hümmeler), kurz der Mann, der sich stets zum Sprecher der «mansuetudo catholica», der kirchlichen Sanftmut, macht, er gestattet schon die Folter ... So schlimm war dies ja gar nicht! «Erinnere alle möglichen Martern», tröstet Augustin. «Vergleiche sie mit der Hölle, und leicht ist alles, was du ausdenkst. Der Folterer und der Gefolterte ist hier vergänglich, dort ewig ... Jene Strafen sollen wir fürchten, wie wir Gott fürchten. Was der Mensch hier leidet, ist eine Kur (emendatio), wenn er sich bessert.»[48]

Da konnten die Katholiken schinden, wie sie wollten, es war belanglos, verglichen mit der Hölle, mit jenen Greueln, die ihr Gott der Liebe durch alle Ewigkeit vollstrecken ließ. Es war «leicht», «vergänglich», noch nicht einmal ein Vorgeschmack – war eine «Kur»! – Ein Theologe wird nie verlegen! Deshalb kennt er auch keine Scham.

Als Augustins Anhang die Oberhand hatte, mühten sich die katholischen Gutsbesitzer gar nicht erst, dem Bischof die Circumcellionen zur «Belehrung» zu schicken. Vielmehr machten sie mit ihnen kurzen Prozeß, auf der Stelle, «wie mit allen Straßenräubern» (Augustinus). Trieb er doch selber den General Bonifatius an, nicht nur die «visibiles barbaros», sondern auch die sozusagen inneren Feinde, die Donatisten und Circumcellionen, aufzurollen «mit allen Mitteln» (Diesner). Und während der Heilige «mit dem *paulinischen* Wahrheitsdrang und der *johanneischen* Liebessehnsucht » (Lesaar) nach dem Einschreiten des Staates rief, erklärte er fast im selben Atemzug: sollten sie aber hingerichtet werden, wollten die Katholiken nicht geholfen haben; ließen sie doch eher von ihren Feinden sich töten, als diese zur Exekution ausliefern![49]

Im christlichen Reich jener Zeit herrschte alles andere als Liberalität, persönliche Freiheit. Vielmehr grassierte die Sklaverei, waren die Söhne an den Stand ihrer Väter gefesselt, Geheimpolizisten allgegenwärtig – «und täglich konnte man die Schreie der vor Gericht Gefolterten hören und die Galgen willkürlich Hingerichteter sehen» (Chadwick).[50]

Gewiß verwarf Augustin grundsätzlich die Todesstrafe, aber keinesfalls aus humanen, bloß aus theologischen und taktischen Gründen: sie schloß die Möglichkeit der Buße aus und verhalf dem Gegner zu Märtyrern, zu größerer Konkurrenzfähigkeit. Auch wußte der Bischof nicht nur, daß katholische Gutsbesitzer mit Circumcellionen verfuhren «wie mit allen Straßenräubern», sondern daß auch die Büttel des Kaisers automatisch Donatisten liquidierten, die katholische Priester verstümmelt oder Kirchen zerstört hatten. Und Augustinus fand sich praktisch mit der Todesstrafe ab.[51]

Doch nicht nur dies. Der Staat war nach ihm verpflichtet, der Kirche zu dienen, verpflichtet, den Glauben zu schützen, die «Ketzer» zu bekämpfen. Ja, Augustin behauptet, die Kirche gebrauche bei Inanspruchnahme der Staatsmacht keine fremde, sondern ihre eigene, die ihr von Christus verliehene Gewalt! Und flossen schon vordem gegen den Donatismus – der, man muß es wiederholen, dogmatisch mit dem Katholizismus fast ganz harmonierte – «Ströme von Blut», so ging es zu seiner Zeit mit gewaltigen Aufständen und Wirren weiter: «je schärfer der Staat vorgeht, um so lauter ruft Augustin Beifall» (Aland). Sanktionierte er doch in einer langen Epistel an Bonifatius sogar den Bürgerkrieg gegen die Donatisten, obwohl der General, von der Donau über Marseille nach Afrika gekommen, sein Leben mit Ausländern und Andersgläubigen verbracht und, paradoxerweise, die Schismatiker mit gotischen Truppen, mit Arianern, also «Ketzern», zu bekämpfen hatte.[52]

Hier zeigt sich der gefeiertste Kirchenvater in seiner ganzen

Größe: als Schreibtischtäter und Heuchler; als ein Bischof, der nicht nur während seines Lebens furchtbar wirkte, sondern mehr noch als Initiator des politischen Augustinismus, als Urbild all der bluttriefenden Inquisitoren so vieler Jahrhunderte, ihrer Grausamkeit, Tücke, Bigotterie, als Schrittmacher des Schrekkens, des mittelalterlichen Verhältnisses von Kirche und Staat. Denn Augustins Beispiel erlaubte, Millionen Menschen, Kinder selbst und Greise, Todkranke und Krüppel, durch den «weltlichen Arm» in die Folterkeller, die Nacht der Verliese, die Flammen der Scheiterhaufen zu stoßen – und scheinheilig den Staat zu ersuchen, ihr Leben zu schonen! All die künftig «Ketzer» jagenden, «Ketzer» marternden, «Ketzer» verbrennenden Schergen und Schurken, Fürsten und Mönche, Bischöfe und Päpste konnten sich auf Augustin berufen und beriefen sich auf ihn; die Reformatoren desgleichen.[53]

Der Heilige selber verhöhnte seinerzeit die Donatisten: bei Verfolgung sollten sie doch, gemäß dem Evangelium, «in eine andre Stadt fliehen» (Mt. 10,23). Ja, er machte deutlich, daß der christliche Kaiser ein Recht habe, «Gottlosigkeit» zu strafen, daß es angesichts der Vielzahl der gewonnenen Güter, Kastelle, Gemeinden und Städte nicht auf einige Tote ankäme. Kein Erfolg eben, ohne eine gewisse Verlustquote. Sein zynisches Kalkulieren mit Verlorenen, Geretteten, Getöteten erinnert Hans-Joachim Diesner «an moderne imperialistische Strategie», aber auch an Augustins «Gnadenlehre» (S. 494 f). Und Donatist Tyconius, ein Laientheologe, einer der bedeutendsten Schriftsteller seiner Kirche, die ihn um 380 exkommunizierte, ohne daß er, wie manche erwarteten, katholisch wurde, ein Außenseiter, dessen «Rang als Denker und Christ», dessen «kühne Selbständigkeit eines einsamen Gläubigen» (Ratzinger) Katholiken nunmehr rühmen, Katholiken, die heute selbst verfolgen, Tyconius erkannte seinerzeit in der Jagd auf Donatisten den «Greuel der Verwüstung» (Mt. 24,15).[54]

Als anno 420 die staatlichen Häscher den Bischof vom Timgad, Gaudentius, suchten, floh er in seine prächtige Basilika, verschanzte sich darin und drohte, sich mit seiner Gemeinde zu verbrennen. Der leitende Beamte Dulcitius, ein frommer Christ, der hier immerhin Menschen gleichen Glaubens hetzte, wurde unschlüssig und fragte bei Augustin an. Der Heilige freilich, Erfinder einer Prädestinationslehre sui generis, replizierte: «Da aber Gott nach verborgenem, doch gerechtem Ratschluß einige aus ihnen zur ewigen Strafe vorherbestimmt hat, so ist es ohne Zweifel besser, daß, mögen auch einige im eigenen Feuer zugrunde gehen, die unvergleichlich größere Mehrheit von jener verderblichen Spaltung und Zerstreuung zurückgebracht und gesammelt werde, als daß alle zusammen in dem durch die gottesräuberische Spaltung verdienten ewigen Feuer brennen müssen».[55]

Dazu paßt folgendes. Der katholische Bischof von Hippo Diarrhytos (Bizerta) hatte seinen donatistischen Rivalen jahrelang eingekerkert, ja, versucht, ihn hinrichten zu lassen. Zur Erinnerung an seinen Sieg baute er dann eine erweiterte Basilika, die seinen Namen trug – und Augustinus predigte bei ihrer Einweihung.[56]

Hatten in Afrika schon seit einiger Zeit Synoden die Wiederaufnahme von Donatisten erörtert – 386 in Karthago, 393 in Hippo, 397 in Karthago, 401 je ein Konzil im Juni und September in Karthago –, so finden nun Jahr für Jahr, mit einziger Ausnahme des Jahres 406, ein Jahrzehnt lang Konzile statt, 408 sogar zwei.[57]

Ein durch die Synode von Karthago im August 403 beschlossenes Religionsgespräch lehnte Bischof Primian brüsk ab. Im nächsten Jahr verlangte das karthagische Konzil vom Staat die Anwendung der «Ketzer»-Erlasse gegen die Donatisten – der «Rekurs auf den weltlichen Arm» (Jesuit Sieben). Selbstverständlich geschah das mit Assistenz Augustins, der, wann immer er konnte, auf Konzilien war. Und prompt folgten diesem Drängen mehrere scharfe Gesetze. Zunächst verfügte Kaiser Honorius, von zwei mißhandelten katholischen Oberhirten mit einem Bericht über «Greueltaten» persönlich bearbeitet, 405 ein drastisches «Edikt der Einheit», das die Donatisten den «Ketzern» gleichstellte, ihre Kirche faktisch auflöste, alle ihre Zusammenkünfte verbot, ihre Gotteshäuser den Katholiken zusprach, Bischöfe wie Primian von Karthago und Petilian von Cirta exilierte, kurz die Donatisten ihrer Führer und Finanzmittel beraubte – für Augustin ein Akt der Vorsehung; Gott selbst, frohlockte er, spreche durch die Ereignisse. War es doch wieder Augustinus, «wohl der erste Theoretiker der Inquisition», der «die einzig vollständige Rechtfertigung in der Geschichte der frühen Kirche» schrieb «über das Recht des Staates, Nichtkatholiken zu unterdrücken» (Brown). Der Heilige sah in Gewaltanwendung nun bloß einen «Entkrampfungsprozeß», ein «Bekehren durch Beschwernisse» (per molestias eruditio), eine «kontrollierte Katastrophe», er zog Vergleiche mit einem Familienvater, «der den Sohn züchtigt, den er liebt» und jeden Samstagabend «vorsichtshalber» seine Familie schlägt.[58]

Dem «Edikt der Einheit» von 405 folgten weitere Staatserlasse 407, 408, 409, 412, 414. Die zwangsweise Rückführung der Donatisten wurde befohlen, ihre Kirche immer mehr in den Untergrund getrieben, jahrelange Pogrome begannen. Und als dazwischen, von Ende 409 bis August 410, die Regierung aus Gründen der Staatsräson – weil Alarich kreuz und quer durch Italien zog – den Donatisten Kultfreiheit gewährte, eilten vier afrikanische Prälaten an den Hof nach Ravenna und setzten die Erneuerung der früheren Verfolgungsgesetze durch, einschließlich der Todesstrafe. Die donatistische Kirche wurde verboten und ihr Anschluß an die katholische erzwungen – «der Herr hat die Zähne des Löwen zerschmettert» (Augustinus). Ganze Städte, bisher entschieden donatistisch, wurden nun, aus Furcht vor Strafe und Gewalt, katholisch, wie Augustins eigne Bischofsstadt, wo einst die Bäcker für Katholiken kein Brot backen durften! Schließlich trieb er selber die Donatisten aus. Doch als sie, bei Alarichs Invasion vom Staat vorübergehend geduldet, zurückgekehrt waren, erschien ihnen der große Heilige als «ein Wolf, den man totschlagen sollte». Nur durch Zufall entging er einem Hinterhalt, den ihm die Circumcellionen gelegt.[59]

Im Sommer 411 kam es auf Weisung der Regierung in den Thermen des Gargilius zu Karthago noch einmal zu einer «Collatio», einem öffentlichen Streitgespräch, auf drei, jeweils wörtlich mitstenographierten Sitzungen, wozu 286 katholische und 284 donatistische Bischöfe (von je etwa 400 Bischöfen) angereist waren. Der kaiserliche Kommissar Flavius Marcellinus, ein Freund Augustins und ergebener Katholik – den der katholische Kaiser Honorius gleichwohl zwei Jahre später, am 13. September 413, Fest des hl. Cyprian, köpfen ließ, ein offensichtlicher Justizmord –, erklärte natürlich die Donatisten «omnium documentorum manifestatione» für besiegt. Die Katholiken wußten dies schon im voraus so sicher, daß sie sich verpflichtet hatten, bei einem negativen Verlauf für sie den Donatisten ihre Bischofsstühle abzutreten!

Eine Berufung der Besiegten beim Kaiser – unter anderem wegen Bestechlichkeit des Marcellinus – war erfolglos. Noch der Beschuldigte selbst befahl die Auflösung der Circumcellionenverbände und untersagte alle Zusammenkünfte der Donatisten, die man immer rücksichtsloser belangte. Angst grassierte, die Selbstmorde häuften sich, zumal unter den Circumcellionen. Die Masse der Sklaven und Kolonen, bei denen außer ihrer Arbeitskraft nichts zu holen war, sollte zur Erhaltung des «katholischen Friedens» mit Zwangsarbeit und der Peitsche ihrer Herren in den Schoß der Alleinseligmachenden geschlagen werden. Eigene kaiserliche «Executores» sorgten dafür. Die Reichen trafen hohe Geldstrafen, bis zu 50 Pfund Gold (für illustres), doch ging man auch bis zur gesamten Vermögenskonfiskation. Man enteignete, enterbte und drohte dem unionsfeindlichen donatistischen Klerus Verbannung vom afrikanischen Boden an. Der hl. Augustin, der zwar lehrte, daß «nicht allen alles, aber doch allen Liebe gebührt und niemandem Unrecht», verjagte selber sogleich seinen «Gegenbischof» Macrobius aus Hippo, wohin dieser um 409, nach vierjähriger Ausgestoßenheit, zurückgekehrt war, und forderte, unter Anwendung der «caritas christiana», weiter rigorose Verfolgung, erwähnt die Ereignisse indes nur beiläufig, zumal er sich immer mehr in seinen Streit mit Pelagius verstrickte. 414 entzog man den Donatisten alle bürgerlichen Rechte und belegte ihre Gottesdienste mit der Todesstrafe. «Wo Liebe, da Friede» (Augustinus). Oder, wie später Bischof Quodvultdeus von Karthago triumphiert: «Die Natter ist zertreten, besser noch: verschlungen.»[60]

Die Erbitterung der Donatisten nutzte der comes Africae, Heraclianus, und warf sich zum Gegenkaiser auf. Im Sommer 413 landete er, mit einer großen Flotte von Afrika kommend, an der Tibermündung und marschierte nach Ravenna. Doch wurde er gänzlich geschlagen und bald darauf in Karthago auf kaiserlichen Befehl geköpft.[61]

Nach 418 verschwindet für Jahrzehnte das Donatistenthema aus den Debatten der nordafrikanischen Bischofssynoden. 420 erscheint Augustins letzte antidonatistische Schrift ‹Contra Gaudentium›. 429, mit dem Wandaleneinfall, enden auch die antidonatistischen Kaisererlasse, die weiter zur Vernichtung aufgerufen. Doch bis ins 6. Jahrhundert besteht, stark geschwächt, das Schisma fort. Den kläglichen Rest aber, der den Dauernachstellungen entrann, hat, ein Jahrhundert später, mit den Katholiken, der Islam überrollt. Das afrikanische Christentum war ausgehöhlt, bankrott, und Nordafrika, religiös schließlich gänzlich von Europa geschieden, glitt aus dessen Einflußbereich in den nahöstlichen über. Spurlos verschwand die einst wichtigste christliche Kirche, als einzige übrigens des Mittelmeerraums. Nichts von ihr blieb. «Aber das lag nicht am Islam, sondern an den Verfolgungen der Donatisten, durch die die katholische Kirche in Nordafrika so verhaßt wurde, daß die Donatisten den Islam als Befreiung begrüßten und wohl weitgehend zu ihm übergingen» (Kawerau).[62]

Nun hat Augustin nicht nur die Donatisten bekämpft. Gestützt auf den von ihm dankbar ausgeschöpften, 156 «Ketzereien» nennenden ‹Liber de haeresibus› des hl. Bischofs Philaster von Brescia, katalogisiert er in seinem eignen Opus ‹De haeresibus› immerhin 88 – vom Zauberer Simon bis Pelagius und Caelestius. Unter Nr. 68 verdammt er dabei gar eine Gruppe, die aus religiösen Gründen dem Barfußgehen frönt. Alle Sekten aber, sagt er, seien aus dem einen Muttertier Hochmut geboren – und, ergänzt Katholik van der Meer, «von der eigenbrötlerischen Dummheit».[63]

DIE NIEDERRINGUNG DES PELAGIUS

Mehr als das Zerschlagen der Donatisten bewegte Augustin innerlich die lange Fehde mit Pelagius, der seinen finstren Erbsündenkomplex samt Prädestinations- und Gnadenwahn überzeugend widerlegte – das Konzil von Orange 529 hat sie (teilweise wörtlich) dogmatisiert, das Tridentinum sie erneuert.

Nach Auskunft der meisten Quellen war Pelagius ein britischer Laienchrist. Seit etwa 384, oder später, lehrte er, hochangesehen wegen seiner Sittenstrenge, die er nicht nur forderte, sondern vorlebte, in Rom, wo er maßgeblichen Einfluß auf die Aristokratie und den Klerus gewann. 410 suchte er vor Alarichs Goten Zuflucht in Afrika, reiste jedoch wieder weiter, während sein Begleiter und Freund Caelestius, ein wortgewandter Anwalt vornehmer Abkunft, das «enfant terrible» der Bewegung, in Karthago blieb. Dort erregte er durch sein Eintreten für Pelagius immer größeres Befremden und wurde 411 von einer Synode, der er eine klare Antwort verweigert haben soll, exkommuniziert, worauf er nach Ephesos ging und die Priesterweihe erhielt.[64] Bemerkenswerterweise befand sich Pelagius, als er im Sommer 410 in Hippo landete, im Gefolge von Melania der Jüngeren, ihrem Mann Pinian und ihrer Mutter Albina, das heißt der «vielleicht wohlhabendsten Familie des römischen Reiches» (Wermelinger). Auch Kirchenlehrer Augustinus hatte erst kürzlich seine Kontakte zu ihr intensiviert. Ja, er und andere afrikanische Bischöfe, Aurelius und Alypius, hatten die Multimillionäre überredet, ihren Reichtum nicht an die Armen zu verschleudern, sondern ihn lieber der katholischen Kirche zu geben! Auch mußte der unermeßlich reiche Pinian, unter dem Druck der Gläubigen Augustins, versprechen, sich künftig nur für die Kirche von Hippo weihen zu lassen, und Augustinus hatte dann in zwei Briefen seine Gemeinde von dem Verdacht zu reinigen, bei ihrem Drängen habe sie der Reichtum des Pinian motiviert. 417 geht der Umworbene nach Jerusalem, wo nahe ein weiterer Kirchenlehrer, Hieronymus, waltet, Pinian schließlich stirbt, seine Frau Vorsteherin eines Klosters am Ölberg, die Kirche Erbin ihres Riesenreichtums und

Melania Heilige der Kirche wird (Fest: 31. Dezember). – «Wie viele Erbschaften wurden von den Mönchen gestohlen!» schreibt Helvetius. «Aber sie stahlen sie für die Kirche, und die Kirche machte dafür Heilige.»[65]

Von Pelagius, einem talentierten Literaten, sind viele kleine Traktate überliefert, deren Echtheit umstritten ist. Wenigstens drei scheinen jedoch authentisch zu sein. Die wichtige Arbeit ‹De natura› kennen wir nur aus Augustins Widerlegungsschrift ‹De natura et gratia›. Auch das theologische Hauptwerk ‹De libero arbitrio› des Pelagius wurde in Fragmenten vor allem seines Gegners tradiert, überhaupt seine Lehre im Lauf der Kontroverse oft entstellt.[66]

Pelagius, beeindruckend als Persönlichkeit, war überzeugter Christ, wollte durchaus in der Kirche bleiben und alles andere als öffentlichen Streit. Er hatte zahlreiche Bischöfe auf seiner Seite, verwarf weder das Bittgebet noch leugnete er eine Gnadenhilfe, vertrat vielmehr deren Notwendigkeit für das gute Werk, freilich auch die Notwendigkeit des freien Willensaktes, des liberum arbitrium. Doch gab es für ihn keine Erbsünde. Adams Fall war seine Sache, aber nicht vererblich (allenfalls ein schlechtes Beispiel), nicht das Kind schon sündig, sondern sittlich gesund. Und wie Adam die Sünde hätte meiden können, so vermag dies, meint Pelagius, jeder Mensch, wenn er nur will. In völliger Freiheit kann er sich entscheiden, kann er aus eigener Kraft sittlich handeln, sich selbst kontrollieren, sich selbst verbessern – sein unverlierbares bonum naturae. «Wenn immer ich von der Aufstellung von Regeln für das sittliche Verhalten und für die Führung eines heiligen Lebens sprechen muß, so stelle ich zuallererst die Kraft und Eigenart der menschlichen Natur heraus und zeige, wessen sie fähig ist . . ., damit ich nicht meine Zeit vergeude, jemanden auf einen Weg zu rufen, den er für unmöglich hält.» Jeder Mensch besitzt nach Pelagius die Gabe der Unterscheidung von Gut und Böse. Jeder Christ muß sich, in Nachahmung des jesuanischen Beispiels, durch sein irdisches Leben das ewige verdienen. Doch wußte Pelagius, der das Durchschnittschristentum, seinen ethischen Minimalismus, kritisierte und selbst einen moralischen

Puritanismus verfocht, daß viele desto nachlässiger sind, je geringer sie von ihrer Willenskraft denken, daß sie hinsichtlich ihrer Schwächen lieber die menschliche Natur anklagen als ihren Willen. Gerade die Erfahrung mit der moralischen Trägheit der Christen hatte Pelagius' Haltung bestimmt, wobei auch mancherlei intensive, religiös getönte Gesellschaftskritik mitschwang und die Christen aufgerufen wurden, «das Leid anderer zu fühlen, als wäre es das eigene, und vom Gram anderer Menschen zu Tränen gerührt zu werden»[67].

Eben dies aber war durchaus nicht Sache des reichlich abgebrühten Augustin, der die Dinge gern aus großer Entferung zu betrachten liebte; der den Menschen weniger, wie Pelagius, als gesondertes Individium, sondern von einer ungeheuren Erbschuld, dem «Sündenfall», verschlungen sah, die Menschheit als massa peccati, hereingefallen auf die Schlange, «ein schlüpfriges Tier, gewandt in krummen Schleichwegen», hereingefallen durch Eva, «den minderen Teil [!] des Menschenpaares» – denn wie alle Kirchenlehrer setzt auch dieser die Frau herab. Dabei hatte Gott den Stammeltern sein Verbot nicht nur gegeben, obwohl er voraussah, «daß sie es übertreten würden», sondern noch «mehr aus dem Grunde», wie Augustin ungeheuerlicherweise weiß (woher? – was man oft bei ihm fragen könnte), «daß sie keine Entschuldigung hätten, falls er sie zu strafen beginne»! Entspräche es ja nur strenger Gerechtigkeit, wäre die ganze Menschheit für die Hölle bestimmt. Doch in großer Barmherzigkeit sei wenigstens eine Minderheit für das Heil erwählt, die Masse aber «ganz mit Recht» verworfen worden. «Gott steht glorreich da in der Gerechtigkeit seiner Rache.» Sogar auf katholischer Seite gibt man zu, daß sich Augustin um die Betonung «eines wirklich *allgemeinen* Heilswillens Gottes auch der gefallenen Menschheit gegenüber . . . wenig bemüht» (Hendrikx).[68]

Nach dem doctor ecclesiae sind wir seit Adam verdorben, wird die Erbsünde durch den Fortpflanzungsprozeß übertragen, setzt die Praxis der Kindertaufe zur Vergebung der Sünden die Sündhaftigkeit bereits der Säuglinge voraus, hängt des Menschen Heil allein von Gottes Gnade ab, ist der Wille ohne jede ethische

Bedeutung, «abwegig» und das Abwegige «nach der Regel» zu richten, natürlich nach der Gottes (und das heißt immer der Kirche!). Doch derart wird der Mensch zu einer Marionette, die an den Fäden des Höchsten zappelt, zu einer beseelten Maschine, die Gott leitet, wie er will und wohin er will, ins Paradies oder in die ewige Verdammnis. Warum? «Warum sonst, als weil er es so gewollt hat. Warum hat er es aber gewollt? ‹Mensch, wer bist du, daß du Gott zur Rede stellen willst?›» Dies ist, wie schon des Paulus, so auch Augustins Weisheit letzter Schluß; wobei er einerseits den Titel «Doktor der Gnade» gewinnt, andrerseits wieder in die Nähe gewisser manichäischer Gedanken gerät.[69]

Wie am Donatismus, fand Augustin auch an Pelagius zunächst nichts auszusetzen, einem Mann, der gegen Arianer und mehr noch Manichäer stritt, enorm angesehen und einflußreich war, mit hohen Gönnern, wie sie auch Augustin hatte. So nannte dieser zuerst Pelagius' bewunderte Ermahnungsbriefe «gut geschrieben und streng zur Sache», nannte ihn selbst «unsern Bruder», «heiligmäßig», ja, sprach, allerdings übertrieben, von freundschaftlichen Beziehungen. Noch 412 hatte er in seiner beginnenden Kritik Pelagius mit Hochachtung behandelt, noch 413 ihm selber höflich geschrieben. Offensichtlich suchte er dem Freund des steinreichen Pinian nicht zu nahe zu treten, zumal er, Augustin, oder doch seine Gemeinde, mit schlimmen Absichten auf Pinians Besitz sich suspekt gemacht (S. 492). Doch auch als Demetrias, die junge Tochter der Probi, einer der wohlhabendsten Familien Roms, 414 den Schleier nahm und dazu, unter anderen führenden Kirchenautoren, Hieronymus und Pelagius ausführliche Traktate nebst Ratschlägen sandten, mischte Augustin sich wieder ein. Er warnte vor Pelagius und schleuderte nun – immer mehr versponnen in die «causa gratiae», seine Vorherbestimmungslehre, die Jesus nicht verkündet, er selber in seiner Frühzeit nicht vertreten hatte – länger als eineinhalb Jahrzehnte, bis 427, gegen die Pelagianer ein ganzes Dutzend Streitschriften heraus.

Noch vor ihm aber (und Hieronymus) hatte ein persönlicher Schüler des Afrikaners, Orosius, in seinem ‹Liber Apologeticus› (einem, laut Loofs, bis zur Unglaubwürdigkeit parteiischen Buch)

den direkten Angriff auf Pelagius eröffnet. Als erster nennt er
Pelagius, den er auch persönlich beleidigt, mit vollem Namen
einen «Ketzer», während dieser von Orosius als einem «jungen
Mann, den meine Feinde auf mich hetzten», spricht. Und nach-
dem auch Caelestius von Afrika in den Orient geeilt war, nach
Ephesos in Kleinasien, betrieb Augustin durch Entsendung des
Orosius die Verdammung seiner Gegner auch beim Jerusalemer
Bischof Johannes. Der jedoch bezichtigte Orosius der «Häresie»
und ließ Pelagius als rechtgläubig in seiner Gemeinde. Der
hl. Hieronymus aber, mit Jerusalems Oberhirten verfeindet
(S. 170 f), verfaßte eine umfangreiche Polemik, die ‹Dialogi contra Pelagianos›, worin er seinen Gegner als Sünder, hochmütigen
Pharisäer, «fetten Hund» und so weiter wie üblich diffamiert,
Dialoge, die Augustin als Werk von wundersamer und eines
solchen Glaubens würdiger Schönheit preist. (416 steckten Pelagianer Hieronymus' Klöster in Brand; er selbst geriet in Lebensgefahr.) Ebenfalls schritten zwei anrüchige, in den Osten verbannte gallische Bischöfe, Heros von Arles und Lazarus von Aix,
in einem «Libellus» zur Attacke auf Pelagius und Caelestius.
Jenen zwar sprach die Synode von Diospolis (dem alten Lydda) in
Palästina im Dezember 415 vom Irrtum frei – «Nur wenige»,
schrieb Augustin, «sind im Gesetz des Herrn bewandert.» Doch
nun verketzterten die Afrikaner die beiden Freunde wegen Leugnung der Kindertaufe und des Gebets (!) im folgenden Jahr, 416,
«hysterisch» (Chadwick) auf zwei Konzilien, in Karthago und
Milewe sowie bei Papst Innozenz I. (402–417) gleich in drei
Schreiben geprägt «durch alle Kennzeichen einer ‹Hexenjagd›»
(Brown), als «Urheber eines gänzlich ruchlosen und von uns allen
zu verdammenden Irrtums» – der entscheidende Wendepunkt im
großen Pfaffenstreit. Einen Brief hatte Augustin, der eifrig auch
anderwärts agitierte, selbst verfaßt und der «Heiligkeit», «Her-
zensmilde» (suavitas mitissima cordis), dem «überreichen Bronn»
(largo fonti) noch das Buch des Pelagius «über die Natur» nebst
eigener Gegenschrift ‹De natura et gratia Dei› beigelegt, mit
angestrichenen «Hauptstellen» zur bequemeren Lektüre des Pontifex.[70]

Papst Innozenz I. (mit höchster Wahrscheinlichkeit der Sohn seines Vorgängers Papst Anastasius I., der seinerseits wieder ein Priestersprößling war) blätterte ‹De natura› durch, fand auch genug Gotteslästerliches, vermied aber ein formelles Verdammungsurteil über das Ganze. Denn mochte er nun selber dem Pelagius zuneigen oder nicht, fürchtete er doch die geschlossene Phalanx der Afrikaner, die gerade, gemeinsam mit dem Staat, den Donatismus vernichtet hatte. Famos, mit kaltem Hochmut, wenn auch nicht gerade achtbar zog sich der Römer im Januar 417 in drei gesonderten Responsa aus der Schlinge. Einerseits gab er Pelagius und Caelestius nicht völlig preis, sondern behielt ihnen, bei Widerruf – die übliche Arznei, das übliche Gift – die Möglichkeit einer Wiederaufnahme vor; in allen drei Briefen tritt er in der Pose des heilenden Arztes auf. Andererseits hinderte er die Afrikaner nicht, bestätigte vielmehr deren Beschlüsse und verurteilte die «Häresie», so daß Augustin, vom Papst übrigens völlig ignoriert, in einer Predigt vom 23. September 417 gleich rief: Die Sache ist erledigt. «Causa finita est; utinam aliquando finiatur error!» Wäre doch auch der Irrtum erledigt – später umgemodelt zu dem geflügelten: Roma locuta, causa finita.[71]

Doch hatte Augustin zu früh gejubelt. Wie sehr die «Häresie» – die sich in Süditalien und Sizilien, Nordafrika, in Dalmatien, Spanien, Gallien, Britannien verbreitete, auf der Insel Rhodos, in Palästina, Konstantinopel –, auch in der Heiligen Stadt, selbst um den noch Heiligeren Stuhl und sogar auf ihm saß, zeigte sich schon drei Monate später, nach Innozenz' I. Tod am 12. März.[72]

Nachfolger Zosimus (417–418) nämlich empfing Caelestius, der, inzwischen Priester, von Ephesos anreiste, um selbst den Papst zu informieren, ziemlich freundlich in Rom. Er prüfte ihn auf Herz und Nieren, hörte, daß Caelestius an die Notwendigkeit der Kindertaufe glaube und sich gänzlich dem Spruch des apostolischen Stuhls unterwerfe, ließ auch alle Akten sichten und gewahrte «keinen Schatten eines Zweifels» an dem Glauben des «Ketzers». Er erklärte die Anklage der Bischöfe Heros und Lazarus (S. 496), persönliche Feinde des Papstes, als nichtig, bezichtigte den afrikanischen Episkopat der Voreiligkeit, Fahrlässigkeit und forderte schroff Revision des Urteils. Bald darauf traf auch von Pelagius ein Brief (noch an Innozenz adressiert) nebst neuem Buch ein, und Zosimus fand Pelagius, für den sich auch der neue Jerusalemer Bischof Praylos eindringlich verwandte, ebenso über jeden Verdacht erhaben, in allen wichtigen Fragen als orthodox, von hoher sittlicher Gesinnung und durchdrungen von der päpstlichen Autorität. So wandte sich diese ein zweites Mal nach Afrika. «Wenn ihr doch, geliebte Brüder, hättet anwesend sein können», schrieb Zosimus. «Wie tief war jeder von uns bewegt! Kaum jemand der Anwesenden konnte sich der Tränen erwehren, daß Männer so echten Glaubens beschuldigt werden konnten.» Der Papst sprach von falschen Zeugen und belehrte Augustinus: «Das Kennzeichen einer hochanständigen Gesinnung ist es, Schlechtes nur schwer zu glauben.» Er kritisierte «diese Fangfragen und törichten Debatten», Neugier, ungezügelte Beredsamkeit, den Mißbrauch auch der Heiligen Schrift. «Nicht einmal die bedeutendsten Männer sind davon frei.» Und er zitierte seinerseits die Bibel: «Bei vielen Worten geht es ohne Sünde nicht ab» (Spr. 10,19).[73]

Kurz, der Papst verlangte von den Afrikanern völlige Rehabilitierung der beiden. Die Ankläger aber, peinlich betreten, empört, operierten ungerührt mit Intrige und Bestechung. Geld soll gewissen Herren, auf Kosten der Armen, zugespielt worden sein. Und 80 numidische Zuchthengste wechselten im Verlauf des Gnadenstreits den Stall, vom hl. Alypius (Fest: 15. August), Bischof von Thagaste, Freund und Schüler des hl. Augustin, persönlich an den Hof nach Ravenna überführt; mit ihm hatten die Afrikaner schon im Kampf gegen die Donatisten kollaboriert. Und Hofmarschall Comes Valerius, ein geschworener «Ketzer»feind, Augustinleser, Verwandter eines Großagrariers in Hippo und katholischer als der Papst, erwies sich den spendablen Oberhirten gefällig. Wie kurz zuvor die Unterdrückung der Donatisten, so erreichten sie jetzt die der Pelagianer, Verweigerung freier Diskussion und Vertreibung ihrer Bischöfe.[74]

Papst Zosimus wurde durch Kaiser Honorius überspielt und mit Reskript vom 30. April 418 an Palladius, den Prätorianerprä-

fekten von Italien, die Ausweisung des Pelagius und Caelestius
aus Rom verfügt – der härteste Erlaß im spätrömischen Kaiser-
reich –, ihre «Ketzerei» als öffentliches Verbrechen (crimen) und
Religionsfrevel (sacrilegium) gegeißelt, mit besonderer Betonung
der Verbreitung in Rom (!), wo es zu Unruhen und schwerem
Streit im Klerus kam, Aufspürung aller Pelagianer geboten, Vermögenskonfiskation, Verbannung. Ravenna locuta – und schon
fiel Papst Zosimus um, gehorchte, niedergeschmettert, dem Kaiser und verdammte, eine Kapitulation auf der ganzen Linie, noch
im Frühsommer durch eine weltweite, allen Bischöfen mitge-
teilte, doch nur bruchstückhaft überlieferte umfangreiche Enzy-
klika, die sogenannte «Epistula Tractoria», offiziell den bisher
von ihm geschätzten und geschützten Briten samt Anhang. Auch
exkommunizierte er noch kurz vor seinem Tod Julian von Aeclanum und achtzehn weitere Bischöfe, die sich weigerten, seine
«Tractoria» zu unterschreiben. So wurden denn «aller Bischöfe
Hände mit dem Schwert Petri bewehrt zur Köpfung der Gottlosen», wie Mönch Prosper Tiro in Marseille jauchzte, ein wilder
und unermüdlicher Sympathisant der augustinischen Gnadenge-
spinste, ein Mann, der, ebenso wie Augustinus selbst, gelegentlich
«ursprünglich pelagisches Ideengut bis zur Unkenntlichkeit» ent-
stellte (Wermelinger). Und mit seinem Herrn wechselte auch
Presbyter Xystus, der spätere Papst, bisher gleichfalls Förderer
der «Ketzer», eilig die Front und arbeitete – hinter dem Rücken
des (wohl immer noch suspekten) Zosimus – mit Augustin zusammen, der zur inquisitorischen Aufspürung der Pelagianer
trieb. Schon im Herbst 418 erfolgt ein verschärftes antipelagiani-
sches Edikt des Konstantius. Ein neues Kaiserreskript vom 9. Juni
419 droht allen widerspenstigen Bischöfen Verlust ihres Amtes
an. 425 befiehlt ein weiterer Erlaß Kaiser Valentinians III. Ausweisung aller Pelagianer aus Gallien. Bald darauf befreit Papst
Coelestin I. auch noch «die britischen Inseln von der Krankheit
des Pelagianismus» (Prosper). Und Pelagius selbst, kirchlich wiederholt verflucht, vom Staat steckbrieflich gesucht, verschwindet
– während Caelestius bald da, bald dort auf- und untertaucht und
weiter agitiert – spurlos. Vielleicht entwich er in ein ägyptisches

Kloster, vielleicht in seine britische Heimat, obwohl *er* doch die Tradition vertrat und der «doctor gratiae» den neuen Glauben! Denn für Pelagius' Lehre sprechen so gut wie fast alle Verlautbarungen der Kirche von ihren Anfängen bis auf seine Zeit, für Augustin kaum mehr als (der selbst «Ketzer» gewordene) Tertullian, einiges von Cyprian und Ambrosius.[75]

Es ist nicht unwahrscheinlich, daß das rasche Zuschlagen des Staates mit einer gewissen sozialpolitischen Komponente der theologischen Kontroverse zusammenhängt, auch wenn Pelagius von Teilen der Hocharistokratie gedeckt worden und mit einer der reichsten Familien des Imperiums befreundet war, was gewissen katholischen Kreisen nur um so gefährlicher erscheinen mochte. Auf Sizilien jedenfalls beunruhigte das rigorose pelagianische Armutsideal, der Ruf nach Verzicht auf jeden Reichtum, die Millionäre. Denn gerade auf Sizilien deutete ein britischer Landsmann des Pelagius dessen zentrale These massiv sozialistisch. In scharfer Form rügte er das Verhalten der Reichen, die Wahrung ihrer Macht durch Brutalität und Folter, resultiert doch aus der Lehre, wonach bloß das aus freiem Willensentschluß hervorgehende Handeln sittlich sei, die natürliche Abscheu vor jeder Ausbeutung.[76]

Das Stichwort im Pelagianischen Streit spielte im staatlichen Leben seit mehr als 100 Jahren eine Rolle. Der Codex Theodosianus bekämpfte unter dem Begriff gratia, Gnade, die Umgehung des Rechts durch seinen Beamten- und Gerichtsapparat, Gunsterweise, Bestechungen. Und manche Traktate der Pelagianer, besonders das «Corpus Pelagianum» des Caspari, greifen dieselbe Korruption und Klüngelwirtschaft an, treten aber zugleich für soziale Gerechtigkeit ein, für die bessere Verteilung der Güter dieser Welt; wobei vielleicht die pelagianische Betonung des «freien Willens» dem totalitären Regime bereits staatsgefährdend schien. Sozialpolitische Tendenzen jedenfalls haben im Lauf der Geschichte sich immer wieder mit theologischen verflochten, manchmal jene, manchmal diese, wie sicher im Pelagianischen Streit, den Ausschlag gegeben, ohne daß eben auch hier der gesellschaftskritische Hintergrund zu verkennen ist.[77]

In der letzten Phase des Konflikts wurde der junge Bischof Julian von Aeclanum (bei Benevent) zum großen, ja, einzigartigen Gegner Augustins, dessen Sohn er altersmäßig hätte sein können, und zum eigentlichen, den streitbaren Afrikaner durch einen Frontalansturm oft in die Enge treibenden Wortführer der Opposition.

Julian ist wahrscheinlich in Apulien, am Bischofssitz seines Vaters Memor, der mit Augustin befreundet war, geboren. Als Priester heiratete er Titia, die Tochter des Bischofs Aemilius von Benevent und wurde um 416 durch Papst Innozenz Oberhirte von Aeclanum. Im Gegensatz zu den meisten Prälaten war er stupend gebildet, ziemlich eigenständig als Denker, als Polemiker fulminant. Er schrieb für ein «hochintelllektuelles» Publikum, Augustin, dem es schwerfiel, den «jungen Mann» zu widerlegen, für die geistige Mittelschicht, die immer in der Mehrzahl ist.[78]

Julian, der Augustin als «patronus asinorum» verspottet, «Schutzherr aller Esel», agitiert, durch keinen Respekt eingeschüchtert, in Briefen, unter anderem in zwei an Papst Zosimus, sowie mit seinen Büchern an Florus (insgesamt acht, jedoch nur teilweise durch augustinische Repliken bekannt), ironisch und schlagfertig, allmählich immer heftiger gegen den Afrikaner und die staatlichen Gewaltaktionen – für die Pelagianer Eingeständnisse geistiger Unfähigkeit. Theologisch bejaht er zwar die Gnade, sieht sie aber nicht als Gegenteil der Natur, die auch die gute Gabe des Schöpfers sei. Er betont die Willensfreiheit, attackiert Augustins Sündenlehre als manichäisch, bekämpft die Ansicht von der Erbschuld, von einem Gott, der zum Verfolger Neugeborener wird, kleine Kinder ins ewige Feuer wirft, dem Gott eines Verbrechens, «das man sich kaum unter Barbaren vorstellen kann» (Julian). Jedoch verneint er nicht nur jeden schicksalhaften Zwang zur Sünde, sondern widerspricht ebenso der augustinischen Diffamierung von Ehe und Konkupiszenz. Julian war kühn genug, Pelagius' strikte Askese zu mildern, auch die Sexualität voll anzuerkennen, sie einen sechsten Sinn des Leibes zu nennen, während der Erbsünde und Begierde vermengende Augustin wie ein prüder alter Pfaffe Julian, den «Fachmann», verhöhnt: «Du möchtest gewiß, daß die Eheleute ins Bett springen, wann immer sie wollen, wann immer sie die Lust kitzelt . . .» Und schließlich setzt sich Julian nicht nur theologisch scharf zur Wehr, sondern brandmarkt auch die Bestechung der Beamten durch die Afrikaner, ihre Aufhetzung sogar des Volks mittels Geld, ihre Intrigen bei Frauen und Militärs. Bloß aus Furcht vor seiner eigenen Verdammnis vermeide Augustinus jedes Gespräch zwischen den Parteien, jede Verhandlung und Untersuchung, verkrieche er sich hinter den Massen und heize die Verfolgung an.[79]

Anders als Kleinbürgersprößling Augustin, der sich entschieden zu den Reichen schlug, war der aus apulischer Oberschicht stammende Julian sozial engagiert. Zur Bekämpfung einer Hungersnot im Gefolge des Gotendurchzugs hatte er seinen Grundbesitz verkauft und mit seinen Maßnahmen in Süditalien Zuneigung erworben. «Zwanzig Jahre lang führte er fast ganz auf sich gestellt eine tödliche Fehde gegen Männer, die ihre eigenen Ansichten der Kirche unterschoben, die ihm die freie Diskussion seiner eigenen Anschauungen verweigert und ihn von seinem Bischofssitz vertrieben hatten, auf dem er tatkräftig und beliebt gewesen war» (Brown).[80]

Julian, mit den achtzehn um ihn gescharten Kollegen im Spätherbst 418 von Zosimus exkommuniziert und, wie die meisten derselben, 419 von seinem Stuhl verjagt, fand im Osten Zuflucht. Dort lebte er unter anderem bei Nestorios, dem bald selber verketzerten Patriarchen Konstantinopels, in dessen Sturz die pelagianischen Bittsteller mit hineingezogen wurden. Als «gezeichneter Mann», der «Kain unserer Tage», dem Papst Sixtus III. im Jahr 439 die Wiedereinsetzung in sein Bistum verwehrt, den Papst Leo I. (440–461) abermals verdammt, war Julian von Aeclanum zu einem unsteten Wanderleben genötigt und starb schließlich nach 450 auf Sizilien, nachdem er Hauslehrer einer pelagianischen Familie geworden und immerhin ein halbes Leben lang verbannt gewesen war. Freunde schrieben auf seinen Grabstein: «Hier liegt Julian, der *katholische* Bischof.» Auch in Gallien, Britannien und Illyrien hatte er Anhänger unter dem hohen

Klerus, die aber widerrufen oder ihre Stühle verlassen mußten. Ferner widersetzte sich eine Gruppe oberitalienischer Prälaten, Pelagius und Caelestius zu verurteilen, ohne daß wir über ihr Schicksal weiter unterrichtet wären.[81]

Augustinus aber sah die Pelagianer und Caelestianer als aufgeblasene «Windbeutel» abgefertigt und triumphierend «in Stücke geschlagen». Die Verhinderung freier Diskussion lobte er ebenso wie die «christlichen Herrscher», weil sie «über solche Leute, wie ihr es seid, ihre Strafdisziplin verhängen». «Sie müssen belehrt werden; und meiner Meinung nach können sie es leichter, wenn den Lehren der Wahrheit bei ihnen die Furcht der Strenge nachhilft.» Das alte Thema Augustins! Die römische Staatsgewalt folgte der Kirche, hatte diese doch bereits seinerzeit in den Fürsten «ein so hohes Maß für die Christianisierung der Welt zu wecken vermocht, *daß die Kaiser die Aufgaben der Kirche auch als Belange des Imperiums betrachteten*», eine Feststellung der Jesuiten Grillmeier und Bacht, für die Christianisierung natürlich vor allem Katholisierung heißt.[82]

Der Zwist kam gleichwohl nicht zur Ruhe. Augustin wurde immer schroffer in seinen Aussagen über die Prädestination, die Scheidung der Menschheit in Auserwählte und Verdammte. Noch auf seinem Sterbebett attackierte er in einem unvollendeten Opus Julian, drang aber mit seiner Lehre von Gnade und Sünde selbst innerhalb des Katholizismus nicht ganz durch. (Der strenge Augustinismus, den der Kirchenlehrer in seinen Spätschriften verfocht, wurde nie anerkannt.)

AUGUSTINS ANGRIFF AUF DAS HEIDENTUM

Wie die «Ketzer», hat Augustinus selbstverständlich auch die Heiden unterdrückt. Zwar profitierte er selber derart von ihrer Philosophie, zumal über den Neuplatonismus von Platon, daß er dreist behauptete, was man jetzt christliche Religion nenne, «gab es der Sache nach schon im Altertum und fehlte vom Anbe-

ginn des Menschengeschlechts nicht, bis Christus leibhaftig erschien; von da an begann die wahre Religion, die schon immer
war, die christliche zu heißen». Ja, er erklärte: «Wenn die alten
Philosophen heute mit uns aufs neue anfangen könnten, würden
sie unter Veränderung einiger weniger Ausdrücke und Sätze Christen werden.» Tatsächlich unterschied sich das Christentum vom
Neuplatonisumus, in dessen Bann Augustin stand, so wenig, daß
Bischof Synesios von Kyrene zu Beginn des 5. Jahrhunderts alle
Dogmen verwarf, die mit dem Neuplatonismus nicht übereinstimmten.[83]

Für viele bedeutende Gestalten des Heidentums aber hatte
Augustin oft wenig Sympathie. Apollonios von Tyana beispielsweise (um 3–97), Hauptvertreter des Neupythagoreismus, Lehrer
und Wundertäter, der «Heilige und Göttliche», von Porphyrios
(S. 210 ff) und Hierokles gegen Jesus ausgespielt, von mehreren
Kaisern hochgeehrt, noch für einen heutigen Forscher «mit ungewöhnlichen Kräften begabt» (Speyer), Apollonios, dessen Biographie (von Philostratos) viele und frappierende Parallelen zu den
Evangelien bot, erscheint Augustin, dem Wundergläubigen, in
gewisser Hinsicht noch nicht einmal komisch. «Wer», höhnt er,
«könnte es auch nur für lachenswert halten, wenn man versucht,
einen Apollonios, Apuleius oder die übrigen erfahrensten
Schwarzkünstler mit Christus zu vergleichen oder sogar ihm
vorzuziehen?»[84]

Fortgesetzt hat der Bischof erst recht «die Ungeheuer aller
Arten von Göttern» bekämpft, «die gotteslästerlichen Kulte»,
«das Göttergesindel», die «unreinen», die «abscheulichen Geister», die «alle böse sind» – «wirf sie weg, verachte sie». Augustin
beschimpft Jupiter, den «Weiberverführer», seine «zahlreichen
und argen Greueltaten», die «Zuchtlosigkeit der Venus», den Kult
der Göttermutter, «diese Seuche, dies Verbrechen, diese
Schmach», die große Mutter selbst, «dieses Ungeheuer», das
«durch eine Menge erwerbsmäßiger, öffentlicher Buhlknaben die
Erde besudelt und den Himmel beleidigt», Saturn, der sie eher
noch übertreffe «in derartig schamlosester Grausamkeit». Dabei
trat Augustin – wie später Thomas von Aquin oder Papst Pius II. –

immerhin für Erhaltung der Prostitution ein, damit «die Gewalt der Leidenschaften» nicht «alles über den Haufen werfe»: die übliche katholische Doppelmoral. (Unterhielten doch Päpste, etwa Sixtus IV. [1471–1484], Stifter des Festes der Unbefleckten Empfängnis Mariens, und Bischöfe, Äbte, Oberinnen ehrwürdiger Klöster, profitable Bordelle!) Augustin wiederholt auch alle tradierten Argumente gegen den Polytheismus, von der Materie und Wahrnehmungslosigkeit der Statuen bis zur Unfähigkeit der Götter zu helfen (S. 186 ff). Und er identifiziert sie, wie viele vor ihm, mit den Dämonen.[85]

In welchem Umfang, mit welchen Methoden, welch schonungslosem Spott der Heilige dabei vorging, demonstriert, weniger systematisch als umständebedingt, doch äußerst detailreich, sein ausdrücklich gegen die Heiden, «contra paganos», gerichtetes magnum opus ‹Vom Gottesstaat› (413–426), 22 Bücher, eine Lieblingslektüre später Karls des «Großen». In diesem Buch rechnet er «von höchster Warte aus», rühmt Katholik van der Meer, «mit der ganzen alten Lügenkultur ab» – zugunsten einer neuen, viel schlimmeren! Und selbst mit den Mitteln der Fälschung. Denn im «Gottesstaat», in dem der Götterglaube als Grundübel des Römertums erscheint – sein Grundübel war, wie das christliche, die über Leichen gehende Machtgier! –, in dem der Polytheismus als Hauptursache des sittlichen Niedergangs, als Ursache auch von Roms Fall 410 figuriert, überhaupt als Grund aller Verbrechen, aller mala, bella, discordiae der römischen Geschichte, in seinem Hauptwerk zögert Augustin nicht, die Götterwelt durch «bewußte Verzerrungen zu diskreditieren» (F. G. Maier), ja, er erlaubt sich einfach gegenüber den Heiden «alle Mittel», bis zur «Verfälschung der Zitate» (Andresen). «Lüge und Schande sind die beiden Größen, auf welche im Götterglauben alles sich zurückführen läßt» (Schultze).[86]

Zu Beginn seiner Bischofszeit hatte Augustin noch verkündet, bloß die Bösen gebrauchen gegen die Bösen Gewalt. Doch bald bekriegt er die Heiden so rücksichtslos wie die «Ketzer». In sich ist nun der römische Staat schlecht, ein zweites Babylon – «condita est civitas Roma velut altera Babylon». Resolut rechtfertigt er die Ausrottung des alten Glaubens, gebietet das Ruinieren seiner Tempel, Haine, Bilder, die Vernichtung seines ganzen Kultes: eine Vergeltungsmaßnahme gegen jene, die vorher die Christen getötet. Behauptete er doch auch eine gemeinsame Front aller von ihm Verteufelten, von Häretikern, Heiden und Juden, «gegen unsere Einheit», natürlich vergebens. So triumphiert er um 400: «Im ganzen Reiche die Tempel zerstört, die Idole zerbrochen, die Opfer aufgehoben und die, welche Götter ehren, im Betretungsfalle zur Strafe gezogen.» Widerstand er ja überhaupt fanatisch, mit ihm zu sprechen, allen «Bemühungen rein menschlichen Denkens, die auf Begründung der Glückseligkeit in der Unseligkeit des irdischen Lebens gerichtet sind», zerschlug er rabiat die gesamte antike ethische Tradition, gegenüber dem Heidentum «as ready to attack as he was prepared to attack Donatists and Pelagians» (Halporn). Nur die Todesstrafe wieder möchte Augustin auch an den Heiden nicht vollzogen sehen, jedenfalls nicht allein wegen ihres Glaubens. Doch sonst erlaubt er jede Gewalt, jede Züchtigung, so perfid grotesk immer er dies bagatellisiert. Denn wie er den Feldzug gegen den Donatismus mit der Gepflogenheit eines Familienvaters verglich, der jeden Samstagabend seine Familie prügelt (S. 489), so vergleicht er die antipaganen Gesetze mit Maßnahmen des Lehrers gegen Kinder, die im Dreck wühlen, sich besudeln. Und praktisch nimmt er auch gegenüber den Heiden, wie gegenüber den Donatisten, die Todesstrafe hin, die er prinzipiell bestreitet.[87]

Es wirkt peinlich, schreibt Theologe Bernhard Kötting unmittelbar nach dem Satz, Heiden sei Augustin mit «pastoraler Güte und Weitherzigkeit» begegnet: «Er bejaht aber die Gesetze und Maßnahmen der Kaiser gegen den heidnischen Kult, gegen die Opfer und Opferstätten, die Tempel. Er begründet das mit Anweisungen aus dem Alten Testament, wo angeordnet wird, daß alle Götzenopferstätten zerstört werden sollen, ‹sobald das Land in eurer Hand ist› ». Sobald man Macht hat, eben, wird ausgerottet – voller «pastoraler Güte und Weitherzigkeit»! Dabei verwarf Augustin mehrfach ein wörtliches Verständnis des Alten Testaments zugunsten der allegorisierenden Exegese. Freilich verwarf

er auch, gleich so vielen, die allegorisierende zugunsten der wört-
lichen – je nach Bedarf.[88]

Wie gewöhnlich folgte der katholische Staat dem Verlangen
der katholischen Kirche. Wie bei der «Ketzer»-Bestreitung, kamen auch beim Zusammenstoß mit den Heiden erst klerikale
Hetzpredigten, scharfe Kanones, dann die entsprechenden weltlichen Gesetze. Zug um Zug wurde der Paganismus in Afrika
zurückgedrängt und vernichtet.

Im März 399 ließen die comites Gaudentius und Jovius in
Karthago Tempel und Götterstatuen schleifen – nach Augustin
ein Markstein im Kampf gegen die teuflischen Kulte. Und später
ruinierten Gaudentius und Jovius auch die Tempel der Provinz-
städte, offensichtlich gleichfalls zur tiefen Genugtuung des hl.
Bischofs, für den sich jetzt der schon im Alten Testament voraus-
gesagte Göttersturz erfüllt. Er lobt die erst 399 erlassenen Verfügungen der – aus Psalm 71,11 gefolgert: rechtmäßigen – christlichen Kaiser, die Beseitigung oder Verwüstung der Idole fordern
und für deren Verehrung die Kapitalstrafe vorsehen. Und schon
am 16. Juni 401 beschließt die fünfte afrikanische Synode, die
Kaiser um Niederreißung aller noch stehenden Heidentempel
und Kapellen «in ganz Afrika» zu bitten. Nicht eimal pagane
Gastmähler (convivia) erlaubte die Synode mehr, zumal man
dabei «unreine Tänze» aufführe, und dies gelegentlich auch noch
an den Tagen der Märtyrer. Wiederholt bedroht die antike Kirche
die Teilnahme von Christen an solchen Essen mit mehrjähriger
Bußstrafe oder Exkommunikation. Nur keine Gemeinschaft mit
Andersdenkenden: immer maßgebender Gesichtspunkt – wenn
man ihn sich leisten konnte.[89]

Seinerzeit, im Juni 401, heizte wieder Augustinus die Zerstö-
rungswut an. In einer Sonntagspredigt in Karthago gratulierte er
zum glühenden Eifer gegen die Götzen und verspottete sie so
primitiv, daß die Zuhörer lachten. HERCULI DEO stehe unter
einer Statue des goldbärtigen Herkules. Wer sei das? Er solle das
doch einmal sagen. «Das kann er nicht. Er ist genau so stumm wie
seine Aufschrift!» Und als er daran erinnerte, daß sogar in Rom
die Tempel geschlossen, die Idole zertrümmert seien, erscholl ein

Sprechchor durch die Kirche: «Wie in Rom, so in Karthago!» Und
Augustin hetzte weiter: die Götter seien von Rom nun hierher
geflüchtet. «Bedenkt das wohl, meine Brüder, bedenkt das wohl!
Ich habe das gesagt, bringt ihr es jetzt in Anwendung!»[90]

Besonders Kaiser Honorius (393–423), ein Sohn von Theodosius I., kam seinerzeit der Kirche stark entgegen. Er war von
Ambrosius ebenso beeinflußt wie von seiner frommen, Gotteshäuser stiftenden und rechtlich die «Ketzer» bekämpfenden
Schwester Galla Placidia, die ihrerseits wieder unter dem Einfluß
ihres langjährigen Beraters, des hl. Barbatianus (Fest 31. Dezember) stand, eines großen Wundertäters. So befahl der Kaiser, nach
wiederholten Eingaben der Kirche, durch eine Reihe von Edikten
in den Jahren 399, 407, 408 und 415 in Afrika die Bilder aus den
Tempeln zu nehmen, die Altäre abzubrechen, die Heiligtümer
selbst zu schließen oder zu beschlagnahmen und deren Gut anderwärts zu verwenden. Und als Augustin bei Hof um strengere
Handhabung der Gesetze ersuchte, erneuerte sie Honorius auch,
ja, drohte mit dem Eingreifen der Garnison. «Immer williger
zeigte sich die Regierung den von christlicher Seite an sie gestell-
ten Anforderungen» (Schultze).[91]

Gestützt durch Kirche und Staat, waren die katholischen Horden bei der «Säuberung» ländlicher Güter von heidnischen Idolen
nun nicht minder brutal als früher die Circumcellionen. Gelegentlich stellte es Augustin sogar als Regel hin, daß die zum Christentum Übertretenden ihre Tempel und Götterbilder selber zerstörten. Manchmal freilich erhoben sie sich auch. So in dem Hippo
Rhegius benachbarten Calama (Guelma), wo Augustins Biograph und Freund, der hl. Possidius, Bischof und derart verhaßt
war, daß ihn auch die Kurialen, die Ratsherren, nicht schützten.
Doch während man seine Basilika, das Kloster, angriff und einen
Mönch totschlug, entkam der Prälat. Und als Christen im byza-
kenischen Sufes den Tempel des Herkules demolierten, entstand
ein solcher Tumult, daß Augustin, der scharf die noch altgläubige
Stadtregierung anklagt, gleich 60 massakrierte Glaubensbrüder
zu betrauern hat. Er berichtet darüber mit einer seltsamen Mischung aus Entrüstung, Haß und Hohn, wobei er mit keinem

Wort erwähnt, wie viele Heiden der doch von Christen provozierte Krawall gekostet. Auch glaubt man erschließen zu können,
daß in Sufes als Antwort der Kirche die Vernichtung noch erhal-
tener Tempel und Götterbilder erfolgte mit blutigem Kampf teilweise in den Heiligtümern selbst. Leugneten aber Heiden, aus
Furcht vor dem Fanatismus der Gegner, ihren Glauben – wie einst
ungezählte Christen gegenüber den Heiden –, so spottet Augustin: «Solche Diener hat der Teufel». Die Verheerung heidnischer
Kultstätten und Statuen verklärte sich ihm zu einem Akt der
Frömmigkeit. Feierte er doch auch den auf dem Schlachtfeld
gegen die Heiden errungenen Endsieg. – Erstaunt es, daß der
Neuplatoniker Maximus in einem Brief an den Kirchenvater die
Heiligen Bösewichte nennt?[92]

Im Auftrag Augustins setzte sein Schüler Orosius, ein iberi-
scher Presbyter, die Zerschlagung und Verächtlichmachung des
Heidentums fort. Der Tendenz des Meisters folgend, schrieb er,
so sagt er selbst, etwas eilfertig, seine später sehr bewunderten
und als «Leitfaden . . . im Unterricht» (Martin), als «Lehrbuch
der Universalgeschichte» (Altaner) viel gebrauchten, 418 ver-
öffentlichten ‹Sieben Bücher gegen die Heiden›. Das flüchtig-
oberflächliche und kaum überbietbar apologetische Produkt
wurde eine der meistgelesenen Schriften des Mittelalters, vielleicht dessen Geschichtsbuch schlechthin. Es stand in fast allen
klerikalen Bibliotheken und hat die Geschichtsschreibung völlig
verseucht. Bis ins 12. Jahrhundert beherrscht dies durch Augustin
und Orosius fabrizierte Geschichtsbild die christliche Welt, beeinflußt, ja, prägt aber auch dann, als etwas andere Ansätze
erfolgen, noch lange ihre Vorstellungen, zumal ihre Historiographie.[93]

Für Orosius ist die Geschichte unbezweifelbar gottgelenkt. Sie
gehört zum Heilsplan des Herrn, hat Offenbarungscharakter,
demzufolge jedes Geschichtsgeschehen seine bestimmte Funktion
oder auch vielfältige Funktionen. Dies sei freilich nicht immer
leicht erkennbar, die «verborgene Vorsehung Gottes» oft schwer
zu entschleiern, offensichtlich selbst für einen Mann seines
Schlags, der verwegen die Geschichte inspiriert, ganz nach Bedarf

seine Beispiele wählt, häufig die occulta iustitia Dei beschwört, die occulta misericordia Dei, occulta providentia Dei, stets dreist aber sein Schema dem historischen Inferno überstülpt, um die fortwährende Regie des Himmels in der irdischen Szenenfolge demonstrieren zu können. Gott bestraft alle, die sein Heilstun zu hintertreiben suchen, besonders die Heiden! Er allein – und nicht der Kaiser, die Zeit, die Zahl der Soldaten – entscheidet die Schlacht, durch Wunder oder Naturereignisse wie Gewitter, Sturmwind und andere Mittel.[94]

Augustins Adlatus beginnt (immerhin weit über 3000 Jahre im ersten Buch, insgesamt aber 5618 Jahre bewältigend) mit Adam und Eva, da damals alles Unglück anhub, und führt dann über das (freilich fortdauernde) Strafgericht Gottes nach dem Sündenfall, über Vertreibung, Sintflut, die Vernichtung von Sodom und Gomorrha – lauter Fakten, die Orosius, wie die ganze Frühzeit, durch die Historiographie bisher sträflich vernachlässigt sieht – von Katastrophe zur Katastrophe bis ins Jahr des Heils 417 n. Chr. Dort das «Altertum», die Welt der Sünde, Schicksalsschläge; hier die tempora Christiana, die Ära der Gnade und des Fortschritts, eine Epoche, in der nicht nur die Barbareninvasionen milder werden, was Alarichs Romeroberung belegt, sondern noch die Heuschreckenplagen erträglicher und die Erdbeben sanfter – kraft christlicher Gebete. Orosius schreibt, wie Augustin, als Apologet, liefert jedoch im Unterschied zur auch viel umfangreicheren Geschichtstheologie des Meisters das mehr profane und optimistische Pendant, eine Historiographie voller Heils- und besonders Unheils-Aspekte, zumal in der vorchristlichen Zeit eine reine «Unglücksgeschichte»: unter Nero und Marc Aurel die Pest, unter Severus Bürgerkrieg; Domitian wird ermordet, Maximinus ermordet, Decius fällt, Valerian gerät in Gefangenschaft, Aurelian trifft der Blitz (in Wirklichkeit erliegt er dem Komplott seines Sekretärs Eros), kurz, eine ungeheure Ansammlung von miseriae, von Blitz- und Hagelschlägen und anderen Naturheimsuchungen, von Schurkereien und Schandtaten, Mord- und Totschlag und nicht zuletzt natürlich den großen Kriegen (miseria bellorum), um derart, nach Maßgabe Augustins, zu erweisen, daß es in alter Zeit noch scheußlicher zugegangen als in christlicher, daß also die miseria der Gegenwart, entgegen dem Geraune böser Heiden, nichts mit der Christianisierung zu tun, ganz im Gegenteil das Christentum den irdischen Jammer beträchtlich gelindert habe.[95]

Orosius arbeitet, wie er selbst wiederholt, auch gleich zu Beginn seines Opus, zugibt, auf Befehl Augustins: «. . . praeceptum tuum, beatissime pater Augustine»; wobei er überdies sein Verhältnis zu ihm mit dem des Hundes zum Hausherrn vergleicht, freilich glaubt, daß er nicht bloß gehorchen muß, sondern will. Augustin und Orosius schrieben gleichzeitig, und die Forschung streitet nicht nur darüber, wie viele oder eher wie wenige Historiker – die Quellenlage ist wieder verwickelt – Orosius benutzt, sondern auch wer von wem abgeschrieben habe, der Schüler vom Meister oder, gar nicht so unwahrscheinlich, der Meister vom Schüler, dessen Werk von Augustin gelesen, aber, wohl wegen gewisser Kontroverspunkte, nie erwähnt worden ist.[96]

DER BISCHOF VON HIPPO UND DIE JUDEN

Noch seine letzten Lebensjahre nutzte der Heilige zu einer Kampfschrift ‹Gegen die Juden›, damals fast obligatorisch für seinesgleichen (S. 129). Doch finden sich auch sonst nicht selten antijüdische Ausfälle bei ihm.[97]

Augustinus, der nur ein einziges Mal von einem persönlichen Gespräch mit einem Juden, «irgendeinem Hebräer», berichtet (von dem er sich die Bedeutung des Wortes «Racha» erklären ließ), griff die Juden in ihrer Lebensführung und theologisch an.

Ihre Geschäftigkeit erregt ihn ebenso wie ihre Ausgelassenheit oder ihre Vergnügungssucht, die er häufig kritisiert. Wiederholt wirft er ihnen auch den Schauspielbesuch vor. Er nennt sie die größten Schreier im Theater. Den Sabbat aber hielten sie nur, um zu naschen, zu faulenzen oder, was ihre Frauen betrifft, um «den ganzen Tag schamlos auf ihren flachen Dächern zu tanzen».

Immer wieder deutet er die Psalmen um zu Anklagen gegen sie. Er sieht notorische Querulanten in den Juden, heißt sie schlimmer als die Dämonen, die zumindest den Gottessohn anerkannt hätten, der seinerseits schon zwischen seinem Anhang und ihnen unterschied «wie zwischen Licht und Finsternis». Wie auch bereits Johannes der Täufer «das Gift» der Juden erkannt und sie «ein Gezücht von Nattern» geschmäht habe, «nicht einmal von Menschen, sondern von Nattern». Augustinus verunglimpft die Juden als bösartig, wild, grausam, vergleicht sie mit Wölfen, schimpft sie «Sünder», «Mörder», «zu Essig ausgearteter Wein der Propheten», «eine triefäugige Schar», «aufgerührter Schmutz»[98].

Theologisch gesehen, behauptet der Experte, verstehen die Juden nicht, was sie lesen, «ihre Augen sind verdunkelt», sie selbst «blind», «krank», «bitter wie Galle und sauer ‹wie Essig› ». Sie sind des «ungeheuren Vergehens der Gottlosigkeit schuldig». Sie wollen einfach nicht glauben, und Gott habe «ihren bösen Willen vorausgesehn». Nicht genug: «Der Vater, von dem ihr seid, ist der Teufel.» Dies wiederholt Augustin genüßlich immer wieder. Und da der Teufel ihr Vater sei, haben sie nicht nur die Gelüste des Teufels, sondern lügen auch wie er: sie «sahen bei *ihrem* Vater, was sie redeten; was anders als Lüge?» Er aber, Augustin, ist gleichsam der Anwalt Gottes, der Wahrheit, und wahrhaft heilig unverschämt spricht er immer wieder von «unseren Stammvätern», «unserem Moses», «unserem David» – lauter Christen! –, «wenngleich sie schon lebten», nun wirklich unleugbar, «bevor Christus der Herr dem Fleische nach geboren war». Und nachdem er die Bibel gedreht und gewendet, wie er sie braucht, ruft er: «Was erhebt ihr euch noch weiter in dreister Schamlosigkeit, um desto schwereren Fall zu tun und um so erbärmlicher zu Grunde zu gehen? ‹Ich habe kein Gefallen an euch›, spricht nicht irgend jemand, sondern der Herr, der Allmächtige.» Und wiederholt jetzt mit wahrer Wonne: «Ich habe kein Gefallen an euch.» Zwar sei es unerhört, daß die Juden in «Bosheit» verharren, «in ihren Lügen», doch heilsgeschichtlich notwendig auch, gottgewollt, daß sie eine ungeliebte Minderheit sind, zerstreut «vom Sonnenaufgang bis zum Sonnenuntergang», daß sie heimatlos umherirren. Waren sie ja «in gottloser Neuerungssucht, wie durch Zauberkünste verführt, zu fremden Göttern und Götzen abgefallen» und hatten «zuletzt noch Christus getötet».[99]

Im ‹Handbuch der Kirchengeschichte› findet der katholische Kirchenhistoriker Karl Baus 1979 die theologische Deutung der Unbekehrbarkeit Israels durch Augustinus «ohne Verunglimpfung des Judentums vorgetragen».[100]

Mit Seneca glaubt Augustin, daß «dieses ganz verbrecherische Volk» seine Art allen Ländern aufgenötigt. «Nicht sie werden Christen, sondern uns machen sie zu Juden. Die Gebräuche der Juden sind für die Christen gefährlich und todbringend. Wer immer sie beobachtet, stamme er nun aus dem Judentum oder Heidentum, stürzt dadurch in den Rachen des Teufels.» Auf die Juden münzt ihr Feind das Schriftwort «Gehet hin ... in das ewige Feuer» und verkündet: bis zum Weltende müssen sie Sklaven bleiben; natürlich Sklaven der Christen. Augustin, der auch in seiner Bischofsstadt «zwei Arten von Menschen, Christen und Juden», kannte, entmenschlichte diese theologisch aufs äußerste. Um ihnen die Schriften des Alten Testaments absprechen zu können, behauptete er nicht nur: «Sie lesen sie als Blinde und singen sie als Taube», verneinte er nicht nur ihre «Auserwählung», sondern selbst ihr Recht, sich noch Juden zu nennen! Gern und offenkundig befriedigt aber erörtert der, bei dem es nur um Liebe und nochmals Liebe geht – «Welch ein großes Gut ist die Liebe!» –, alle den Juden durch Christen zugefügten Greuel, erklärt sie als Akt höchster Gerechtigkeit und hält sogar «gewisse Judengemetzel» (Pinay) für eine Gottesstrafe. Eine Gottesstrafe war schon die Zerstörung Jerusalems und der Jüdische Krieg durch die Römer. Doch kennt der Heilige viele solcher Gottesstrafen, schreibt auch, daß die Juden unter den Christen erzittern, ja, er prahlt – vielleicht im Hinblick auf das erste große Judenpogrom durch seinen Kollegen, den hl. Kirchenlehrer Kyrill, die erste «Endlösung», in Alexandrien 414: «Ihr habt doch vernommen, was ihnen widerfahren ist, als sie es gewagt haben, nur ein wenig sich gegen die Christen zu erheben»! Und als erster Theologe legt er auch den Juden seiner Zeit Jesu Tod zur Last, was wieder ihre ewige Knechtschaft bedingt, ihre perpetua servitus. 1205 wird dieser Gedanke von Papst Innozenz III. aufgenommen und geht 1234 in die Dekretensammlung Gregors IX. ein. Doch beeinflußte Augustins Judenfeindschaft auch die antijüdische Gesetzgebung der Kaiser.[101]

AUGUSTINUS SANKTIONIERT DEN «GERECHTEN KRIEG», DEN «HEILIGEN KRIEG» UND GEWISSE ANGRIFFSKRIEGE

Folgenreicher, verheerender aber als durch seine Attacken auf alles, was nicht katholisch war, wurde der große Abkömmling eines kleinen römischen Veteranen durch etwas, das er nicht angriff, sondern verteidigte, in Schutz nahm, für notwendig erklärte: den Krieg. Denn bekämpfte er weißglühend auch alles, was nicht so dachte wie er, den Krieg nicht! Im Gegenteil. Der amantissimus Domini sanctissimus, wie Bischof Claudius von Turin im 9. Jahrhundert Augustin feiert, der «Griffel der Dreieinigkeit, die Zunge des hl. Geistes, der, wenn auch irdischer Mensch, doch ein Engel vom Himmel, mit Fleisch umkleidet, doch den Himmel besaß und in überirdischen Visionen wie ein Engel immerfort Gott schaute» – er konstatierte, wie keiner zuvor, die Verträglichkeit des Kriegsdienstes mit der Lehre Jesu.[102]

Zwar hatte schon Kirchenlehrer Ambrosius eine pathetische Kriegshetze zelebriert (S. 409 ff), schon Kirchenlehrer Athanasius verkündet, in Kriegen sei es «sowohl gesetzlich als lobenswert, Gegner zu töten» (allerdings auch gelogen, Christen wendeten sich «unverzüglich anstatt des Kampfes häuslichen Beschäftigungen zu, und anstatt sich ihrer Hände zum Waffentragen zu bedienen, erheben sie dieselben zum Gebet»). Und ebenso hatte Laktanz bereits die heroische Schwenkung zum permanenten Schlachten vollzogen, ungeachtet aller eigenen pazifistischen Beteuerungen zuvor (S. 255 f).[103]

Doch keiner von ihnen erkannte das blutige Handwerk so rückhaltlos an, fundamental, so verschlagen auch, wie der «immerfort Gott» schauende «Engel vom Himmel», sei es auch nur, weil er noch «mit Fleisch umkleidet» war, «die brennende Sonne der Tropen» ihn gezeugt (Lachmann), die «heiße Sonne Nordafrikas . . . in seinem Blute» brannte (Stratmann). Ein Feuer, nicht bloß vom Himmel freilich, ließ es ihn doch auch «in Unzucht und Hurerei» seine Kraft verspritzen, in «lichtscheuen Liebesgenüssen», im «Pfuhl der Sünden», «Schlamm der Sinnengier», als Ehebrecher, Päderast und mit zwei Mätressen – bis endlich die Hybris «nulla salus extra ecclesiam», längst vordem virulent, ihm mächtig zu Kopf stieg und jedes Wüten erlaubte, gegen «Ketzer», Heiden, Juden nicht nur, nein, auch gegen Staats- und Landesfeinde, Mission durch den Henker nicht bloß, sondern auch durch das Heer.[104]

Gewiß teilte Augustin nicht mehr den Optimismus eines Euseb oder Ambrosius, die das Erwarten der pax Romana als providentiell mit der pax Christiana gleichsetzten; denn: «Die Kriege bestehen bis heute, nicht nur zwischen Reichen, sondern auch zwischen Glaubensbekenntnissen, zwischen Wahrheit und Irrtum.» Gewiß hatte Augustin beim Ausspinnen seiner Gnaden-, Prädestinations- und Engelgespinste dem Römerstaat gegenüber theoretisch sich immer negativer festgelegt. Gewiß hat er den «irdischen Ruhm» wenn auch «nicht gerade ein weichliches Frauenzimmer», so «doch ein aufgeblasenes, voll der Nichtigkeit» genannt. Gewiß hat er den Herrschtrieb, Machtwillen, die «libido dominandi», vielleicht als einziger antiker Autor, ausdrücklich den größten Lastern zugezählt, hat er in dem Streben, Herr, «dominus» (ein christologischer Titel), zu sein, die schlimmste Selbstvergötterung gesehen und dieses moraltheologische Prinzip in der Anwendung auf die römische Geschichte «zum Ausgangspunkt einer radikalen Imperialismuskritik» gemacht (Schottlaender). Gewiß konnte er – der sich so gern über die Römer seiner Zeit erbost, über ihre Verstocktheit, ihre ingrata superbia – Regierungen ohne Gerechtigkeit «große Räuberbanden» höhnen und Kriege gegen Nachbarn «ungeheure Räuberei» (grande latrocinium). Ja, er konnte es «ruhmreicher» finden, «den Krieg durch das Wort zu töten als Menschen durch das Schwert, den Frieden durch den Frieden zu gewinnen oder zu befestigen als durch den Krieg». «In der Tat, das Gut des Friedens ist so groß, daß es auch im Bereich des Irdischen und Vergänglichen nichts gibt, wovon man lieber vernähme, nichts, wonach man sehnlicher verlangte, und auch wirklich nichts Besseres sich finden läßt.» Doch das war – geschichtlich gesehen – Papier; wie die Feindesliebe der Bibel. Wußte Augustin ja, daß ein «christlicher Staat» nach seinem Konzept auf Erden nicht zu verwirklichen sei. Einerseits war der Staat gottgewollt, andererseits Folge der Sünde und durch den Sündenfall verrottet. Die civitas Dei und die civitas terrena lassen sich nie ganz identifizieren, stehen eher zueinander im inneren Widerspruch. Denn, so schon in der praefatio seines Hauptwerks: «Indem sie [die irdische civitas] zu herrschen strebt, übt doch über sie, obwohl [richtig: weil!] die Völker ihr dienen, eben gerade der Herrschtrieb die Herrschaft aus.» Hinter all dem stand die eigne Lehre, wonach jeder Staat eine Mischung aus Weizen und Unkraut (triticum und zizania) sei, eine civitas mixta aus Gut und Böse, besonders aber jeder auf der libido dominandi gegründete Gewaltstaat auf Sünde fuße und deshalb der Kirche, der allein auf Gnade ruhenden, doch faktisch auch nie sündenfreien, zu unterwerfen war – geschichtsphilosophische Basis des mittelalterlichen Machtkampfes zwischen Päpsten und Kaisern, eine Staatsphilosophie, die bis zu Thomas von Aquin allein maßgebend blieb.[105]

Und *praktisch* hat der Prälat, wie die Kirche seit Konstantin, nie die religiöse von der politischen Sphäre getrennt, hat er den Politiker ebenso verkörpert wie den Bischof, hat er, eine «Hauptfigur» (crucial figure: Brown) geradezu solcher Symbiose, jahrzehntelang mit dem Imperium kollaboriert: bei der Bekämpfung der Donatisten und Circumcellionen, der afrikanisch-berberischen Stämme, der Manichäer, Pelagianer, Arianer, Heiden, Juden – «le prince et patriarche des persécuteurs» (Joly). Die Provinzgouverneure, die von Ravenna nach Karthago kamen, meist gute Katholiken, Christen, schreibt Peter Brown, sahen sich sowohl genötigt, des Bischofs Interesse «an harten Ketzererlassen» zu loben, als auch, seit 415, seine Geschenkexemplare des entstehenden ‹Gottesstaates› zu lesen. Faktisch hat Augustin, bis in sein Todesjahr, nicht nur die Bestrafung von Verbrechern, sondern auch das Zerschlagen von Aufständen, das Unterwerfen der «Barbaren» verlangt und als moralisch verdienstlich betrachtet. Es fiel ihm nicht schwer, den Staat zu verteufeln, doch seine blutige Praxis zu preisen und, wie einfach alles, zunächst einmal auch dies getrost «auf die göttliche Vorsehung zurückführen». Denn «deren Weise» sei es, «durch Kriege dem menschlichen Sittenzerfall zu begegnen» (!) sowie «das Leben der Gerechten und Frommen durch solche Trübsal zu prüfen». Wer so denkt, infantil und zynisch zugleich, legt selbstverständlich auch das Gebot «Du sollst nicht töten» entsprechend aus. Für die gesamte Natur und Tierwelt gilt es von vornherein nicht. Es verbiete weder, polemisiert Augustin gegen die Manichäer, «einen Busch auszureißen», noch betreffe es «die unvernünftige Tierwelt», die lediglich durch «Leben und Tod unserm Nutzen dienen muß»: Machet sie euch untertan![106] (Vgl. S. 192 f, 196 ff.)

«Der Mensch ist der Herr der Tiere», klagt Hans Henny Jahnn in seiner genialen Trilogie ‹Fluß ohne Ufer›. «Er braucht sich keine Mühe zu geben. Er muß nur einfältig sein. Einfältig auch in seinem Zorn. Brutal und einfältig. So will es Gott. Prügelt die Tiere, ihr werdet dennoch in den Himmel kommen.» Und schon früher zeigten vor allem Theodor Lessing und Ludwig Klages eindringlich auf, daß, so letzterer, das Christentum mit Menschheitsgeltung oder «Humanität» verschleiere, was es eigentlich meine: daß alles übrige Leben wertlos sei, außer sofern es dem Menschen diene! «Der Buddhismus verbietet bekanntlich die Tötung von Tieren, weil auch das Tier mit uns desselbigen Wesens sei; der Italiener, dem man mit solchem Einwand käme, wenn er Tiere zu Tode martert, antwortet ‹Senza anima› und ‹non è christiano›, denn für den gläubigen Christen gibt es ein Daseinsrecht nur mehr des Menschen.»[107]

Zwar kann Augustin erklären, daß von Gott das «Heil der Engel, der Menschen, der Tiere» komme, kann er schreiben, seltsam genug: «Und aus Würmern macht er Engel.» Doch auch wenn Gott Tiere heilt, geschieht es immer bloß für den Menschen, das «Ebenbild», wie etwa sein Kommentar zu Psalm 3,9, «Vom Herrn kommt das Heil», zeigt: «Der dich heil macht, derselbe macht dein Pferd heil, derselbe macht dein Schaf heil und, um zum Geringsten zu kommen, derselbe macht auch deine Henne heil.» Und krank macht er sie auch. Und kaputt. Der Mensch aber erscheint Augustin «auch im Stande der Sünde fürwahr immer noch besser als das Tier», das Geschöpf «niedrigsten Ranges». Und Vegetarismus schimpft er «eine gottlose Ketzermeinung»[108].

Das liegt alles, niemand täusche sich, auf einer Linie! «Solange es Schlachthäuser gibt», erkannte Tolstoi lakonisch, «wird es auch Schlachtfelder geben»[109].

Nach Augustinus aber darf der Mensch selbst die Krone der Schöpfung, das Ebenbild Gottes, töten, den Menschen, der doch «alles auf Erden überragen sollte» – zumal durch Verbrechen. Ja, der Mensch darf nicht nur, er muß den Menschen töten, entweder wenn es Gott, «der Quell aller Gerechtigkeit», befiehlt oder «ein gerechtes Gesetz». So ist das Töten jenen erlaubt, die «auf Gottes Veranlassung» Kriege führen oder die als Träger der Staatsgewalt «Verbrecher mit dem Tod» bestrafen. Man kann von Augustin, dem «Geistesriesen», wie er «nur alle 1000 Jahre einmal» erscheint, wohl nicht schon die Einsicht erwarten, die unter dem 14. Juni 1791 Lichtenberg notiert: «ob wir nicht, wenn wir einen Mörder rädern, grade in den Fehler des Kindes verfallen, das den Stuhl schlägt, an den es sich stößt» – man kann diese Einsicht kaum von ihm erwarten, hat sie seine Kirche doch noch heute nicht.[110]

Aber hätte Augustin, der Kenner des Evangeliums, der Apostel Jesu, nicht Gedanken vertreten können, müssen, die 1400 Jahre später, kurz nach Lichtenberg, der große Shelley formuliert? «Krieg, aus welchen Motiven auch immer er geführt sein mag, löscht die Empfindung der Besonnenheit und der Gerechtigkeit im Geiste aus.» «Der Mensch hat kein Recht, seinen Mitmenschen zu töten, und er ist nicht entschuldigt, wenn er es in

Uniform tut. Damit fügt er lediglich dem Verbrechen des Mordes die Schande der Knechtschaft hinzu.» Oder: «Von dem Augenblick, da ein Mann Soldat ist, wird er zum Sklaven . . . Man lehrt ihn die Verachtung menschlichen Lebens und Leidens . . . Er steht tiefer als der Mörder; . . . ein Berufssoldat ist über alle Begriffe verabscheuungswürdig und verächtlich.»[111]

Hätte Augustin, der Jünger Jesu, nicht dazu neigen müssen?! Doch nein, das gerade ist sein Verständnis, seine Fortbildung sozusagen des jesuanischen Pazifismus, der Bergpredigt: Liquidierung von Verbrechern nicht nur, auch von feindlichen Armeen, ganzen Völkern: «All das lenkt und leitet der eine und wahre Gott, wie es ihm gefällt, stets aber nach Recht und Billigkeit.» Das Recht zur Kriegserklärung hat jeder Fürst, auch der schlechte, wird doch noch den größten Ungeheuern, selbst jenen, die, wie angeblich Nero, «den höchsten Grad» der Herrschsucht, «gleichsam den Gipfel dieses Lasters» erreichten, «die Herrschgewalt nur durch die Vorsehung des höchsten Gottes zuteil». (Zum Beispiel auch – weit aussagekräftiger –, denn so lang wirkt dies fort: Hitler, dem seinerzeit alle deutschen Kardinäle und Bischöfe «einen Abglanz der göttlichen Herrschaft und eine Teilnahme an der ewigen Autorität Gottes» attestierten.) Durch die schlechte Staatsgewalt, lehrt Augustin, bestrafe Gott den Menschen. Christliche Soldaten würden darum auch unter einem schlechten Herrscher – die Frohe Botschaft für Despoten! – sofort gehorchen, gebőte er: «Ziehet das Schwert! Marschieret gegen jenes Volk!» Nicht zufällig betont Augustin den Gehorsam, stellt er ihn fast über alles, noch über die sonst so gehätschelte Keuschheit, versteigt er sich zu dem Satz: «Nichts ist der Seele so von Nutzen wie das Gehorchen», nennt er den Ungehorsam das größte Laster![112]

Mit dieser Ansicht steht der Bischof gewiß in einer langen Tradition. Vom Alten Testament beeinflußt, hat der Gehorsam auch bei Jesus fundamentale Bedeutung, ebenso bei Paulus. Glauben und gehorchen ist für beide identisch, Gehorsam bald eine Grundhaltung christlichen Lebens. Man verlangt ihn vom Sklaven gegenüber seinem Herrn wie gegenüber der staatlichen

Obrigkeit, wovon bei Jesus freilich keine Rede ist, zu schweigen
von der Unterordnung unter den Bischof oder den Heerführer.
Gehorsam gehört, nach Augustinus, einfach zum Menschen, sei
Mutter und Wächterin aller menschlichen Tugenden, nur der
vernünftigen Kreatur eigen – was jeder Hund widerlegt. Frei und
freudig, fordert der Kirchenfürst, solle der Gehorsam geleistet
werden, schenke er doch selber wahre Freiheit! Ja, noch im
Jenseits gebe es Gehorsam als süßes und leichtes Joch . . .[113]

Dem Gehorsam nahe steht der Tod fürs Vaterland, seine zugleich gewöhnlichste und traurigste Folge. Und seine unsinnigste.
Doch Augustin, wie jeder Prälat, vor dem Heldentod sicher,
bewundert die Vaterlandsliebe. Und behauptet man heute auch,
daß «wohl kaum jemand mehr ernsthaft wagt, vom ‹Patriotismus› Augustins zu sprechen; man muß sogar zweifeln» – schöne
Logik – «ob der Begriff überhaupt paßt . . .» (Thraede), er, Augustin, spricht lautstark davon, gibt es auch, was ja der «wissenschaftliche Disput» eben zeigt, so viel Widersprüchliches bei ihm
wie in diesem Disput selbst. Schließt doch sogar Thraede (nach
langem, gelehrt überfrachtetem, mitunter parodiereifem Hinund-
her), Augustins «Ambivalenz» betonend: Rom garantiere pax
und sei doch Erbe Babylons, «Rom ist arg imperialistisch und,
weil pars unitatis, dennoch für Christen akzeptabel» – was für ein
blamabler Eiertanz.[114]

In Wirklichkeit stellt Augustin den Patriotismus noch über die
Liebe des Sohnes zu seinem Vater. Auch würdigt er Militär- und
Kriegsdienst mehr als andre Kirchenväter – obwohl er genau
weiß, daß das Hauptvergnügen der Soldaten im Schikanieren
einheimischer Bauern besteht. Lynchte doch seine eigene Gemeinde einst den Kommandanten der Garnison.[115]

In Wirklichkeit kann und soll, nach Augustin, der Soldat guten
Gewissens töten, in gewissen Fällen auch in einem Angriffskrieg!
Wer an solch gottgewollten Gemetzeln teilnimmt, «sündigt nicht
gegen das fünfte Gebot». Kein Soldat sei ein Mörder, der auf
Befehl rechtmäßiger Gewalthaber Menschen töte – «vielmehr
macht er sich, wenn er es nicht tut, der Übertretung und Verachtung des Befehles schuldig». Nicht genug: «Aller Achtung wert

und würdig des Lobes sind die tapferen Krieger – ihr Ruhm ist noch wahrer, wenn sie in ihrer Pflichterfüllung treu bis ins kleinste sind.» Eifrig wendet er sich gegen den alten, freilich längst überholten Verdacht christlicher Staatsfeindlichkeit. «Hätten wir ein Heer, so wie die Lehre Christi [!] die Soldaten haben will . . . so möge doch jemand wagen zu sagen, diese Lehre sei staatsfeindlich; man wird nicht umhin können zu gestehen, daß sie, wenn sie befolgt wird, das große Heil des Staates ist.» Daß man zumal Gott mit der Waffe gefallen können, beweise schon das Beispiel Davids (vgl. S. 85 ff!) und «sehr vieler Gerechter» jener Zeit. Mindestens 13 276mal zitiert Augustin das Alte Testament – von dem er früher schrieb, es sei ihm von jeher widerwärtig gewesen! Jetzt war es nur zu brauchbar. Zum Beispiel: «Der Gerechte wird sich freuen, daß er Rache schaut; er wird seine Füße baden im Blute des Gottlosen»! Und alle «Gerechten» konnten natürlich, ganz logisch, auch einen «gerechten Krieg» führen (bellum iustum). Ein von Augustin eingeführter Begriff; kein Christ hatte ihn zuvor verwandt, nicht einmal der wendige Laktanz (S. 255 f), den er aufmerksam gelesen. Doch bald führte die ganze christliche Welt iusta bella, wobei schon eine leichte Abweichung von der römischen Liturgie als «gerechter» Kriegsanlaß galt![116]

Die Phrase «bellum iustum», «gerechter Krieg», fehlte zwar vor Augustin im Christentum; das Heidentum aber kannte sie schon Jahrhunderte früher.

Der *Inhalt* des Schlagworts begegnet bereits bei Ennius, einem 239 v. Chr. geborenen bedeutenden römischen Literaten, dann, wenig später und faßbarer noch, bei dem einflußreichen hellenistischen Historiker und Geschichtsphilosophen Polybios. Nach ihm haben die Römer einen Krieg nicht nur offen erklärt, sondern auch einen schicklichen, ihre Siegeschancen vergrößernden Kriegsgrund gesucht. Der *Begriff* «bellum iustum» selbst aber steht erstmals bei Cicero, einem Bewunderer des Ennius, wie denn Cicero seinerseits wieder stark auf Augustinus wirkte.[117]

Wie dieser einen «gerechten» und «ungerechten» Krieg unterscheidet, so auch einen «gerechten» und «ungerechten» Frieden; wobei natürlich immer der Frieden der Katholiken gerecht, der ihrer Gegner ungerecht ist. Deshalb erkennt der Heilige auch «leicht, daß der Friede der Ungerechten im Vergleich mit dem Frieden der Gerechten nicht einmal den Namen Friede verdiene».[118]

Die pazifistischen Forderungen Jesu in der Bergpredigt, wußte der Kirchenlehrer, seien nur dann wörtlich zu erfüllen, dürfe man die Besserung des Gegners erwarten. Jesus habe in jenen Worten weniger ein äußeres Verhalten als eine innere Gesinnung geboten. Sei es ja auch das Recht des Vaters wie der Herrscher, unbotmäßige Kinder und Völker zu bestrafen. «Denn der, dem die Erlaubnis zur Bosheit entzogen wird, wird zweckmäßig festgenommen. Gibt es doch nichts Unseligeres als das Glück des Bösen (felicitate peccantium).»[119]

Eindringlich insistiert Augustin auf dem Schlachtdienst und präsentiert so manchen «gottesfürchtigen Kriegsmann» aus der Bibel; nicht nur die «vielen Gerechten» des greuelreichen Alten Testaments (1. Kap.), sondern auch ein paar des Neuen. «Höher allerdings», das betont der Bischof nachdrücklich, stehen selbstverständlich die Priester, «ist der Rang, den jene bei Gott einnehmen, die alle Weltdienste verlassen haben ... Aber der Apostel sagt auch: ‹Jeder hat seine eigentümliche Gabe vom Herrn: der eine in dieser, der andere in anderer Weise.› Andere also kämpfen für euch gegen unsichtbare Feinde mit dem Gebet, ihr kämpfet für sie mit dem Schwert gegen die sichtbaren Barbaren.»[120]

Soldaten und Priester streiten somit gemeinsam, wenn auch jeder auf seine Weise, jeder kraft der «eigentümlichen Gabe des Herrn»! «O daß doch in allen *ein* Glaube wäre! Denn dann hätte man weniger zu kämpfen ...» Womit der Heilige sich allerdings gewaltig täuscht. Führten die Christen ja weit mehr Kriege untereinander als gegen Nichtchristen! Aber stets eben, von Jahrhundert zu Jahrhundert: mit Priestern, MIT GOTT ... Gibt es doch, versichert Napoleon, «keine Menschen, die sich besser verstehen als Priester und Soldaten». Auch Hitler hatte seine christlichen Feldpfaffen. Und selbst Stalin – sogar römisch-katholische![121]

«Krieg zu führen», lehrt Augustin, «und durch Unterwerfung der Völker das Reich zu erweitern [!], erscheint den Bösen als

Glück, den Guten als Zwang. Aber weil es schlimmer wäre, wenn die Ungerechten über die Gerechten herrschten, so nennt man nicht unpassend auch jenes ein Glück.» Selbst ein Expansionskrieg macht also – «nicht unpassend» – glücklich. Ist der Bischof doch Opportunist und schamlos genug, um auch die ungezählten Kriege Roms als «gerechte Kriege» und seine äußere Größe als durch «Gottes Lohn» verdient zu erklären. Wurden Rom die Kriege ja nur durch die «Ungerechtigkeit» der Nachbarn aufgedrängt, indem die Randstaaten – die es immer gab, mochte man noch so weit expandieren – das ach so gerechte Imperium bedrohten. «Denn das Reich ist nur gewachsen durch die Ungerechtigkeit derer», behauptet der Heilige, «mit denen gerechte Kriege geführt worden sind. Es wäre klein, wenn ruhige und gerechte Nachbarn durch keine Unbill zum Krieg herausgefordert hätten . . .»! Auch führte es seine Kriege nicht, wie frühere Reiche, aus Genuß- und Habsucht, sondern aus edlen Motiven: Rom wollte Ruhm erlangen, den «Barbaren» Kultur bringen, Zivilisation – die «Pax Romana»[122].

Bei der Prüfung von fünfzehn Kriegen Roms in republikanischer Zeit, der Prüfung der drei Punischen Kriege, der drei Makedonischen Kriege, der drei Mithridatischen Kriege, der zwei Illyrischen Kriege, des Krieges gegen Antiochus III., des Jugurthinischen Krieges, des Gallischen Krieges, des Parthischen Feldzugs unter Crassus, mußte Sigrid Albert kürzlich feststellen, «daß nur eine sehr geringe Anzahl von Kriegen voll und ganz den eigenen römischen Anforderungen entsprachen und eindeutig als bella iusta bezeichnet werden konnte». Allerdings fand die Verfasserin die Zahl der bella iniusta ebenso gering, die meisten Kriege «nur ‹bedingt› gerecht», kurz, es erweist sich selbstverständlich, daß die Politik der Römer «darauf ausgerichtet war, ihre hegemoniale Stellung zu bewahren», deutsch gesagt: ihren Raub zu sichern.[123]

Augustinus aber berauscht sich förmlich an diesen Vernichtungsorgien – «wieviel kleinere Reiche wurden da zerrieben! Wie viele geräumige, berühmte Städte wurden zerstört, wie viele Staaten geschädigt, wie viele zugrunde gerichtet! . . . Welche Menschenmassen, Soldaten sowohl wie waffenloses Volk, sanken in

den Tod! Welche Unzahl von Schiffen wurde in Seeschlachten in
Grund gebohrt . . .» Und auch die Länge der Kriege erschüttert
ihn nicht, bestimmt doch auch sie der «liebe» Gott; finden Kriege
«rascher und zögernder ihr Ende, je nachdem es eben in seinem
Gutdünken und gerechten Ratschluß und Erbarmen gelegen ist,
das Menschengeschlecht zu züchtigen oder zu trösten». Oder
auch zu bessern. Soll es doch ausgerechnet, behauptet Augustin,
«durch dieses Mittel gebessert» werden! So kennt er stattliche
Kriegslängen. Achtzehn Jahre, zählt er auf, der zweite Punische
Krieg (218–201), 23 Jahre der erste (264–241), 40 der gegen
Mithridates und seinen Sohn Pharnakes (87–47), fast 50, mit
Unterbrechungen, der Samniterkrieg (342–290).[124]

Dabei war all dies, wie jedes Unglück und Grauen der Welt,
ganz gottgewollt, geschah es «nach dem Winke der höchsten
Majestät», verlieh der Allmächtige, Allgütige, Allweise «den Römern das Reich zu der Zeit, da er wollte, und in dem Umfang, wie
er es wollte». Denn bei jedem Krieg leitet Gott «Anfang, Fortgang
und Ende». Auch geschehen alle Kriegsgreuel, weiß Augustin, nur,
um den Gegner zu besiegen, um «die Bekriegten womöglich . . .
zu unterwerfen und ihnen dann die eigenen Friedensgesetze auf-
zuerlegen», geschieht letzten Endes alles bloß um des lieben
Friedens willen, «wollen doch selbst Kriegsfreunde nichts anderes
als den Sieg; durch den Krieg also wollen sie zu einem ruhmreichen Frieden gelangen. Denn was ist der Sieg anders als die
Unterwerfung der Gegner? Ist das erreicht, so tritt Friede ein. Um
des Friedens willen werden demnach die Kriege geführt . . .» So
gut somit das Schlechteste noch – tiefer gesehn! Wer indes fürchten sollte, selber dabei umzukommen, dem ruft der große Heilige
zu: «Es ist ja, das weiß ich, noch niemand gestorben, der nicht
irgendwann einmal hätte sterben müssen.» «Was aber liegt daran,
mit welcher Todesart dies Leben endet?» Oder, mit dem für
seinesgleichen noch zynischeren Zungenschlag: «Was hat man
denn gegen den Krieg? Etwa daß Menschen, die doch einmal
sterben müssen, dabei umkommen?» – also: wenn ihr ja sowieso
krepieren müßt, warum denn dann nicht lieber gleich! Wie schön
doch bestätigt all dies Karl Rahners, des Jesuiten, Wort, daß für

Augustin «Gott alles ist, der Mensch aber nichts»![125] Und entsprechend verhielt sich stets die Kirche. Und Gott, nie zu vergessen, ist sie selbst!

Daß es Krieg geben müsse, erscheint dem Verkünder der «Frohen Botschaft» selbstverständlich. Das war schließlich immer so. «Wann wurde die Erde in gewissen Abständen durch Zeit und Ort nicht durch Kriege erschüttert?» Und so wird es bleiben. «Ist es doch das Los des Erdkreises, immer wieder von solchem Unheil heimgesucht zu werden, ähnlich wie das stürmische Meer durch Unwetter aller Art aufgewühlt wird ...» Wirklich, Krieg und Frieden, gleichen sie nicht fast Ebbe und Flut – einem Naturgesetz? Aber, beruhigt Augustin, das alles geht vorüber. «Denn die gegenwärtigen zeitlichen Übel, die die Menschen gar sehr erschrecken, unter denen sie viel murren und durch ihr Murren den Richter beleidigen, auf daß sie keinen Erlöser mehr finden: die gegenwärtigen Übel also sind ohne Zweifel nur vorübergehende; entweder vergehen sie durch uns oder wir vergehen durch sie.» Eine wahrhaft tröstliche Philosophie – eine christliche.[126]

Im übrigen ist das mit dem Krieg wie mit der Folter (S. 485). Auch sie war ja eine Bagatelle für Augustin, verglichen mit der Hölle, sie war, selbst in schlimmster Form, «leicht», weil vergänglich, vorübergehend auch, eine «Kur» – alles zur Besserung und zum Besten des Menschen: die Folter, der Krieg. – Ein Theologe wird nie verlegen! Deshalb kennt er auch keine Scham.

Nur den Mißbrauch der Waffengewalt, ein weites Feld, verbot Augustin. Krieg als solcher war natürlich, wie ein Erdbeben, ein Seesturm, er war notwendig. Galt es doch – ganz evangelisch, jesuanisch! –, «das Unrecht zu rächen», radikalste Vergeltungsschläge zu führen, nach Augustin geradezu der Sinn des «gerechten Krieges». Und die grundsätzliche Aufgabe des Soldaten – «ein Leichtes»! – «der Gewalt mit Gewalt entgegenzutreten»[127].

Gewalt gegen Gewalt! Echt jesuanisch wieder! Auge um Auge. Zahn um Zahn!

Doch erweiterte Augustin, inspiriert durch seinen Kampf gegen die Donatisten, seine Kriegstheorie noch; unterschied er, neben der Lehre vom «gerechten Krieg» – der das (um 1150 verfaßte) Decretum Gratiani das Ansehen einer offiziellen Kirchenlehre verlieh –, noch den «Heiligen Krieg» (bellum Deo auctore). Indem die christlichen Schlächter dabei für den Glauben und gegen den Teufel, die «Ketzer», streiten, sind sie nun in besonderer Weise Gottes Diener. Hat doch dieser «Heilige Krieg» nicht etwa Potentaten und Militärs zum Urheber, sondern Gott selbst.[128]

Nicht selten aber, könnte man meinen, standen Augustin die Militärs näher als der Herr, zumindest als dessen Einrichtungen auf Erden.

Als beispielsweise der mit ihm befreundete Bonifatius, einer der maßgeblichen Befehlshaber in Afrika und der schillerndsten Männer der Zeit, ein eifriger Katholik auch und erfolgreicher Bekämpfer donatistischer Restgruppen, mit dem die katholischen Bischöfe gern kollaborierten, als General Bonifatius nach dem Tod seiner Frau in eine seelische Krise geriet und im Militärdienst ein Hindernis für seine Seligkeit sah, weshalb er ins Kloster gehen wollte, da protestierte Augustin. Obwohl ihm das Reisen verhaßt war, eilte er samt Freund Alypius – beide Bischöfe, beide Vorkämpfer des Mönchtums, beide schon im Greisenalter, beide heilig! – aus seinem weit entfernten Amtssitz nach dem Etappenort Thubunae, einem abgelegenen Grenzkastell, und widersprach dem frommen Plan. Zwar sollte Bonifatius nicht mehr heiraten, «keusch» bleiben – doch eben: als Soldat. Denn auch der Kriegsmann sei Gott wohlgefällig. Und so nötigte der Heilige, sonst gar behend zu «gloria et pax et honor in aeternum» ablenkend, den weltmüden General, unter Hinweis natürlich auf entsprechende Bibelstellen, aber auch, so der katholische Theologe Fischer, «aus einem gesunden Realismus» (alles ist Realismus und gesund, was die Macht der Kirche stützt!), seinen Mann lieber im Krieg zu stehn und die Catholica vor den arianischen Wandalen zu schützen. Dabei hatte sie der fromme Offizier, dem Augustin mehrere seiner Schriften widmete, anscheinend selber gerufen, ja, ihnen die Transportschiffe gestellt, wenn dies auch nicht unumstritten ist. Jedenfalls waren die Wandalen «moralisch», so wichtig doch sonst für den Seelenhirten, weit weniger «verkommen» als seine Katholiken. König Geiserich stellte in Afrika Ehebruch unter Strafe, schloß die Bordelle und zwang Dirnen zur Ehe. Dagegen kehrte Augustins Schützling und Beschützer, dem er das Mönchtum verwehrt hatte, 426 von einem Besuch bei Hof mit einer reichen Frau zurück, der «üppigen Pelagia, die sich zur arianischen Irrlehre bekannte», ließ auch die mit ihr gezeugte Tochter nach arianischem Ritus taufen und suchte sich überdies mit mehreren Konkubinen über die schweren Zeiten zu trösten. Doch focht er zum Schluß mit seiner Truppe nirgends anders als in Augustins Bischofsstadt, wobei dieser bis zuletzt den bewaffneten Widerstand «religiös und moralisch weitgehend unterstützte» (Diesner).[129]

«Faßt man die augustinischen Gedanken über Krieg und Frieden zusammen», resümiert ein moderner Katholik, «so ergibt sich fast der *klassische Pazifismus*». In der Tat – wie ihn Augustinus und die Kirche verstehn: Gewalt gegen Gewalt! Unrecht rächen! Guten Gewissens töten! Auch und gerade im Expansionskrieg «ein Glück» sehen! Und in der «Lehre Christi» über die Soldaten «das große Heil»![130]

Behauptet doch ein weiterer Jesusjünger noch heute: «Die Realität sah in diesem Fall so aus, daß seit dem 9. und dann besonders im 11. Jahrhundert, nicht zuletzt unter dem Einfluß des Abwehrkampfes gegen heidnische Völker, die Kirche dem Krieg gegenüber eine zunehmend positive Haltung einnahm...» (Auer). Als habe sie nicht schon im 4. und 5. Jahrhundert all die großen Gemetzel und Angriffskriege gebilligt, gefördert! Nicht schon damals den «klassischen Pazifismus» des Augustinus praktiziert! Oder den des Erzbischofs Synesios von Cyrene, der gegen die Asurianer, einen Wüstenstamm, und gegen Provinzstatthalter Andronikos, der die Kirche provozierte, mit dem Schriftwort trieb: «Glücklich ist, wer ihnen Vergeltung gibt; glücklich, wer ihre Jungen an den Felsen schlägt.» Der predigte: «Das Schwert des Henkers trägt nicht weniger zur Reinerhaltung der Bürgerschaft bei als das Weihwasser an der Kirchentür!» Als habe nicht seinerzeit schon Jeznik von Kolb, der bedeutendste Kirchenschriftsteller Armeniens, sich um eine Rechtfertigung der Blutrache gemüht! Nicht da schon Bischof Theodoret geschrieben: «Die geschichtlichen Tatsachen lehren, daß uns der Krieg größeren Nutzen bringt als der Friede!»[131]

Instruktiv auch wieder Augustins Schüler Orosius.

Krieg scheint Orosius manchmal etwas Grauenhaftes, das Schlimmste überhaupt. Doch waren im Grunde die miseriae bellorum eine Sache der heidnischen Zeit, ist die christliche Ära eine des friedlichen Fortschritts (vgl. S. 509 ff). Gibt es auch jetzt noch Kriege, was Orosius nicht abstreiten kann, so sind dies Strafgerichte Gottes, etwa wegen arianischer «Häresie», wie der Bürgerkrieg unter Konstantius II. oder die Vernichtung des «Ketzers» Valens bei Adrianopel (wobei auf das Konto dieser «Ketzer»-Kaiser und des Arianismus auch noch allerlei Erdbeben gehn). Gegen «Verteidigungskriege» hat Orosius selbstverständlich so wenig wie Augustin, und wie der billigt er auch gewisse Angriffskriege. Immer wenn ein Krieg im Interesse der eigenen Seite, des Christentums, des Römertums, geführt wird, drückt Presbyter Orosius ein Auge zu oder eins mehr und kann so nicht eigentlich ein Unglück sehn, zumal für ihn der römisch-christliche Staat der Idealstaat, der römisch-christliche Kaiser, sofern kein «Ketzer»-Kaiser (wie Konstantius oder Valens), der Idealkaiser, und diesem der Bürger unterworfen ist wie der Christ Gott. Sind dann in einem Krieg für solche Ideale die eigenen Verluste noch gering, sind es sogar «glückliche Kriege». Die Opfer der anderen Seite, der «Barbaren», der Goten (besonders böse, wenn sie Heiden, weniger böse, wenn sie Christen sind), kümmern Orosius nicht. Er tut dann so, als sei kein Tropfen Blut geflossen, wie ambivalent, widersprüchlich, er sich oft auch zu den «Barbaren» äußert, die ja mit göttlicher Genehmigung (permissu Dei) das Imperium heimsuchen, wenn er, Orosius, sie schließlich auch am liebsten wieder hinausgeworfen haben will.[132]

Peinlich sind nur Bürgerkriege, Römer gegen Römer, Christen gegen Christen. Doch solche Bürgerkriege sind, ähnlich wie nun die Verteidigungskriege gegen «Barbaren», dank göttlichem Beistand, kurz und fast schmerzlos, gänzlich anders als vordem, ohne erhebliche Verluste, meint Orosius. Ja, die Kriege seines

Idealkaisers, des Theodosius, der Sieg auf Sieg errungen und, so scheint es wieder, ohne jedes Blutvergießen, sind herrliche Zeugnisse der tempora Christiana. Und gerade die Bürgerkriege des Theodosius gegen die Rebellen Arbogast und Eugenius – seit Roms Gründung, versichert Augustins gelehriger Schüler, habe es nicht einen Krieg gegeben «mit solch frommer Notwendigkeit begonnen, mit solch göttlicher Glückseligkeit durchgeführt und mit solch milder Wohltat eingeschläfert . . .» Und während Orosius, der unerschütterliche Fortschrittsfanatiker, in sieben Jahrhunderten der vorchristlichen Zeit nur ein einziges Friedensjahr findet, verschwinden die Kriege in christlicher Ära, werden zur Ausnahme, bereits mit Christi Geburt kehrt Ruhe ein, die pax Augusta setzt sich in einer pax Christiana fort. Und nicht genug: zu den bereits bestehenden «glücklichen christlichen Zeiten» werden immer glücklichere kommen.[133]

Augustinus erlebte noch den Zusammenbruch der römischen Herrschaft in Afrika, als die Wandalen im Sommer 429 und im Frühjahr 430 Mauretanien und Numidien überrannten. Er erlebte noch die Vernichtung seines Lebenswerkes, ganze Städte gingen in Feuer auf, wurden entvölkert, ausgemordet, ohne daß irgendwo die von Staat und Kirche geschröpften katholischen Gemeinden Widerstand leisteten; zumindest gibt es keinen einzigen Bericht darüber. Das befestigte Hippo freilich wurde, wie erwähnt, von keinem anderen verteidigt als dem General Bonifatius, dem Gatten einer Arianerin, und von seinen gleichfalls arianischen Goten. Augustin aber, eingeschlossen, inmitten der Katastrophe, tröstete sich mit einem Wort, das an sein schlimmeres eignes erinnert: «Was hat man denn gegen den Krieg, etwa, daß Menschen, die doch einmal sterben müssen, dabei umkommen?», tröstete sich mit dem Wort: «Der ist nicht groß, der es für etwas sehr Bedeutsames hält, wenn Bäume und Steine fallen und Menschen sterben, die sterben müssen.» Es war das Wort eines Heiden – Plotins.[134]

Augustinus starb am 28. August 430 (vgl. S. 464), wurde am gleichen Tag beerdigt, ein Jahr später Hippo, von Bonifatius vierzehn Monate gehalten, evakuiert und teilweise niederge-

brannt. Augustins Biograph, der hl. Bischof Possidius, wie der
Meister ein eifriger Bekämpfer von «Ketzern» und Heiden, lebte
noch einige Jahre in den Ruinen, dann vertrieb ihn der arianische
Klerus aus Calama, wie er einst selber den Donatistenbischof
vertrieben hatte; weder Zeit noch Ort seines Todes sind bekannt.[135]

NACHBEMERKUNG

Kein Extrakt des Buches, keine Quintessenz – eine Erinnerung des Autors nur an des alten Terentianus Maurus Wort: Habent sua fata libelli.[1]

Das Schicksal dieses Titels begann in den fünfziger Jahren in Franken, als ich jäh von einem Höhenweg lief, meine Hunde um mich, immer hinunter, dem Waldrand zu, den Wiesen – ein paar Weiherflächen, verdöstes Froschgequarre, und drüben, gemächlich unter Apfelbäumen, zwei Herren in Schwarz. Ich griff zum Fernglas: wie vermutet, mein Pate nebst Gast, einem Erzabt aus Niederbayern. Etwas atemlos noch verfolgte ich beide, genoß, übers Wasser hin, ihr geistliches Gehen, so ruhig alles, friedlich, und dachte plötzlich: GOTT GEHT IN DEN SCHUHEN DES TEUFELS . . .

Dieser Gedanke bestimmte meine Arbeit, mein Leben. Er kostete schwere familiäre Opfer, sogar, vielleicht nicht nur mittelbar, unseren Sohn, damals noch gar nicht da; jetzt schon nicht mehr.

Ich hatte 1955 meinen ersten Roman geschrieben; in acht Tagen. Meine Mutter lag im Sterben. Ich eilte zu Ernst Rowohlt, dem bewunderten Verleger. Er weilte gerade, ich wußte es zufällig, in Baden auf der Bühler Höhe. Ich erschien unangemeldet, Siesta schon, er empfing mich noch und, wirklich, er kannte meinen Namen. «Sie sind doch der Mann, der die Vorträge hält!?» Jawohl. Aber ich *schrieb* auch – und griff im Sakko nach den ausgesuchten Seiten des Romans. Doch der Verleger von Dos Passos, Wolfe, Faulkner, Hemingway hatte Schwierigkeiten mit den Augen, auch von einer Dichterlesusng hielt er nichts, nein, telefonierte aber gleich mit seinem Lektor, und bereits zwei Wochen später hatte ich dessen Absage in der Hand.

Meine Mutter war schon ein Jahr tot, als ‹Die Nacht steht um mein Haus› bei List erschien. Christliches stand nur am Rand

darin. Mehr darüber brachte meine Umfrage (bei Hermann Ke-
sten, Hans Erich Nossack, Hans Urs von Balthasar, Max Brod,
Heinrich Böll, Arno Schmidt, Arnold Zweig, Robert Neumann
u. a.) «Was halten sie vom Christentum?» (1957). Auch Rowohlts
Lektor, Gruppe 47, war dabei. Über mein Verhalten, so gar nicht
nachtragend, verblüfft, nannte er «run» und «Sog» meines Romans jetzt «einmalig», verstand sein Verdikt nicht mehr und
schob alles auf einen «restaurativen Tag».

Ein Kritiker der Enquete vermißte *meine* Stellungnahme, warf
mir Feigheit vor. Ich nahm mir fünf Jahre Zeit, über 25 000
Arbeitsstunden, und betitelte meine Antwort ‹*Abermals krähte
der Hahn*›. Wieder hatte Rowohlt abgelehnt, List zugesagt. Doch
als der Hahn flügge wurde, zu sehr für List, der schon um den
Absatz seiner Schulbücher in Bayern bangte, erbat er ein Gutach-
ten – und ausgerechnet bei Rowohlts einstigem Lektor. Prompt
folgte ein Totalverriß, und List kündigte, auf Rückzahlung des
Vorschusses verzichtend, den Vertrag.

Die kritische Kirchengeschichte verlegte 1962 Günther, dann,
nach mehreren Auflagen, Rowohlt als Taschenbuch, darauf Econ
wieder als Hardcover, eine zweite Taschenbuchlizenz erwarb
Moewig², eine dritte gebundene Neuausgabe erscheint, zugleich
mit diesem Band, bei Econ. ‹*Abermals krähte der Hahn*› lag
ursprünglich der Einfall GOTT GEHT IN DEN SCHUHEN DES TEU-
FELS zugrunde: eine Dokumentation aller Schandtaten des Christentums. Doch wurde etwas ganz anderes daraus: im wesentlichen eine frühchristliche Dogmen-, teilweise eine vergleichende
Religionsgeschichte. Nur die letzten 100 Seiten näherten sich der
anfänglichen Idee, und erst der Versuch, mich (1969/71) wegen
«Kirchenbeschimpfung» zu kriminalisieren, brachte mich wieder
auf GOTT GEHT IN DEN SCHUHEN DES TEUFELS zurück, und ich bot
Rowohlt eine ‹*Kriminalgeschichte des Christentums*› an. Rasche
Zusage jetzt, Vertrag: das Buch sollte 220 Seiten Umfang haben
und 1972 erscheinen.

Das Material jedoch, Notizen, Exzerpte, Kopien, schwoll an,
ich folgte dem Anspruch, alles noch gründlicher, noch überzeugender zu machen, immer besser quellenkritisch abzusichern

auch – und wußte doch, je triftiger grade, desto giftiger die Diffamierung, noch über meinen Tod hinaus.

1972 war längst vergangen, inzwischen ‹Das Kreuz mit der Kirche›, meine Sexualgeschichte des Christentums, 1974 bei Econ erschienen (da Kindler, trotz Vorschuß, wieder verzichtet hatte); erschienen war auch meine umfangreiche Monographie päpstlicher Politik im Zeitalter der Weltkriege, ‹Ein Jahrhundert Heilsgeschichte›, 1982/83 bei Kiepenheuer & Witsch.

Nur Rowohlt drängte nie, bestand auch nicht mehr auf dem knappen Umfang der «Kriminalgeschichte», genehmigte mehrere Bände. Wirklich, Lektor Hermann Gieselbusch hatte für meine Heidenarbeit eine Engelsgeduld, und so verlegt nun doch Rowohlt den ersten Anstoß (und mein letztes Ärgernis) GOTT GEHT IN DEN SCHUHEN DES TEUFELS, wenn auch erst, zum Vorteil immerhin des (neuen) Titels, dreißig Jahre danach.

Habent sua fata libelli.

Anmerkungen, Quellennachweise, Literaturverzeichnis, Personen- und Sachregister wird der Leser am Ende des zweiten Bandes finden, der die Darstellung der Antike abschließt. (Vgl. S. 9 und 11 – gemäß der «Bellman-Regel»: Sag's dreimal, und dir wird geglaubt.)

ÜBER DEN AUTOR

Deschner, Karlheinz, *23. 5. 1924
Bamberg.

D., Sohn eines Forstoberamtmanns, war nach dem Abitur von
1942–45 Soldat. Von 1947–51 studierte er Germanistik, Geschichte, Philosophie und Theologie und promovierte mit einer
Arbeit über Lenau. Seit 1951 arbeitet er als freier Schriftsteller;
lebt heute in Haßfurt. Er ist Mitglied des PEN-Clubs. – Neben
einer regen Tätigkeit als Vortragender und als Publizist für Zeitschriften des In- und Auslands ist D. hervorgetreten als Heraus-
geber zahlreicher Sammelwerke, als Verfasser von Romanen,
literarischen Streitschriften und kirchenkritischen Arbeiten. In
seinen beiden Romanen verarbeitet er autobiographische Erlebnisse. So schildert er in *die nacht steht um mein haus* in intensiver
Sprache die Verzweiflung des Ich-Erzählers über das eigene Un-
genügen und die bereits wieder saturierte Bundesrepublik.

Bekannt wurde D. durch seine literaturkritischen Arbeiten
Kitsch, Konvention und Kunst und *Talente, Dichter, Dilettanten*,
in denen er vehement für verkannte Schriftsteller (u. a. Jahnn,
Broch, Musil) eintrat und sich gegen die Überschätzung u. a. von
Autoren der Gruppe 47 wandte. Seit dem Ende der 50er Jahre
setzt sich D. in zahlreichen Werken mit der (katholischen) Kirche
auseinander. Immer aufs neue prangert er in seinen äußerst ma-
terialreichen Arbeiten die Doppelmoral, Triebfeindlichkeit und
politische Korrumpierbarkeit der Amtskirchen an. D. arbeitet
z. Z. an einer mehrbändigen *Kriminalgeschichte des Christentums.*

W.: Romane: die nacht steht um mein haus, 1956 (bearb. 63);
Florenz ohne Sonne, 58 (bearb. 73). – *Essays, theoretische Schriften:* Lenaus metaphysische Verzweiflung und ihr lyrischer Ausdruck, 51 (masch. Diss.); Kitsch, Konvention und Kunst, 57
(bearb. 80); Abermals krähte der Hahn. Eine kritische Kirchen-

geschichte von den Anfängen bis zu Pius XII., 62; Talente, Dichter, Dilettanten, 64; Mit Gott und den Faschisten. Der Vatikan im Bunde mit Mussolini, Franco, Hitler und Pavelić, 65; Kirche und Faschismus, 68; Der manipulierte Glaube. Eine Kritik der christlichen Dogmen, 71; Kirche des Un-Heils, 74; Das Kreuz mit der Kirche. Eine Sexualgeschichte des Christentums, 74; Der gefälschte Glaube, 80; Ein Papst reist zum Tatort, 81; Ein Jahrhundert Heilsgeschichte. Die Politik der Päpste im Zeitalter der Weltkriege, 2 Bde, 82/83. – *Herausgebertätigkeit:* Was halten Sie vom Christentum? 18 Antworten auf eine Umfrage, 57; Jesus-Bilder in theologischer Sicht, 66; Das Jahrhundert der Barbarei, 66; Wer lehrt an deutschen Universitäten?, 68; Das Christentum im Urteil seiner Gegner, 2 Bde, 69–71; Kirche und Krieg. Der christliche Weg zum ewigen Leben, 70; Warum ich aus der Kirche ausgetreten bin, 70; Warum ich Christ/Atheist/Agnostiker bin, 77 (mit Friedrich Heer und Joachim Kahl).

Artikel aus dem «Autorenlexikon deutschsprachiger Literatur des 20. Jahrhunderts», herausgegeben von Manfred Brauneck, Reinbek (Rowohlt) 1984

rowohlts monographien

Ein Gesamtverzeichnis der Reihe *rowohlts monographien* finden Sie in der *Rowohlt Revue*. Vierteljährlich neu. Kostenlos in Ihrer Buchhandlung.

rowohlts monographien
Begründet von Kurt Kusen-
berg, herausgegeben von
Wolfgang Müller und Uwe
Naumann.

Theodor W. Adorno
dargestellt von
Hartmut Scheible
(50400)

Hannah Arendt
dargestellt von
Wolfgang Heuer
(50379)

Aristoteles
dargestellt von J.-M. Zemb
(50063)

Walter Benjamin
dargestellt von Bern Witte
(50341)

René Descartes
dargestellt von Rainer Specht
(50117)

Ludwig Feuerbach
dargestellt von
Hans-Martin Sass
(50269)

Johann Gottlieb Fichte
dargestellt von
Wilhelm G. Jacobs
(50336)

Michael Foucault
dargestelt von
Bernhard H. F. Taureck
(50506)

Georg Wilhelm Friedrich Hegel
dargestellt von
Franz Wiedmann
(50110)

Martin Heidegger
dargestellt von
Walter Biemel
(50200)

Karl Jaspers
dargestellt von Hans Saner
(50169)

Immanuel Kant
dargestellt von Uwe Schultz
(50101)

Gottfried Wilhelm Leibniz
dargestellt von
Reinhard Finster und
Gerd van den Heuvel
(50481)

Karl Marx
dargestellt von
Werner Blumenberg
(50076)

Karl Popper
dargestellt von
Manfred Geier
(50468)

Jean-Paul Sartre
dargestellt von
Walter Biemel
(50087)

Der Wiener Kreis
dargestellt von
Manfred Geier
(50508)

rowohlts monographien

Ein Gesamtverzeichnis der Reihe *rowohlts mono-graphien* finden Sie in der *Rowohlt Revue*. Vierteljährlich neu. Kostenlos in Ihrer Buchhandlung.

Literatur

rowohlts monographien

Ein Gesamtverzeichnis der
Reihe *rowohlts mono-
graphien* finden Sie in der
Rowohlt Revue. Vierteljährlich neu. Kostenlos in Ihrer
Buchhandlung.

Geschichte / Politik

rowohlts monographien

Ein Gesamtverzeichnis der Reihe *rowohlts monographien* finden Sie in der *Rowohlt Revue*. Vierteljährlich neu. Kostenlos in Ihrer Buchhandlung.